JN303144

団体・組織と法

―― 日独シンポジウム ――

松本博之
西谷　敏 編
守矢健一

信山社

VERBÄNDE, ORGANIZATIONEN UND RECHT

Japanisch–deutsches Symposion Osaka 2005

Herausgegeben

von

Hiroyuki MATSUMOTO

Satoshi NISHITANI

Kenichi MORIYA

SHINZANSHA VERLAGSBUCHHANDLUNG

TOKYO 2006

はしがき

　自由な個人からなる社会と言う古典的市民社会のイメージは，今日見直しを迫られている。いわゆる民営化，非政府団体組織（NGO），非営利団体（NPO），消費者団体といったさまざまな団体が，アクターとして社会的に無視し得ない活動を展開している。コーポレートガバナンスや団体訴訟制度の議論も活発である。法形成活動も，かつてのように民主主義的正統性に立脚した国家の排他的任務ではなく，ヨーロッパ連合に見られるように，国境を越えた営為になりつつある。法と政治はこのような現象にどう対処していけばよいのか，今切実に問われている。

　この課題への対処には，異なる歴史的文化的社会的背景をもつ日独双方で，相違がありうる。他方，国際化の進展により文化的差異そのものが相対化されており，双方の研究者は視差を生かしつつ，力を合わせ研究成果を共通財産とすることが肝要である。国際的な学問的認識を提供し，実務に信頼できる指針を与えることができれば幸いである。

　大阪市立大学法学部とフライブルグ大学法学部とは1991年以来統一テーマのもと共同シンポジウムを定期的に開催し，今回で第6回を迎えた。

　シンポジウムは，2005年3月31日の午後に始まり，金児曉嗣・大阪市立大学学長，平覚・大阪市立大学法学研究科長（法学部長・当時），Dieter Leipold・フライブルグ大学法学部教授の開会の挨拶があり，続いて基調講演に移った。Thomas Würtenberger教授，Rolf Stürner教授および守矢健一助教授の基調講演は，いずれも力の入ったすばらしい講演であった。ことに，Stürner教授の講演「クラス・アクションと人権」は，外国国家による人権侵害や外国国家の人権侵害に加担した企業を相手方とする人権侵害に基づく損害賠償請求訴訟を扱った。これは今日広くドイツでも知られており，日本でも日本国が被告となる訴訟が提起されている。このような外国または外国企業による人権侵害につき訴訟による権利救済の道を発展させてきたのはアメリカ合衆国であることを指摘した。アメリカのクラス・アクションを用いて，この10年第二次世界大戦の歴史的不法を問う訴訟

がアメリカ合衆国で提起され，注目を集めている。Stürner 教授はクラス・アクションの手段のメリットとデメリットをアメリカの法文化をも視野に入れて比較法的に考察した。このようにアメリカ法の動向をも視野に入れた基調講演は，翌日からの各分野の個別報告への関心を高めるものであった。事実，政治学・公法・私法・訴訟法に及ぶ盛りだくさんな現代的で興味深い講演が続いた。シンポジウムは各大学の専門家・実務家その他市民の参加を得て進められ，活発な討論が行われた。

　本共同シンポジウムを開催するに当たり，ドイツ側の代表者として計画段階から実施まで種々ご協力をいただいた Leipold 教授，報告者のみなさま，さらに当日シンポジウムの討論に参加された方々に心より感謝の意を表する次第である。また，財団法人民事紛争処理研究基金，財団法人学術振興野村基金，財団法人有恒会からは，絶大な支援を得ることができた。厚くお礼申し上げる。

　出版に当たっては，いつもながら信山社出版の袖山貴さん，渡辺左近さん，柴田尚到さんにお世話になった。記して感謝申し上げる。

2006年7月

松本博之
西谷　敏
守矢健一

目　次

はしがき

基調講演

多元主義国家の理論と実際
　　　　　…………トーマス・ヴュルテンベルガー〔西谷　敏訳〕…3

 I　理論的な出発点 (3)
  1　多元主義国家の構造的メルクマール (5)
   (1)　開放性 (5)
   (2)　闘う多元主義 (7)
  2　多元主義的な公共の福祉の具体化 (9)
 II　歴　史 (10)
  1　縁故関係に基礎をおく政治秩序の終焉 (11)
  2　多元主義の基本権的保障 (12)
  3　多元主義国家に対する留保 (12)
 III　ドイツ連邦共和国における国家組織と政治的現実の構造要素
  としての多元主義 (13)
  1　民主主義理解の新たな方向性 (14)
   (a)　代表民主制から多元的民主主義へ (14)
   (b)　多元主義的なコンセンサス民主主義か，試行錯誤の
   　　民主主義か？(16)
  2　法形成と法執行の過程における多元主義 (16)
   (1)　法制定の領域 (17)
    (a)　法制定と政治に対する諸団体の働きかけのモデル (17)
    (b)　保障国家（Gewährleistungsstaat）における諸団体の強化 (20)
   (2)　行政の領域 (21)
    (a)　多元主義的組織 (21)
    (b)　多元主義的関与への行政の開放 (22)
   (3)　裁判の領域 (22)
 IV　おわりに (23)

クラス・アクションと人権 …ロルフ・シュテュルナー〔松本博之訳〕…27

iv　目次

- I　はじめに (27)
- II　アメリカ合衆国の法文化と人権訴訟 (27)
    1. 近代へのアメリカ合衆国の人権訴訟の道のり (28)
    2. 現代的な展開の基本的特徴 (29)
        - (1) 特徴的な事案グループ (29)
        - (2) クラス・アクションの典型的問題領域の外での勝訴障害 (30)
        - (3) クラス・アクションの特別の困難 (32)
    3. アメリカ合衆国の総決算 (33)
- III　大陸ヨーロッパの基本的了解 (34)
    1. 完全免責か (34)
    2. 狭い請求権基礎か (35)
    3. 人権訴訟についての普遍的なヨーロッパ裁判籍は存在しない (36)
    4. 集団的権利行使が創設される可能性は少ない (36)
    5. 反対モデルとしての法律上の基金処理 (37)
- IV　アメリカ流の思想所産の継受か，それとも固有の新たな解決か (38)
    1. 「競争社会」の道具による人権の実現か (38)
    2. ずっと進んだモデルによる実効性 (39)

ギールケのラーバント批判 (1883) をめぐって ………… 守矢健一…41

- I　ラーバントとギールケの論争の歴史的背景について (41)
- II　ラーバントの国法学についての復習 (45)
- III　ギールケのラーバント批判はどこからはじまるのか？ (47)
- IV　自然法の回帰またはラーバントのメランコリー (50)
- V　ギールケの相対主義とその限界 (54)
- VI　ドイツ理論の歪められた像としての日本の国法学 (57)

第I部　商法・経済法

法的に複数である経済的単一体
　　　　　　　………………………… ウベ・ブラウロック〔高橋英治訳〕…63
――経済監督法におけるドイツのコンツェルンの地位――

- I　序論 (63)
- II　コンツェルンの法的把握 (64)

Ⅲ　カルテル法を焦点としたコンツェルン（65）
　　　　1　競争制限禁止法の対象（65）
　　　　2　コンツェルンは競争制限禁止法の意味での企業であるか（65）
　　　　　(1)　株式法における規制の意義（65）
　　　　　(2)　競争制限禁止法36条2項の言明力（66）
　　　　　(3)　法的独立性の必要性（68）
　　　　3　行為方式（68）
　　　　　(1)　第三者たる企業に対する行為（68）
　　　　　(2)　コンツェルン形成と既存のコンツェルンの内部における取り決め（69）
　　　　　　　(a)　垂直コンツェルン，株式法18条1項（70）
　　　　　　　(b)　水平コンツェルン（71）
　　　　4　まとめ（73）
　　Ⅳ　銀行監督におけるコンツェルン（74）
　　　　1　銀行監督の目的（74）
　　　　2　KWG1条にいうコンツェルン？（75）
　　　　3　コンツェルン構造が予見可能な規範（76）
　　　　　(1)　KWG2条1項7号，4項5号による「コンツェルン特権」（77）
　　　　　(2)　KWG10a条による連結義務（77）
　　　　　(3)　KWG13，13a，19条による大口債権の上限および信用享受者の地位（78）
　　　　　　　(a)　信用享受者の地位（78）
　　　　　　　(b)　信用供与者の地位（79）
　　　　　(4)　KWG33条1項3号および2b条による重要な持分権者によるコントロール（79）
　　　　　(5)　企業結合における結びつき，KWG33条3項1号，2b条1項a1号（80）
　　Ⅴ　結　語（81）

日本におけるコーポレート・ガバナンス……………………高橋英治…83
　　——ドイツにおける将来の改革の先取りか？——
　　Ⅰ　はじめに（83）
　　Ⅱ　日本における一元型の機関導入（84）
　　　　1　戦前におけるコーポレート・ガバナンス（84）
　　　　2　戦後日本企業のコーポレート・ガバナンス（86）

　　　　3　委員会設置会社の導入（87）
　　　　4　ドイツ法と一元型コーポレート・ガバナンス（89）
　　Ⅲ　日本における株主代表訴訟の導入（91）
　　　　1　株主代表訴訟制度の導入（91）
　　　　2　第一期・代表訴訟の萌芽（1950年－1993年）（92）
　　　　3　第二期・代表訴訟の爆発的増加と濫用防止（1993年－1999年）（94）
　　　　4　第三期・立法による改革（2000年―　）（97）
　　　　5　ドイツ法と株主代表訴訟（100）
　　Ⅳ　日本とドイツは相互に何を学ぶことができるか（103）

ドイツにおける株式法の改正：基本方針および基本的傾向
　　　　　　　　……ハンノ　メルクト〔小柿徳武／守矢健一訳〕…105
　　Ⅰ　導入：株式法が恒常的に改正されるというイメージ（105）
　　Ⅱ　現代化と規制高度化の間の株式法改革（109）
　　Ⅲ　利益多元的特質から利益単一性的特質への株式法の転換：しのびよるアメリカ化（112）
　　Ⅳ　会社法と資本市場法の間の株主保護（122）
　　Ⅴ　取消訴訟におけるアクセントの，共同経営権的な把握から財産権的把握への移動（128）
　　Ⅵ　結　語（129）

第Ⅱ部　民事訴訟法

民事訴訟の集団化
　　　　　　　　……ディーター・ライポルド〔髙田昌宏／松本博之訳〕…133
　　――ドイツ法およびヨーロッパ法による団体訴訟の近時の展開について――
　　Ⅰ　序（133）
　　Ⅱ　ヨーロッパの次元（135）
　　　　1　ヨーロッパ消費者保護法における集団的権利保護の凱旋行進（135）
　　　　2　不作為訴訟指令による国境を越えた有効性の確保（136）
　　　　3　団体訴訟のための国際裁判管轄（137）
　　Ⅲ　ドイツの国内法化と不作為訴訟法におけるさらなる展開（139）
　　　　1　法律の成立（139）

         2 団体訴訟の客観的射程（140）
         3 提訴権能のある組織（140）
         4 手続法上の特殊性（141）
         5 著作権法の領域における団体訴訟の新しい適用分野（143）
     Ⅳ 競争法における団体訴訟の更なる発展，とくに利益剥奪訴訟（144）
         1 競争法上の団体不作為訴訟（144）
         2 ドイツ法にとって全く新しいこと：利益剥奪訴訟（145）
     Ⅴ もっと集団的なもの：反差別団体と反差別機関（148）
         1 差別禁止法草案とヨーロッパにおける背景（148）
         2 反差別団体による権利保護の支援（150）
         3 国家官庁による援助：連邦の反差別機関（151）
     Ⅵ 全体的考察（151）

わが国における団体訴訟制度の導入について …………髙田昌宏…153
――消費者訴訟を中心にして――

     Ⅰ はじめに（153）
     Ⅱ わが国における集団的権利保護をめぐる理論の展開と立法（154）
         1 従来の法状態と理論の展開（154）
         2 立法論議の進展（159）
     Ⅲ ドイツにおける団体訴訟制度の現状（161）
         1 ドイツ法における団体訴訟制度の展開（161）
         2 団体訴訟制度の目的（162）
         3 団体訴訟の法的性質（163）
         4 手続的問題（164）
         5 利益剥奪請求訴訟と団体訴訟（165）
     Ⅳ わが国の消費者団体訴訟立法の方向（166）
         1 「国生審最終報告書」における消費者団体訴訟制度モデル（166）
             (1) 消費者団体訴訟の必要性（167）
             (2) 消費者団体訴訟の法的構成（167）
             (3) 適格消費者団体の要件（168）
             (4) 訴訟手続（168）
         2 「日弁連意見書」における消費者団体訴訟制度モデル（169）
         3 団体訴訟の導入に際しての問題点（170）

V　わが国の消費者団体訴訟制度の導入とそのあり方（171）
　　　1　消費者団体訴訟制度の必要性（171）
　　　2　消費者団体の提訴権の構成（172）
　　　3　消費者団体の適格要件（174）
　　　4　消費者団体訴訟の訴訟手続（176）
　　　5　消費者団体による損害賠償請求（178）
　　VI　お わ り に（180）

第Ⅲ部　社会保障法

ドイツ労働・社会法秩序における団体の機能
　　　　　　　　　　　　　　………………………ウルズラ・ケーブル〔西谷　敏訳〕…185

　　は じ め に（185）
　　I　労働と社会保障の領域における団体多元主義（186）
　　　1　団結 Koalitionen（「ソーシャル・パートナー」）（186）
　　　　(1)　団結の発展について（186）
　　　　(2)　団結の概念について（188）
　　　　(3)　団結の危機（190）
　　　2　労働法秩序におけるその他の経営者団体，職業的団体，自営業団体（193）
　　　3　社会保障法秩序におけるその他の団体（194）
　　II　私的経済における団体権力（196）
　　　1　労働協約自治を通じての団体による支配体制（Verbandsregime）（197）
　　　　(1)　広汎な協約規整領域（197）
　　　　(2)　労働協約の拘束力（199）
　　　　(3)　協約自治の個別自治への開放の狭さ（200）
　　　2　事業所組織に対する団体の影響（202）
　　　　(1)　従業員代表委員会と労働組合の原則的分離（202）
　　　　(2)　事業所自治に対する協約自治の優位（203）
　　　3　企業の共同決定に関する団体の影響（205）
　　III　社会保障領域の自治における団体権力（208）
　　　1　社会保険法における規範設定（208）
　　　　(1)　機能的な自治の基本構造（208）
　　　　(2)　自治の裁量範囲（概観）（211）
　　　　(3)　疾病保険における法規範設定制度の例（217）

　　　　(4)　自治の民主主義的正統性の問題 (222)
　　　　(5)　展　望 (228)
　　2　社会扶助法における規範設定 (230)
　Ⅳ　裁判および法執行への団体の参加 (230)
　　1　労働裁判所および社会裁判所における非職業的裁判官としての
　　　　団体構成員 (230)
　　2　訴訟代理人としての団体構成員 (235)
　　3　労働裁判所と社会裁判所における団体の訴訟資格 (236)
　Ⅴ　社会国家的任務の共同目的団体への委任 (237)
　おわりに (240)

社会保障制度における「団体」の位置づけについて …木下秀雄…241
　　──医療保障制度における「医師団体」の役割を例に，日独比較の視点から──

　Ⅰ　はじめに (241)
　Ⅱ　日本の医療保障の概観 (241)
　　1　医療保障制度構造 (241)
　　2　日本の医療保障の現状 (243)
　Ⅲ　日本における医療保障制度と「医師団体」の制度的位置づけ (245)
　　1　日本の保険医療供給体制 (246)
　　2　診療基準ないし報酬基準の決定方式と「医師団体」(248)
　　3　診療報酬の支払方式と「医師団体」(249)
　　4　被保険者自己負担の徴収方式と「医師団体」(250)
　　5　医師団体の法的性格 (251)
　Ⅳ　若干の検討 (252)
　　1　福祉国家レジュームの比較の視点から (252)
　　2　日本における社会保障制度の展開の中での「団体」の役割への期待 (253)
　　3　ドイツにおける今後の展開について (254)
　Ⅴ　まとめにかえて (255)

第Ⅳ部　刑　事　法

企業の犯罪に対する刑事責任 …ヴァルター・ペロン〔髙田昭正訳〕…261
　　──個人的責任か集合的責任か──

Ⅰ　〈個人刑法〉と〈団体刑法〉の対立 (261)
　　Ⅱ　企業に関係した犯罪に対する〈個人刑法〉上の責任の基礎 (263)
　　Ⅲ　故意の犯罪 (267)
　　　　1　責任の垂直的な分配 (267)
　　　　2　責任の水平的な分配 (271)
　　Ⅳ　過失の犯罪 (273)
　　Ⅴ　結びに代えて (275)
　　Ⅵ　補遺——独立の〈団体刑法〉の問題点について (276)

日本における法人の刑法上の責任……………………………浅田和茂…279
　　Ⅰ　は じ め に (279)
　　Ⅱ　法人の犯罪能力 (279)
　　　　1　判　例 (279)
　　　　2　学　説 (280)
　　Ⅲ　両 罰 規 定 (282)
　　　　1　立　法 (282)
　　　　2　判　例 (282)
　　　　3　学　説 (283)
　　Ⅳ　監督責任・行為責任 (284)
　　　　1　法人の監督責任 (284)
　　　　2　法人の行為責任 (285)
　　Ⅴ　罰金額連動の切り離し (286)
　　　　1　立　法 (286)
　　　　2　学　説 (287)
　　　　3　私　見 (288)
　　Ⅵ　お わ り に (289)

第Ⅴ部　公法・政治学

国家の秩序枠組みのなかでの社会の自己統御
　　　　…………………フリードリヒ・ショッホ〔中原茂樹訳〕…293
　　Ⅰ　導入：ドイツ行政法における変革状況 (293)

1 前提：国家（規制）法の制御の喪失（293）
   2 結果：国家セクターと社会セクターとの間の構造変化（294）
 Ⅱ 社会の自己統御の拡大の原因および展開（295）
   1 一般的な展開（295）
   2 保証行政法の発生（296）
    (1) 任務遂行における国家の後退（296）
    (2) 国家活動の変化の原因（297）
   3 新しい秩序モデルの要素としての，国家の統御と社会の自己統御（298）
 Ⅲ 社会の自己統御の諸分野（299）
   1 経済公法（299）
   2 環境法（301）
   3 情報法（304）
 Ⅳ 行政法ドグマーティクに対する要請（306）
   1 法秩序への挑戦（307）
    (1) 憲法上の手がかり（307）
    (2) システムの継続性とシステムの変革との対立（307）
   2 国家の責任の更なる発展（308）
 Ⅴ 展望：法律学の課題としてのシステム構築（309）

国家以外の団体または民間団体による行政任務の遂行
　　　　　　　　　　　　　　　　　　　　　　　　　　　　中原茂樹…313

 Ⅰ はじめに（313）
 Ⅱ 独立行政法人（314）
 Ⅲ PFI および指定管理者制度（318）
 Ⅳ 結 び（320）

日本国憲法における人権享有主体としての個人と団体
　　　　　　　　　　　　　　　　　　　　　　　　　　　　佐々木雅寿…321

 Ⅰ はじめに（321）
 Ⅱ 人権主体としての個人（323）
   1 人権主体としての人間と個人──一般的・抽象的人間と個性的・具体的個人（323）

2　強い個人と弱い個人（324）
　　　　（1）強い個人と弱い個人の対立（324）
　　　　（2）発展的人間像（325）
　　　　（3）ありのままの個人（325）
　Ⅲ　人権主体としての団体（326）
　　　1　従来の法人の人権論とその問題点（326）
　　　2　団体の人権享有の根拠（327）
　　　　（1）学　説（327）
　　　　　　（a）従来の通説的見解（327）
　　　　　　（b）否定説（328）
　　　　　　（c）結社の自由説（329）
　　　　（2）判　例（329）
　　　　（3）検　討（330）
　　　3　団体の人権が個人の人権よりも制約されうる根拠（331）
　　　　（1）従来の学説（331）
　　　　（2）判　例（332）
　　　　（3）検　討（332）
　Ⅳ　個人の人権と団体の人権の調整（333）
　　　1　はじめに（333）
　　　2　団体とその構成員との人権調整（333）
　　　　（1）従来の学説（333）
　　　　（2）判　例（334）
　　　　　　（a）労働組合と組合員の関係（334）
　　　　　　（b）強制加入団体（335）
　　　　（3）検　討（337）
　　　　　　（a）団体の目的に直結する人権と構成員の人権の調整（337）
　　　　　　（b）団体の目的に付随する人権と構成員の人権の調整（338）
　　　　　　（c）団体の目的に関連しない人権（340）
　　　3　団体と団体外の個人との人権調整（340）
　　　　（1）団体の目的に直結する人権と団体外の個人の人権の調整（340）
　　　　（2）団体の目的に付随する人権と団体外の個人の人権の調整（341）
　　　　（3）団体の目的に関連しない人権（341）
　Ⅴ　憲法が予定する個人と団体の関係（341）
　Ⅵ　おわりに（343）

国際的レベルでの団体の役割 …ライナー・ヴァール〔松本博之訳〕…345

 Ⅰ 問題：内部と外部，国内問題と国際問題（345）

 Ⅱ 国家の向こう側でのアクター（348）

  1 社会的な領域の国際化（349）

   (1) 基礎現象としての脱国境化（Entgrenzung）（349）

  2 国際的な領域における私的な協会と利益団体（Vereinigungen und Interessenverbände）の現実分析（349）

  3 政治的・公的領域における特有のアクター：非政府組織（NGO）（351）

 Ⅲ NGOの意味と法的地位（352）

  1 NGOの定義と限界づけ（352）

  2 NGOの諸目的と諸目標（353）

  3 国際政治の実務におけるNGOの役割（354）

  4 NGOは国際法主体か（356）

 Ⅳ NGOは民主主義的機能を有するか（360）

団体，統治，正統性 …………………………………………野田昌吾…365
――団体の政治的役割とその変容――

 Ⅰ は じ め に（365）

 Ⅱ 近代以前の"団体による統治"（368）

 Ⅲ 近代国民国家と団体（371）

 Ⅳ "団体による統治"の終焉か，新しい"共同統治"か？（375）

 Ⅴ "民主的統治"実現のための3つの問題領域――むすびにかえて（381）

  1 国家統治の再定義の妥当性（381）

  2 国家を超えた制御問題への対応（382）

  3 社会の再構築（385）

INHALTSVERZEICHNIS

〈執筆者・翻訳者紹介〉

西谷　敏　　　大阪市立大学大学院法学研究科教授
松本博之　　　大阪市立大学大学院法学研究科教授
守矢健一　　　大阪市立大学大学院法学研究科助教授
高橋英治　　　大阪市立大学大学院法学研究科助教授
小柿徳武　　　大阪市立大学大学院法学研究科助教授
髙田昌宏　　　大阪市立大学大学院法学研究科教授
木下秀雄　　　大阪市立大学大学院法学研究科教授
高田昭正　　　大阪市立大学大学院法学研究科教授
浅田和茂　　　大阪市立大学大学院法学研究科教授
中原茂樹　　　大阪市立大学大学院法学研究科助教授
佐々木雅寿　　大阪市立大学大学院法学研究科教授
野田昌吾　　　大阪市立大学大学院法学研究科助教授

トーマス・ヴュルテンベルガー　　フライブルグ大学法学部教授
ロルフ・シュテュルナー　　　　　フライブルグ大学法学部教授
ウベ・ブラウロック　　　　　　　フライブルグ大学法学部教授
ハンノ・メルクト　　　　　　　　フライブルグ大学法学部教授
ディーター・ライポルド　　　　　フライブルグ大学法学部教授
ウルズラ・ケーブル　　　　　　　フライブルグ大学法学部教授
ヴァルター・ペロン　　　　　　　フライブルグ大学法学部教授
フリードリヒ・ショッホ　　　　　フライブルグ大学法学部教授
ライナー・ヴァール　　　　　　　フライブルグ大学法学部教授

基調講演

多元主義国家の理論と実際

トーマス・ヴュルテンベルガー

西谷　敏訳

I　理論的な出発点

　多元主義的社会にあっては，意見の相違がいかに表明され，いかに処理されるかについて，合意が成立している。人々は，たしかに世界観，倫理，文化，社会，経済などの諸問題に関して異なった立場をとることがありうるが，現実社会の政策上の論争問題は，政治的意思決定という民主的に開かれた手続[1]によって解決される。現代社会のこの精神的な多元主義は，自由で開かれた討論（Diskurs）のモデルに負っている。多元主義社会は，討論のなされる社会である。多元主義社会は，政治的意思決定の公正な手続において，対立する立場が説得力をもった論拠を示して行う討論によって生命を与えられるのである。

　多元主義社会における討論は，ポッパーとその学派による批判的合理主義の認識哲学と科学哲学によって正統化されうる[2]。また，それを根拠づけようとする

（1）　多元主義理論については，*U. v. Alemann* (Hg.), Neokorporatismus, 1981; *U. v. Alemann/G. Heinze* (Hg.), Verbände und Staat, 1979; *K. v. Beyme*, Interessengruppen in der Demokratie, 5. Aufl. 1980; *R. A. Dahl*, Dilemmas of Pluralist Democracy, 1982; *A. Reszler*, Le pluralisme, 1990; *D. Grimm*, Verbände, in: Benda/Maihofer/Vogel (Hg.), Handbuch des Verfassungsrechts der Bundesrepublik Deutschland, 2. Aufl. 1994, § 15; *P. Häberle*, Die Verfassung des Pluralismus, 1980; *J. H. Kaiser*, Die Repräsentation organisierter Interessen, 2. Aufl. 1978; *H. Kremendahl*, Pluralismustheorie in Deutschland, 1977; *S. Mann*, Macht und Ohnmacht der Verbände, 1994; *H. Oberreuter* (Hg.), Pluralismus, 1980; Pluralismus. Legitimationsprobleme im Interessenwandel. Veröffentlichungen der Walter-Raymond-Stiftung, Bd. 21, 1983; *H. Quaritsch*, Zur Entstehung der Theorie des Pluralismus: Der Staat19 (1980), 29; *W. Reutter/P. Rütters* (Hg.), Verbände und Verbandssysteme in Westeuropa, 2001; *M. Sebaldt*, Organisierter Pluralismus, 1997; *G. K. Wilson*, Interest Groups in the United States, Oxford 1981; *R. Zippelius*, Allgemeine Staatslehre (Politikwissenschaft), 14. Aufl. 2003, § 26. 参照。

もう一つの試みとして，ハーバーマスが発展させたような，コンセンサス志向の真理学説がある[3]。それはもはや，真理と正しさを認識しうる政治理論や何らかの哲学ではない。そうではなく，開かれた多元主義的コミュニケーションのシステムにおいては，人々は，何が倫理的，文化的，社会的あるいは経済的に義務づけられるべきかという問いに対して，すべての者，もしくは少なくとも多数の者のコンセンサスを得ることのできる解答を与えなければならない。したがって，正しさの最終的基準は，開かれた討論とコミュニケーションにおいて発見された結論を受け入れる万人あるいは少なくとも多数者のコンセンサスなのである。

この討論志向的な出発点は，政治的，法的な正統性に関する古い学説の価値をおとしめる。国家とその法秩序は，以前は，それ以上遡ることができない最高の価値によって正当化された。その価値は，ときには自然法的に，ときには伝統によって根拠づけられ，さらに宗教によって根拠づけられることもあった[4]。しかし，20世紀後半より，コンセンサス志向の真理学説へのパラダイム転換がなされ，そうした正当化はもはや不可能となった。現代の社会秩序の基本的特徴としてあげられるのは，現代社会の高度の複雑性と可変性のゆえに，政治的決定の正当化を，何らかの「自然的に前提とされたモラル」に委ねることはできないということである[5]。何が正当で何が正しいとみなすべきかは，政治システムにおいて作り出していくべきものなのである。

基本法は，この「正統性をもった視点の多様性という視点」にもとづいている[6]。万人は，同等の尊厳と言論自由の保障とによって，法的，政治的に正しい決定を求めての，終わりなき追求へ自己を投入することを認められる。基本法が，それら（尊厳と言論自由）を越えてひとつの価値秩序を定めている場合でも，それ

（2） *K. R. Popper*, Die offene Gesellschaft und ihre Feinde, Bd. I/II, 7. Aufl. 1992; grundlegend *ders*., Logik der Forschung, 9. Aufl. 1994; *R. Zippelius*, Rechtsphilosophie, 4. Aufl. 2003, §22 III; *ders*., Recht und Gerechtigkeit in der offenen Gesellschaft, 2. Aufl. 1996, Kap. 1-3.

（3） *J. Habermas*, Theorie des kommunikativen Handelns, Bd. I/II, 1981; *ders*., Wahrheitstheorien, in: Vorstudien und Ergänzungen zur Theorie des kommunikativen Handelns, 1984, S. 127 ff.

（4） これについては，*Th. Würtenberger*, Die Legitimität staatlicher Herrschaft, 1973.

（5） *N. Luhmann*, Legitimation durch Verfahren, 1969, S. 30.

（6） *R. Zippelius*, Rechtsphilosophie (Fn. 2)，§11 III 3.

は多元主義的討論を排除するものではない。価値設定的条項のいくつかは，たとえば20a条の環境・動物保護のように後から付加されたものであり，また，その他の価値設定条項も，憲法を具体化する過程で重要な変化を被っている。

　もちろん，価値的に拘束性をもつ正しさの領域と，多元主義的な倫理上の討論に開かれた領域とをいかに区分するかに関する争いは，依然として存在する。この点で，現在激しい論議の的になっている領域をひとつだけあげておこう。すなわち，基本法による人間の尊厳保障を根拠として，着床前診断法と遺伝子治療を禁止するという，倫理的に論議の余地ない原則を引き出す論者は，新たな治療法の可能性を倫理的に正当化するための，開かれた多元主義的討論を断念することになるのである[7]。

1　多元主義国家の構造的メルクマール

　討論志向の多元主義理解は，政治的・法的秩序に様々な作用を及ぼす。

(1)　開放性

　多元主義国家は，非同一性（Nichtidentifikation）と中立性の原理にもとづいて成り立っている[8]。それは，単一政党もしくは単一階層の国家ではない。国家は，政治理論や政治的世界観を教条化しない。多元主義国家の政治文化は，開放性によって特徴づけられる。宗教的もしくは世界観的な少数者の行動は保障される。宗教もしくは倫理における原理主義は，個々の社会集団にとっては指導形象（Leitbild）であろうが，それに対する寛容は，それがその他の点で多元主義秩序のルールを守る限りにおいてのみ，保障されうるのである。

　次の指導基準は，調整（Ausgleich）の理念である。調整は，社会・経済の領域における自由な行動を通じて行われるが，国家によっても保障されるべきものである。多元主義国家は，資本と労働の同権，そして政治的決定への影響力行使に際しての諸団体の同権を保障する。国家は，市場経済秩序が調整力をもっている

---

(7) さしあたり，一方の見解として，*E.-W. Böckenförde*, Menschenwürde als normatives Prinzip, JZ 2003, 809 ; *B. Böckenförde-Wunderlich*, Präimplantationsdiagnostik als Rechtsproblem, 2002 を，他方の見解として，*M. Herdegen*, Die Menschenwürde im Fluß des bioethischen Diskurses, JZ 2001, 773 ; *J. Ipsen*, Der „verfassungsrechtliche Status" des Embryo in vitro, JZ 2001, 989 をあげておく。

(8) *K. Schlaich*, Neutralität als verfassungsrechtliches Prinzip, 1972.

ことを信頼し、自由を脅かす経済集中と闘う。そのことと緊密に関連しているのが、補充性原則の堅持である。すなわち、社会や経済の諸問題は、まずは諸団体を通じて、あるいは諸団体間の対話を通じて、現実社会の領域でその解決策が見出されるべきであり、諸団体の規整能力を超えている事項や、諸団体間の相互作用によっては適切な妥協が見出されえない場合にのみ、国家が規制力をもって介入すべきだ、とする考え方である。

多元主義的国家は、たしかに団体からの多様な影響可能性に自らを開いているが、決して団体国家（Verbändestaat）もしくはコーポラティズム国家ではない。諸政党と並んで、経済的諸団体（使用者団体と労働組合）[9]、文化的、宗教的な諸団体、そして社会的諸団体（たとえば環境保護団体、消費者保護団体）も、政治過程に影響力を行使する可能性をもっている。さらに、これらの「ロビー団体」あるいはNGOだけでなく、同時に国家的な任務も遂行する強制団体も登場する。国家と社会は、2つの層に区分された領域として相互に対立するのではない。そうではなく、国家的な領域が諸団体との協同に開かれることによって、それぞれの領域において、国家と社会の間に、程度の差はあれ複雑な絡み合いが生じるのである[10]。

民主的国家の前提条件としての自由な世論は、ときに、合理的討論の場としてきわめて理想主義的に描かれる[11]。しかし、それは多元主義国家という視点にたつと、現実主義的に説明することができる。すなわち、公の討論においてなされている論争の多くは、団体およびその幹部によって促進されているのである。公の議論において、自らを団体と称することのできる者だけが、政治過程において影響力を行使できる。こうして、多元主義国家においては、世論というものの本質的な部分は、団体の影響の下に決定されている。したがって、世論は、国家機能の担い手と、宣伝媒体を有効に用いて行動する諸団体との討論の場なのである[12]。

---

(9) *D. Völpel*, Rechtlicher Einfluß von Wirtschaftsgruppen auf die Staatsgestaltung, 1972; *H. Leßmann*, Die öffentlichen Aufgaben und Funktionen privatrechtlicher Wirtschaftsverbände, 1976.

(10) この問題に関する古典的文献として、E. Fraenkelの新多元主義に関する理論（Der Pluralismus als Strukturelement der freiheitlich-rechtsstaatlichen Demokratie, in: Verhandlungen des 45. DJT 1964, Bd. II B, S. 5 ff.）がある。

(11) Vgl. *R. Zippelius*（Fn. 2）, § 28 II 2 mit Hinweis auf J. St. Mill.

(2) 闘う多元主義

多元主義国家は，法を通じて，多元主義社会の枠組み条件を拘束力をもって規律し実現することによって，多元主義的秩序の前提条件を保障する。法秩序が多元主義的社会の存在形態を保障することから，国家は多元主義的政治秩序の保証人となるわけである(13)。

この保証機能がどこまで及ぶかについては，法的多元主義というキーワードによって，つまり，ひとつの国家におけるいくつかの法秩序の競合という視点のもとで論じられる。というのは，そもそも多元主義国家が法的多元主義を許容しうるのかどうか，あるいはいかなる形態の法的多元主義を許容しうるのか，という問題が提起されざるをえないからである。すなわち，異なる社会集団が異なった家族法や相続法に従って生活するということは許されるであろうか。または，法が，社会集団における異なる価値観や正義観を考慮することは許されるであろうか。あるいは，それぞれの分野で，統一的に妥当する法の統合力を放棄することは可能であろうか。いわゆる多文化社会は，異なった法文化によって引き裂かれることになってもよいのだろうか(14)。

たしかに，個別の分野においては，社会集団が，国家法とは別個に自らの設定した法的ルールにしたがって生活することは許されることもあろう。多文化社会にあっては，様々な形態の法的多元主義こそが，社会的および宗教的な同一性を擁護するのに助けとなるかもしれない(15)。しかし，原則として次の点は堅持されなければならない。すなわち，多元主義国家においても，集団的自治は民主的立憲国家の法制定独占権を押し退けることができないこと(16)である。とりわけ，

---

(12) *M. Wulf*, Das liberaldemokratische Regierungssystem, 2005, S. 265 f.

(13) これに批判的な見解として，*E.-W. Böckenförde*, Der Staat als sittlicher Staat, 1978, S. 37 参照。

(14) *W. O. Weyrauch*, Das Recht der Roma und Sinti: ein Beispiel autonomer Rechtsschöpfung, 2002; *M. O. Hinz*, „Folk Law": Recht von unten, in: FS für P. Schneider, 1990, S. 122 ff.

(15) これについては，*E.-J. Lampe* (Hg.), Rechtsgleichheit und Rechtspluralismus, 1995; *Th. Würtenberger*, Rechtspluralismus oder Rechtsetatismus, ebd., S. 92 ff.; *M. Rehbinder*, Juristische Instrumente eines Staatsinterventionismus in pluralistischen Rechtsordnungen, ebd., S. 306 ff. 参照。

(16) この問題については，*H. J. Laski*, The Personality of Associations, in: Harvard Law Review 29 (1915/16), 404 ff.; *ders.*, Authority in the modern State, 1919 参照。

先行するコンセンサスを経た価値をもって，万人を一様に拘束する法秩序に社会集団を統合しようとする意識的な政策が展開されるときに，それに反対する，集団にしか通用しない法秩序が対置されることはあってはならないのである。

その結果，多元主義国家は，原則的な価値相対主義にもかかわらず，価値の実現を指図されていないのか，という困難な問題が生ずる。多元主義国家が，その価値相対主義にもかかわらず完全には価値中立的な国家ではない，というのは，一見すると逆説的にみえる。たしかに，多元主義国家においては，政治的，社会的，経済的な諸問題は，自由に公開で議論することができる。しかし，事が国家を最も深いところで結合させている正統性の観念や共同体意識の擁護にかかわっている限り，国家の側から一定の態度を示すべきである。たとえば，倫理的な諸問題に関する見解の表明，文化政策への関与，若い世代の統合にとって本質的意義をもつ教育目標の設定などは，多元主義国家の正統な任務である[17]。多元主義国家は，決して完全に価値中立的な国家ではない。むしろ決定的なのは，政治的，法的な秩序を支える基本的価値が民主的に確定されうるということである。

多元主義的寛容も，多元主義の敵は許さない。闘う民主主義，あるいは闘う多元主義の考え方は，歴史的な経験に裏づけられている。そこで，多元主義的争論のルールは，「自由の敵に自由なし」のモットーにしたがって限界づけられる。すなわち，多元主義社会の開放性が，非多元主義的な，つまり権威主義的な政治的・法的秩序を招来するために濫用されてはならないということである。それは，ひとつの歴史的教訓である。ドイツでは，1933年にナチスの暴力支配が政権奪取に到った。この政権奪取が可能になったのは，合法的な政治過程が不法体制の実現のために濫用されたためであり，その不法体制が結局，多元主義的，自由主義的，法治国家的な憲法を廃止したのである。そこで，基本法は，闘う民主主義を義務とした[18]。この闘う民主主義は，官吏と公務員が自由で民主的な基本秩序

---

(17) *Th. Würtenberger*, Zu den Voraussetzungen des freiheitlichen, säkularen Staates, in: Brugger/Huster (Hg.), Der Streit um das Kreuz in der Schule, 1998, S. 277 ff.; *ders.*, Weltanschauliche und ethische Erziehung aus verfassungsrechtlicher Sicht, in: Politische Studien H. 335 (1994), S. 13 ff.; *ders.*, Der pluralistische Staat ist kein völlig wertneutraler Staat, in: Westfalen-Blatt vom 3. 6. 1995, Beilage Werte und Wandel, S. 7 ff.

(18) *Zippelius/Würtenberger*, Deutsches Staatsrecht, 31. Aufl. 2005, §20 II 1 (Pflicht zur Verfassungstreue), §53 (Verfassungsschutz).

に忠誠を誓うことを期待し，憲法敵対的な政党を禁止することと，自由で民主的な基本秩序に敵対するために濫用される基本的人権の失効を宣言することを可能にする。基本法79条3項［基本法の基本原則を変更する憲法改正を禁止する規定］もまた，反多元主義的規定ではなく，多元主義的秩序の前提条件を設定するものである。

2　多元主義的な公共の福祉の具体化

　憲法的に整備された政治的意思形成の手続を通して政治は行われ，法秩序の発展が決定されるという考え方は，国家の内的な主権と結びついている。しかし，そのような純粋に法律学的な考察は，多元主義国家の現実を看過するものである。憲法的に整序された政治システムは，現実には社会的諸力との緊密な共生（Symbiose）のなかで生きている。国家と社会の峻別という古いコンセプトは，国家と多元主義的社会の緊密な絡み合いを見ないものである。

　多元主義国家においては，国家的規整――とりわけ法律であるが，政治的決定や行政的決定も含む――は，諸々の利益団体との接触のなかで行われる。利益団体には，公共の福祉の具体化というたえず新たに課される作業に協同するという重要な機能が与えられる。すなわち，多元主義国家においては，公共の福祉の具体化，つまり理性的でコンセンサス可能な政策の定式化は，社会的領域から距離を置いて主権的に決定する国家権力の任務ではなく，社会諸力との緊密な協力と共同の責任において遂行されるべき公的課題である[19]。このような多元主義的な公共の福祉の具体化は，コンセンサスを生みだし，それによって具体的政策に正統性を与えるのである[20]。

　そうした多元主義的な調和理論は，ときおり激しく批判される。つまり，諸団体のエゴイズムによって必要な政治改革が妨げられ，政治の硬直化がもたらされるといわれる。さらに，団体の一般構成員ではなく，強力な団体官僚たちが団体利益の実現方法を決定する。結局のところ，実効性のある団体代表性の欠けた一

---

(19)　*R. Herzog*, Pluralistische Gesellschaft und staatliche Gemeinwohlsorge, in: von Arnim/Sommermann (Hg.), Gemeinwohlgefährdung und Gemeinwohlsicherung, 2004, S. 21 ff.

(20)　*U. Scheuner*, Konsens und Pluralismus als verfassungsrechtliches Problem, in: G. Jakobs (Hg.), Rechtsgeltung und Konsens, 1976, S. 33.

連の重要な政治領域が存在することになるというのである⁽²¹⁾。

これらすべての批判は，ドイツについては部分的にしかあてはまらない。ドイツにおいて支配的なコンセンサスの政治文化⁽²²⁾は，長年の間，実質的に適切な内容であれば，政治的妥協をともに担う覚悟をするという特筆に値する性向を生み出してきた。もちろん，その際の前提条件は，政治に影響力を及ぼすことを欲する諸団体の内部が従来以上に強く民主的に組織されることである⁽²³⁾。そのことによって，団体エゴイズムが多元主義的な公共の福祉の具体化を歪曲するのではなく，団体が代表する人々の意思が団体によって政治的意思決定に取り入れられることが保証される。企業や団体の政策が次第に倫理的諸原則を基準にするようになっているのも，おそらくこのことと関連があるだろう。それは，企業や団体の利益に対して一層「購買意欲がわく」ように見せるための，単なる市場戦略ではない。環境倫理，医の倫理などは，同時に企業や団体の政策を公共福祉を志向した政策に束ねるための要素としても認識されてきたのである。製薬会社が，医学研究の倫理水準の発展に協力し，自らそれに拘束されていると意識しているのは，その一例である。

II　歴　史

多元主義の概念は，20世紀初頭のアングロ・サクソン系の文献に現れてくる。しかし，近代の多元主義国家は，西欧の民主主義——部分的には異なった特徴をもっているが——のなかに存在するのであって，20世紀初頭以来はじめて生じたというものではない。その構造原理のいくつかは，信仰と思想の自由をめぐる対立にまで遡る長い政治的伝統をもっている。多元主義国家に至る長い道筋は，深刻な憲法闘争と社会変革によって刻印されている。しかし，以下においては，多

---

(21) *H.H. von Armin*, Gemeinwohl im modernen Verfassungsstaat am Beispiel der Bundesrepublik Deutschland, in: von Armin/Sommermann (Fn. 19), S. 63, 83 ff. m. Nw.

(22) ドイツにおけるコンセンサスの政治文化とフランスにおける紛争の政治文化との相違については，*A. Peyrefitte*, La société de confiance, in: Würtenberger u.a. (Hg.), Wahrnehmungs- und Betätigungsformen des Vertrauens im deutsch-französischen Vergleich, 2002, S. 11 ff.; *J. Jurt*, Frankreich - eine Gesellschaft des Vertrauens oder des Mißtrauens?, ebd., S. 39 ff. 参照。

(23) *K. Schelter*, Demokratisierung der Verbände?, 1976.

元主義国家の歴史を叙述しようというのではない。ただ，多元主義国家が立憲国家への発展と同時並行的に形成されてきたことを明らかにしたいだけである。立憲国家は，多元主義社会の政治文化を前提とする。その政治的立場において多元主義を肯定し要求する社会のみが，立憲国家という政治形態を実現するのである。

1　縁故関係に基礎をおく政治秩序の終焉

　前近代の政治秩序のメルクマールのひとつとして，様々な種類の縁故関係（Klientel-Beziehungen）があげられる。都市の身分制秩序における家族への所属，王侯，貴族の後援，あるいは単なる友人関係さえも，政治的影響力や個人的キャリアを保証した。近代立憲国家の成果のひとつは，この縁故関係を政治システムから追放したことである。民主主義の原理と法律の支配は，政治的決定の非人格化をもたらした。とくに，職業官吏層の形成とともに，縁故関係を志向する政治的ネットワークにとって代わる，メリット原則を志向する行政が創出された。さらに，19世紀以来，縁故関係のネットワークに対抗して多元主義社会のネットワークが発展してきた。

　もちろん，このように近代国家が縁故関係から距離を置くということは，最近に至るまで完全に成功したというわけではない。近代国家の政治的諸制度そのものが，再び新たな縁故関係を生み出してきたことも看過できない。政党が党員やその周辺者に「党員証キャリア」を与えたり，官職について情実人事を行なおうとするのは，その一例にすぎない。

　こうした縁故関係は，歴史的な視野で見ると，人類学的に深い根源をもった基本的要求に対応しているように見える。数百年を経た今日でも，断片化された社会・政治秩序において，社会的な安心感を与え，同時に出世に道を開いてくれるような一定の集団に所属していることの必要性が存在する。その意味で，たとえば宗教的帰属性，政党への所属，あるいは何らかの形態の結合への所属がどの程度個人的な生活設計や政治的影響力行使にとって本質的な要素であるか，ということは，詳しく研究するに値するきわめて興味深い問題である。その種の関係は，依然として，法的に整序された政治的意思決定過程の内部において現実的な力をもつ政治的影響のネットワークをなしうるように思われる。

2 多元主義の基本権的保障

近代の多元主義国家の成立は，多元主義的，すなわち集団的な基本権的自由の保障と密接に関係している。社会秩序の構成要素としての多元主義は，宗教や世界観を宣伝し，社会的自己形成し，国家の意思形成過程に政治的影響力を行使する集団的自由が，基本権として保障されることによって確実となる。この集団的な多元主義的自由は，ときに激しく闘われた憲法闘争を経て実現してきたものである。

少数者に対する寛容と信仰の自由は，基本権の歴史における転換点であった（とくに，1555年のアウグスブルクの宗教和議，あるいは1781年のオーストリアの寛容勅令（Toleranzedikt）を見よ）[24]。19世紀の憲法闘争の成果としてあげられるのは，結社の自由[25]と団結の自由である。諸々の政治結社は，復古政策をめざす諸勢力との長年にわたる闘争を経て，設立と活動の自由を獲得した。19世紀中には，工業，商業，手工業，農業の分野において，多様な団体的結合が生まれた。とくに労働組合という結社は，次第に禁止から解放され，「労働の自治（Selbstverwaltung der Arbeit）」（ロレンツ・フォン・シュタイン）[26]を貫徹してきたのである。

3 多元主義国家に対する留保

歴史的視点で見ると，多元主義国家に対して様々な留保がなされてきたし，それは今日でも――しばしば潜在意識として――存在する。すでにホッブスが，政党の結成によって国家主権が弱体化させられることに警告を発していた。いわく，諸団体は国家成立以前の時代を想起させる戦争状態にあるので，政党結成を許容する支配者は，国家を解体させる敵に門を開くことになるであろう，と[27]。絶対主義の国家理論やルソーの民主主義理論も，よく似た論拠をあげて，自由な団体というものに反対した。ルソーは，諸団体が一般意思を歪曲し，公共の福祉を

---

(24) *G. Besier/K. Schreiner*, Artikel Toleranz, in: *Brunner/Conze/Koselleck* (Hg.), Geschichtliche Grundbegriffe, Bd. 6, 1990, S. 445, 506 ff., 601 ff. (Toleranz als ständige ethische Herausforderung).

(25) *W. Hardtwig*, Artikel Verein, in: Geschichtliche Grundbegriffe (Fn. 24), S. 789, 814 ff.

(26) 新たな社会秩序の基礎としての団体については，*Lorenz von Stein*, Die Verwaltungslehre, Teil 1, Abteilung 3, 2. Aufl. 1869, S. V, 172 ff., 180, 185 参照。

(27) *Hobbes*, De Cive, Kap. 13 Nr. 13.

危殆化させることを恐れたのである⁽²⁸⁾。

　政治的現実もまた，自由な団体に対する留保が人々の共通の記憶に深く埋め込まれていることを示す豊富な実例を提供してきた。たとえば，1791年のフランス憲法における結社自由の宣言は，ジャコバン党などの活動が示すように，テロを蔓延させ暴力による転覆をめざすために濫用された。フランス第一共和制初期における自由権のこの倒錯（Pervertrierung）は，長らく，政治的諸団体は安全と秩序を危険に陥れるという偏見に手を貸したかもしれない。同じ時期，ドイツでは，帝室裁判所の啓蒙的な判例が，秘密結社・光明会（Illuminaten）に所属する裁判官によって担われていると非難されたが，この非難はまったく不当だったわけではない⁽²⁹⁾。そこで，世論の一部は，国家が，啓蒙思想に帰依する読書会や他のすべての公然もしくは非公然の結社に断固たる措置をとったことを，熱烈に歓迎したのである。

Ⅲ　ドイツ連邦共和国における国家組織と政治的現実の構造要素としての多元主義

　多元主義は，ドイツ国家法の概念ではない。基本法は，純粋の代表民主制の制度を規定しており，国家と団体権力の機能分担を考慮していない。そのことと，上に略述した法的・政治的生活形態としての多元主義に対する留保とが原因となって，憲法解釈学と，これまでのところ多くの憲法理論が，多元主義国家の現実を等閑視するか，ごく断片的にしか考慮しないという事態をもたらしてきたともいえる⁽³⁰⁾。以下の考察では，すべての国家機能において，現実主義的な国家法理論が考慮に入れるべき重要な多元主義的関連が存在することを示したい。

---

(28)　*Rousseau*, Du contrat social, II, 3.
(29)　*M. Neugebauer-Wölk*, Reichsjustiz und Aufklärung. Das Reichskammergericht im Netzwerk der Illuminaten, 1993. こうした見解に批判的なものとして，*R. Sailer*, Untertanenprozesse vor dem Reichskammergericht, 1999, S. 478 f. がある。
(30)　同様のことは，フランスについてもあてはまる。*C. M. Herrera*, Staatliche Einheit und politischer Pluralismus, in: Grewe/Gusy (Hg.), Französisches Staatsdenken, 2002, S. 158 ff.

1 民主主義理解の新たな方向性

(a) 代表民主制から多元的民主主義へ

基本権に関する解釈学は以前から社会的・政治的な決定への多元主義的参加の効果的な保障に道を開いてきたが、民主主義原理と民主主義理論は、長らくそれとは異なった態度をとってきた。これらの分野は、多元主義的な政治参加のコンセプトから、注意深く隔てられていた[31]。すなわち、純粋の概念からすれば、代表制民主主義の正統化とコントロールの連鎖が問題となる場合にのみ、民主主義について語ることができる、というのである。しかし、そこでは、民主的な正統化は、少くとも行政が固有の裁量決定を行う場合には雲散霧消してしまうことが、あまりにも不十分にしか考慮されていない[32]。

最近では、基本法で規定された代表民主制と並んで、いわゆる多元的民主制あるいは結社的（assoziativ）民主制が論じられるようになっている。そこで問題になっているのは、参加手続とコミュニケーションの可能性を通じて、市民と諸団体を地域と地方の政治的意思決定過程に引き入れることである[33]。それが多元主義的民主制と呼ばれるのは、市民と諸団体を地域的ないし地方的な生活領域にかかわる国家的決定の作成作業に引き入れる参加手続が、民主的正統化を生み出すからである。ここでは、多元的民主制は、「市民参加を志向する下からの民主主義」である。それが意味するところは、代表制民主制と並ぶ第二の柱として、参加民主主義が位置づけられるということであり、それは、民主的な分散性の原理と結びついており、地域および地方の領域における自由な自己決定を実現しようとするものである[34]。

この多元的民主制は、国家と多元的社会の間の多様な絡み合いについて適切な理論を提供する。すなわち、諸団体は、通常は、立法過程のインプットにおいては、つまり法案作成段階においては不可欠のパートナーである。このように代表制民主主義の現実を理解するならば、多元的社会とその諸団体は、法制定のアウ

---

(31) *Zippelius/Würtenberger* (Fn. 18), §10 II 2a. にあげられた文献参照。

(32) この点を批判するものとして、*Zippelius/Würtenberger* (Fn. 18), §10 II 2b; U. Schliesky, Souveränität und Legitimität von Herrschaftsgewalt, 2004, S. 285 ff.; W. Kluth, Funktionale Selbstverwaltung, Die Verwaltung 35 (2002), 348 ff. 参照。

(33) *A. Hanebeck*, Bundesverfassungsgericht und Demokratieprinzip, DÖV 2004, 901 ff.

(34) BVerfGE 107, 59, 92.

トプットの側にも正統な地位を見出すことになる。すなわち，これらは，法定立の手続において決定的に関与した事柄の具体化や法の継続的形成にも関与するのである。

たとえば，弁護士会，医師会，手工業会議所，その他の会議所や，それ以外の自主的に結成された団体が公的任務の遂行を委ねられる場合，それを代表制民主主義と多元的民主主義の一種の機能分担と呼ぶことができるであろう。それがどの程度，議会主義的・代表制民主主義によってコントロールされるべきか，そして参加民主主義的な自治はいかなる基準を遵守すべきか，について，最近，連邦憲法裁判所が，リッペ団体法決定[35]において明確にした。

多元的民主主義のこうした新たな理解に対しては，様々な批判が加えられているが，説得力があるものではない。たとえば，諸団体もしくは関係する市民が，政治的・行政的な意思決定過程において束ねられる場合，それはみせかけの正統化（Scheinlegitimation）にすぎないといわれる[36]。さらに，政治的・行政的な決定に際して，諸団体や市民との交渉が行われるのであれば，必要な公共の福祉への志向性が失われるのではないかと危惧されている。こうした批判に対しては，国家がいかに行政的決定への諸団体や市民の参加と協同に道を開いていても，決定結果と行政的決定の執行に対する最終的責任は依然として国家にある，と反論することができよう。とりわけ地域的，地方的な計画や企業認可については，次のようなグレートヒェンの問い［答えに窮する問い］がなされる。たとえばすべての手続参加者の間で，企業認可や計画決定について期限内にコンセンサスが成立した場合，いかなる裁量の余地が残されているのだろうか，という問いである[37]。

そのことを別としても，理念モデルとして代表民主制しか受容しない民主主義理論は，ヨーロッパ段階の発展にほとんどついていくことができない。たとえば，「ヨーロッパの統治」に関する EC 委員会白書は，「政治的決定の発見をオープン

---

(35) BVerfGE 107, 59, 92 ff. mit Anm. von *Sachs,* JuS 2003, 1215; vgl. weiter *Musil,* DÖV 2004, 120 ff.; *Unruh,* JZ 2003, 1061 ff.; *Zippelius/Würtenberger* (Fn. 18), §10 II 3.
(36) *Dederer,* Korporative Staatsgewalt, 2004, S. 200 ff.
(37) これについては，*Th. Würtenberger,* Akzeptanzmanagement von Verwaltungsentscheidungen mittels Mediation, in: Ferz/Pichler (Hg.), Mediation im öffentlichen Bereich, 2003, S. 31, 46 ff.

にし，より多くの人々と組織を EU 政策の決定と実行に関与させる」(38)ことを提案した。それは，EU のすべての段階，とりわけ地方段階および自治体段階における，政治的決定のすべての局面において，国内およびヨーロッパ段階の諸団体との制度化された対話がなされることを要求しているが，その際に，とくに市民社会（Zivilgesellschaft, Civil Society）という，様々に理解されうる概念を用いている。それは，民主主義というものが，「人々が公的討論に参加できるかどうか」に依存している(39)との考え方にもとづいている。ここで，EU の側から，その政治的綱領や法的基準の国内法化にあたって，地域的，地方的レベルにおける多元主義的開放性について要求されていることは，同じく国内法レベルでも妥当すべきものである。

　(b)　多元主義的なコンセンサス民主主義か，試行錯誤の民主主義か？

　周知のとおり，ドイツでは，政治システムは，コンセンサス民主主義あるいは調和民主主義（Konkordanzdemokratie）に向けて発展してきた。ここでは，政治的な意思決定手続においてばかりでなく，［より一般的に］それぞれの関係団体やグループとの間で，可能なかぎりコンセンサスと受容が獲得されることがめざされてきた。しかし，ここ数十年間，このシステムの特徴によって必要な政治的諸改革が不可能になってきたことは，広く知られている。

　しかし，多元主義モデルは，アングロサクソン型の試行錯誤民主主義(40)の形をとることもできる。ここでも，諸団体は政治的発展に結びつけられるが，国家は，コンセンサス民主主義に存在する強制の契機を放棄し，試行錯誤の原則，すなわち，社会は必要な改革をできるだけ効果的に行うための実験場であるという原則にしたがって，改革政策を決定するのである。

2　法形成と法執行の過程における多元主義

　多元主義の理念は，国家レベルでも超国家レベルでも，決定的なやり方で政治生活を特徴づけている。多元主義的な国家機能論は，立法，行政，司法に対する

---

(38) *Kommission der Europäischen Gemeinschaften*, Europäisches Regieren. Ein Weißbuch, KOM (2001) 428 endgültig, S. 4

(39) *Kommission der Europäischen Gemeinschaften*, Europäisches Regieren (Fn. 38), S. 15

(40)　このことは，PD Dr. Ralf P. Schenke 氏の指摘による。

諸団体や集団の影響力を肯定する。

(1) 法制定の領域

(a) 法制定と政治に対する諸団体の働きかけのモデル

「良き」法律は，立法者が扱う利害対立の調和のとれた解決によって人をひきつける。議会の多数決決定だけで法律の質と正しさが保証されるというのは，代表民主主義理論の神話に属する。19世紀の初めから，いかにして諸団体の専門的知見と正統な利益を議会の立法過程に持ち込みうるかについて，議論され，試みられてきた。この点については，5つのモデルに分けることができる。

① 法律内容の作成とその制定にあたって団体代表者を参加させるというモデルは，最初は19世紀初頭にサン・シモンとその学派が展開したものである。そこでは，経済，産業，科学の代表者たちの協同によって，進歩の理念を堅持した経済立法がなされることが期待された[41]。この理念は，20世紀の憲法においてくりかえし取り上げられた。人々は，憲法上の機関としての社会評議会や経済評議会が，諸利益を均衡のとれた形で公的に代表することに成功すると期待した。例をあげるとすれば，ワイマール憲法の共和国経済評議会（165条3項），フランスの経済・社会評議会（フランス1958年憲法69条），あるいはECの経済・社会委員会（EC設立条約257条以下）などがある。

もっとも，この種の経済評議会は，民主的政治システムには適合しない。というのは，民主的政治システムにおいては，政治的責任の担い手は選挙によって決定され，集団への所属によって決定されるのではないからである。こうした制度が憲法上予定されている場合でも，それは現実には，政治的な影響力の可能性をもつには至らないであろう。

② 経済との協定に関する特別の可能性をもたらすのが，コンセンサス協定（Konsensvereinbarung）のモデルである[42]。そこでは，公的機関と私的機関あるいは諸団体の間で交渉される自己義務化（Selbstverpflichtungen）が問題となる。最近の注目すべき例は，「原子力コンセンサス協定」である。それは，2000年に，連邦政府とドイツの4大エネルギー供給会社の間で交渉が成立したものであり，

---

(41) *H. de Saint-Simon*, Du Systéme industriel (1821), in: Oeuvres, Bd. 3/1, 1966, S. 151; ders., L'Organisateur, ebd., Bd 2/2, S. 51; *R. P. Fehlbaum*, Saint-Simon und die Saint-Simonisten, 1970, S. 73 ff.

(42) *P. M. Huber*, Konsensvereinbarungen und Gesetzgebung, ZG 2002, S. 245.

ドイツにおける原子力の平和利用の廃棄を決めている。さらに，コンセンサス協定の別の例として，二酸化炭素の排出を2005年までに20％削減するというドイツ経済界の自己義務化，新たに認可された乗用車の燃料消費を低下させるというドイツ自動車産業の約束などがあげられる。類似の例は，最近はヨーロッパ段階でも見られる。たとえば，国家と経済界との環境協定は，環境政策的な目標を効果的な方法で国内法化することに寄与すべきものとされている(43)。

この種のコンセンサス協定は，国家と関係企業に一定の政治目標の達成を義務づけるものであるが，そのために特別の法律的規整やその実行のための手続を必要とするものではない。もっとも，コンセンサス協定について，一般的拘束力を宣言することがありうるかどうか議論されている(44)。

コンセンサス協定は，国家が法律によって制御することがもともと困難な領域における，弾力的な制御メカニズムである。それは，公共の福祉という利益と団体の利益との均衡のとれた調整をもたらす政治的妥協を可能にする。しかし，その種のコンセンサス協定が，たとえ国家の制御手段としての法律を回避しようとするものであったとしても，国家的な法制定の可能性が存在することは不可欠のメルクマールである。というのは，諸団体は通常は，コンセンサス協定がなければより不利な法律的規制が課されることを恐れなければならない場合にはじめて，こうした協定を締結しようという気になるからである。

③　聴聞モデルは，立法過程に諸団体を統合しようとする。ヒアリングの制度（§70 GeschOBT）においては，利益団体あるいは専門家は——すでに政府による法律案の準備段階において——立法過程に関与する。それと並んで，ロビー，すなわちそれぞれの利害をもつ団体が，議員あるいは会派(45)，さらに国家を超えた領域ではヨーロッパ議会やヨーロッパ委員会(46)への間接的な影響力行使を通じて，自らの立場を立法手続において実現しようと試みる。

④　諮問モデル（Beiratsmodell）は，長期間の，手続的に整備された，政府か

---

(43) *A. Welscher*, Umweltvereinbarungen - Ein neues Instrument zur Umsetzung europäischer Richtlinien, 2003.
(44) このような一般的拘束力宣言を許容しうる授権規範については，*A. Welscher* (Fn. 43), S. 207 参照。
(45) *G. Kocher*, Verbandseinfluß auf die Gesetzgebung, 1967.
(46) *K. M. Meessen* (Hg.), Verbände und europäische Integration, 1980.

ら諸団体への諮問を制度化する。特定の分野について，個々の省庁あるいは政府に諮問委員会がもうけられる。その委員会は，多元主義的平等の原則にしたがって，利益諸団体の代表によって，またときには研究者も加わって構成される。いくつかの分野では，とくに保健の分野では，諮問委員会や諸委員会に関与する団体から提案された事項が，法的規整に転化される。

⑤　長らく成功を収めてきたこの諮問モデルは，最近，問題がないとはいえない方向転換を被っている。重要な政治的，立法的決定の前線において，政府が諮問委員会や諸委員会（たとえば全国倫理委員会）を設置し，そこで専門家や社会集団代表が，連邦議会という制度の外で，また特定の省庁との結びつきなしに，法政策的な指針を作成し，広く世間の議論に乗せるというやり方である。このように政府がイニシャティブをとって多元主義的な意思形成を行うことと，多元主義的に構成される委員会の諸提案を公の場で批判的に議論することは，政府のどのような政策が社会によって受け入れられうるかを，共鳴板としての世論の場で解明することに寄与する。

政治的展開のこのように多元主義的な討議スタイルにあっては，公の議論に刺激を与えるのは，もはや議会での論争ではない。政府がイニシャティブをとる公の議論において結論が出され，議会には結論として持ち込まれたことを裁可するという役割しか残されていない。多元主義的な政治的意思決定のこの新たな形態に対しては，政治過程の脱議会化（Entparlamentarisierung）[47]をもたらすとの懸念が表明されているが，その懸念には理由がある。マスメディア的な政治的展開の新たな形態においては，政府とそれが設置した委員会が，連邦議会をほとんど端役の地位に追いやってしまうことになる。連邦議会によって可決される法律は，社会的領域における「諸勢力の，議会の外で計測された平行四辺形の解」以上のものではない[48]。議会は，事実上，同意あるいは拒否の機関としての役割しか果たさないことになるのである。

---

(47)　*M. Herdegen, M. Morlok*, Informalisierung und Entparlamentarisierung politischer Entscheidungen als Gefährdungen der Verfassung?, VVDStRL 62 (2003). S. 7, 37; *M. Ruffert*, Entformalisierung und Entparlamentarisierung politischer Entscheidungen als Gefährdungen der Verfassung?, DVBl. 2002, 1145.

(48)　*M. Rehbinder*, Rechtssoziologie, 5. Aufl. 2003, Rn. 196.

(b) 保障国家（Gewährleistungsstaat）における諸団体の強化

現代の保障国家においては，立法に対する諸団体の影響を別としても，国家と社会的な法制定との間での新たな機能分担が行われてきた。グローバル化と国際化，そして新たな複雑なコミュニケーション手段のために，法律が古典的意味での制御手段としては追いつかないという傾向が生じている。むしろ社会的組織による自己規整（Selbstregulierung）が，時宜に適した効果的な制御を可能にする。そこでは，国家は，そうした自己規整の前提条件と限界を設定する役割をもつにとどまる[49]。この保障国家は，結局のところ，伝統的な規整権能の一部を経済的諸団体やその他の組織に譲り渡すのである。

多元主義的法制定のこの特別の形態[50]は，国家の範囲を越えて，多層システムにおける，利益集団によって制御された法制定をもたらしてきた。一つの例をあげておくと，国際的な会計処理の領域で，法制定に私人を動員するという新たな形態が見られる[51]。たとえば，すでに1998年に，連邦の立法者は，会計検査・透明化法によって連邦司法省に次のような権限を付与した。すなわち，契約を通じて私法的に組織された機関を承認し，その機関にコンツェルン会計の諸原則の適用に関する勧告をなすことを委任するという権限である（商法典342条1項）[52]。この機関——具体的には1998年に設立されたDRSC（ドイツ会計基準委員会）[53]——の勧告に対しては，少なくとも弱い法的拘束力が与えられる。というのは，連邦司法省の告示したこの勧告に従う限り，コンツェルン会計に関する諸原則に

---

(49) *G. Müller*, Rechtssetzung im Gewährleistungsstaat, in: FS für Maurer, 2001, S. 227, 234.
(50) *W. Hoffmann-Riem*, Gesetz und Gesetzesvorbehalt im Umbruch, AöR 130 (2005), 5, 21 f.
(51) Vgl. etwa *P. Buck*, Internationalisierung von Recht-Wandel in der deutschen Rechnungslegung, JZ 2004, 883 ff.; *P. Kirchhof*, Gesetzgebung und private Regelsetzung als Geltungsgrund für Rechnungslegungspflichten, ZGR 2000, 680 ff.; *H. Havermann*, Private Regelsetzung aus der Sicht des Handelsbilanzrechts, ZGR 2000, 692 ff.; *H. Merkt*, Bericht über die Diskussion, ZGR 2000, 702 ff.
(52) 承認されうるのは，次のような機関，すなわち，勧告が独立性をもち，その専門に関心をもつ一般人を引き入れる手続によって，もっぱら会計士によってなされることを，その規約にもとづいて保証しうるような機関に限定される（§342 Abs. 1 S. 2 HGB）。
(53) http://www.standardsetter.de/drsc/news/news.php

従った正規の会計処理(商法典342条2項)であるとの推定を受けるからである(54)。EUは,国際会計基準に関する規則によって,それをもう一歩進めた(55)。それは,IASCF(国際会計基準委員会基金)(56)の作成した私的な会計基準を,直接適用されるヨーロッパ法に転換し,資本市場を志向する企業のコンツェルン会計を通じて,経済法の重要部分を私法化したからである。

ここでは立ち入れないが,こうしたダイナミックな発展が見られる領域をあげておくと,利害関係のある集団や諸団体の関与のもとになされるデータ保護領域における自己制御(57)や,遺伝子情報にかかわる研究の医療倫理的基準の設定(58)などがある。

(2) 行政の領域

社会からの行政への影響という問題は,長らく論争の種であった(59)。比較的古い考え方によれば,行政のみが公共の福祉を実現すべきであり,行政は,その際,利益諸団体やその代表者からは距離を置くべきだとされていた。しかし,それはもはや今日の政治的現実に適合しない。

(a) 多元主義的組織

行政は,重要な領域において多元主義的に組織されている(60)。それはまず,ラジオ・テレビ審議会やその他の審議会の分野にあてはまる。これらの審議会は,社会の代表という原則に従って構成され,決定権限を与えられている。多元主義的特徴をもつ行政的組織としては,さらに,自由業の自治(自己管理)や,それぞれの構成員の利益を代表する社会的自治,経済的な集団的・多元主義的自治が

---

(54) 商法典342条2項の法解釈学的位置づけについては,*J. Hellermann*, Private Standardsetzung im Bilanzrecht-öffentlich-rechtlich gesehen, NZG 2000, 1097 ff.

(55) Verordnung (EG) Nr. 1725/2003 der Kommission vom 29. September 2003 betreffend die Übernahme bestimmter internationaler Rechnungslegungsstandards in Übereinstimmung mit der Verordnung (EG) Nr. 1606/2002.

(56) http://www.iasb.org/index.asp

(57) *Zoi Talidou*, Die Selbstregulierung im Bereich des Datenschutzes, 2005.

(58) 文献については,*Th. Würtenberger/U. Seelhorst*, Biobanking und Verfassungsrecht, Typoskript, S. 5 f. 参照。

(59) *W. Schmidt, R. Bartlsperger*, Organisierte Einwirkungen auf die Verwaltung, VVDStRL 33 (1975), 133, 221.

(60) 多元主義的な特徴をもつ行政機関については,*E. Schmidt-Aßmann*, Das allgemeine Verwaltungsrecht als Ordnungsidee, 2. Aufl. 2004, 5. Kap., Rn. 41 ff. 参照。

あげられる。もちろん，諸団体は，それぞれの省庁の担当官を窓口としている（たとえば，農業団体は農業省，使用者団体と労働者団体は労働・経済省というように）。ある省庁あるいは省庁の部局にとって，団体的に組織されたクライアントが強ければ強いほど，省庁間の妥協の際に，その省庁の立場が強くなるのである。

(b) 多元主義的関与への行政の開放

現代行政は，まさにパラダイム転換といえるほど，次第に多元主義的社会に開放されてきた。それはとくに，法律上の基準が行政的決定を包括的に制御できないような領域にあてはまる。とりわけ行政計画の領域でそうであるが，その他，行政が裁量権をもっている領域ではすべて，国家官庁は政治的に決定することができる。それが法律の単なる執行であることが少なければ少ないほど，また多様な法的目標設定を考慮しつつ多極的な紛争状況を法形成的に解決するという側面が強ければ強いほど，すべての手続参加者に受け入れられる行政決定をめざすためには，市民と利益集団を引き入れた開放的な行政手続が望ましいのである。

これによって，伝統的な糾問的（inquisitorischen）行政手続から，反論主義的（adversatorischen）行政手続への方向転換がもたらされる[61]。紛争や利害対立が，官庁によってだけでなく，申請者，手続に関与する市民や利益集団によっても，行政手続に持ち込まれる。そのうえで，対立する諸利益の最善の調整がめざされる。行政は，法的問題や専門的問題について市民や利益集団との詳細な会話の機会をもうけ，外部の技術的もしくは自然科学的な専門的知見を手続に引き入れ，専門家の手続参加者の議論を指導し，適切な影響力行使に対応し，公開の期日を設定して公の議論の機会を提供しなければならない。

こうして，関係当事者から距離を置くという伝統的な法治国家的行政は，市民や利益団体の意見に真摯に耳を傾けるような，民主的行政へと変化するのである。計画決定や認可が上述のような手続制度を遵守して行われてきたとするならば，行政的決定は，すでに述べた多元主義社会における討論的適正さの理念を満足させるものといえる[62]。

(3) 裁判の領域

裁判も，もちろんある種の多元主義的な方向に近づきつつある。

---

(61) *Th. Würtenberger*, Die Akzeptanz von Verwaltungsentscheidungen, 1996, S. 24 ff.
(62) *Th. Würtenberger*, Rechtliche Optimierungsgebote oder Rahmensetzungen für das Verwaltungshandeln?, VVDStRL 58 (1999), S. 139, 166 ff.

それは，まず裁判官の構成にかかわっている。たとえば，ドイツの労働裁判制度においては，労働者側と使用者側それぞれ一人ずつの代表が，素人裁判官として，職業裁判官とともに法的紛争の裁判にかかわる任務を与えられる。それは，労働法的紛争の解決にあたって，均衡のとれた適正な利益調整に寄与する。

　より重要なのは，法発見と法形成に対する多元主義的な影響である。たしかに，憲法と（古典的な）法律は，急速に変化しつつある社会の標識（Marksteine）たるべきである。しかし，変転する社会的・経済的諸条件に法を適応させる際に，つまり，ときに期限切れとなる伝統的概念の新解釈に際して，あるいは判例法による法の補充に際して，解釈者の多元主義的社会が登場することがありうる[63]。ホットな法的問題については，ときに様々な色合いをもつ世論が形成される（たとえば遺伝子技術，妊娠中絶）。諸団体は，代表的な事件に際して，判断を下す裁判所に法的な鑑定意見書を提出し，団体の利益に合致する最高裁判断を想起させようとする。それだけでなく，法解釈に関係するすべての者は，原理的には，裁判官が拘束力あるとして確定する法解釈に影響を与える機会をもっている。

　連邦憲法裁判所の手続においては，利益団体の代表者に，書面で，もしくは口頭弁論の際に意見陳述を許すというやり方が通常となっている[64]。その意味で，憲法裁判所の手続が，同じく諸団体を決定手続に引き入れる法制定手続に著しく近づいているのである。憲法裁判所の手続における団体関与の役割については，たしかにもっと立ち入って検討する価値がある。しかし，多元主義国家においても，団体の関与が法発見過程に障害をもたらすことになってはならない。むしろ，法解釈と法発見に関する多元主義的討論は，生活に密着した判決発見のための不可欠の構成要素でなければならず，そこでは，裁判所は，中立的機関として利益の対立を適正に調整しなければならないのである。

Ⅳ　おわりに

　精神的多元主義から政治的多元主義への，また多元主義国家の存在形態から国

---

(63)　Vgl. *Th. Würtenberger*, Zeitgeist und Recht, 2. Aufl. 1991, S. 145.
(64)　たとえば，生活パートナー法に関する口頭弁論（BVerfGE 105, 313）においては，ホモ団体とレズビアン団体の代表が最終弁論をする機会を与えられたが，それは訴訟当事者にとっては，裁判所の手続自治のあまりに特異な扱いに見えたようである。

家理論や国家法におけるそれの位置づけへの次元の転回は，たえず，多元主義的な随意性と，それにもかかわらず確固とした形態の境界領域で，また，国家主権と多元主義的な自己形成との境界領域で動いている。ここで提案した限界設定については，おそらく異なった見解がありうるであろう。しかし，一つのことだけは確実である。それは，多元主義という現象を十分に受け入れない国家法と国家理論は，社会的現実に対しても，また近年の立憲国家の発展に対しても目をつぶるものだということである。

多元主義国家の理論と現実は，ヨーロッパ立憲国家の伝統に深く根ざしている。多元主義国家の基本的条件は，次の事柄にある。すなわち，基本権として保障される政治的自由，社会の諸勢力と距離を置きつつ，また協同しつつ政治的決定を正統化する民主的制度，法律と法に対して責任をもち，市民と社会的諸状況を取り込んで決定を行う，実情と専門に通じた官僚層，そして，利益集団を代表し，同時にそれに対して批判的な立場も失わない自由な世論である。

このことを法的に保障するためには，一方では，諸団体が官職の抱え込みや議員の買収などによって不当な影響力を行使するのに断固として反対しなければならない[65]。他方，国家法が，社会における多元的な諸勢力を不当に規制することがあってはならない。たとえば，私法的に組織されたメディア界や放送界の領域では，独占規制だけがなされるべきであり，多元主義的な均衡というものが強制されてはならない。

民主国家にあっては，国家と諸団体との関係は，距離を保った協同という特徴をもつべきである。利益集団は，その構成員が国家に何を期待しているのかを知っている，政治舞台における強力なアクターとして尊重されるべきである。国家の改革政策は，利益集団の強い抵抗に遭遇すると実現が難しい。彼らを政治的意思決定過程に引き入れることは，政治的な知恵という点からも要請されるのである。しかしながら，政治的決定を行いその責任をとるのが，最終的には諸団体ではなく国家である，ということを堅持すべきである。

このように，協同を可能として同時に距離も保つような多元主義秩序は，政治が伝統的に縁故関係によって規定されてきた国では，どこでも実現困難である。元来多元主義秩序とは無縁な権威国家だけでなく，「計画から門閥へ（from plan

---

(65) *R. Zippelius*, Allgemeine Staatslehre (Fn. 1), §26 V m. Nw.

to clan)」という問題のある言葉があてはまる，多くの新興民主国家もそうである。まさに，こうした国々においてこそ，多元主義的国家がうまく機能するために，買収されない官僚層と裁判官層がいかに重要であるかがわかるのである。政治制度が一旦縁故関係に影響されて決定されると，実際に多元主義的な国家を実現するためには，懸命の努力が必要なのである。

クラス・アクションと人権

ロルフ・シュテュルナー
松本博之訳

I　はじめに

　ドイツにおいて人権侵害の犠牲者の，大規模または小規模のグループによる人権訴訟が誰にでも知れ渡った現象になったのは，もともと最近の10年のことである。後発的な結果（Spätfolge）として，そのような訴訟手続に至ったのは，とりわけナチス政権と第二次世界大戦中の人権侵害であった。日本は，歴史的な不法を私法上の訴えによって償わせようとする類似の試みを知っている。この手続の母法は，しかし，このような手続の法的道具を何百年にも亘って発展させたアメリカ合衆国である。以下の論述は，まずアメリカ合衆国における発展を分析し，次いでヨーロッパ大陸の法秩序およびこれに影響を受けた法秩序の反応，とくにドイツのそれを評価する。最後に，民事裁判所の面前での人権訴訟が歴史的不法の是正に適しているかどうか，とりわけ国際的なコンテクストにおいても適しているかどうか，それとも別の調整メカニズムがベターな結果をもたらすのではないかという問題が生じるはずである。

II　アメリカ合衆国の法文化と人権訴訟

　一見したところ，外国国家または外国企業に対するアメリカ合衆国の裁判所の面前での人権訴訟は，関係外国法文化に対する攻撃の念を起こさせる。かかる訴えの許容には，しばしば1つの宣教師的思いあがりが見られる。もっとも，このような訴えは，アメリカ法において長い伝統を有し，アメリカ合衆国の法文化に深く埋め込まれ，そしてアメリカの企業に向けられうることが，はっきりと認識されなければならない。

1 近代へのアメリカ合衆国の人権訴訟の道のり

アメリカ合衆国における私法上の人権訴訟の出発点をなすのは，実際に，人権宣言，独立宣言および憲法と同じくらい古い，1789年の外国人不法行為請求法（Alien Torts Claim Statute）[1]である。これは，国際法または署名国としてのアメリカ合衆国との国際法上の条約に違反して外国人に対し不法行為が行われた場合に，連邦裁判所の面前での訴えを外国人に許す。この法律は，この時期の人権法の宣教師的曙の表現であった。この法律は，しかし初めは，大きな政治的効果をもたなかった。ごく僅かな，たいてい成果のない訴えが，この制定法に基礎づけられたに過ぎない[2]。一般に19世紀には，アメリカ合衆国の少数派の人権訴訟は，結局貫徹できなかった。なるほど連邦最高裁判所は，マーシャル長官のもとにインディアンに有利な人権擁護判決を出した[3]。しかし，この判決の実際の保護効果と実現は，広範な占拠と征服の段階においては多かれ少なかれ不可能であることが明らかになった[4]。黒人の人権は，合衆国最高裁判所において当初は信頼できない人の手にあった[5]。南北戦争だけが一定の区切りをもたらした[6]。もっとも，最高裁判所は1896年にはまだ「分離だが平等（separate but equal）」[7]の定式を確認し，この定式は1954年になってようやく有名なブラウン判決[8]の評決によって倒れ，さらに後1967年に混血婚に対する個々の州の人種法が憲法違反と宣言された[9]。現代の人権訴訟が起ったのは，あるパラグアイ人が，国民を拷問死させ，その後合衆国に暮らしていた元パラグアイの警察官を訴え，これに勝訴した60年代になってからである[10]。外国の高権的不法に対する訴訟の波から合衆国裁判

（1） Alien Tort Claim Statute 1789; nunmehr 28 U.S.C.A. § 1350.
（2） これにつき，*Born*, International Civil Litigation in United States Courts, 3rd. ed. 1996, p. 36 ff.
（3） Johnson and Graham's Lessee v. McIntosh, 8 Wheaton 843 (1823); Cherokee Nation v. State of Georgia, 5 Peters 1 (1831).
（4） E. Smith, John Marshall-Definer of a Nation, 1996, S. 515-517; インディアンの歴史について詳しくは，*Dee Brown*, Bury My Heart at Wounded Knee, 1970.
（5） Dred Scott v. Sandford 60 U.S. (19 How.) 393 (1857)(Schwarze als „beings of inferior order").
（6） これにつき，*Heideking*, Geschichte der USA, 3. Aufl. 2003, S. 160 ff.
（7） Plessy v. Ferguson 163 U.S. 537 (1896).
（8） Brown v. Board of Education of Topeka 347 U.S. 483 (1954).
（9） Loving v. Virginia 87 S.Ct. 1817 (1967).

所を保護し，とくに非常に古い1789年の外国人不法行為請求法を実体法上の請求権基礎をもたない管轄規範としてのみ解釈しようとする判例の試み(11)に対して，アメリカの立法者は反対した。立法者は1991年拷問被害者保護法（Torture Victum Protection Act）において「拷問」および「司法外殺人」に対する損害賠償訴訟のための非常に広範な請求権基礎を生み出した(12)。これによってアメリカの裁判所の面前での人権訴訟の現代的実務のための途が開かれた。

2 現代的な展開の基本的特徴

(1) 特徴的な事案グループ

まず初めに，この10年の訴えは第二次世界大戦の歴史的不法を少なくとも端緒において償う試みに妥当する。これに属するのは，まずフィリピン人および朝鮮人のいわゆる「従軍慰安婦」の日本国自体に対する訴え(13)であるが，しかしまた，ユダヤ人のホロコースト犠牲者の子孫がスイス銀行(14)またはドイツおよびヨーロッパの保険会社(15)に対して起こした訴えもこれに属する。だが，この種の訴えのもっとも重要なグループに関するのは，ドイツの地平での第二次世界大戦でのいわゆる奴隷的労働者であった(16)。第2の訴訟の波は，別の初期または近時の不法に対し向けられる(17)。古い不法に関するのは，たとえばナミビアに

---

(10) Filartiga v. Pena Irala 630 F. 2nd 876 (2d Cir. 1980).
(11) これにつき，Tel Oren v. Libyan Arab Republic 726 F. 2d 774 (D.C.Cir. 1984); ausführlich *Born*, Litigation, S. 36 ff.
(12) 法文は，*Born*, Litigation, S. 43 ff. に掲載されている。
(13) 法文は，*Born*, Litigation, S. 43 ff. に掲載されている。
(14) これにつき，*Jodi Berlin Yanz*, Heirs without Assets and Assets without Heirs: Recovering and Reclaiming Dormant Swiss Bank Accounts, Fordham International Law Review 20 (1997), 1356 ff.; 結果につき非常に批判的なのは，*Nobel*, Internationaler Druck auf die Schweiz, 1996-2002, in: Bitburger Gespräche 2003, S. 91 ff.; 非常に調和がとれているのは，*Detlev Vagts*, Switzerland, International Law and World War II, American Journal of International Law 91 (1997), 466 ff.
(15) これにつき，*Bazyler*, Nuremberg in America: Litigating the Holocaust in United States Courts, University of Richmond Law Review 34 (2000), 1 ff., 93 ff. mNw.
(16) これにつきとくに，*Bazyler*, Nuremberg, University of Richmond Law Review 34 (2000), 194 ff.; さらに *Vagts/Murray*, Entschädigungsklagen der Zwangsarbeiter unter nationalsozialistischer Herrschaft: der nicht beschrittene Weg, ZZPInt 7 (2002), 333 ff.; (in englischer Sprache Harvard International Law Journal 43 (2002), 503 ff.

おけるヘレロ人の蜂起（1908〜1912）の鎮圧にドイツ銀行が関与したとの主張による，アフリカのヘレロ人のドイツ銀行に対する集団訴訟である。南アフリカ人のヨーロッパおよびアメリカ企業に対する，アパルトヘイト政策への関与による訴えは，近時の不法を贖うべきものである。国家により組織された犯罪の被害者によるこのような国家（キューバ，イラン）に対する集団訴訟[18]，または，独裁者および軍事独裁者の犠牲者による虐待者自身（たとえば Karadzic/ユーゴスラビア；ムガベ（Mugab）/ジンバブエほか）に対する訴訟[19]も多い。最後に，独裁的な外国政府と人権を侵害する方法で共働したとして，たとえばビルマにおける原油の獲得のための施設建設においてアメリカ企業が非難される場合には，アメリカ企業も被告の地位にある[20]。

(2) クラス・アクションの典型的問題領域の外での勝訴障害

すでにクラス・アクションの典型的問題領域の外において，多数の勝訴障害が個々のケイスにいて生じる。まず，国家自体に対する訴えは，たいてい国際法違反であるが高権的行為（acta iure imperii）に関するため，国際法上の国家の主権免責の原則のゆえに通常不適法である[21]。アメリカ合衆国の1976年主権免責法も，ここから出発する[22]。もっともアメリカ合衆国は，1997年に，ある国家を「テロリズムのスポンサー」として登録し，その限りでその国家の主権免責を取り消すことを国務省に許す例外規定を付加した[23]。とりわけ，キューバ，イランおよびリビアは，この武器を感じ取らなければならず[24]，合衆国における預

---

(17) これにつき，*Heß*, Kriegsentschädigungen aus kollisionsrechtlicher und rechtsvergleichender Sicht, in: Berichte der Deutschen Gesellschaft für Völkerrecht, Bd. 40 (2003), S. 107 ff.

(18) 再び，*Heß*, Kriegsentschädigungen, S. 188 f. mNw

(19) Kadic v. Karadicz, 70 F3d 232 (2nd Cir. 1995); Jane Doe I v. Karadicz 176 F.R.D. 458 (S.D.N.Y. 1997); Tachiona v. Mugabe et al. 169 F.Supp. 2nd 259 (S.D.N.Y. 2001).

(20) たとえば，Sequihua v. Texaco 847 F.Supp. 61 (S.D.Tex. 1994); Doe I v. Unocal Corp. 395 F3d 932 (2002).

(21) 最近のものでは，EGMR EuGRZ 2002, 403 (Al Adsani gegen Vereinigtes Königreich) und EuGRZ 2002, 415 ff. (McElhinney gegen Irland); これにつき，*Heß*, Kriegsentschädigungen, S. 192 f.

(22) これにつき詳しくは，*Born*, International Civil Litigation, S. 213 ff. mNw.

(23) これにつき詳しくは，*Born*, International Civil Litigation, S. 213 ff. mNw.

金口座の差押えを可能にする執行免責の取消しという2000年の同様の新例外(25)により脅されている(26)。

　国家免責に似たものとして，国家ではなく，人権侵害国家と協働する企業が訴えられる場合に，手を差し伸べる論拠である。いわゆる国家行為の法理（die sog. Act of state doctrine）(27)は，ここでも合衆国の外交上の利益と合致するように見えるならば，例外が関与しうるにせよ，外国国家がその固有の領土内で行った高権的行為の判断を合衆国裁判所が行うのを差し控えさせる。この法理に類似するのは，このような場合に外国の内政干渉を禁止しうる「国際礼譲の理論（doctorine of comity nations）」の変種である(28)。最後に，類似の「政治問題法理」が考慮に値する。これは外交関係への司法の介入を禁止し，とくに国際条約的な，政治的な解決が適切と見える場合には「司法審査免除（non justicability）」を生じさせる。奴隷的労働事件における若干の人権訴訟は，この論拠によっても却下された(29)。

　最後に，国際裁判管轄の問題も生じうる。合衆国は「doing business 法理」においてなかんずく世界規模で行動する大会社に対して非常に包括的な「人権」裁判籍をもつ(30)。だが，「フォーラム・ノン・コンビニエンスの法理」は，まさに人権訴訟において非常に争われているアメリカ合衆国の管轄権のより柔軟な扱い(31)を許す。批判者は，訴えを受理する傾向は被告がアメリカ会社の場合よりも外国会社が訴えられた場合により明瞭に刻印されると考える(32)。ハーグ管轄執行条約の挫折(33)とともに，世界的に人権訴訟についての普通裁判籍を確立す

---

(24)　たとえば，Alejandre v. Cuba 996 F.Supp. 1249 (S.D.Fla. 1997); Andersen v. Islamic Republic of Iran 90 F.Supp. 2d 107 (D.D.C. 2000) etc.
(25)　28 U.S.C.A. § 1610 (f) i.d.F. 2000.
(26)　詳しくは再び，*Heß*, Kriegsentschädigungen, S. 190 f
(27)　詳しくは，*Born*, International Civil Litigation, S. 685 ff.
(28)　これにつき，Sequihua v. Texaco 847 F.Supp. 61 (S.D.Tex. 1994).
(29)　Z.B. Iwanowa v. Ford Motor Co., 67 F.Supp. 2d 424 (D.N.J. 1999); Burger-Fischer v. Degussa AG 65 F.Supp.2d 248 (D.N.J. 1999).
(30)　これにつきとくに，*Heß* JZ 2000, 373 ff.
(31)　気前よくアメリカ合衆国の管轄を認めるのは，たとえば Wiwa v. Royal Dutch Corporation Co. 226 F. 3d 88 (2d Cir. 2000) であり，これに対して外国の裁判所への移送を支持するのは，Aguinda v. Texaco Inc., 142 F.Supp. 2d 534 (S.D.N.Y. 2001) である。
(32)　それとなくではあるが，*Heß*, Kriegsentschädigungen, S. 185 Fn. 580.

る試みも廃れている。

(3) クラス・アクションの特別の困難

アメリカ法のもとでの人権訴訟の一般的困難に加えて，クラス・アクションの特別の問題がある。それはしばしば論じられており，それゆえ短い要約的説明で足りる[34]。

合衆国最高裁判所の新しい判例は，「クラス」のメンバーの利益の同質性と利益の同方向性にまさに高い要求をする[35]。しかし個々人に対する人権法上の大量不法行為においては，加害行為と損害はたいてい非常に個別的であり，定型化することは困難である。連邦民事訴訟規則の諮問委員会は，1966年のクラス・アクションルールのコメントにおいて，人的損害については，クラス・アクションは通常適切でないかまたは限定的にのみ適切であると述べた[36]。たいてい複数の下位クラスが形成されなければならないか，またはクラスの形成が１つまたは若干の事実＝法律問題に限られ，その他の点では個別的に裁判されなければならない[37]。このことは，当然クラス・アクションを減価する。一部では比較的な適格がある場合には裁判所の確認のもとで[38]，「クラス」の「認証」に係争裁判の場合よりも低い要求をすることにより救済することが試みられている。裁判所により委託された者が多数の下位グループへの微細分割（Feinverteilung）についての提案を委ね，裁判所と「陪審」はこれを確認しなければならないというのも，実行可能な解決である[39]。どっちみち，ここには「クラス・アクション」の驚

---

(33) これにつき，*Silberman*, Comparative Jurisdiction in International Context: Will the Proposed Hague Judgments Convention be Stalled? De Paul Review 52 (2002), 319 ff., 328.

(34) 詳しくは，*Vagts/Murray* ZZPInt 7 (2002), 333 ff., 353 ff., (*Stürner/Pfützner* によるドイツ語版); さらに，*Heß*, Kriegsentschädigungen, S. 193 f.

(35) Anchem Products v. Windsor, 521 US 591 (1997); Ortiz v. Fireboard, 527 US 815 (1999).

(36) FRCP 23, 諮問委員会のコメント。

(37) これにつき，*Wright/Miller/Kane*, Federal Practice and Procedure, 2d ed. 1986 mit Supplements, §1790 mNw.

(38) しかし，これにつき制限的なのは，Anchem Products v. Windsor 521 US 591 (1997) und Ortiz v. Fireboard Corp. 527 US 815 (1999); *Mullenix*, Re-Interpreting American Class Action Procedure: The Supreme Court Speaks, ZZPInt 5 (2000), 337 ff.

異の武器としての評判をまったく失わせるのに適するように見える争いの可能性をもつことがはっきりする。

人権クラス・アクションの別の典型的な問題は，グループの構成員への通知に見られる。アメリカ合衆国法によれば，「クラス・アクション」は，構成員が除外の可能性を利用できるようにグループの構成員へのフェアな通知を要件とする[40]。クラス・アクションに関する判決は，そうであって初めて全構成員に対して全面的な既判力をもつことができる。そのため，秩序ある通知の可能性は，適法なグループ形成の重要な前提である。人権訴訟において本質的な数のグループ構成員が外国に暮らしている場合には，外国法による（判決の）承認にとって十分な送達方式が実行される場合にのみ，判決の承認と既判力効が保証される。とりわけ公示送達方式では足りず，個別送達が必要な場合，外国人のグループ構成員を取り込むことは，殆ど解決できない困難になる[41]。

3 アメリカ合衆国の総決算

アメリカ合衆国の人権侵害によるクラス・アクションについての総決算は，結局のところ，いやはやいかがわしく，貧弱な結果である。勝訴したのは，争訟的に判決されたマルコス訴訟[42]と，スイスとオーストリーの銀行に対するある点では和解的に解決された訴えである[43]。奴隷的労働訴訟は実際すべて敗訴であり[44]，ドイツと合衆国との間の合意により基金の創設により立法的に解決されなければならなかった。第三世界の諸国における企業に対する人権訴訟の持続的な成功は，結局のところ未定である[45]。グループ形成の複雑さ，種々の弁護士

---

(39) これにつき，In re Estate of Ferdinand Marcos, 910 F.Supp. 1460, 1462 f. (D.Haw. 1995); Hilao v. Estate of Ferdinand Marcos, 103 F. 3d 767 (9th cir. 1996).

(40) 詳しくは，Phillips Petroleum Corp. v. Shutts 472 US 797 (1985).

(41) これにつき，*Vagts/Murray* ZZPInt 7 (2002), S. 362 ff.; *Heß* JZ 2000, 373, 378 f. ダイムラー・クライスラーに対するデラウエアでの株主訴訟においては，この問題にドイツの株主を加えることは失敗した。

(42) Hilao v. Estate of Ferdinand Marcos, 103 F 3d 767 (1996)：1万人以上の犠牲者について24億5千万USドル。

(43) In re Holocaust Victims Assets Litigation, 225 F3d 191 (2d Cir. 2000)：12億5千万スイスフランと4千万USドル。

(44) Burger-Fischer v. Degussa et al., 65 F. Supp. 2d 248 (D.N.J. 1999); Iwanowa v. Ford Motor Co., 67 F. Supp. 2d 424 (D.N.J. 1999).

の競合する訴えおよび弁護士と依頼者間ならびにグループ内部の分割争いが，クラス・アクションという訴訟モデルに重荷を負わせている。

III 大陸ヨーロッパの基本的了解

大陸ヨーロッパ諸国の基本的了解によれば，国家免責は国家の組織が人権を侵害した場合にも外国人の私訴から当該国家を保護する。国家機関が人権を侵害したその国の裁判所の面前において，補償請求権が主張されてよいが，この請求権はせいぜい近代になって，場合によって人権保護的な国際法規範に基礎づけられうるようになった。国家法上の請求権基礎は狭く，裁判籍は気前よくはなく，グループ訴訟はアメリカよりも稀である。大陸ヨーロッパの基本的了解は，人権侵害の法律上または条約上の規律をアメリカ合衆国の基本的了解よりも強く優遇する。このことはやや詳しく説明されるべきである。

1 完全免責か

国家免責の射程は，人権侵害のとくに残酷なケースとしての，ギリシャにおけるドイツ軍部隊のディストモ大量虐殺（Distomo-Massaker）を手がかりに示すことができる。1944年にドイツ軍部隊がギリシャのある村落において報復行動として民間人の間で行った野獣的な血浴の生存者が，ドイツ連邦共和国に対し補償を求めてギリシャの裁判所に訴えを提起した。ギリシャの裁判所は，最高裁判所（Aeropag）まで，「ならず者国家」について上述した，そしてアメリカ合衆国法において定式化された例外を定める，近時の英米理論の緩和された国家免責理解[46]に依拠して，ドイツの主権免責を結局は否定した。国際慣習法の解釈を判断する最高ギリシャ特別裁判所（der Oberste Griechische Sondergerichtshof）は，ようやく僅差の多数でドイツの免責から出発した[47]。しかし，この特別裁判所の裁判は，民事裁判所による請求認容判決には直接の影響をもたなかった。ドイツは，政治的な理由から正式の取消しを求めなかったからである。ギリシャ司法省

---

(45) *Heß*, Kriegsentschädigung, S. 193 f. は適切。
(46) *Broehmer*, State Immunity and the Individual, 1997, S. 196 ff. mNw.
(47) 裁判の経過については，幾分厳しい基調をもつ *Dolzer* NJW 2001, 3525; さらに，Anotato Idiko Dikastirio in Dike International 2002, 1282 ff.

がドイツ連邦共和国の財産への強制執行を許さず（ギリシャ民事訴訟法923条），ギリシャの民事裁判所の面前での法的救済手段が尽きたとき，大量虐殺の生存者は人権抗告を提起した(48)。しかしながらヨーロッパ人権裁判所は，重大な人権侵害の場合にも国家免責は制限されないこと，少なくとも現在そのような国際慣習法は証明できないことを確認した。もっとも，アメリカ合衆国の免責理解との違いは，そうこうするうちに裁判所の判決よりも，よりヨーロッパの国家実務に左右されている。なぜなら，強制執行の許可の付与は——免責を侵害するため——国際法違反だとの見解を，ヨーロッパ人権裁判所は主張しなかったからである。むしろヨーロッパ人権裁判所は，執行の拒絶は正当であるとの確定に限定し，——非常に注目されることに——国際法のパラメータの将来の変更可能性を指示しているからである。かくて将来，アメリカ合衆国の実務に接近するかもしれないということは排除されない。これに対して，ドイツの連邦通常裁判所は，国家免責はあらゆる場合に人権侵害国家を外国裁判権に呼び出すことを禁止するとの伝統的見解を固執している(49)。

2　狭い請求権基礎か

　国家免責は，人権侵害国家の裁判所での訴えの妨げとはならない。しかし，大陸ヨーロッパの裁判所は，国際法規範の責任根拠づけ効力をこれまで認めておらず，または躊躇いがちに認めているに過ぎない。このことは，まずは人権侵害国家自体との関係において妥当する。まさにこの関係で，なかんずく公務上の義務違反の法律要件の枠内で第三者効を妥当させることができるにもかかわらず，そうである(50)。しかし連邦憲法裁判所と，最近では連邦通常裁判所も，強制労働訴訟とドイツの大量虐殺についてのギリシャ訴訟において，少なくとも第二次世界大戦の当時には，国際法上の規範の責任根拠づけ機能は国家に対する個人の訴訟の枠内ではないとの立場に立った(51)。しかし両裁判所は将来については未決定にした。たとえば企業のような私的な関与者（Akteure）についての責任原因としての国際法規範は，——アメリカ合衆国とは異なり——これまで原則として

---

(48) EGMR NJW 2004, 273 ff., 274 r.Sp.
(49) BGH NJW 2003, 3488 f.
(50) とりわけ，*Heß*, Kriegsentschädigungen, S. 178 ff., mNw.
(51) これにつき，BVerfGE 94, 315, 328 ff.; BGH NJW 2003, 3488, 3491.

ヨーロッパおよびドイツの裁判所の受け入れていないところである[52]。

かくて残るは，一般的な契約上，不法行為法上および公法上の請求権基礎だけである[53]。しかし，このような請求権は，国際法上の戦後の賠償合意により個別ケイスにおいてしばしば排除されていないかもしれない場合にも[54]，とりわけ戦争不法の場合に，争いのある時効の抗弁に立ち向かわなければならない[55]。

3　人権訴訟についての普遍的なヨーロッパ裁判籍は存在しない

ベルギーを別にすれば[56]，アメリカ合衆国とは異なりヨーロッパ諸国は，通常，人権侵害についての包括的裁判管轄を知らない。したがって，私的な関与者に対する訴えにおける連結点として残るのは住所と不法行為地だけであり，時には非ヨーロッパの被告に対する関係では，なお財産所在地，原告国籍またはトランジット裁判権のような過剰裁判籍が残る[57]。世界規模の人権訴訟にとっては，このパースペクティブはあまり魅力的ではない。

4　集団的権利行使が創設される可能性は少ない

ヨーロッパでは，アメリカ合衆国と異なり集団的権利行使の方式はないと主張するなら，それはたしかに誤りであろう。クラス・アクションはイギリスのグループ訴訟の後裔であり[58]，団体訴訟と公的な行政庁による訴えは民事訴訟における集団的権利行使の方式を許す[59]。だが，このような集団的権利保護の方式は，ヨーロッパではこれまで人権訴訟の重要な道具を作るほどの意味を獲得しなかった。とくにドイツは，その点で緩やかな進行を行っている。集団的な権利擁護の伝統的な方式は，不作為訴訟法による団体訴訟[60]および裁判所によって選任さ

---

(52) EuGH, Rechtssache 21/76, Bier gegen Mines de Potasse d'Alsace, Slg. 1976, 1735; Hof Den Haag, 10.9.1986, Netherland's Yearbook of International Law 19 (1988), 496.
(53) 結果同旨，BGH NJW 2003, 3488, 3493.
(54) BVerfGE 94, 315, 333; BGH NJW 2003, 3488, 3490; しかしドイツ再統一前は部分的に違っていた。たとえば，BGH NJW 1973, 1549 ff.
(55) たとえば，BGHZ 48, 125 ff.; BVerfG, 04.01.05-1 BvR 1804/03は控え目。
(56) この点につき，*Heß*, Kriegsentschädigungen, S. 185 mNw.
(57) Art. 3 Abs. 2 EuGVVO.
(58) これにつき，*Andrews*, English Civil Procedure, 2003, Rn. 41.01 ff.
(59) これにつき，*Koch* ZZP 13 (2000), 413 ff. mNw.

れた代表者(61)による集団的示談または損害賠償訴訟という個別方式である。近時，これに多数の競争違反がある場合における，公的予算管理者のための利益剥奪訴訟（Gwinnabschöpfungsklage）が加わる(62)。今後はさらに，投資市場の領域での投資家保護のためにムスター訴訟が加わるとされるが，これは慎重にイギリスのグループ訴訟およびアメリカのクラス・アクションを志向するものである(63)。連邦司法省の委託により消費者保護のために作成され，クラス・アクションまでの集団的権利保護の方向へより強い改革措置を意図する野心的で広範な草案は，差し当たり実現のチャンスが小さいように見える(64)。争いのある差別禁止法草案では，反差別団体に不作為訴訟とならんで差別犠牲者の損害賠償請求権を他人の名でまたは譲渡後に自己の名で訴訟上行使することを可能にすることが考えられている(65)。したがって全体として，完結した体系よりも，むしろ継はぎ絨毯（Flickenteppich）である。

5　反対モデルとしての法律上の基金処理

　クラス・アクションに対する大陸ヨーロッパの，とくにドイツが実現した反対モデルは，被害者がそこから補償金の支払いを受ける法律上の基金の創設である。このモデルは初め薬品被害の領域で試されたのであるが(66)，立法者は，これを奴隷的労働訴訟の場合においても持ち込み(67)，100億マルクの基金資本を集めた。アメリカ合衆国の裁判所は，ドイツとの政府間合意に対応する合衆国政府の

---

(60)　*Rosenberg/Schwab/Gottwald*, Zivilprozessrecht, 16. Aufl. 2004, §47 II, S. 282 ff. mNw.; *Murray/Stürner*, German Civil Justice, 2004, S. 203 ff.

(61)　たとえば，§6 SpruchverfahrensG (Aktionäre oder Anteilsinhaber bei gesellschaftsrechtlichen Umformungen); §6 SchuldverschreibungenG (Rechtswahrnehmung für Inhaber von Schuldverschreibungen).

(62)　§10 UWG 2004.

(63)　資本市場法上の争訟におけるモデル手続に関する連邦政府草案（KapMuG）.

(64)　*Micklitz/Stadler*, Das Verbandsklagerecht in der Informations-und Dienstleistungsgesellschaft, 2004，団体訴訟，モデル訴訟および集団訴訟の規制のための法律（GVMuG）の草案を収録。

(65)　AntidiskriminierungsG-ADG; Entwurf Stand 2005 §24; 基礎にあるEU指令については *Riesenhuber/Frank* JZ 2004, 529 ff.

(66)　基金が犠牲者に金銭を配分するために設立されたサリドマイド事件については，とくに *Safferling* KJ 34 (2001), 208, 212 f.

"statements of interest"に基づき，基金があることを指示して訴えを却下した[68]。連邦憲法裁判所は，ドイツの裁判所の面前での訴えに対する一括基金解決を確認した[69]。それは，多数の原告被害者に結果としてクラス・アクションによって可能であったよりもベターな不法補償をもたらした[70]。

Ⅳ　アメリカ流の思想所産の継受か，それとも固有の新たな解決か

大陸ヨーロッパ人は，分れ道にいる。彼らの躊躇には，2つの理由がある。1つは，これまでの法文化の違いに深く根ざす。他の理由は，むしろ法技術的なものである。すなわちクラス・アクションはそう正しく機能せず，その結果にも説得力がない，というものである。

1　「競争社会」の道具による人権の実現か

アメリカ社会は，大きな社会的差異と大きな倫理的差異をもつ。「アメリカン・クリード」と「アメリカン・ドリーム」は，移住者または下層階層に，その自由と平等が上昇への道を許す「フレシュ・スタート」を賛美する[71]。少数の者がこの頂に達するに過ぎない。それにもかかわらず，「幸福追求」信仰は，「競争社会」の意味でのアメリカ社会を刻印する[72]。それは全体としては経済的，技術的進歩の促進において特別に成功を約束するもの (erfolgreich) であるが，成功への関与は大きな不平等と不均質性によって特徴づけられている[73]。クラス・アクションは，ここでは私人のイニシアティブによる大雑把な是正の必要性に対

---

(67)　2000年8月2日の „Erinnerung, Verantwortung und Zukunft（記憶，責任および未来）" 財団設立のための法律 (BGBl. I, 1263.)；その憲法適合性について，BVerfG, 04.01.05, 1 BvR 1804/03.

(68)　たとえば，In re Nazi Era Cases against German Defendants 198 F.R.D. 429 (D.N.J. 2001); In re Austrian and German Holocaust Litigation, 250 F3d 156 (2d Cir. 2001).

(69)　BVerfG NJW 2001, 2159 (1. Kammer des Ersten Senats); BVerfG, 04.01.05, 1 BvR 1804/03.

(70)　*Vagts/Murray* ZZPInt 7 (2002), 333 ff., 366 ff.

(71)　Dazu umfassend *S.M. Lipset*, American Exceptionalism, 1996.

(72)　これにつき，*Kagan*, Adversarial Legalism, 2001.

応するものである。なかんずく大きな社会的差異と国家的操縦不全 (staatliches Steuerungsversagen) をもつ社会と国家においては，人権擁護のためのクラス・アクションは，ゴリアに対するダビデの武器となりうるので，大きな賛同を呼ぶことは驚きではない[74]。しかし，社会的現実はクラス・アクションを変えなかった。クラス・アクションは，むしろ固有の拡散効をもたない投機的で島国的な個別出来事である。大陸ヨーロッパ社会は，それに対して社会的調整と均質性をこれまで「競争社会」の上位においた。これを保持することは一定程度の国家的操縦と規制を前提とするのであるが，これはいまや資本市場，サービス市場および労働市場の開設によって問題にされている。完全な開放は，「競争社会」をその法制度とともに受け入れ，輸入しなければならない。形式化された競争または価格拘束規制または人権擁護のための行政措置を拒否する者は，いつかは「対重 (Gegengewicht)」として「懲罰的損害賠償」を伴う「クラス・アクション」を必要とする。大陸ヨーロッパ人の躊躇は，このように見れば，正しい社会モデルをめぐる彼らのリングの鏡像である。アメリカ合衆国モデルの経済的優位は，部分的に最近の20年の現象であり，全く壊れやすい[75]。より強く批判された大陸ヨーロッパの社会構造は，統治され，その調整的制度の濫用が排除され除去されるならば重要なメリットをもたないかどうかという問題が生じる。しかし，このことが実現するならば，「クラス・アクション」はヨーロッパでの大きな将来をもたないであろう。

2　ずっと進んだモデルによる実効性

「クラス・アクション」の結果は，個人の権利行使と集団化との間の相克を説得的に克服できないため，結局人を説得できない。個人の請求権が出発点にとどまるならば，法的審問の維持と個人の損害についての証拠調べのさい常に困難が生じるであろう。クラス・アクション内での事実上の基金形成を伴うマルコス手

---

(73)　*R. Freeman*, Single-Peaked versus Diversified Capitalism: The Relation between Economic Institutions and Outcomes, in: Drèze, Advances in Macroeconomic Theory, 2001, S. 139 ff., 162.

(74)　たとえば，*Gidi*, Class Actions in Brazil-A Model for Civil Law Countries, The American Journal of Comparative Law LI (2003), 311 ff.

(75)　これにつき，*R. Freeman*, Capitalism, S. 179 ff., とくに S.166.

続，アスベスト事件を基金によって終局的に解決する近時の努力も，「クラス・アクション」の機能的脆弱さを示している。結局新たな手続のみならず，特別の実体権も必要であろう。全体モデルは個別の権利保護と個別の補償という考え方から完全に切り離され，一括補償ルールを伴う基金形成のための手続を定めなければならないであろう。一人または数人の被害者は，まずは柔軟な手続ルールをもつ独立委員会に委ねられる基金形成を求める申立てを行わなければならないであろう。一律金額の確定は委員会の任務であり，民事裁判所への規制的不服申立方法が開かれていなければならないであろう。通常の損害賠償請求権はこの補償モデルにとって替わられるであろう。アメリカにおけるクラス・アクションについて何百の論文を書き，「競争社会」の複雑な権利行使モデルの脆弱さを避ける固有のモデルを発展させないなら，それはヨーロッパ人にとって無意味である。もっとも，基金モデルは古典的な権利保護と古典的権利擁護の幻滅を正直に受け止め，かかる集団的権利保護の方式を，伝来の個人権と伝来の個人権利保護が現実に機能しない僅かな事案グループに限定することに寄与するであろう。まさに基金解決こそ，矛盾した結果を伴う長期にわたる民事訴訟よりも，ギリシャの恐ろしい大量虐殺事例をよりよく扱うのに適したものであったであろう。

ギールケのラーバント批判（1883）をめぐって[1]

守矢健一

I　ラーバントとギールケの論争の歴史的背景について

　団体，組織——近年あらゆる法領域において，こうした現象に賦与される実務上の重要性は増加している。これをしかし新しい現象と捉える必要はない。眼前に生起している現象を直ちにまた無制約に新しいと考える者には，その者が重要な問題に目をつぶっているのではないかとわれわれが疑うに十分な理由がある。本稿の目的は，こんにちのわれわれの置かれている状況がさまざまの次元に於いて，ドイツ帝政期と比較可能であり，またその比較に意義があることを示唆するにある。

　19世紀の最後の三分の一で，プロテスタント的刻印を多分に受けた教養市民が担っていた古典的自由主義がそろそろ終焉を迎える[2]。技術と群集の時代が，自然科学と統計の時代がはじまる。文化帝国的統一性は技術的経済的に規定された諸集団という新たなタイプにより侵食される。「さまざまの産業関係企業はコンツェルンを形成し，これがまたさらに価格カルテルや企業合併を行うこととなった。こうした勢力が力を強めるにつれて，立法や行政に影響を与え「通常の」司法を簡易な仲裁裁判所によって回避しようという傾向と，それを実現する力とを彼らは持つこととなった[3]」。技術的経済的に重要な規範は，議会による正統の規範創造プロセスを回避し，その外側で定立されるに至る[4]。かかる規範の定立に際しては専門知だけがものを言う。議員も法曹も沈黙せざるをえない。技術化

（1）　本稿は，やがて行われるべき本格的な研究に向けた，仮説を多く含む，予備的考察である。大方の批評を切望したい。

（2）　*Langewiesche, D.,* Bildungsbürgertum und Liberalismus im 19. Jahrhundert, in: Bildungsbürgertum im 19. Jahrhundert. Teil IV. Politischer Einfluß und gesellschaftliche Formation, hg. J. Kocka, 1989, 95-121, bes. 100 ff.

（3）　*Stolleis, M.,* Der lange Abschied vom 19. Jahrhundert, 1997, 15 f.

と統一基準設定の進展は，国境を消し，その限りでグローバリゼイションを加速させる[5]。「なにより君主制の頂点から，政党および党首へ，そしてさまざまの団体とその幹部とへ，実質的決定権限が移行する」[6]ことによって特徴付けられる，時代の転換が発生していたのである。技術的経済的領域において，国家は真に指導的な地位を確立することはもはや出来ない。もとよりこの意味における国家の無力は，国家の価値そのものを低下させたのでもない。国家は，進歩に対する楽観主義に味つけされた，経済=技術にその駆動力を持つリベラリズムとむしろ手を携えるに至った。国家は新たな任務を遂行することとなったのである。経済的リベラリズムは，いうまでもなく深刻な「社会問題（soziale Frage）」を生む。いまや国家はこの社会的危機を，保護関税政策を採用し，国家による社会保障政策を実現することによって，緩和する[7]。そう，解決を避け，緩和したのである。国家はもはや文化的に統一的な単位を形成するのではなく，政治的に妥協的に機能し，経済的発展をいわば補塡する[8]。

（4） このことに関して，および以下の叙述については *Vec, M.*, Recht und Normierung in der Industriellen Revolution. Neue Strukturen der Normsetzung in Völkerrecht, staatlicher Gesetzgebung und gesellschaftlicher Selbstnormierung, 2006. 公刊以前の段階で閲覧をかたじけなくする機会を与えて下さったヴェチ氏に感謝する。
（5） この点，すでにライナー＝ヴァールは前回のシンポジウムでいくつかの実例を挙げていた，*Wahl, R.*, Internationalisierung der Informationsordnung, in: Rechtsfragen des Internet und der Informationsgesellschaft. Symposion der rechtswissenschatlichen Fakultäten der Albert-Ludwigs-Universität Freiburg und der Städtischen Universität Osaka, 2002, 37-61, bes. 41 f；さらに参照，*Stolleis*, Der lange Abschied（Fn. 3）, 10 ff.
（6） *Stolleis, M.*, Geschichte des öffentlichen Rechts in Deutschland. 2. Bd. 1800-1914, 1992, 457.
（7） さらに，有益な要約的記述として *Mommsen, W.*, Das deutsche Kaiserreich als System umgangener Entscheidungen, in: *ders.*, Der autoritäre Nationalstaat. Verfassung, Gesellschaft und Kultur im deutschen Kaiserreich, 1990, 11-38.
（8） 周知のように，マイネッケはここに国家理性の暴走の起源を見る。この見方を援用しながら近代日本思想史における国家理性の問題を考察するものとして，丸山眞男「近代日本思想史における国家理性の問題」 同『忠誠と反逆――転形期日本の精神史的位相――』（1992）197-229頁所収。マイネッケの絶望に対して，カトリック的公法学を20世紀に構築する立場から，マイネッケの絶望の不徹底を厳しく攻撃するカール・シュミットについての，極めて重要な分析が，和仁陽『教会・公法学・国家』（1990）312-316頁に見られる。なお，本文の，文化的ペシミズムに関する叙述も参照されたい。

教養市民によって規定された自由主義が希薄化されるにしたがって，教養市民的自由主義が特別に重視していた文化もその機能を変質させる。芸術作品は政治的な実質を失い，家庭的になり，遂には経済生活を癒す装飾品となった。とくに愛好されたジャンルとして肖像画がある。この肖像画によって，新興富裕層は，市民社会における勝ち組として永遠に名を残すのだ，という気分を味わった[9]。フランツ=フォン　レンバハ Franz von Lenbach（1836-1904）が，成り上がりのあいだで高名を馳せたのは偶然でない。

　世紀転換期以降には，文化的ペシミズムの声も芸術家や文人らが発するようになってきた。しかしこの文化的ペシミズムについても二点を指摘しなければならない。第1に，このペシミズムは第一次大戦勃発前にはまだアウトサイダーたるにとどまっていた。第2に，文化的ペシミストたちもまた，現実から逃避し，自らの無力のなかにむしろ慰めを見出した[10]。腐敗した現実世界に（憧憬の対象としての）精神の領域を対置した点で，彼らは Parvenu と寸分たがわない。すでに普仏戦争直後において，当時のドイツの精神的状況に，「遊戯」としての文化と「生活の厳粛」との乖離に由来するスタイルの喪失を厳しく指摘するフリードリヒ＝ニーチェ Friedrich Nietzsche（1844-1900）の「時代はずれ」な所見[11]は，文化的ペシミズムにも妥当したのである。

　このように，1870年代にドイツは政治・経済的にも文化的にも大きな変化を遂げた[12]。そしてまさしくこのような変化を遂げたあとのドイツこそが，1968年以降の日本の近代化に際して決定的に重要なモデルとなったことを，ここで想起しなければならない。ヨーロッパの後進国たることを脱して，「上昇しつつある者だというメンタリティとともに西ヨーロッパ諸国に」登場しつつあったドイツ[13]。日本の近代化に際してドイツが特に参照されたことはよく知られているが，そのドイツとは経済的政治的な成功を遂げつつあった一方で，その文化的インテグリティーを失いつつもあったのである[14]。日本がドイツから多くを受容

---

(9) *Mommsen, W.,* Kultur und Politik im deutschen Kaiserreich, in: *ders.,* Der autoritäre Nationalstaat (Fn. 7), 257-286, hier bes. 267.
(10) Op. cit. 283 f.; *Lübbe, H.,* Politische Philosophie in Deutschland, 1963, 127 ff.
(11) *Nietzsche, F.,* Unzeitgemäße Betrachtungen I. David Strauss der Bekenner und der Schriftsteller, in: *ders.,* KSA 1, 157-242.
(12) 村上淳一『ドイツ市民法史』（1985）にもここで包括的にリファーすべきである。
(13) *Stolleis,* Der lange Abschied (Fn. 3), 20.

するようになったのは，明治初頭からではなく，1880年代以降である[15]。その継受のあり方がプラグマティック（つまみ食い！）であることはしばしば指摘される。そしてその原因を近代日本のメンタリティに求める考え方もあり[16]，それはそれとして傾聴に値しよう。しかし同時に継受の客体たるドイツの側においても，政治・経済・文化の断片化が決定的な仕方で開始されていた，という事情があったのである。当時の日本人にとって，（ドイツ人にとっては自明の前提である）歴史的な変化そのものを切実なものとして認識することは困難であったろう。普仏戦争以降の，ニーチェに言わせれば Stil の欠けたドイツが，日本人にとっての専らの関心の対象であるのは無理もない。そうであれば，日本が，第一次大戦後，例えば哲学の領域では引き続きドイツを参照する一方で，政治の理想像をドイツから簡単にアメリカに取替えることが出来た[17]のも，決して不自然なことではなかった[18]。

以上を前提的な知識とした場合，本稿がとりわけ関心を持つところの，（広い意味での）公法の領域における19世紀末のドイツおよび日本の状況はどう見えてくるだろうか。ドイツにおいては，19世紀中ごろには教養市民的な雰囲気の中でパンデクテン私法学の全貌がサヴィニーらによってスケッチされるにいたる。この私法学の体系を模範として，19世紀後半に体系的な公法学が形成される。公法学の体系化に当たっては，言うまでもなくパウル＝ラーバント Paul Laband (1838-1918) の国法学体系[19]がパラディグマティックな意味を持った。そしてこれに対するもっとも深刻な批判を提起したのがオットー＝ギールケ Otto Gierke (1841-1921) である。以下ではなによりも，ギールケのラーバント批判の要点を明確にすることを目指す。その際，ラーバントとギールケとの対抗を，端的な

---

(14) 第一次大戦前夜から，ドイツにはナショナリズムが燃え上がることになるが，これは文化的インテグリティーの実質的喪失と矛盾するどころか同一のコインの表裏の関係に立つ。
(15) 山室信一『法制官僚の時代』(1984) が基本的。
(16) 丸山眞男「日本の思想」同『日本の思想』(1961) 1-66頁所収。
(17) 第一次大戦後強まってゆくアメリカの影響について重要なのが，三谷太一郎『新版 大正デモクラシー論——吉野作造の時代——』(1995)。
(18) 哲学の領域において，観念論哲学以来のドイツ哲学の系譜は継続的な影響を与えるが，それはまさに哲学が脱政治化された限りだということになる。
(19) *Laband, P.*, Das Staatsrecht des deutschen Reiches, 3 Bde., 1876-1882.

「対立」と捉えるべきではないことを示唆する。その上で末尾に，ドイツ公法を継受した日本の公法学者の議論の性質を，上記の対抗との比較において，極く簡単に触れる。

II　ラーバントの国法学についての復習

　ギールケによる包括的なラーバント批判は『ラーバントの国法学とドイツ法学』(1883)[20]という，99頁に及ぶ長大な書評に示されている。この批判において，ギールケは，優れた公法史家ヴァルター＝パウリ Walter Pauly が重要な教授資格取得論文[21]で述べているように，「団体法理論を前提としてはいない」。むしろギールケはかつて「団体法論の第一巻の刊行と同時期に定式化した理論的な立場に立ち返ることができた」[22]。言われているのは1874年に公刊された『国法の諸概念と新たな国家法理論』である[23]。もちろんこの指摘は，ギールケのラーバント批判を団体法論と切り離すべきだということを趣旨としているのではない。団体法論は書評で確かに取り上げられているのである[24]。団体法理論と国法学的考察とがギールケにおいてパラレルに為されているということの指摘によって語られているのは，ギールケに特有の光学とでもいうべきものであって，これがいわば国法学にも団体法論にも通底しているのである。そしてこのギールケ的パースペクティヴはラーバントのそれと硬直した対立関係に立つものでは決してなく，もっとニュアンスに富んだ関係に立っているのである。

　「北ドイツ連邦の発足後の数年には，ドイツがあらたにとった体制の政治的評

---

(20)　*Gierke, O.,* Labands Staatsrecht und die deutsche Rechtswissenschaft, in: Schmollers Jahrbuch 7 (1883), 1097-1195, Neudruck 1961, 1-99. 引用は1961年版による。

(21)　*Pauly, W.,* Der Methodenwandel im deutschen Spätkonstitutionalismus, 1993.

(22)　*Pauly,* Der Methodenwandel (Fn. 21), 228 f.; vgl. auch *Dilcher, G.,* Genossenschaftstheorie und Sozialrecht. Ein „*Juristensozialismus*" Otto v. Gierkes?, in: Quaderni Fiorentini 3-4 (1974-75), 319-365, bes. 344.

(23)　*Gierke, O.,* Die Grundbegriffe des Staatsrechts und die neuesten Staatsrechtstheorien, zuerst veröffentlicht in: ZgesStW 30 (1874). その抜刷が1915年に出ている。さらにこの抜刷が以下の論文集に採録されている，*ders.,* Drei kleine Abhandlungen, 1973. 引用はこれによる。

(24)　*Gierke,* Labands Staatsrecht (Fn. 20), 74 ff.

価に公の関心がもっぱら向いていた⁽²⁵⁾」。このように，ラーバントは彼の記念碑的な『ドイツ帝国国法』第一巻（1876）初版の前書きで，大きな政治的な出来事を回顧している。「ドイツ帝国発足に先立つこの大きな政治的な出来事が，民族の政治的情熱を，例を見ない程度に掻き立てた⁽²⁶⁾」。ラーバントの国法学理論を理解するためには，われわれは，この国法学理論が政治的な転換期に構想されたという，それ自体としては言うまでもない事実から出発する必要がある。というのも，ラーバント国法学の論理的閉鎖性については，既に多くの，しばしば否定的な評価とともに語られてきたからである。しかるにその際，以下の基本的な事実が顧みられることが少なかった。すなわち，こうした政治的文化的転換のあとに，そしてまた1871年の新たな帝国憲法の制定後に，単なる法律のコメンタールではなくして体系的に閉じた学問的な国法学を完成させるということは，決して自明のことではなく，極めて粘り強い知的作業を強いたはずなのである。ラーバントの国法学理論はまずもって，政治的にスペクタキュラーな出来事に対する，明示的に法学の側からするひとつの回答と理解すべきである。したがって，以下に引用するラーバントの言葉も，単に彼の保守的な自信の表れと侮ってはならない。それはむしろ，政治現象に右往左往するばかりで，その無力がまさしく教養市民社会の緩慢な没落を証明するところの知識人のおしゃべりに対する明確な軽蔑に他ならない。「あらたな憲法の形式が次第に確実な実質を獲得するにしたがって，この憲法の導入が有益か有害かの判断だけにかかわっている考察というものの怠慢がはっきりしてきた。ドイツ連邦の発足，およびこれのドイツ帝国への拡大，これらは次第に動かしがたい事実になってきているのであり，それを望まない者すらもそこに適応せざるを得なくなっているのである。帝国憲法はすでに党派的闘争の対象ではなく，すべての党派とすべての闘争の基礎になっている」⁽²⁷⁾。法学的に閉じたラーバントの業績は，まさに生成しつつあった新たな法規範を単に報告するだけで分析しない多くの法曹に対しても批判的である⁽²⁸⁾。「帝国憲法の条文とその他の帝国の法律とを，適当な見出し語の下に単に寄せ集めたもの」とか，「立法理由書とか議会の議事録からの資料――それらはたいてい判

---

(25) *Laband, P.,* Das Staatsrecht des Deutschen Reiches, Bd. 1, 5. Aufl. (1911), V.
(26) Loc. cit.
(27) *Laband,* Das Staatsrecht (Fn. 25), V.
(28) *Stolleis,* Geschichte des öffentlichen Rechts 2 (Fn. 6), 337 f.

例法の見解を含んでいるに過ぎない——を付け加えること」は，こんにちの要請を満たすに十分ではない，と(29)。まさしくこのような文脈において，ラーバントは法学の傑出した役割を強調するのである。新たな帝国憲法を単に無批判に受容することではなく，ラーバント自らが述べるように，「新たに生まれた公法の諸関係を分析し，その法的性質を画定し，より一般的な法概念を見出しその法概念のもとにかかる諸関係を位置づけること」が目指されていたわけである(30)。

このように，ラーバントは帝国憲法をあるがままに受容したというのではなく，その条文を個々に厳密に法学的に洗ったのであった。新たな憲法に対する彼の態度というのは，したがって複雑なものといわなければならない。多くの法曹が国法上の新たな状況が誕生したことだけを認識したに過ぎないところに，ラーバントはいわば一種の構造的変容を看取した。そしてその変容を，彼が利用することの出来るあらゆる法概念を駆使して，すなわち因習的に国法学に属する概念だけでなく民法の領域に見出しうる，しかしそこにある特殊民法的な要素を洗い流した「一般的法概念 allgemeine Begriffe des Rechts」によって，解明しようと試みたのである。すでにパウリは，まだ具体的に政治的に思考していたカール＝フリードリヒ＝ヴィルヘルム＝ゲルバー Karl Friedrich Wilhelm Gerber (1823-1891) との対比によって，現実に存在する国家の具体的なあり方から，法理論を開放しようというラーバントに特殊の意図を明らかにしている(31)。特殊法学的な次元を分節することによって，ラーバントには，新たな憲法をも伝統的な，しかしラーバントによって精査を受けた法理論によって描き出す可能性が開けたのである。彼が立てた任務は以下のように要約できる：新たな帝国に意識的に法学的な，したがって体系的で包括的な輪郭を与えようとすること。

III　ギールケのラーバント批判はどこからはじまるのか？

ギールケは，彼がラーバント批判の書評を1883年に公表したとき，ラーバントの以上のような目論見をかなり理解していたといえる。すでにギールケにとって，ラーバントの国法学が「公法の諸領域そしてそれを超える領域の学問的動向に」

---

(29) *Laband*, Das Staatsrecht (Fn. 25), VI.
(30) Op.cit. VI.
(31) *Pauly*, Der Methodenwandel (Fn. 21), 205 f.

「永きにわたる影響を及ぼした」ことは(32)，否定できない事実でもあった。ギールケは基本的に，ラーバントの業績の「永きにわたる影響」を，「つぎつぎに産み出される文献における，新たな体制に賛成したり反対したりするおしゃべり」と区別して理解しているのである。このことに関しても，以下のような，パウリのよく基礎づけられた観察が役に立とう。すなわち，国法学者がラーバントの呪縛の下にあったとはよく言われることであるが，それは当時の国法学者における，「ラーバントの方法的法解釈的立場の思慮のないあるいは無批判の受容を意味しない。むしろ逆に，ラーバントの国法学の第一版が現われるや否やラーバント批判が登場した」(33)。「ラーバントの国法学は同時代の学者に，定点として受容され，利用された。自説をラーバントのそれとどの程度一致しどの程度乖離するかということによって形成し，表現したのである」(34)。「後期立憲主義的国法学の文脈では，ある公法学者がどのような学者かという問いは，ラーバントの立場との比較によって答えられるものだったのである」(35)。なぜラーバントがかかるオリエンテイション提供機能を持ちえたかといえば，それはラーバントの議論の水準が高かったからである。すなわち，彼が，ドイツ国法学の全領域について行った理論的概念的知的浪費にそれは基づく(36)。

そしてギールケは，パウリによって以上のように明らかにされた事物の連関をまさにはっきりと自覚していた。見誤りようのない明瞭さとともに，ギールケは彼の書評の冒頭においてラーバントの作品の法的閉鎖性を評価する。「したがって，ドイツ帝国の国法を徹頭徹尾法的に扱う，というラーバントの自覚的でエネルギッシュな努力は制約なしに評価することが出来る。彼の誤りは，このそれ自体として文句のつけようのない傾向に由来するのではない」(37)。ギールケの賞賛は事実，ラーバントが法的方法のみを利用したというその点に向けられている。「なぜといって，「法的方法」というのは，学問的手続の形式のことなのだが，この形式は，その対象たる素材が「法」である限り，その素材の特殊な性質によっ

---

(32) *Gierke*, Labands Staatsrecht (Fn. 20), 1.
(33) *Pauly*, Der Methodenwandel (Fn. 21), 209.
(34) Op. cit. 214.
(35) Op. cit. 217 f.
(36) Op. cit. 218.
(37) *Gierke*, Labands Staatsrecht (Fn. 20), 6 f.

て規定されているのである」[38]。ラーバントは「国家生活の法的な側面である国法を，国家生活のその余の実質から概念的に切り離して，ここでも［，すなわち民法と同様公法においても，］その独立性を示すことを目指した限りで，法的営為全体に対する基本的条件の１つを認識し現実のものとした」。「法はその特殊な実質からして事実そのものではなく，観念にかかわる。法の存在形態は人間の意識の営為のみに係る所産なのであり，人間の意識的営為の結果として，観念において特化された社会存在の部分的実質についての独特の観念連鎖が形成される。法意識の外には法は存在しない」[39]。したがって法学の任務はギールケにとっても「現実の世界から抽象化された，観念の世界についての研究であり，その真の実質と内的連関を伝えるためには，それはそれとして独自に扱われなければならない」[40]。

ギールケによればこうしたどちらかといえば一般的な法理論的考察のほかにも公法に特殊な歴史的な理由の故にラーバントの学問的達成を評価しなければならないとされる。民事法はすでに古代ローマ以来継続的な発展を見せてきたのに対して，国法は「近時に至るまで」「一般的国家学（政治）において，国家生活に関するその他の事柄と緊密に結びついていた」。こんにちでも，国法学的な仕事には法的な考察のほかに政治的倫理的経済的考察が混入されている。こうした背景に照らすと，「主にゲルバーによってあらたなドイツ国法学に導入された傾向，すなわちローマ私法学のモデルに従ってここでも法的思考の純粋な世界を目指す傾向，これはその核心において完全に正当である。ラーバントは，この方向で先導役を務め，その目標に近づくために数多くのあらたな道筋をつけたことについて，大きな成果をあげたのである」[41]。

---

(38) Op. cit. 6.
(39) Op. cit. 7.
(40) Loc. cit.
(41) Op. cit. 8. ギールケは，ゲルバー・ラーバント学派の意義を理解できないルートヴィヒ＝グムプローヴィッツ Ludwig Gumplowicz（1838-1909）流の自然主義的社会学的見解を批判することができた，op. cit. 8, not. 1.（グムプローヴィッツは国法学を政治と混同するというかつて行われていた誤りを犯している，という。）18世紀末に至るまでの，ドイツにおける国家行為と政治との緊密な関係については基本的なのが *Simon, Th.,* „Gute Policey". Ordnungsleitbilder und Zielvorstellungen politischen Handelns in der Frühen Neuzeit, 2004.

ギールケはこうしてラーバントの国法学が示した法的に閉じた建築物を的確に評価する十分な内的理由を持っていたのであり，この彼による賞賛はたんにリップサーヴィスではない。否，それどころか，かれがラーバントを認めた，ということが彼のラーバント批判の論理的な前提となっている。ギールケによればラーバントの原理的な誤りは以下の点にある，すなわち「ラーバントは法学的方法の本質を誤って，またはあまりに狭く特定した」(42)，と。批判されているのは，法学的方法の本質についてのラーバントの理解である。法学的方法を選択すること自体が批判されたのではない。法的思考様式への集中はギールケにとっても必要なものだったのである。ギールケにとっては，ラーバントにより具体的に実行された方法が問題だった。

Ⅳ　自然法の回帰またはラーバントのメランコリー

ただし，ここでも区別がなされなければならない。ヴァルター＝ヴィルヘルムはかれの，全体としては極めてシャープな博士論文『19世紀の法学方法について』においてラーバントとギールケとの論争を論理的演繹的方法と経験的帰納的方法との対立として性格づけた(43)。この理解はたしかに通説には対応するかもしれない。しかしこんにちでは，このような理解はやや誤解を招くものではないか，と疑問を呈するのが適切であろう。ギールケの批判はもっと複雑なのである。なるほどギールケはラーバントにおける「形式論理ができることについての過大評価」について語ってはいる(44)。しかしここでも論理が適用されたこと自体が非難されているのではない。その過大評価のみが非難されているのである。

よく知られたように，ラーバントは一般的法概念 allgemeiner Rechtsbegriff を論理学上の範疇に対応させた。彼にとって，法概念は精密にすることは出来るがそれを産み出したりすることは出来ない，そのようなものだったのである。一般

---

(42) Op. cit. 7.

(43) *Wilhelm, W.,* Zur juristischen Methodenlehre im 19. Jahrhundert. Die Herkunft der Methode P. Laband aus der Privatrechtswissenschaft, 1958, 124 n. 152. この作品については最近では *Simon, D.,* Walter Wilhelm (1928-2002). Eine Erinnerung, in: RG 2 (2003), 142-150, bes. 146 f. が個人的な，しかし適切な性格規定を行っている。

(44) *Gierke,* Labands Staatsrecht (Fn. 20), 14 und passim.

的法概念を新たに産み出すことは「論理学上の範疇を捏造したり自然力をあらたに発生させることと同様に不可能である」(45)。このように考えるならば，法学上の基本的思考形象は不変だ，ということになる。このようなラーバントの思想に，パウリはルードルフ＝フォン　イェリング Rudorf von Jherings (1818-1892) が1857年に発表した有名なプログラム論文『われわれの任務』(46) (1857) に闡明した方法とのパラレリテートを看取した(47)。すこしばかりイェリングの言葉を引用しよう：「ひとたび類概念が把握され適切に形成されたならば，それによって現在すでに手元にある種だけでなくすべての将来に出現する種にもつねに対応できる法的素材が獲得されたのである。ここにこそ，よく彫琢された法学は法命題の完全な欠如を懼れることはない，ということの理由がある」。「何千年と機能してきた法学は，法的世界の基本的な形式または基本的なタイプをすでに発見しており，その中に，将来の発展も埋め込まれている。それは将来の発展が細かくはこれまでの諸形式と大きく隔たってしまっているように見えても，そうなのである。このように理解された法学は歴史によって当惑する必要はない」(48)。このような思想を，イェリングはゴットフリート＝ヴィルヘルム＝ライブニッツ Gottfried Wilhelm Leibniz (1646-1716) による，法学 (la science de droit) の経験 (faits) からの切断という構想を手がかりに，展開した(49)。そしてこの17世紀以来の，観念論的というよりはむしろアリストテレス的自然法的な分類思考 Gliederungsdenken に親和性のある(50)思考類型にはイェリングだけでなくラーバントも問題なく位置づけることが出来るのである。

従って，ギールケが法学における論理の能力の過大評価についてラーバントを非難する場合，そこでギールケが批判しているのはまず第1に，ラーバントにとどまらず当時のドイツに広く流布した特殊な思考類型を批判しているのである。この思考類型をギールケは，「常に不変で抽象的な理性法という旧い自然法の錯

---

(45) *Laband*, Das Staatsrecht (Fn. 25), VI f. さらに *Herberger, M.,* Logik und Dogmatik bei Paul Laband. Zur Praxis der sog. juristischen Methode im „Staatsrecht des Deutschen Reiches", in: Wissenschaft und Recht der Verwaltung seit dem Ancien Régime. Europäische Ansichten, hg. E. V. Heyen, 1984, 91-104.

(46) *Jhering, R.,* Unsere Aufgabe, in: Jahrbücher für die Dogmatik des heutigen römischen und deutschen Privatrechts 1 (1857), 1-52.

(47) *Pauly*, Der Methodenwandel (Fn. 21), 187 n. 82.

(48) *Jhering, R.,* Unsere Aufgabe (Fn. 46), 16.

覚」と理解するのだが，それは確かに鋭い観察なのである[51]。ギールケは言う：「実証主義的な装いで，おかしなことに古い自然法が復活している」[52]。要するに，「論理的形式主義的方法」[53]と幾何学的精神の時代[54]との並行性がここで指摘されているのである。

この《算術的》思考法を論破するという具体的な目的のために，ギールケは興味深いことに法と言語との類似性を持ち出す。「常に不変で抽象的な理性法というふるい自然法の錯覚が克服されて以来，法が言語と同様純然たる論理の所産ではないことは皆知っている」[55]。ここで念頭にあるのは，第1に，もちろん，歴

---

(49) 基本的なのは *Gagnér, S.*, Zur Methodik neuerer rechtsgeschichtlicher Untersuchungen I. Eine Bestandsaufnahme aus den sechziger Jahren, 1993, bes. 190 ff. 法のアルファベットというイェーリングに特徴的な構想は *Jhering, R.*, Geist des römischen Rechts auf den verschiedenen Stufen seiner Entwicklung. Erster Theil, 1852, 31 f., に見られるとおりだが，これも本文に示したような文脈において理解されるべきである，*Gagnér*, Zur Methodik, 196. さらに参照，*Kiesow, R.-M.*, Das Alphabet des Rechts, 2004, 214 f. キーゾによれば，法のアルファベットという構想は，法実務に端的に寄与することをも重要な目的としている18世紀フランスの百科全書派とのコントラストにおいて捉えるべきだとされる。このような対比は正当であるが，ただしキーゾのイェーリング理解は，通説的なそれに拘束されてドイツ流イデアリスムスに引きつけられすぎた嫌いがないではない。だが，イェーリングはそれほどイデアリスムスに親和的な議論を展開しているわけではなく，ラーレンツやヴィーアカーの如き，ドイツ観念論に拘束された論者の不評を買っていたという学説史を看過すべきではあるまい。この点についても *Gagnér*, Zur Methodik, 182 f., 186 ff, 192 und passim. が，部分的に驚くほどシャープな議論を展開している。他方，フランス百科全書派も，理性に基づいた全体像を目指していたことを忘れるべきでなく，このことはキーゾも指摘している，*Kiesow*, Das Alphabet des Rechts, bes. 76-105. イェーリングの法学方法に関する新しい研究としてガグネアの弟子の *Rückert, J.*, Der Geist des Rechts in Jherings „Geist" und Jherings „Zweck", Teil 1, in: RG 5 (2004), 128-149, Teil 2, in: RG 6 (2005), 122-142があるが，残念なことにあまり示唆的ではない。
(50) *Gagnér*, Zur Methodik (Fn. 49), 191; ヨーロッパ近代の長期的展開にも深く影響を与えたアリストテレスの伝統については *Gagnér, S.*, Studien zur Ideengeschichte der Gesetzgebung, 1960.
(51) *Gierke*, Labands Staatsrecht (Fn. 20), 15.
(52) Op. cit. 95.
(53) Op. cit. 94.
(54) Vgl. *Oestreich, G.*, Strukturprobleme des europäischen Absolutismus, in: *ders.*, Geist und Gestalt des frühmodernen Staates, Berlin 1969, 179-197.
(55) *Gierke*, Labands Staatsrecht (Fn. 20), 15.

史法学派以来よく知られたトポスである(56)。ギールケは自らを歴史法学派の子孫だと理解している(57)。書評と同じ年に公刊された，学長就任記念演説において彼は次のように述べている：「まさにこのドイツにおいて新たな学問が生じた。この学問の前には自然法理論はその勝利の真っ只中で，瓦解した。そして新たに昇る，歴史的法把握という導きの星は研究の小道のみを照らしたのではなく，生に新たな道を示したのだ」(58)。そしてギールケはいま，かつて歴史法学派が自然法学を駆逐したように，ラーバントの，影響力を誇る実証主義に対抗しようとするのである。

　第2に，法の言語との比較にはもうひとつ別の含意がある。ギールケは法的概念を文法と比較する。近年の言語理論において文法はもはや論理的範疇と混同しうるものではなく時間と空間に依存するものとして理解されている，ということを指摘する(59)ことによって，ギールケは，最近の法学において法学の基礎概念，たとえば国家，主権，所有権，物権，債権といったものの存在そのものに対して疑義が寄せられないことを，理論的にナイーヴだとからかうのである。但しわれわれは同時に，ギールケがここでも，如上の議論によって，ラーバントの実証主義と近世における体系思考との親和性を間接的に示唆していることを見逃してはならないだろう。17世紀から18世紀を通じて，文法（la Grammaire Génerale）が「見えざる手」によって操作された表象の世界（Repräsentation）を媒介して普遍言語という構想と密接に連関していたということは，ミシェル＝フーコー Michel Foucault（1926-84）が明らかにしたとおりである(60)。

　すでに見てきたように，ギールケのラーバント批判は，ラーバントがドイツ国法学を法的に閉鎖的に体系的に叙述したことに対する評価を前提とするものである。それは要するに，この二人の偉大な法学者には，自分がいま大きな社会的変

---

(56) このトポスは周知のごとく *Savigny, F.C.,* Vom Beruf unsrer Zeit für Gesetzgebung und Rechtswissenschaft, 1814, 8 ff. に見られる。言語と法の関係についてのサヴィニー自身の見解については差し当たり *Schröder, J.,* Savignys Spezialistendogma und die „soziologische" Jurisprudenz, in: Rechtstheorie 7 (1976), 23-52.

(57) *Schröder, J.,* Art. Otto von Gierke, in: Deutsche Juristen aus fünf Jahrhunderten, 3. Aufl. (1989), hg. ders., G. Kleinheyer, 96-101, 96.

(58) Vgl. *Gierke, O.,* Naturrecht und deutsches Recht, 1883, 24.

(59) Op. cit. 15 f.

(60) もちろん *Foucault, M.,* Les mots et les choses, 1966, bes. 95-107.

動期に生きているということがはっきりと認識されていた,ということを意味する。時代の挑戦に法的に応えるために,ラーバントは,これまでに存在した法的概念という武器,この教養市民層の共有財産,これを洗練させ,その上で時代に即した,しかし同時に特殊法学的な体系へと組み合わせた——ars combinatoria！——といえる。結局において,それはたしかに,法の技術性に通暁した偉大な法学者の,内向してメランコリーへ傾斜した試みといえよう。メランコリーとわれわれが言うのは,フロイトの語法に従うのである。フロイトに拠れば,それは「死んでしまった愛する者の追憶と関係のないすべての行為を拒否すること」であった[61]。ラーバントのそのような国法学理論が,国法学者の中にあってパラディグマティックな役割を演じたわけである。とすれば,われわれは直ちに次のことを想起せざるを得ない。すなわち,国家の具体的役割が,社会における技術的経済的発展の中で相対的に徐々に小さくなって来ている,ということである。

ギールケは,ラーバントの仕事に自然法的にスタティックな「限界」[62]を看取した。それは彼にとっては,「実質に対する基本的な理解にかかる欠陥」[63]を意味した。社会の変動に適切に対応するに,ギールケはすでに存在する法概念のみの順列組合せだけでは満足しなかったのであり,こうした法概念そのものを改変[64]し,それどころか新たに産み出す[65]ことをすら欲した。だからこそ,「社会生活の,法以外の諸顕現 Manifestationen と法との因果関係」[66]を適切に評価すべきだ,とギールケは説くのである。

V ギールケの相対主義とその限界

しかしこうしたさまざまの「顕現」としてギールケが挙げるのは,社会学的な

---

(61) *Freud, S.,* Trauer und Melancholie, in: GW 10, 428-446, 429.
(62) *Gierke*, Labands Staatsrecht (Fn. 20), 95.
(63) Op. cit. 28.
(64) Op. cit. 17.
(65) Op. cit. 27, 26; この文脈で,海老原明夫の一見パラドクシカルにも見える,ギールケをノミナリスト,ラーバントをリアリストと捉える理解が極めて興味深い,*Ebihara, A.,* Was ist „juristisch" in der juristischen Methode des Staatsrechts im 19. Jahrhundert ?, 84.
(66) Op. cit. 17.

認識ではない。ギールケはまず，法的基礎概念の存在を前提すべきではなく，まず構築しなければならない，ということを確認したあと，しかしその視線を彼は意外にも直接の社会学的現実から逸らして，媒介された「顕現」のさまざまへと向ける。「社会生活の，法以外の諸顕現」として挙げられるのは，ことのほか抽象的であって，「歴史」[67]と「哲学」[68]なのである。ドイツとギリシャの連合を表象する歴史と哲学と[69]が想像の上でかつイデオローギシュにローマ的なものに対置される。個別的には株式会社や労働組合といった具体的な団体[70]にもたしかに触れられる。そしてこうした団体の生成は，帝国の成立とかかわるというよりは，産業革命の進展にともなる社会の新展開そのものとかかわっているわけであり，ギールケがこのような現実の構造的変化を見ていたからこそ，彼がライフワークとして団体法理論に取り組んだには違いない。だが，こうした新しい諸団体も，それ自体の固有の性質に着目してその新たな法的彫琢が為されるのではなくして，各ラント，ゲマインデといった予てよりの団体と一緒くたに，ギールケに特有の法的かつイデオロギー的な世界観に結局は巻き込まれてしまう。その世界観の中では，周知のように法人（universitas）と組合（societas）とのローマ法的対置を批判してゲルマン的な団体ゲノッセンシャフトの伝統が称揚される。ギールケはこうした構想で，たしかにさまざまの団体を相互に無限に「多様に（mannichfach）」[71]腑分けすることが出来た。しかしさまざまの団体は最後には，フレクシブルな相互的共存の中に解消されるのである。概念的な明晰はやはり失われてしまうのである。ギールケに拠れば，当時決定的に重要だったはずの，国家連合（Staatenbund）と，連邦国家（Bundesstaat）との法的な区別も相対的なものにすぎない[72]。

---

(67) Op. cit. 18 ff.
(68) Op. cit. 22 ff.
(69) ギールケが法学にとっての歴史の重要性を語る場合には，ゲルマン法学派の意味での歴史学派が念頭に置かれていることに注意すべきである，vgl. *Gierke, O.,* Die historische Rechtsschule und die Germanisten, 1903; 哲学への言及については *ders.,* Labands Staatsrecht (Fn. 20), 22: 一般国法学は「ギリシャ哲学の子」である，とされる。
(70) *Gierke,* Labands Staatsrecht (Fn. 20), 74 f.
(71) Op. cit. 44.
(72) Op. cit. 61.

したがって，ギールケ流の相対主義は限界をともなうものである。その限界は，Gesammtpersönlichkeit としての連邦国家の立法権限と合致する。ラーバントは彼の国法学理論において，基本権（人権）を中途半端に扱ったに過ぎない，とギールケは批判した。ギールケに拠れば，ラーバントは Gliedpersönlichkeit として市民のみを見て人間を見ていない，というのである。しかしギールケの基本権とは「国家の一員であることにおいて同時に定立される権利，すなわち問題になっている行為の領域についてそれを，個人的な活動が為されるところの国家外的な領域として国家の承認を求め，国家的連帯と切り離されたこの自由の領域にたいする介入を国家に認めない，という権利」[73]なのである。この一見極めてリベラルでまた旧ヨーロッパ的な想定においてしかし，Gliedpersönlichkeit としてギールケが位置づけているのは個人のみではない。念頭に置かれている基本権として，信仰の自由，良心の自由のほかに，出版の自由，結社の自由，移動の自由，経済活動の自由，といったものが並存しているのがギールケ流なのであった[74]。国際的に活動する諸団体も，国法学者の視点によって捉えられている。「なぜなら，国家だけが，その構成員に対して国家以外の共同体が触れることの出来ない特殊な法領域を享受することを特に保障でき，あるいは保障をする権限を持っているのであって，国家以外のどの団体もその構成員に対してこうした権能を持つことはできない」[75]。ギールケはたしかに，法制史家ディルヒャーが強調するように，多元主義的自由主義者だといってよいだろう[76]。ただこの多元的自由主義は，まさにいま展開しつつある，拡張的でフレクシブルなナショナリズムと決然と距離を持ちえていたわけではない。ギールケ自身が述べるように，彼の団体理論は「精妙で多彩に区別された，国法上のさまざまの組織の相互関係」なのである[77]。

　ラーバントが民法の遺産に頼ろうとしたのに対して，ギールケは消えつつある（ロマン主義的）観念論に依拠したといえよう[78]。ギールケが探し求めたのは真実

---

(73) Op. cit. 37; さらに *Dilcher*, Genossenschaftstheorie und Sozialrecht (Fn. 22), 343 f., 353 f.
(74) Vgl. op. cit. 37, 39.
(75) Op. cit. 38.
(76) Cf. *Dilcher*, Genossenschaftstheorie und Sozialrecht (Fn. 22).
(77) *Gierke*, Labands Staatsrecht (Fn. 20), 44.
(78) *Lübbe*, Politische Philosophie in Deutschland (Fn. 10), 171 f.

なのだが，その真実は「現実の向こう側」にあった。そして見出されるべき真実とは，最終的には本当の自己の発見に他ならなかったのである[79]。ギールケの理論が，時として時空をこえた真実として捉えられることがもしあるとすれば，ギールケ自身の責任も若干はあると言える。

Ⅵ ドイツ理論の歪められた像としての日本の国法学

そして実際，このことが日本に起きたのである。ひとつの例を挙げよう。美濃部達吉（1873-1948）は東京帝国大学の極めて影響力のある公法学者であったが，その彼が1907年に，国法学教科書を世に問う[80]。ゲオルク＝イェリネク Georg Jellinek（1851-1911）の国家の二面理論の規定的な影響の下に，美濃部は彼の叙述を国家の一般的社会理論から説き起こす[81]。そのさい国家理論の社会学的な側面が，イェリネクよりも強調されているのは興味深い。国家はとくに限定を付されることなく数多くの団体と同様の一個の団体と捉えられている：「国家ハ多数人類ノ集合ヨリナル一ノ団体ナリ。国家ガ一ノ団体ナルコトハ今日ニ於テハ何人モ意義ナキ所ナリト曰フヲ得ヘシ。故ニ国家ノ性質ヲ論スルニハ先ヅ団体ニ共通ナル性質ヲ明瞭ニ理解スルコトヲ要ス。」[82]そしてたくさんのギールケの著作が引用され[83]，人間の生にとっての団体の本質的意義が強調される[84]：「団体トハ人類ノ社会的結合ナリ。蓋シ人類ハ社会的生活ヲ為スコトヲ其ノ天性トス。人ハ孤立シテ生存スルヲ得ス，他ノ多数人類ト共同生活ヲ為スコトニ依リテ其ノ生存ハ始メテ全キヲ得ヘシ。」[85]こうした美濃部の言葉はたしかに彼がギールケの団体法理論に親しんでいたことを物語っていよう。それだけに，ギールケにお

---

(79) Gierke, Labans Staatsrecht, 23: 学問が「現実の背後に真実を探すことを放棄しそれによって自らを放棄するということをしたくなければ，イデアリスムの背景を欠くことができない。」
(80) 美濃部達吉 『日本国法学』上巻（1907）
(81) 美濃部『日本国法学』（前掲注80） 5頁以下。
(82) 美濃部『日本国法学』（前掲注80） 6頁。
(83) Gierke, O., Deutsches Genossenschaftsrecht, 4 Bde., 1868-81; ders., Die Genossenschaftstheorie und die deutsche Rechtssprechung, 1887; ders., Deutsches Privatrecht, 1. Bd., 1895; ders., Das Wesen der menschlichen Verbände, 1902.
(84) 美濃部『日本国法学』（前掲注80） 6頁。
(85) 美濃部『日本国法学』（前掲注80） 6頁。

いてひとつの主調をなしていた歴史形而上学的動機が美濃部に欠けていることが目立って来ざるを得ない。ギールケはそもそも何と言っていたのだったか？「およそ人間が人間であることを，人間は，人間と人間との結合に負っている。共時的に生きている者たちの力を高めるばかりでなく，何より個々人の人格を超えて継続する存在であるために過去の世代を未来の世代に結びつける，そのような結社を為すことができるということ，このことがわれわれをして歴史の発展を可能にせしめるのである」(86)。ここでは，歴史的発展を支えるいわば装置として団体の意義が強調されている。これに対して美濃部においては集団生活は端的に真実な人間の生の基礎として前提されている(87)。ギールケとは異なって，美濃部において，団体を重視するかどうかは，価値判断の対象にはならないのである。だからこそギールケとイェリネクと並んでラーバントを引用することにも美濃部がまったく論理的矛盾を感じないで居られるのである。このような美濃部が，日本の立憲主義の確固たる基礎を作ったのである。

　ギールケ流の観念的な有機体論が一種の真実として無理なく日本の公法学に受容されてゆく一方，ほとんど無制限といっていい君主制を主張した，美濃部よりいくらか年長の穂積八束（1860-1912）の理論がほとんど当時の日本の公法学に影響を与えていないように見えるのは興味深い(88)。穂積はこの君主制を実はラーバントを基礎に，しかし教会法学者ルードルフ＝ゾーム Rudolph Sohm（1841-1917）を思わせる固い論理で展開した。この保守的な法学者は，ルイ14世を理想とした，固い主権概念を持っており，これを彼は排他的に，つまりたとえば議会をはじめとする国家的諸制度とののコラボレイションなどを排除した上で，天皇の人格に帰せしめる。このファナティックな国家全能主義の裏には，私人による活動の秩序破壊的ポテンシャルを十分に認める洞察が隠されており(89)，八束はこれを国家（ビスマルク！）により押さえ込もうと構想するのである。この構想は，かれの弟子でもあった美濃部によって，むろん正当にも法解釈論的に冷静沈着に，

---

(86) *Gierke, O.,* Deutsches Genossenschaftsrecht, 1. Bd.（1868），1.
(87) 　この点についてさらに参照，磯村哲『社会法学の展開と構造』(1975)，特に43頁註2。
(88) 　穂積八束『穂積八束博士論文集』(1913) には，彼自身による重要な論文が収録されているだけでなく，高橋作衛による伝記が収録されている。なお，長尾龍一「八束の髄から明治史覗く」同編『穂積八束集』(2001)，259-416頁所収，は有益な二次文献。

維持できないものと批判された。だが，それだけでなく，長尾龍一の指摘によれば，この理論は殖産興業政策を担う官僚と財界にとっても，彼らにとって政策の実現のために重要な議会の意義を穂積が一顧だにしないがゆえに，魅力的ではなかったようである(90)。

そして，その後の日本の展開は，よく知られている。美濃部的な意味での「国家法人説」が勝利し，ドイツと同様，「国家法人」たる国家と経済的諸力とが有機体的(!)に相互協力し，そのことを基盤に，日本が躍進を始める。そして1904年に開始した日露戦争に歴史的勝利を収めるに至る。

ただし，日独双方の帝国には，見逃すことのできない相違があったのではないか。ラーバントにせよギールケにせよ，根底には，教養市民的と名づけたいある時代が終わろうとしていたことの強い自覚があった。この内省的な態度というものは，日本の主流のエリートたちには，いずれにしても本質的に欠如していたのではあるまいか（森鷗外のような例外はいるが）。ラーバント，ギールケ，イェリネク…こうしたドイツの著名な法学者はみな，最新の，よって将来を約束された理論を提供する，そういう学者として，受容されたのである。それにしても，ある時代の終わりに対してこれほどまでに無感動であるのはなにゆえなのであろうか。

あるいは，多くの日本の国法学者によって唱えられた，ドイツ法の衣装をまとった有機体的全体社会像にも，実はすでに18世紀後半以来広まりつつあった社会像が姿を変えて現われているのかもしれない。論者によれば，すべての家には職が固定されておりその職を担った家が相互に情を通じ合い，そのことによって特殊に日本的な，情愛に満ちた民族共同体（皇国）へと連続的に繋がっている，そのような社会像が18世紀後半以来，日本に次第に普及するようになる。このように，石井紫郎のいわゆる家職国家の構想が皇国の観念と結びついていたことについて，渡辺浩の研究がある(91)。有機体的な社会理論の〈真実〉は，日本の指導者層の心にまっすぐに語りかけるものだったとすれば，どうだろうか？

---

(89) もっとも，このような洞察は八束に限られたものでは必ずしもなく，山県有朋（1838-1922）や西周（1829-1897）らにも，程度に相違はあれ，共有されていた。参照，岡義武「山県有朋」『岡義武著作集』第5巻（1993）1-150頁所収；西周に関しては例えば西周「駁旧相公議一題」『明六雑誌（上）』（1999）など。

(90) 長尾「八束の髄」（前掲注88）380頁。

(91) 渡辺浩『東アジアの王権と思想』（1997），99頁以下，148-183頁；石井紫郎『日本人の国家生活』（1986）特に220頁。

第Ⅰ部　商法・経済法

法的に複数である経済的単一体
―― 経済監督法におけるドイツのコンツェルンの地位 ――

ウベ・ブラウロック
高橋英治訳

I 序 論

すべての工業国におけるのと同様に，ドイツの経済生活には，2つの特徴的な現象が存在する。その1つが，個々の企業が企業グループ（ドイツ語でいうコンツェルン）に統合されドイツ経済の大部分を支配しているという現象であり[1]，他の1つが，一般部門において（例えば競争を保障するため），あるいは特別の経済部門において（例えば銀行および保険といった部門において），国家が企業を監督しているという現象である。

国家による経済の監督は，ドイツ経済の日常において，欠くことのできないものとなっている。自由化が包括的に進行しているとはいえ，より多くの監督は流行性を強めている。特に金融業および保険業および競争法の分野において数多くの改正がなされ，国家の監督領域が著しく拡大したことが，これを物語っている[2]。

（1） *Lück*, Rechnungslegung im Konzern, 1994, S. 3; *Emmerich/Sonnenschein/Habersack*, Konzernrecht, 7. Aufl., 2001, S. 1; *Menz*, Wirtschaftliche Einheit und Kartellverbot, 2004, S. 17.

（2） So diente etwa die Neustrukturierung des GWB durch die 6. GWB-Novelle der Übernahme der stringenteren Regelungen aus dem EG-Recht wie der Einführung eines echten Kartellverbots und einer generell präventiv fungierenden Zusammenschlusskontrolle, vgl. BT-Drs. 13/9720, S. 30; eine erhebliche Ausweitung der Aufsichtsbefugnisse der BaFin bewirkte daneben die 6. KWG-Novelle durch die Erweiterung des Katalogs der Bankgeschäfte und die Erstreckung der Aufsicht auch auf Finanzdienstleistungsunternehmen. Die Zahl der zu überwachenden Unternehmen hat sich hierdurch etwa verdreifacht, vgl. *Fischer*, in: Boos/Fischer/Schulte-Mattler, KWG, 2. Aufl., 2004, Einf. Rn. 40.

国家による経済監督の意味は，有効に機能する経済を維持する点にある[3]。経済監督は基本法12条1項により包括的に保障されている職業の自由および営業の自由の修正であり，経済監督の目的は，職業の自由および営業の自由を行使することから生ずる公共のおよび個人の法益に対する危険を防止する点にある[4]。経済監督は法益保護を志向するため，経済監督法は特別「事業警察法」[5]とも呼ばれる。いかなる程度かついかなる範囲で経済監督がコンツェルン企業に及ぶのか，企業グループが単一体かあるいは複数体として見られるのかは，何度も議論されている問題である。

Ⅱ　コンツェルンの法的把握

あらゆるコンツェルンに特徴的であるのは，コンツェルンに参加している企業が法的な独立性を保持すると同時に経済的な単一体を形成しており，両者が緊張関係にあるという点である。かかる特殊性は，個別企業を出発点にしている古典的会社法においては当然のものとはなりえなかった。このため，従属企業の債権者と少数派株主の保護を考慮するため，結合企業法が株式法15条以下，291条以下において独自に規制されたのである。

会社法以外の領域においても，コンツェルンを法的に把握することは，様々な規制に対する挑戦となっている。例えば，租税法ではコンツェルンの構造的特殊性を考慮しなければならないし，労働法の領域においても例えば経営協議会の組織のためコンツェルンの構造的特殊性を考慮しなければならない。私はこの問題についてはこれ以上論ずるつもりはない。むしろ以下では経済監督の枠組みにおけるコンツェルン問題が取り扱われるべきである。その際，テーマを特にカルテル法と銀行法という2つの領域に限定したい。

経済監督は，まず個々の企業の監視に振り分けられる。コンツェルン自体を統一的企業としてみることができるかは，カルテル法では争いがある問題である。カルテル法では，内部の競争制限の有効性の評価が問題となっている。銀行監督

（3）　Vgl. die Darstellung bei *Ehlers*, Ziele der Wirtschaftsaufsicht, München 1997, der zwischen Wirtschaftsüberwachung und-lenkung differenziert.

（4）　*Höhns*, Die Aufsicht über Finanzdienstleister, Diss. Augsburg 2001, S. 40 f.

（5）　BVerfGE 14, 196（205 f.）.

法では，個々の金融機関の監督を，この金融機関とコンツェルン法的に結合している他企業への監督へと拡張することができるかが問題となる。

Ⅲ　カルテル法を焦点としたコンツェルン

まず，カルテル法について論じよう。

競争制限禁止法（GWB）がコンツェルンを規制の対象としているならば，コンツェルンをこの法律の意味での「企業」と位置づけることができる。「企業」の概念はすべての法領域において統一されておらず，領域ごとに企業が追求している目的によって確定される（機能的企業概念）[6]。したがって，競争制限禁止法の領域において，コンツェルンに参加している個々の企業に対してコンツェルンが固有の意味を有するかについて明らかにされなければならない。

1　競争制限禁止法の対象

競争制限禁止法は，1958年1月1日，市場参加者間の自由競争が積極的社会政策的かつ経済政策的効果を与えることを期待して，これを保障する目的で導入された。競争制限禁止法は，競争に参加している企業による競争制限から競争の保護を実現する。競争制限禁止法の規制領域としては，伝統的に，企業家の行為による競争制限を担当する行為規制と，競争が可能となる市場構造の保持を規制対象とする構造規制とが区別される。構造規制には競争制限禁止法35条以下の合併規制があり，合併規制は，自由競争を排除する危険のある市場支配的地位の成立ないし強化を抑制する効果を持つようにつくられている[7]。

2　コンツェルンは競争制限禁止法の意味での企業であるか

(1)　株式法における規制の意義

コンツェルン法的観点から競争制限禁止法の規定を評価する前に，株式法18条の規制が，競争法上の背景からもコンツェルンの認容の最初の言明とみてよいかという問題が立てられる。学説には，株式法上有効な企業結合は既に十分に正当

---

(6)　*Menz*, S. 56.
(7)　Vgl. *Wiedemann*, Handbuch des Kartellrechts, 1999, §1 Rn. 1.

化されており，カルテル法による制限はこれにより終わっているという見解を採るものがある(8)。立法理由書によると，「経済政策的かつ社会政策的に」望ましいコンツェルンとそうでないコンツェルンとを区別することは株式法の目的ではなく，かつ目的たりえないのである。なぜなら，かかる区別には「主に会社法以外の基準が妥当する(9)」からである。株式法上のコンツェルン規制とは別に，競争制限禁止法の規制を基礎に，競争法上の視点から，コンツェルンのさらなる評価が確定されなければならない。

(2) 競争制限禁止法36条2項の言明力

競争制限禁止法36条2項は，合併規制法に属する規範であるが，結合する企業はコンツェルンを形成する場合，単一の企業と見るべきであると規定する。この規定により合併規制の領域においてはすべてのコンツェルン帰属企業を一体と考えるべきことが明文で規定されている（いわゆる団体条項）。これは，合併規制の目的は，市場支配的地位の成立ないし強化を抑止することにあることから理解される(10)。企業が相互に結合することまたは一方的に影響力を行使しうることにより競争上単一体を形成する場合，合併規制の目的から，かかる企業が単一体として取り扱われることが，団体条項により保障されるべきである(11)。したがって，コンツェルンに帰属している企業が他の企業と合併を計画している場合，競争制限禁止法35条1項の売上高を算定する際，同じコンツェルンに帰属するすべての企業の売上高を合算しなければならない。

ここから，競争制限禁止法の全適用領域におけるコンツェルンの取扱いの手掛かりを引出し得るかは，疑問である。36条2項が競争制限禁止法全体におけるコンツェルンの取扱いを定めていると解する根拠となるのが，まず競争制限禁止法36条2項の現在の文言である。第六次競争制限禁止法改正は，36条2項によって旧競争制限禁止法23条1項2文を引き継いだのであるが，旧規定に存在した「売上高および市場占有率の計算において」というフレーズを削除した(12)。かかる

---

(8) *v. Bar*, Gleichordnungskonzerne und Kartellverbot, BB 1980, S. 1189.

(9) So die Begründung des RegE, abgedruckt in: *Kropff*, Aktiengesetz, Textausgabe 1965, S. 374.

(10) *Immenga/Mestmäcker*, GWB, 3.Aufl., 2001, Einleitung Rn. 15.

(11) BGH v. 8. 5. 1979 BGHZ 74, 359（364）; *Immenga/Mestmäcker*, GWB, 3. Aufl., 2001, §36 Rn. 38.

(12) vgl. BT-Drs. 13/9720, S. 56 f.

適用規定の列挙がなくなったことで，競争制限禁止法36条 2 項の適用領域は競争制限禁止法の全領域に及ぶこととなったと理解することができる(13)。しかし，36条 2 項が体系上合併規制の領域に位置していることは，36条 2 項がむしろ例外規定であるとみる根拠となる。さらに，コンツェルンが競争制限禁止法における「企業」と位置づけることができるならば，競争制限禁止法36条 2 項のような明示規定はそもそも不必要であったろうといわれる(14)。競争制限禁止法36条 2 項が単に明示的性質を有するのか，それとも創設的性質を有するのか，すなわち，コンツェルンが企業であると示唆しているにすぎないのか，それともこの規定によりはじめてコンツェルンは企業としての性質を有するのかについては明確ではない(15)。この解答を得るには，カルテル禁止の領域において，コンツェルンが企業としての性質を有するのか検討しなければならない。なぜなら，競争制限禁止法の多様な規制メカニズムが完全に一致することはあり得ないことであり，その規制対象は様々でありうるからである。競争制限禁止法35条以下の合併規制は，「構造規制の道具」として，継続的な企業家的組織の変更を取り扱う。これに対して，競争制限禁止法 1 条は，「行為規制の道具」として，既に存在する市場構造の内部における競争を保障しようとする(16)。ここから，一方では，合併の要件事実の存在は，カルテル禁止を，その適用領域へと追いやるものではないという帰結が導かれる(17)。我々の考察にとってより重要なことは，競争制限禁止法35条以下の枠組みにおけるコンツェルンの取扱いは，他の競争制限禁止法の領域におけるコンツェルンの取扱いについての確実な手掛かりとはなりえないという

---

(13) *Seeliger*, Geltungsbereich der Zusammenschlusskontrolle und Grundsätze für die Beurteilung von Zusammenschlüssen nach der 6. Novelle des Gesetzes gegen Wettbewerbsbeschränkungen, Diss. Köln 2003, S. 18; *Immenga/Mestmäcker*, GWB, 3.Aufl., 2001, § 36 Rn. 40.

(14) *Menz*, S. 61.

(15) Diese Frage bliebe selbst dann offen, wenn man von der Geltung des § 36 II GWB im gesamten Anwendungsbereich des Gesetzes ausginge. Allerdings wäre der Streit um die originäre Unternehmensqualität von Konzernen dann rein akademischer Natur, da jedenfalls die einheitliche Betrachtung aller Konzernunternehmen feststünde.

(16) Diese Frage bliebe selbst dann offen, wenn man von der Geltung des § 36 II GWB im gesamten Anwendungsbereich des Gesetzes ausginge. Allerdings wäre der Streit um die originäre Unternehmensqualität von Konzernen dann rein akademischer Natur, da jedenfalls die einheitliche Betrachtung aller Konzernunternehmen feststünde.

帰結である。

(3) 法的独立性の必要性

しかし，考えなければならないことは，コンツェルンは法的独立性を欠いているため競争制限禁止法の下での企業概念に無条件で包摂できないということである。さらに，コンツェルンには独自の権利能力がないため，契約の締結といった一定のカルテル法上重要な行為ができない。しかし，かかる見解は，コンツェルンが権利能力はなくとも，個々の会社を制御することにより，市場に影響を及ぼすことができることを考慮していない[18]。競争の包括的保護は，市場に対するすべての影響力行使を考慮しなければならない。連邦通常裁判所も，判例において，「業務取引におけるすべての活動」が企業概念を満たすであろうということを出発点として認めている[19]。コンツェルンには固有の権利能力を欠いていることは，コンツェルンに「企業」の属性を認めることに反するものではない。反対に，コンツェルンは市場に対して影響を与えることができるのであるから，競争制限禁止法の保護目的の有効な実現のためには，コンツェルンに企業としての属性を認めなければならない。

3 行為方式

競争法は，自由競争を妨げる行為を抑止すべきである。競争法的視点からは，コンツェルンは，一方で第三者たる企業との関係において，他方でコンツェルン内部での行為に関連して，重要性を有する。

(1) 第三者たる企業に対する行為

第三者たる企業との業務取引においては，コンツェルン企業は常に競争活動を行なっているのであるから，コンツェルンが帰責の問題の中心に位置する。競争制限禁止法36条2項の規制が合併規制の領域でこれを示している。これ以外でも，市場規模が問題になっている場合，コンツェルン全体を1つのものとして取り扱

---

(17) So aber die sog. Trennungstheorie, deren Anhänger Konzerne, die nach Fusionsrecht als zulässig gelten, dem Anwendungsbereich der Kartellverbote entziehen wollen, vgl. *K. Schmidt*, Konzentrationsprivileg und Gleichordnungskonzern, FS Rittner 1991, S. 561（569）.

(18) *Menz*, S. 69; *Immenga/Mestmäcker*, GWB, 3.Aufl., 2001, §1 Rn. 46.

(19) BGH v. 22.3.1976 BGHZ 67, 81（84）; v. 14.3.1990 BGHZ 110, 371（380）m.w.N.

うことが支持される。したがって，特殊化カルテル（競争制限禁止法3条），合理化カルテル（競争制限禁止法5条），競争制限禁止法7条に基づくその他のカルテルにコンツェルン企業が参加している場合，市場支配的地位が成立したかあるいは強化されたかを確認する際，カルテルに参加していない兄弟会社の当該領域における市場占有率も考慮しなければならない[20]。そうしないと，生産企業を統一的指揮の下に置かれている複数の独立した企業に分割して，この子会社の市場占有率を小さくするという規制回避可能性が開けてしまうからである[21]。コンツェルン全体を1つのものと考えることで，かかる帰結は免れる。したがって，競争制限禁止法の保護目的を有効に実現するためには，ここではコンツェルンを1つのものと考えることが要請される。

(2) コンツェルン形成と既存のコンツェルンの内部における取り決め

コンツェルンの形成は，競争制限禁止法37条1項2号の合併規制に服する（支配権取得を合併要件事実とする）。議論があるのは，これが株式法17条の意味での従属関係を欠く水平コンツェルンにも当てはまるか否かである。従属関係の存在を競争制限禁止法37条1項2号の枠組みの要件事実のメルクマールと考えるならば，水平コンツェルンを，競争制限禁止法37条1項4号（競走上著しい影響力の取得）のもとに把握することができるであろう[22]。

さらに，コンツェルンの形成が競争制限禁止法1条のカルテル禁止に違反しないか検討する必要がある。既に述べたように，合併禁止の領域とカルテル禁止の領域とは始めから相互に閉ざされているのではなく，これらの規制は異なった機能を持つため，合併規制とカルテル禁止は重複して適用することが可能である。

競争制限禁止法1条は，競争の阻害，制限ないし歪曲を目的とした，もしくはこれらを結果として生じさせる，相互に競争関係にある企業の合意，企業の合意の決議または同調的行為を禁止している。コンツェルンの形成に，かかる競争制限がある可能性もある。その際，競争制限禁止法1条に基づく合意は参加企業が将来経済的単一体として行動する意図を有していることにあり，競争制限的効果は，個々の市場において経済的独立して行動する企業を排除する点に求められるのかもしれない[23]。しかし，一見するとコンツェルン形成がカルテル禁止の要

---

(20) *Immenga/Mestmäcker*, GWB, 3.Aufl., 2001, §1 Rn. 45.
(21) *Immenga/Mestmäcker*, GWB, 3.Aufl., 2001, §1 Rn. 45.
(22) *Buntscheck*, WuW 2004, S. 377.

件事実を充足しているようにも見えるが，コンツェルン形成過程にカルテル禁止を適用する可能性は，垂直の契約コンツェルンについては否定されている。これとの関連で「コンツェルン特権[24]」が主張され，コンツェルンの内部関係はカルテルのない空間であると説明されている。

(a) 垂直コンツェルン，株式法18条1項

相互に従属関係にある企業は経済的独立性を放棄している。かかる理由から，垂直コンツェルンにおけるコンツェルン特権が語られる。しかし，同調的行為を行う企業は法的独立性を保持しているのであり，経済的独立性を放棄していることが，競争制限禁止法1条の意味でのカルテルを認める前提条件となる[25]。個々の企業が経済的独立性を失っているため，相互に競争関係に立つ複数の決定の担い手が欠如し，後に単一体としてのコンツェルンが残されるにすぎないのである。企業「相互の競争関係」において，経済的独立性に焦点を置くことは，自由競争の保護に経済的考察方法を必要とする競争制限禁止法の立法目的にかなっている[26]。かかる背景から，垂直コンツェルンは，その効果において合併に類似する。この両者において，参加企業は少なくとも経済的視点から相互に一体化するからである。したがって，合併と同じように[27]，垂直コンツェルンはカルテル禁止の適用領域から除外されるのである。

同じことは，既に存在する垂直コンツェルン内部における合意にも言える。垂直の契約コンツェルンにおける許された指図の領域においては，疑問の余地なく，競争制限禁止法1条のカルテル禁止の適用がない[28]。なぜなら，垂直の契約コンツェルンにおいて，従属企業が支配企業の指図に従うことは，独立した行為とは言えないからである。指図行為が行使されていなかったとしても，それが可能であった場合，カルテル禁止の適用がない[29]。事実上の垂直コンツェルンにお

---

(23) *v. Bar*, BB 1980, S. 1186.
(24) Vgl. BGH v. 20.2.1970 BGHZ 31, 105; OLG Stuttgart v. 20.2.1970 WuW/E OLG, S. 1083 (1088); *Immenga/Mestmäcker*, GWB, 3. Aufl., 2001, §1 Rn.151ff. m.w.N.
(25) *v. Bar*, BB 1980, S. 1186; *Immenga/Mestmäcker*, GWB, 3. Aufl., 2001, §1 Rn. 19.
(26) *K. Schmidt*, FS Rittner 1991, S. 572; *Wiedemann*, Handbuch des Kartellrechts, 1999, §1 Rn.4.
(27) BGH v. 26.10.1959 BGHZ 31, 105 (113); *Gromann*, Die Gleichordnungskonzerne im Konzern-und Wettbewerbsrecht, 1979, S. 97 f.
(28) OLG Frankfurt/M. v. 31.8.1989 ZIP 1989, S. 1425.

いては，明確な会社構造が欠けているため，コンツェルン特権を認めることに議論がないわけではないが，指揮力が行使することが許される領域では，コンツェルン特権は認められている(30)。従属会社に対する許された指揮力行使が認められている領域において，従属会社への指図は，従属関係の存在にもかかわらず，競争制限禁止法1条の要件事実を満たしうる。

(b) 水平コンツェルン

水平コンツェルンに「コンツェルン特権」が適用可能かについては非常に争いがある。水平コンツェルンと垂直コンツェルンの差異を明かにすれば，このことがはっきりわかる。水平コンツェルンでは，従属関係が欠如しており，企業の結合体は統一的指揮に服しているにすぎない。垂直コンツェルンではコンツェルンに帰属する企業が経済的独立性を失いコンツェルン特権が適用されるのと異なり，水平コンツェルンでは統一的指揮の服することのみによりコンツェルン特権が基礎づけられるはずである。しかし，企業結合の形態は非常に多様でありうる。緩やかな協力関係から全面的な企業統合までいろいろである(31)。したがって，どの程度の結合で，統一的指揮が認定され，株式法の意味での水平コンツェルンがあるとみることができるのかについて争いがあるというのは，驚くことではない。コンツェルン特権が適用されるか否かは，水平コンツェルンの経済的一体性が前面に出て，水平コンツェルンが競争制限禁止法の適用領域から除外されうる程度に，水平コンツェルンの合意された統一的指揮が形成されるかによる(32)。

学説の一部には，垂直コンツェルンとの以上に述べた相違から，水平コンツェルンにはコンツェルン特権が適用されないという見解が唱えられている(33)。しかし，この見解は，水平コンツェルンの参加企業は，合併に類似した協働関係といえる程，経済的一体性を有する可能性があることと対立する。後者の見解によ

---

(29) Vgl. *Immenga/Mestmäcker*, GWB, 3.Aufl., 2001, §1 Rn. 152, die in einem solchen Fall von „potentiellen Nicht-Wettbewerb" sprechen.

(30) *Immenga/Mestmäcker*, GWB, 3.Aufl., 2001, §1 Rn. 154.

(31) *Gromann*, S. 98; *K. Schmidt*, Konzentrationsprivileg und Gleichordnungskonzern, FS Rittner 1991, S. 562.

(32) Es stehen sich dabei die Vertreter des engen und die des weiten Konzernbegriffs gegenüber, vgl. *Hüffer*, AktG, 5. Aufl., 2002, §18 Rn. 8 f.

(33) *Immenga/Mestmäcker*, GWB, 3. Aufl., 2001, §1 Rn. 21-23 und 155; *Gromann*, S. 107.

ると，あらゆる水平コンツェルンは競争制限禁止法の意味でのカルテルとなり，競争制限禁止法2条以下の適用除外用件に該当しない限り許されないことになるだろう。

連邦カルテル庁は，1973年にこれとは別の見解を示した。事案は複数の酪農企業が水平コンツェルンに統合されたというものであった。連邦カルテル庁によると，許される水平コンツェルンと許されないカルテルとは次のようにして区別される。

「一定の個々の部分的機能を除いて経済的独立性が保持されているカルテルとは異なり，水平コンツェルンにおいては包括的企業指揮の意味での統一的指揮がされなければならない。…さらに，包括的指揮といえる程の統合は過渡的性質を有してはならず，一定の期間置かれていなければならない(34)。」

連邦カルテル庁の見解によると，水平コンツェルンがカルテル法の適用除外となるためには，次の2つの条件を満たさなければならない。

1　統一的指揮は包括的でなければならない
2　結合が一定期間存在することが保証されなければならない。連邦カルテル庁は，10年から15年解除不能である必要があるとしている(35)。

しかし，その後継続性の基準は批判された。10年から15年という期間の確定は恣意的であるとみられ，期限なしの特別解除の可能性が示唆された(36)。他方，結合の継続性は単なるコンツェルン特権の侵害の時間的限定と見られ，成立の要件とは見られない(37)。

したがって，本質的には，指揮力の範囲が問題とされなければならない。しかし，連邦カルテル庁による指揮力は包括的でなければならないという奨励は広すぎる。なぜなら，（管理，人事，計算といった）競争法上全く重要でない領域がこれには含まれるのであり，これは統一的指揮では包括することはできない(38)。単

---

(34)　Tätigkeitsbericht des BKartA von 1973, BT-Drs. 7/2250, S. 98 f.
(35)　Tätigkeitsbericht des BKartA von 1973, BT-Drs. 7/2250, S. 99.
(36)　*Immenga/Mestmäcker*, GWB, 3. Aufl., 2001, §1 Rn. 23.
(37)　*K. Schmidt*, FS Rittner 1991, S. 580; dies soll indes nicht heißen, dass jede zufällige Verbindung bereits zur Anwendung des Konzernprivilegs fuhrt. Insoweit setzt nämlich bereits das Tatbestandsmerkmal der einheitlichen Leitung in §18 II AktG eine gewisse Dauerhaftigkeit voraus, vgl. *Buntscheck*, Der Gleichordnungskonzern-ein illegales Kartell?, WuW 2004, S. 383.

なる企業の協力関係はこの領域ではカルテル法上害がない。

　コンツェルン特権は，合併との類推から要請されるため，指揮力は合併に特徴的な財産的結合，すなわち共同の財務計画を生じさせなければならない[39]。その際，利益および損失規制という形態でリスクの補填を要求するものもある。しかし，かかるリスクの補填は，共通の財務計画には絶対に必要であるというわけではない[40]。リスク共同体を欠いている場合，統一的指揮の属性に，より高次元の要求を課して，個々の企業の服従義務が要求されなければならない[41]。かかる場合にのみ，個々の企業は自律的決定力がないため経済的独立性を失い，コンツェルン指揮へ従属する結果となる。かかる従属関係は，垂直コンツェルンのそれとは異なり，ある企業が他の企業の支配に服する結果生ずるものではなく，複数の企業が自由意思の下統一的指揮の下に入ることに基づいている（すなわち支配企業を欠いている）。しかし，かかる従属関係の効果は垂直コンツェルンのそれと同じである。すなわち，個々の企業はもはや自律的決定の担い手とはならず，コンツェルンという経済的単一体のみが残るのである。服従義務がなくとも，リスクの補填を合意している場合には，かかる従属関係が存在する。なぜなら，個々の企業はもはや部分的利益を追求しないからである[42]。

　事実上の水平コンツェルンの場合，様々な指揮機関も人的構成が一致している場合，より明白である。競争制限禁止法一条の法律文言によると，相互に取り決められない「企業」は，固有の行為能力がないために，その取締役を通じて相互に取り決めをすることができる。取締役の人的構成が一致している場合，「相互に取り決める」あるいは契約を締結する主体が存在しないため，カルテル禁止違反はそもそも問題にならない[43]。

4　まとめ

競争法の領域においてコンツェルンは次のように取り扱われる。

---

(38)　*So Buntscheck*, WuW 2004, S. 382; *v. Bar*, BB 1980, S. 1188.
(39)　*v. Bar*, BB 1980, S. 1190.
(40)　*K. Schmidt*, FS Rittner 1991, S. 579; *Buntscheck*, WuW 2004, S. 383 f.
(41)　Anderer Ansicht insoweit *Buntscheck*, WuW 2004, S. 382, jedoch ohne dies näher zu begründen.
(42)　*K. Schmidt*, FS Rittner 1991, S. 579.
(43)　*v. Bar*, BB 1980, S. 1191; *Buntscheck*, WuW 2004, S. 382.

競争制限禁止法の保護目的を包括的に実現するために，コンツェルンの競争制限禁止法上の企業としての属性は認めざるをえない。しかし，これがあてはまるのは，主としてコンツェルンが外部の企業と接触する領域である（特に，競争制限禁止法35条以下の合併制の領域）。これに対して，コンツェルンの内部の領域は，垂直コンツェルンの場合だけでなく，本稿で論じた条件の下，水平コンツェルンも競争制限禁止法の規制から除外される。なぜなら，かかる場合，参加企業の間には（もはや）保護されなければならない競争が存在しないからである。

結論として，コンツェルンないしコンツェルン企業は，競争法上の背景から見ると，特権を得ていると見ることができる。競争制限禁止法の枠組みにおいてコンツェルンを単一体として考察すると，コンツェルンに帰属している企業間の取り決めは，競争制限禁止法の保護領域からはずれ，官庁による規制から完全に免れることになる。コンツェルン形成が合併規制に服さない以上，コンツェルンの形成はコンツェルン参加企業にとって競争制限禁止法上の及ばない領域を形成する。

Ⅳ 銀行監督におけるコンツェルン

私がこれから取り上げる第二の領域においては銀行監督法におけるコンツェルンの取り扱いが問題となる。

1 銀行監督の目的

銀行監督の目的は，国民が正しく信頼を寄せることができるような機能的な財政運営を達成できるようにすることである。機能的な財政運営に対する国家的な利益は，一方では信用を付与された企業経営者および個人に資本を調達することを通じて（間接的に）雇用を確保し，国民経済的な視点から成長のモーターとして作用することにある[44]。他方では，その利益は国家にとって金融および経済政策の道具として働いている[45]。銀行監督の本質的な任務は，これらの背景の

---

(44) *Fischer*, in: Boos/Fischer/Schulte-Mattler, KWG, 2. Aufl., 2004, Einf. Rn. 62; *Höhns*, S. 53; Regierungsbegründung zum zweiten Finanzförderungsgesetz, BT-Drs. 12/6679, S. 33.

(45) *Fischer*, in: Boos/Fischer/Schulte-Mattler, KWG, 2. Aufl., 2004, Einf. Rn. 62.

下で銀行に対する支払能力および流動資産の監督を行うことである(46)。

信用制度法（KWG）の規則順守に対する監督は，ドイツにおいては2002年5月1日から信用制度連邦監督局（BAKred）の後を引き継いだ財務サービス監督連邦施設（BaFin）が行っている。財務サービス監督連邦施設は，そのほかに，VAGとWpHGによる監督も行っている。けだし，これらのすべての財政監督によって全体として効率的で競争中立的な監督能力が期待できるからである。銀行監督の変更は，本質的にKWG1条の意味での銀行業の遂行はBaFinの許可条件によって定められるという認可原則によって成果を上げている。このようにして，すでに手前の段階で，経営者もしくは所有者の信頼性（KWG33条1項2号，3号）または創立資本金の現存（KWG32条1項1号）について企業を調査することができるようになった。そのために必要な情報は申請者がBaFinに提出しなければならない（KWG32条1項，2項）そのほかに，この一度だけ付与された許可は，再度取り消すこともできるので，BaFinは現に行われている業務遂行の監督も行う（KWG35条）。BaFinがその任務を実現するための数多くのその他の介入権限（KGW6条3項の一般的な指示資格およびKWG31, 36, 45条以下の権限を参照）は，企業側のさまざまな告示（たとえばKWG2a条，13条以下，24条以下）および情報提供義務（たとえばKWG26, 44条以下）を補充している。BaFinの措置に従わせるために強制力を行使することもできる。銀行監督上の義務の多くは科料に処せられるか（KWG56条），また，その侵害が刑罰の対象になることさえある（KWG54条）。

全体的コンツェルンがどの程度この介入権限の視野に入っているかということは，法の目的がコンツェルンの把握を必要としているかどうかによって決まる。

2　KWG1条にいうコンツェルン？

コンツェルンをKWGにいう企業として位置づけるのならば，コンツェルンのすべての企業が，たとえ個々の企業が銀行業を営んでいなくても，BaFinの監督下に置かれるという結果になる。そこで，このように広範囲の銀行監督がいったい求められているものなのかという疑問が出てくる。個々の企業の場合の状況

---

(46)　*Höhns*, S. 50. Zum fehlenden individualrechtlichen Schutz *Kümpel*, Bank- und Kapitalmarktrecht, 3. Aufl., 2004, Rn. 19. 233.

と比較すると，この結論はKWGに矛盾しているわけではない。個々の企業の場合であってもBaFinの監督は銀行業の分野に限られないのである。そうではなくて，監督は企業のすべての他の業務内容にも及ぶ。けだし，そのようにしてはじめて支払能力の有無が考慮できるからである[47]。したがって，コンツェルンを形成するすべての企業に対して監督が及ぶというのが，コンツェルンの企業としての属性を認識する際の系統だった結論と言えるだろう。

しかし，疑問なのは，KWGの保護方針による広範囲の監督が要求されているのかということである。KWG1条の適用開始およびそれに伴う保護範囲は，企業がそこに掲げられた銀行業を「営んでいる」ことに求められている。競争制限禁止法とは異なって，ここでの企業の概念は経済的な意味ではなく法的な意味で理解されている[48]。けだし，規制の本質的な共通点としての銀行業の営業は，法的独立性を要求しているからである。しかし，コンツェルンは権利能力を有していないので，自ら銀行業を営むことはできない。また，コンツェルンは債権者の引き当てとなりうる固有の財産を有していないので，支払不能となることもあり得ない。したがって，コンツェルンに対する支払能力および流動資産の監督は無意味でありKWGの保護目的にかなうものではない。銀行監督の目的のためには個々の企業の他に全体のコンツェルンを特別に結びつけることは無駄である。したがって，コンツェルンはKWGにいう企業ではない。

それは，銀行監督の要求のためのコンツェルン法上の構造に意味がないということまで言っているわけではない。その特別性が監督法上の重要性を持つのであれば，明確な規定によって予見可能でなければならない。なぜなら，BaFinによる監視は，基本法で保障されている，ボン基本法12条1項から生ずる営業および企業の自由に対する侵害であり，法的規定が要求されるからである[49]。

3　コンツェルン構造が予見可能な規範

KWGには，コンツェルンが監視の対象となると解釈され，したがって特別な

---

(47) *Reischauer/Kleinhans*, KWG Bd. I, Stand Dezember 2004, §1 Rn. 13; *Fülbier* in: Boos/Fischer/Schulte-Mattler, KWG, 2. Aufl., 2004, §1 Rn. 28.

(48) *U. H. Schneider*, Bankenaufsicht im Konzern, WM 1978, S. 1251.

(49) *Schieber*, Die Aufsicht über Finanzkonglomerate, Diss. Darmstadt 1997, S. 65; *Höhns*, S. 64 ff.

情報および公示義務を導き出す多くの規定が存在する。私は，これらの規定のうち範例的性格を持ついくつかのものを取り上げたいと思う。コンツェルンまたは「金融コングロマリット(50)」に関するすべての規定を完全に説明することはここでは不可能である。

(1) KWG 2条1項7号，4項5号による「コンツェルン特権」

KWG 2条は，KWG 2条に対する例外規定であり，KWG 1条に掲げられた業務を行っているにもかかわらず BaFin の監督に服さない企業はどのようなものかを定めている。その中でも，KWG 2条1項7号によると，銀行業を親会社，子会社または姉妹会社とのみ営んでいる企業（またはこれらの会社に対してのみ財政サービスを行っている会社，KWG 2条4項5号参照）は，BaFin の監督に服さない。下部的コンツェルンの内部での銀行業は監督法的には考慮する必要がないと評価されている。このコンツェルン内部での信用行為に対する特権の理由は，そこから生ずる法律関係はコンツェルン内部に止まり，第三者の保護が必要でないということにあると見られる(51)。したがって，当該企業が第三者に対しても業務を行っていれば特権は及ばない。水平コンツェルンは EU 法上の特典(52)によりこの特権を享受することはできない。

(2) KWG10 a 条による連結義務

KWG10 a 条はインスティチュートグループと金融ホールディンググループの自己資本について定めており，ますます絡み合い国際化する金融市場を考慮している(53)。KWG10 a 条Ⅱによると，インスティチュートグループは国内に所在地を有する上位の企業とその下位企業とで成り立っている。ここでいう下位企業とは，インスティチュートの子企業，それ自体がインスティチュートとなっている

---

(50) Finanzkonglomerate-Richtlinie vom 16.12.2002 (2002/87/EG) sowie Umsetzungsgesetz v. 21.12.2004 BGBl. 2004, S. 3610 ff.
(51) So die Regierungsbegründung zur 6.KWG-Novelle BT-Drs. 13/7142, S. 70 f.; *Fülbier* in: Boos/Fischer/Schulte-Mattler, KWG, 2. Aufl., 2003, §2 Rn. 22; kritisch dagegen *Zerwas/Hanten*, Abgrenzungsprobleme und Ausnahmen bei Handelsaktivitäten nach der Sechsten KWG-Novelle, ZBB 2000, S. 50, die auch in In-House-Banken von Großkonzernen ein gesamtwirtschaftliches Risiko sehen.
(52) Art. 2 II lit. b der Wertpapierdienstleistungsrichtlinie vom 10.5.1993, 93/22/EWG; vgl. *Fülbier* in: Boos/Fischer/Schulte-Mattler, §2 Rn. 24.
(53) *Boos* in: Boos/Fischer/Schulte-Mattler, KWG, 2.Aufl., 2004, §10 a Rn. 1.

もの，金融企業，あるいは銀行に関連する補助者を伴う企業を指す。金融ホールディンググループは，下位企業として，国内に所在地を有する預金信用機関または有価証券取り扱い企業が少なくとも1社存在することを前提としている（KWG10a条3項）。これらのグループに対しては，相当な自己資本が存在するかどうか確認するためにKWG10a条第1項により全体的考慮が定められている。すなわち，総合的な基礎に基づかなければならないということである。その目的は，ある信用機関の他の信用機関に対する持分所有の責任のある自己資本を二重三重に利用することができないようにするということにある[54]。自己資本を多重に利用するとすれば，現実に存在する資本の大きさはより少なくなり，効果的な投資家保護ができなくなる（KWG10条1項1号参照）。

(3) KWG13, 13a, 19条による大口債権の上限および信用享受者の地位

KWG13条および13a条の規定は，第3項において，それぞれ大口債権の上限規定を含む。これらの規定は，一人または数少ない信用享受者に債権リスクが集中する危険を計算に入れているが，個々の顧客が支払いを停止した場合の金融機関の最大の損失リスクに限定されている[55]。この関係では信用享受者の地位と信用供与者の地位とで区別することができる。

(a) 信用享受者の地位

「結合された企業」に対する債権は，KWG13条3項3号，13条a3項3号によると，義務付けられた自己資本の25％ではなく，20％というより低い上限に定められている。「結合された」企業というのは，親会社，子会社および姉妹会社が含まれ[56]，ここでも垂直コンツェルンが該当してくる。もっとも，5％低い上限というのはあまり重要でないかもしれない。しかし，ここで考慮しなければならないのは，KWG19条2項1号によれば，付加的に同一のコンツェルンに所属するすべての企業が信用享受者とみなされ，したがって，すべての債権が合算されなければならないということである。これは，信用享受者がコンツェルンに属していると，大口債権の上限により早く到達することを意味する。信用享受者の属性に関し，コンツェルンを単一体としてみる理由について，KWG19条2項1号自身が述べている。すなわち，コンツェルンによって結合している企業は，

---

(54) *U. H. Schneider*, WM 1978, S. 1257 spricht bildlich von einer „Pyramidenbildung".
(55) *Groß* in: Boos/Fischer/Schulte-Mattler, KWG, 2. Aufl. 2004, vor §§ 13-13b Rn.1.
(56) *Groß* in: Boos/Fischer/Schulte-Mattler, KWG, 2. Aufl. 2004, § 13 Rn. 36.

「リスク共同体」を形成しており、「もし、これらのうち1つの信用享受者が経済的困難に陥った場合、ほかの企業の支払困難を導く可能性が高い」と考えられる (いわゆるドミノ効果)(57)。

(b) 信用供与者の地位

結合された企業が信用供与者の側として活動する場合、下記の点を考慮しなければならない。

インスティチュートグループまたは金融ホールディンググループが取り扱われている限り、KWG13条b1項の債権額についての問題については、また全体的考慮がなされる。この統合を理由としてこれらのグループ内の信用行為は信用限定の規定から免れている。KWG13条3項3号、HS.1、13a条3項3号参照。

さらに考慮されるのは、KWG19条1項2第7号によって持分がKWG13条以下の「信用」に該当するということである。金融機関において親企業が取り上げられている場合、親企業は子に対して持分の額において信用供与者となる。インスティチュートグループまたは金融ホールディンググループ以外の複数の子企業が存在する場合、KWG19条2項2第1号によってそれらの全体的な持分が合算される。けだし、これらは同一のコンツェルンに属するからである。それによって、同一のコンツェルン内部でも信用行為の限界が設けられることになる。これは、その機関の活動が信用行為のみに限定されている場合には適用されない。けだし、その場合KWG2条1項7号ないし4項5号による除外に該当するからである。

(4) KWG33条1項3号および2条bによる重要な持分権者によるコントロール

KWG33条は、どのような条件の下でBaFinがKWG32条による許可を拒否しなければならないか又は拒否できるかについて規定している。KWG33条1項三号によると、「事実によって重要な持分権者が（…）信頼できないことが認められる場合」又はその他の理由によって機関を手堅く用意周到に経営することが保証されない場合には、許可は拒否しなければならない。この場合、「重要な持分」とはKWG1条9項によると、第三者たる企業の資本または議決権の10%が自己又は他人の利益において保有され、または、他の企業の業務遂行に重要な影響力を行使し得る場合を指す。ここにおいて、改めて垂直コンツェルンが焦点になっ

---

(57) *Groß* in: Boos/Fischer/Schulte-Mattler, KWG, 2. Aufl., 2004, §19 Rn. 86.

てくる(58)。重要な持分権者自身が企業である場合，信頼性はその企業の個人的に責任のある出資者ないしその法的代理人について問題となる。その規定の目的は，機関がその所有者の不真面目な行為によって危険に晒されることを防止することにある。例えば財産・税務上の不正行為，個人的な債務超過または監督官庁に対する欺罔行為があった場合，信頼性が疑われる(59)。

KWG 2条b 1項1号の規定によって，後に重要な持分を取得することについても同じ理由でBaFinが禁止することが認められている(60)。このようにして，BaFinは，後になって初めて作られた所有者グループの新しい構造についても機関の機能力および債権者保護に対する危険について調査することができる(61)。両方の規定は，その他に，複雑な持分構造を悪用した組織犯罪，特にマネーロンダリング行為の防止にも役立っている。

(5) 企業結合における結びつき，KWG33条3項1号，2条b 1項a 1号

その他に，BaFinは，企業結合において結びついている機関が「持分の網目構造または経済的透明性の不足によって機関に対する効果的な監督が阻害されている場合」に許可を拒絶し（KWG33条3項1号）あるいは重要な持分の取得を禁止することができる（KWG 2条1項a 2号）。BaFinの効率的な監督という意味で，「企業結合」の概念は株式法16条乃至19条，291条，292条によっており(62)，垂直コンツェルンだけではなく水平コンツェルンにも及ぶ。その際，コンツェルンに

---

(58) Hier unberücksichtigt bleibt die Fragestellung, inwiefern die Einbindung eines Instituts in einen Konzern ein Beherrschungsverhältnis über dieses begründen kann, durch das der Geschäftsleiter des Instituts-als zentrale Figur der Beaufsichtigung-in unzulässigem Maße in seiner geschäftlichen Entscheidungsfreiheit eingeschränkt wird; vgl. hierzu *Miederhoff*, Bankaufsichtliche Beurteilung von Unternehmensverträgen unter vergleichender Berücksichtigung des Versicherungsaufsichtsrechts, WM 2001, S. 2041 ff., der zu dem Ergebnis gelangt, dass die Kontrollmechanismen des KWG für die Bewältigung dieses Problems ausreichen.

(59) *Höhns*, S. 142.

(60) Die bloße Untersagung der Stimmrechtsausübung unzuverlässiger Anteilseigner hatte sich in der Praxis als nicht ausreichend erwiesen, da auch ohne diese, die Inhaber bedeutender Beteiligung ihren Einfluss zum Nachteil des Instituts durchsetzen konnten, *Reischauer/Kleinhans*, KWG Bd. I, Stand Dezember 2004, Vorbemerkungen zu § 2b Rn. 1.

(61) *Reischauer/Kleinhans*, KWG Bd. I, Stand Dezember 2004, Vorbemerkungen zu § 2b Rn. 1.

おける結合が一般的に機関の監督を妨げる作用があるというだけで禁止することができる。これによって，BaFin は証明活動が非常に軽減され，広範囲に予防的な活動ができるようになっている。基本法上保障されている営業および企業の自由の観点から言うと，この幅広い権限には問題があるように見える[63]。これに対する立法の理由は，実際に構造条件的に監督が不可能であっても事後的にしかその証明ができず，したがって，証明の軽減なしには法の目的が無になると説明している[64]。

V 結　語

双方の取り扱った分野を比較すると，コンツェルンは，競争制限禁止法の規定の枠内とは異なって，KWG では企業としての属性を有していないと言うことができる。その理由は，コンツェルンには権利能力が欠けているので特別な支払能力および流動資産に対する監督が不必要である点にある。しかし，銀行監督の保護目的の効率的な追求のために，コンツェルンを完全に無視してしまうわけにもいかないため，信用機関が複雑な持分構造に結合することによって生じる危険を十分に考慮に入れた数多くの個別の規定が存在する。1つには見通しの悪いコンツェルン構造が組織的犯罪を奨励することになり，特にマネーロンダリングの目的で悪用されるという危険がある。他方では，コンツェルン企業の経済的共同体化は個別の企業の場合には存在しない支払能力についての危険を生み出す。他の規範は特定の規制目的が空文化するのを防止する場合にのみ考慮される。ただ，純粋にコンツェルン内部の銀行業務は KWG によって特権化され完全に適用外である。

最後に，コンツェルンが企業としての属性を欠くため推定を受けないかもしれないが，BaFin の監督は多くの観点から全体のコンツェルンにも及ぶ。競争制限禁止法の枠内ではこれはちょうど反対になる。コンツェルンについてここで述べ

---

(62) *Höhns*, S. 14 Fn. 103; *Fischer* in: Boos/Fischer/Schulte-Mattler, KWG, 2. Aufl., 2004, §33 Rn. 78.
(63) Hierzu näher *Blaurock*, Bankrechtliche Aufsicht über Gesellschafter, FS Schlechtriem, 2003, S. 777（780 f.）.
(64) BT-Drs. 13/7142, S. 73.

られている企業としての属性にもかかわらず，コンツェルンを単一体としてみることによって全体的にはどちらかと言えば監督活動は少なくなる。けだし，コンツェルン企業同士のコンタクトは広く連邦カルテル庁のコントロール下にあるからである。両方の場合に，規定・例外関係の少々珍しい逆転を感じる。つまり，一方では，結合行為の特権を理由に競争制限禁止法の規定を広く免れているコンツェルンが，ここで認められる企業としての属性の故に適用される事例があり，他方では，KWGの枠内では広い範囲で監督の対象となり企業としての属性の欠如の故に例外があるということになっている。

　いずれにしても，監督範囲を比較すると，コンツェルンが監督法的に全体として特権化されているか不利に扱われているかということについて一般的にいうことができないことが分かる。けだし，適用の程度はいつもそれぞれの法律の保護目的に依拠するからである。したがって，コンツェルン構造は，より多く監督が必要になることもあればより少ないこともありうる。

日本におけるコーポレート・ガバナンス
——ドイツにおける将来の改革の先取りか？——

髙橋英治

I　はじめに

　明治以来，わが国は，ドイツ法を模範として会社法学を築いてきた。しかし，戦後，日本会社法は，アメリカ法の影響下で，独自の発展を示すようになってきている。本稿では，近年のわが国の会社法の発展の中から，ドイツの将来の立法の先取りとも評価しうる新しい傾向を分析検討したいと思う。

　テーマの第1は，株式会社の機関構造である。日本では，平成14年商法改正により委員会設置会社が導入され，従来の伝統的な二元型機関（監査役型）に加えて一元型機関を採ることが選択制として認められた。ヨーロッパでも，近年，同様の立法上の変化が起こりつつある。すなわち，2003年のEU行動計画書に基づき，2006年から2008年までの間に選択型経営体制の導入に関するEU指令の提案が出される予定であるが[1]，これが立法化されると，伝統的二元型機関に加えて一元型の機関を採ることが選択制として可能になる。日本における一元型機関の選択的導入は，ドイツにおける立法上の変化を先取りするものとなっている。

　テーマの第2は，株主代表訴訟制度である。日本では，昭和25年の商法改正により，株主代表訴訟制度が導入された。その後，この制度に関しては，判例および立法による改革が行われ，現在，株主代表訴訟制度は，日本のコーポレート・ガバナンスにおいて重要な役割を果たしている。ドイツでは，株主代表訴訟制度の導入を柱とするUMAGすなわち「企業の誠実性と取消権の現代化のための法律[2]」が2005年9月22日に成立した。ドイツ法にとって，日本法の半世紀以上に

（1）　髙橋英治＝山口幸代「欧州におけるコーポレート・ガバナンスの将来像——欧州委員会行動計画書の分析——」商事法務1697号（2004年）104頁。

（2）　Gesetz zur Unternehmensintegrität und Modernisierung des Anfechtungsrechts (UMAG) vom 22. September 2005 (BGBl. I S. 2802).

わたる株主代表訴訟の経験は大いに参考になる。

本稿では，まず，わが国における株式会社の機関構造の発展を概観し（Ⅱ），次に，わが国における株主代表訴訟の発展を3つの時期に分けて概観し（Ⅲ），日本とドイツのコーポレート・ガバナンス改革から相互に何を学ぶことができるのかについて検討したい（Ⅳ）。

Ⅱ 日本における一元型の機関導入

1 戦前におけるコーポレート・ガバナンス

日本における近代的コーポレート・ガバナンスの起源は，1861年の普通ドイツ商法典にある。わが国の商法典は明治17（1884）年のロェスレル草案[3]を出発点とするが，ロェスレルは，日本において世界最新の商法典を作り上げるため，ドイツ，フランス，スペイン，オランダ，イタリア，エジプトの6か国の商法典ならびにイギリスの商事法の比較研究を行った。しかし，会社法の草案を起草する上で，もっとも大きな影響を及ぼしたのは，ドイツ法であった[4]。

普通ドイツ商法典に従い，ロェスレル草案は，商事会社を，合名会社（Collectivgesellschaft），合資会社，株式会社の三種とし，株式会社の機関を，株主総会，取締役，監査役の3つから構成されるとした[5]。ロェスレルは，取締役に該当する言葉として，当時の普通ドイツ商法典には存在していなかった「Director」という言葉を用いた。ロェスレル草案の日本語訳にあたった司法省は，取締役（Director）を「頭取」と翻訳し，監査役（Aufsichtsrat）を「取締役」と翻訳した[6]。

このためか，わが国では，ロェスレル草案が，ドイツ法とは異なるわが国独自

---

(3) *Roesler*, Entwurf eines Handelsgesetzbuches für Japan mit Commentar, Erster Band, Tokyo 1884（Nachdruck: Tokyo 1996）.

(4) ロェスレルは，会社法においてドイツ法の占める地位について，「各国の商法典の中にあっても，…ドイツの商法典は，その完全性と徹底性において第一の地位を占めるであろう」と記す（Roesler, ders., S. 192.）。

(5) Vgl. *Takahashi*, Rezeption des Aktienrechts in Japan, Festschrift Schott, Bern 2001, S. 320.

(6) ロェスレル草案の司法省の訳では，Vorstandには「主宰」という訳語があてられている（ロェスレル氏起草『商法草案上巻』（1884年，復刻，1995年・新青出版）398頁。

の株式会社の機関構造を採用したとする説が唱えられるようになった(7)。その根拠として,ドイツ法では監査役会が取締役を選ぶが,ロェスレル草案では株主総会が「頭取(取締役)」を選ぶシステム(ロェスレル草案219条参照)が採られていた事実が挙げられてきた(8)。

しかし,ロェスレルは株式会社の機関構成を当時の普通ドイツ商法典下の法解釈に従って起草したと推測される(9)。1861年の普通ドイツ商法典は,だれが取締役を選任するかについての規定を置かず,取締役の選任方法を定款に委ねた(209条7号)。定款に規定がない場合には,当時の通説によると,万能の決定機関である株主総会が取締役を選任する権限を有すると解されていた。すなわち,ドイツ普通商法典に関する当時の注釈書は,「取締役の選任ないし補充に関する規定は定款に委ねられた。定款には一定の数の取締役が会社の設立から数年後一定の者から選任されるべき規定が置かれることが非常に多い。かかる定款規定を欠く場合,取締役の選任は総会によって行なわれる。なぜなら,総会は株主全体に帰属する権利を行使する(普通ドイツ商法典224条)からである」と論じていたのである(10)。

ロェスレル草案は,ドイツ普通商法典下の株主総会の一般的権限に関する通説的解釈に依拠して取締役を株主総会が選任する仕組みを構築し(11),これが今日の日本のコーポレート・ガバナンスの土台となったのである。

---

(7) 宮島司「監査機構」倉沢康一郎・奥島孝康編『昭和商法学史』(1996年・日本評論社)393頁以下。
(8) 宮島・前掲注(7)393頁以下。
(9) *Takahashi*, Die Reform der Corporate Governance in Japan, Festschrift Immenga, München 2004, S. 758; *Takahashi*, Corporate Governance und die Reform des Gesellschaftsrechts in Japan, Zeitschrift für Japanisches Recht (ZJapanR) Nr. 16 (2003), 122.
(10) *Anschütz/Bölderdorf*, Kommentar zum Allgemeinen Deutschen Handelsgesetzbuch, Zweiterband, Erlangen 1870, S. 517.
(11) ロェスレル草案219条を受け継いだ旧商法185条の解釈として,取締役の選任方法は第一次的には定款の規定に従うべく,定款の規定がないときには株主総会の普通決議によって選任されるべきことが説かれていた(井上操『日本商法講義』(1890年・大阪国文社,復刻,2002年・信山社)130頁)。この解釈は1861年ドイツ普通商法典の下における立法と解釈に一致する。

2　戦後日本企業のコーポレート・ガバナンス

　日本のコーポレート・ガバナンスの法的枠組みは，戦後，英米法の影響下で大きく変貌した。監査役は，イギリス法の auditor をモデルとして変容し[12]，従来のドイツの監査役（Aufsichtsrat）モデルとは大きく相違することになった。すなわち，監査役はもはや業務執行に関する監査権限を持つことなく，監査役の権限は会計監査に限定された（昭和25年商法275条）。また業務執行決定機関として取締役会制度が新たに導入され（昭和25年商法259条以下），個々の取締役は当然には会社の業務執行権限および代表権限を有しないこととなった。昭和25年商法の下でのコーポレート・ガバナンスは，一元型のそれに限りなく近づいていた[13]。

　コーポレート・ガバナンスの実態面では，戦後，株式の相互持合いという現象が生じてきた。株式の相互保有が行われる契機となったのは，資本の自由化であった[14]。昭和39（1964）年に日本が OECD に加盟すると，日本は資本市場の開放を迫られ，外国企業による買収がわが国の経営者にとって切実な問題として認識されるようになった。日本企業に特徴的に見られる株式の相互保有は，敵対的企業買収に対する防衛措置として発達した[15]。株式の相互保有を基礎に，経営者は資本市場の圧力から自由になり，年功序列制度や終身雇用制など「従業員主権」と呼ばれる仕組みを発達させていった[16]。こうして実現された長期的視野に立つ日本的経営は，わが国の高度経済成長の原動力となった。

　株式の相互保有の発達に加えて，わが国では，取締役がかつての従業員から選ばれるという事情がある。代表取締役を監督するはずの監査役と取締役が，社長のかつての部下であるならば，有効なガバナンスが行われようはずもない。そこ

---

(12) *Matsuda*, Das neue japanische Aktienrecht, RabelsZ Bd. 24 (1959), 124.

(13) *Takahashi/Kirchwehm*, Corporate Governance in Deutschland und Japan: ein Vergleich von Vergangenheit, Gegenwart und Zukunft, Recht in Japan, im Druck für 2006, Kap. II, 2).

(14) 日本証券経済研究所編『詳説現代日本の証券市場』（2002年・日本証券経済研究所）50頁。

(15) *Baum*, Marktzugang und Unternehmenserwerb in Japan, Heidelberg 1995, S. 71; *Takahashi*, Konzern und Unternehmensgruppe in Japan-Regelung nach dem deutschen Modell? Tübingen 1994, S. 23 ff.

(16) *Takahashi*, Die "doppelte Mauer" Japans gegen feindliche Übernahmen aus dem Ausland: Eine ökonomische Analyse der Hindernisse für freien Kapitalverkehr mit Japan, DJJV-Mitteilung Nr. 6 (1991), 29.

で，商法によるガバナンス改正の課題が，監査役の独立性を強化することに置かれた。昭和49年の商法改正では，監査役の業務監査権限が復活した（昭和49年商法274条）。平成5年商法改正では，監査役会制度が導入され（平成5年商法特例法18条ノ2第1項），また，大会社における監査役は3名以上でそのうち一人以上は社外監査役でなければならないと定められたが（平成5年商法特例法18条1項），これも社内監査役による監査の形骸化を防止するという目的の改正であった。こうして，取締役会制度を伴ったわが国独自の二元型コーポレート・ガバナンスが出来上がった[17]。

3 委員会設置会社の導入

アメリカ法に基づく新しいタイプのコーポレート・ガバナンスの導入は，平成14年の商法改正の最も大きなテーマであった。かくして導入された委員会設置会社の制度は，第1に業務執行に対する実効性のある監督，第2に機動的な業務執行の実現を目的としている[18]。この新しいコーポレート・ガバナンスによると，取締役会によって選任される執行役がいわゆる経営者であり[19]，取締役会は業務執行の決定を執行役に対し大幅に委任できる。取締役会は，主として執行役の監督機関となる。取締役会の中には社外取締役が過半数を占める三委員会が設けられる。指名委員会・監査委員会・報酬委員会である。指名委員会は，株主総会に提出する取締役の選任および解任に関する議案の内容を決定する（会社法404条1項）。監査委員会は，取締役および執行役の職務の執行を監査する（会社法404条2項1号）。報酬委員会は取締役および執行役が受ける個人別の報酬の内容を決定する権限を有する（会社法404条3項）。委員会設置会社では監査役は置かれない。

わが国において委員会設置会社は2年にわたる経験を有するが，大きな成功を収めたといってよい。2004年6月までに，72社が委員会設置会社に移行した[20]。中でも，ソニー，日立，東芝，三菱電機，野村證券といった大企業が，委員会設

---

(17) *Takahashi/Kirchwehm*, Development of Corporate Governance in Japan and Germany: is the two-tiers-system obsolete? Journal of Interdisciplinary Economics Vol. 17 No. 1 and 2 (2006), 169.

(18) *Takahashi/Sakamoto*, The Reform of Corporate Governance in Japan: A Report on the Current Situation, Journal of Interdisciplinary Economics, Volume 14 No. 2 (2003), 194.

(19) 江頭憲治郎『株式会社法・有限会社法〔第4版〕』（2005年・有斐閣）455頁。

置会社に移行した。2004年に実施された委員会設置会社の経営者に対するアンケート[21]によると，95パーセント以上が委員会設置会社への移行によりコーポレート・ガバナンスが改善されたと答えた。また，84.2パーセントは取締役会が活性化したと回答し，63.2パーセントが経営の迅速化を実感できると答えた。2005年3月7日には，業績不振に苦しむソニーが，社外取締役主導で経営陣の総入れ替えを実現したことは[22]，取締役会議長と代表執行役を分離するソニー方式の委員会設置会社が，ガバナンス機能を有効に発揮しうることを示している。

しかし，委員会設置会社のガバナンスにも大きな問題がある。委員会設置会社の社外取締役の要件である。日本では，親会社の取締役や従業員であっても，社外取締役の要件を満たす。したがって，委員会設置会社へ移行した子会社のほとんどは，親会社の経営者を社外取締役として任用している[23]。社外取締役は，本来，子会社の少数派株主を含めた全株主の利益のために監督活動を行わなければならない[24]。親会社の役員が子会社の社外取締役となる場合，子会社の少数派株主を含んだ子会社株主全体の利益のために行動すべき子会社の社外取締役が，親会社の利益の代弁者となり，子会社の少数派株主のための監督活動を実施しない危険が生ずる。少数派株主保護の見地からの監査を徹底させるためには，子会社の社外取締役の要件を次節で述べるようなヨーロピアン・スタンダードにするか，もしくは，さらに進んで，子会社の監査委員会を構成する取締役の中，最低一名は親会社の議決権を排除した総会決議で選任されるとするべきであろう[25]。

---

(20) 商事法務研究会編『株主総会白書・2003年版』商事法務1681号（2003年）22頁以下，商事法務研究会編『株主総会白書・2004年版』商事法務1715号（2004年）21頁以下参照。
(21) 日本経済新聞平成16年6月26日。
(22) 日本経済新聞平成17年3月7日。
(23) 山田泰弘「大規模株式会社の経営機構の実態」商事法務1675号（2003年）76頁。
(24) コスモ証券事件において大阪地裁は，子会社の取締役が，子会社の少数派株主の利益を保護する義務を負うことにつき，「コスモ証券は大和銀行の完全子会社ではないから，コスモ証券の取締役としては，コスモ証券の少数株主に対する配慮が欠かせないのであり，多数株主である大和銀行の利益を図るために少数株主の利益を犠牲にしてはならない」と明確に判示する（大阪地裁平成14・2・20判例タイムズ1109号226頁）。
(25) 子会社の監査役についても一名以上は親会社の議決権を排除した株主総会で選任されるべきことにつき，高橋英治『従属会社における少数派株主の保護』（1998年・有斐閣）130頁。

4　ドイツ法と一元型コーポレート・ガバナンス

ドイツでは，①　一元型システムが二元型システムよりも優れているとする経験上・経済上の証拠がない[26]，②　共同決定制度[27]の存在が一元型システムを採用する上で解決不能な問題を提起する[28]という理由で，二元型システムに根本的変更を加える必要がないという見解が支配的であった[29]。しかし，ドイツでも，EU法の進展を背景に，一元型のコーポレート・ガバナンスが導入されつつある。すなわち，2004年以降，監査役に代わり取締役会のみを備えるヨーロッパ株式会社（SE）が設立可能となっている[30]（ヨーロッパ株式会社規則38条b[31]）。また，「会社法専門家ハイレベル・グループ（ウィンター委員会）」の第二報告書（2002年11月4日）においては，ヨーロッパ連合加盟国の会社法は，域内企業が一

---

(26) *Baums* (Hrsg.), Berichte der Regierungskomission Corporate Governance, Köln 2001, Rz. 18, S. 63.

(27) ドイツでは2000人を越える労働者を有する株式会社においては，監査役会の半数が労働者代表によって構成されなければならないとされている（共同決定法7条）。監査役会を有しない一元型システムは，この労働者代表が占める役職を欠いていることになる。共同決定制度について，*Kübler*, Gesellschaftsrecht, 4. Aufl., Heidelberg 1994, 540 ff., 正井章筰『共同決定法と会社法の交錯』（1990年・成文堂）参照。

(28) *Leyens*, Deutscher Aufsichtsrat und U.S.-Board: ein- oder zweistufiges Verwaltungssystem?, RabelsZ Bd. 67 (2003), 97; *Kübler*, Deregulierungen, ZHR-Beihefte Bd. 71 (2002), 210.

(29) *Baums* (Hrsg.), a.a.O. (Fn. 26), Rz. 18, S. 63; 神作裕之「委員会等設置会社におけるガバナンスの法的枠組み」日本労働研究雑誌507号（2002年）11頁以下，前田重行「ドイツ株式会社法における経営監督制度の改革」菅原菊志先生古稀記念論集『現代企業法の理論』（1998年・信山社）612頁参照。

(30) *Schwarz*, Zum Statut der Europäischen Aktiengesellschaft, ZIP 2001, 1854; *Hommelhoff*, Einige Bemerkungen zur Organisationsverfassung der Europäischen Aktiengesellschaft, AG 2001, 282; *Baum*, Reform des deutschen Kapitalmarkt-und Gesellschaftsrechts im Licht der jüngsten Entwicklung des Gesellschaftsrechts, 同志社大学ワールドワイドビジネスレビュー4巻法的研究特集号（2003年）58頁，*Hirte*, Corporate Governance und Reform des Gesellschaftsrechts in Deutschland und Europa, ZJapanR Nr. 16 (2003), 163. 邦語訳として，高橋英治＝清水円香訳「ヘリベルト・ヒルテ・ドイツおよびヨーロッパにおけるコーポレート・ガバナンスと会社法改正（二・完）」法学雑誌51巻2号（2004年）616頁以下。

(31) 2001年10月8日ヨーロッパ連合理事会で承認されたヨーロッパ株式会社規則（Amtsblatt Nr. L 294 vom 10/11/2001, 0001-0021）の38条bは「ヨーロッパ株式会社がこの規則の基準により定款で選択された形態に従って監査機関と指揮機関（二元システム）もしくは執行機関（一元システム）を利用できる」と規定する。

元型ガバナンスと二元型ガバナンスとを選択できるよう，会社法規制に柔軟性を持たせるべきことが提案され(32)，この提案を受けて，2003年5月21日，EU委員会は2006年から2008年にかけて，指令を用いて加盟国の会社が一元型ガバナンスと二元型ガバナンスとを選択できるように国内法を調整していく中期行動計画を発表した(33)。ルッターらをメンバーとするドイツの会社法研究グループは，ハイレベル・グループの提案に賛成して，一元型ガバナンスと二元型ガバナンスとはそれぞれ長所と短所があり，どちらかのシステムに固定することはできないとし，フランス・イタリアで導入されているように，両ガバナンスの選択制を認めるべきであると提案している(34)。

EUに目を向けると，ウィンター委員会の最終報告書の定義によると，支配株主（controlling shareholder）の代表者は独立取締役の地位を認められない(35)。しかし，ドイツ弁護士会は，今後導入される一元型の機関構造にウィンター委員会の「独立取締役」の定義が採用されると，コンツェルン指揮の基礎が失われ，コンツェルン法が適用されない結果となると反発している(36)。2005年2月15日のEU委員会の勧告は，独立取締役に関するウィンター委員会の定義を採用し，支配株主とその代表者は独立性の要件を有しないとしている(37)。

---

(32) The High Level Group of Company Law Experts, Report of the High Level Group of Company Law Experts on a Modern Regulatory Framework for Company Law in Europe, Brussels, November 4th 2002, S. 59.

(33) *Wiesner*, Corporate Governance und kein Ende, ZIP 2003, 977 f.

(34) Zur Entwicklung des Europäischen Gesellschaftsrechts: Stellungnahme der Arbeitsgruppe Europäisches Gesellschaftsrechts (Group of German Experts on Corporate Law) zum Report der High Level Group of Company Law Experts on a modern Regulatory Framework for Company Law in Europe, ZIP 2003, 869.

(35) ウィンター委員会の定義によると，持株比率30パーセント以上の株主は独立取締役たる資格を有しない。この点につき，The High Level Group of Company Law Experts, a.a.O. (Fn. 32), S. 62 f.

(36) Stellungnahme des Deutschen Anwaltvereins durch den handelsrechtsausschuss zum Aktionsplan des EU-Kommission zur Modernisierung des Gesellschaftsrechts und Verbesserung der Corporate Governance in der Europäischen Union, Berlin 2003, Stellungnahme Nr. 51/03, S. 8.

(37) Commission Recommendation of 15 February 2005 on the role of non-executive or supervisory directors of listed companies and on the committees of the (supervisory) board (2005/162/EC), ANNEX II Profile of independent non-executive or supervisory directors, Art. 1 (d).

III 日本における株主代表訴訟の導入

1 株主代表訴訟制度の導入

　戦前の株主による取締役の責任追及制度は，ドイツ法と類似したものであった。すなわち，明治32年商法178条は，株主の「訴訟強制権」を規定し，「株主総会ニ於テ取締役ニ対シテ訴ヲ提起スルコトヲ決議シタルトキ又ハ之ヲ否決シタル場合ニ於イテ資本ノ十分ノ一以上ニ当タル株主カ之ヲ監査役ニ請求シタルトキハ会社ハ決議又ハ請求ノ日ヨリ一个月内ニ訴ヲ提起スルコトヲ要ス」と定めていた。

　これは，UMAG成立前のドイツ株式法147条1項第1文の訴訟強制権，すなわち株主総会が決議したときまたは持分が合計して資本の10分の1に達する少数株主が請求したとき，会社は発起人・取締役・監査役に対して有する賠償請求権を行使しなければならない，という規定に対応したものであった。すなわち，戦前のわが国には株主代表訴訟は存在せず，ドイツ法をモデルとして株主の訴訟強制権が定められていた。

　株主代表訴訟は，昭和25年商法改正により，日本法に導入された。昭和25年商法改正は占領期における商法改正でありGHQと日本側の交渉により実現するが，GHQの経済科学局（ESS: Economic and Scientific Section）は，従来の訴訟強制権は株主権に対して制限的であり，取締役の責任追及訴訟はめったに起こされていないという認識に立ち[38]，これに代わる制度として株主代表訴訟制度が導入された。

　2005年に成立した「会社法」の下において，株主代表訴訟制度は大きな変貌を遂げたが，その概略は次のとおりである。6ヶ月前から引き続き株式を有する株主は，まず株式会社に対して書面その他の方法によって取締役・執行役・監査役・会計監査人・会計参与等の責任追及等の訴えの提起を請求する（会社法847条1項）。株式会社が，この請求の日から60日以内に責任追及等の訴えを提起しないときは，「当該請求をした株主は，株式会社のために，責任追及等の訴えを提起することができる」（会社法847条3項）。この会社法847条3項に基づく訴えが，

---

(38) 中東正文「GHQ相手の健闘の成果」北沢正啓先生古稀記念『日本会社立法の歴史的展開』（1999年・商事法務研究会）248頁以下。

株主代表訴訟である。

わが国の代表訴訟制度の発展は，3つの時期に分けて考えることができる。第一期は，昭和25年商法改正による導入から平成5（1993）年の商法改正までの時期である。この時期，代表訴訟の件数は少なかったが，提起された代表訴訟は社会的に重要な意味を持った。第二期は，平成5（1993）年の改正により株主代表訴訟に必要な印紙代が8200円になってから，代表訴訟の係属数がピークを迎える平成11（1999）年末までの時期である。この時期，代表訴訟の濫用から取締役を守る努力が法律学において試みられた。第三期は，立法による代表訴訟の改革の時期であり，平成12（2000）年9月に大和銀行事件に関して大阪地裁が取締役一人あたり75億円から829億の損害賠償を命じたことが契機となり，取締役の責任軽減等を柱とする商法改正が平成13（2001）年12月に実現した。以下において，これらを詳論していきたい(39)。

2　第一期・代表訴訟の萌芽（1950年―1993年）

第一期の最も有名な株主代表訴訟事件は，八幡製鉄事件である。八幡製鉄株式会社の代表取締役Y1およびY2は，同会社を代表して自由民主党に政治献金として350万円の寄付を行った。同社の株主であったXは，右の行為は会社の定款所定の事業目的を逸脱し，かつ取締役の忠実義務に違反するから，Y1およびY2は会社に対して損害賠償責任があるとして，Y1およびY2に対して株主代表訴訟を提起した。

第一審の東京地裁は，原告の請求を認容した。すなわち，東京地裁によると，会社の行為には取引行為と非取引行為とがあり，前者は会社の目的の範囲内に属するが，後者は事業目的の範囲外であって，基本的には取締役の忠実義務違反になるところ，例外的に責任を問われない場合として慈善目的の寄付のような総株主の同意が期待される社会的義務行為がある。本件は特定政党への献金で，社会

---

(39) 日本の株主代表訴訟に関するドイツ語文献として，*Hayakawa*, Die Aktionärsklage im japanischen Gesellschaftsrecht, Festschrift Mestmäcker, Baden-Baden 1996, S. 891 ff.; *Kliesow*, Aktoinärsrechte und Aktionärsklage in Japan, Tübingen 2001, S. 127 ff.; *Kawamoto*, Die Praxis der Aktionärsklage in Japan, Festschrift Großfeld, Heidelberg 1999, S. 529 ff.; *Takahashi*, Aktionärsklage in der japanischen Rechtsprechung, ZJapanR Nr. 6 (1998), S. 101 ff.

的義務行為ではなく，右例外に属しない。したがって定款違反および忠実義務違反になる。

しかし第二審において原告は敗訴し，最高裁も原告の請求を退けた。最高裁は，ultra vires を判例理論として採用し[40]，会社の権利能力は定款所定の目的によって制限されるという考えに立っていたが，政党に対する寄付が会社の権利能力の範囲内か否かについては，「政党は議会制民主主義を支える不可欠なものであるから，国民は当然政党のあり方いかんについて重大な関心をもたざるをえない。したがって，社会の構成単位たる会社に対しても，政党の発展に協力することが当然期待されるので，その協力の一態様としての政治資金の寄付も，会社に対し期待ないし要請される限りのものは，会社にその能力がないとはいえない」と判示した。

また，株式会社の政治資金の寄付は国民にのみ参政権を認めた憲法に反するという主張については，最高裁は，「会社も，自然人たる国民と同様，国や政党の特定の政策を支持，推進しまたは反対するなどの政治的行為をなす自由を有する。政治資金の寄付もその自由の一環であ」ると判示して，会社による政治献金の寄付は憲法に反するとする主張を退けた。

この判決に対して，学説は概ね賛同したが，政治資金の寄付は社会的に要請されるという理由づけに対しては，批判的見解も述べられた[41]。特に，岩崎稜博士は，「本判決は株式会社の政治献金を奨励しているその論旨において…，最高裁判例の中で最も愚劣かつ品位を欠いた判旨である」と酷評した[42]。

この時期の判例として，三井鉱山事件[43]も重要である。三井鉱山株式会社は三井セメント株式会社を合併しようと計画したところ，三井鉱山株式会社の25・8パーセントを有するAに反対された。そこで三井鉱山株式会社の取締役会は，A所有の株式を三井鉱山の100パーセント子会社に買い取らせ，さらに同株式をグループ各社に再譲渡することを決議し，100パーセント子会社に生じた売却損は三井鉱山株式会社が負担することを決議した。その結果，三井鉱山株式会社に35億5000万円の売却損が発生した。Xは，上記取引について調査を始め，上記取引

---

(40) 最判昭和27・2・15民集6巻2号77頁。
(41) 鈴木竹雄『商法研究Ⅲ』(1971年・有斐閣) 326頁。
(42) 岩崎稜ほか『セミナー商法』(1996年・日本評論社) 103頁。
(43) 最判平成5・9・9民集47巻7号4814頁。

から2年後に三井鉱山の株式を1000株取得した。そして取得から7ヶ月後，本件取引により，三井鉱山に35億5000万円の損害が生じたとして，三井鉱山の取締役を訴えた。Xは，訴訟の過程で，「訴訟になれば自分の名が売れ，顧問料が高くなる。三井各社の社長を証人として引っ張り出すと三井鉱山も困るだろう。会社の方は大三井だから負けたら大変だろうが，私は蚤のような存在だから負けてもともとだ」と発言していた。

最高裁は，本件代表訴訟の提起は権利の濫用に当たらないと判示し，また，自己株式取得禁止の規定により，完全子会社による親会社株式の取得も許されないと判示し，Xを勝訴させた。

八幡製鉄事件は，日本企業と政治との癒着関係を告発する社会的意味をもった。その後，政治資金規制法が改正され，政党及び政治資金団体に対する会社のする寄附に上限が設けられた（政治資金規正法21条の3）。三井鉱山事件は，子会社を用いた自己株式買取事件であり，この事件を契機として自己株式規制の必要性が認識されるようになり，判決と前後して商法改正が行われ，子会社による親会社株式取得を禁止する明文の規定が設けられるに至った（昭和56年改正商法211条ノ2）。第一期においては，株主代表訴訟の数は少なかったとはいえ，提起された代表訴訟は，日本の企業慣行の不合理を告発し，その後の立法の契機となった。

3　第二期・代表訴訟の爆発的増加と濫用防止（1993年—1999年）

平成5年改正商法は，明文で「前二項の訴は訴訟の目的の価額の算定については財産権上の請求に非ざる請求に係る訴と看做す」と定め（平成5年商法267条4項），わずか8200円（当時）[44]の手数料で代表訴訟を提起できることを認め，ここにおいて訴訟が爆発的に増加することとなった。これまで，平均して4年に一度しか提起されていなかった株主代表訴訟が，1993年には年間39件に増加した。1999年末には代表訴訟の係属件数はピークを迎え，220件に達した[45]。これに伴って濫訴の防止が会社法学の重要課題となった。

株主代表訴訟から経営者を守る手段として重要な機能を果たす制度としては，①担保提供制度，②限定説，③経営判断原則がある。第二期においては，これら

---

[44]　現在では，株主代表訴訟の申立時に裁判所に納める費用は，一律13000円である（民訴費4条2項・別表第1）。

[45]　資料版商事法務205号117頁（2001年），商事法務1627号65頁（2002年）。

の領域において，法発展が見られた。

会社法847条7項によると，株主代表訴訟において裁判所は，原告株主に会社の請求に基づいて担保の提供を命ずることができる。担保提供命令の要件は原告の「悪意」の疎明である（会社法847条8項）。代表訴訟の件数が爆発的に増加した第二期では，担保提供命令が代表訴訟の濫用抑止の制度として大きな役割を果たし，担保提供命令の要件に関する重要判例が出された[46]。現在の判例・通説によると，株主代表訴訟における「担保」とは，代表訴訟が不法行為を構成する場合に被告が取得する損害賠償請求を担保するものである[47]。したがって「悪意」とは提訴権者の請求に理由がなく，かつ同人がそのことを知って訴えを提起した場合を指し（不当訴訟要件），請求に理由がないとは，①請求原因が主張自体失当なこと，②立証の見込みが低いこと，③被告の抗弁成立の見込が高いこと等をいう[48]。また「悪意」は，総会屋などの株主が代表訴訟を手段として不法不当な利益を得ようとする場合には，不当訴訟か否かに関わらず認められる（不法不当目的要件）。

経営判断原則および非限定説の確立には，野村證券事件が大きな意味を持った。野村證券株式会社は，A社（東京放送）の資金運用を行っていた。ところがA社の資金運用はうまくいかず，平成2年2月末頃には3億6000万円の損失が生じていた。野村證券株式会社は，顧客であるA社との間の取引関係を維持して，将来の利益を確保するため，生じた損失3億6000万円を補填した。平成3年11月，公正取引委員会は，かかる損失填補は独占禁止法19条の禁止する不公正な取引に当たるとして，勧告を行った。野村證券の株主は，損失補填について取締役の損害賠償請求を行う株主代表訴訟を提起した。

第一審の東京地裁判決[49]は，経営判断原則を導入した判例として知られてい

---

(46) 名古屋地決平成6・1・26判時1492号139頁（東海銀行事件），東京地決平成6・7・22日判時1504号121頁（蛇の目ミシン決定），大阪地決平成9・3・21判時1603号130頁（ミドリ十字事件），Vgl. Takahashi, ZJapanR Nr. 6 (1998), 101 ff.

(47) 「株主代表訴訟における担保提供制度が，直接的には，株主代表訴訟を不当提訴として原告株主に対して損害賠償を請求する被告役員の権利を保全するための制度である」（東京地判平成10・5・25判時1660号83頁）。

(48) 東京地決平成6・7・22日判時1504号121頁（蛇の目ミシン決定），大阪高判平成9・11・18判時1628号133頁，江頭憲治郎『株式会社法・有限会社法〔第四版〕』(2005年・有斐閣) 420頁。

る。東京地裁は，経営判断原則につき次のように判示した。

「裁判所としては，実際に行われた経営判断そのものを対象として，その前提となった事実の認識について不注意な誤りがなかったかどうか，また，その事実に基づく意思決定の過程が通常の企業人として著しく不合理なものでなかったかどうかという観点から審査を行うべきであり，その結果，前提となった事実認識に不注意な誤りがあり，または意思決定の過程が著しく不合理であったと認められる場合には，取締役の経営判断は許容される裁量の範囲を逸脱したものとなり，取締役の善管注意義務違反又は忠実義務に違反するものとなると解するのが相当である」。本件については，東京地裁は，被告取締役の善管注意義務または忠実義務違反を認めなかった。また，東京地裁は，本件損失補填が独禁法19条違反になることは認めたが，「本件損失補填後，東京放送との取引関係が維持され，それによって野村証券が既に相当の利益を得ており，かつ今後も得られる見込みであることが認められる」と判示し，「本件損失填補が独占禁止法に違反するものであっても，会社との関係においては，これによって原告が主張する損害が生じたと認めるに足りない」と判示して，原告の請求を認めなかった。

第二審の東京高裁判決は，限定説を採用した判決として知られる。従来，平成17年改正前商法266条1項5号の法令にはすべての法令が含まれると考えられてきたが，学説上，同号の範囲を制限的に解すべきであるという見解が有力に唱えられた。かかる学説は，同号の法令を，会社・株主保護を目的にするものおよび刑法のように公の秩序に関する規定[50]，あるいは会社財産の健全性を確保することを直接または間接の目的とする法令[51]に限定すべきであるとし，それ以外の法令違反は取締役の注意義務違反にあたる場合に責任が生ずるとする。かかる限定説に立ち，東京高裁は，独占禁止法19条は，「競争者の利益を保護することを意図した規定であって，同条違反の行為により損害を蒙るのは，当該会社ではなく，競争者であるから，同条違反が当然に商法266条1項5号の法令違反に含まれると解するのは相当でない。同条の法令違反に該当するかについては，独占禁止法19条違反の行為がひいては後述の取締役の善管注意義務，忠実義務に違反

---

(49) 東京地判平成5・9・16判時1469号25頁。
(50) 近藤光男「取締役の経営上の過失と会社に対する責任」金融法務事情1372号（1993年）10頁。
(51) 森本滋『会社法〔第2版〕』（1995年・有信堂）253頁。

するか否かが更に検討されなければならない」と判示し，結論として被告取締役の善管注意義務・忠実義務違反を認めなかった。

　最高裁は，非限定説の立場に立ち，「取締役を名あて人とし，取締役の受任者としての義務を一般的に定める商法254条3項（民法644条），商法254条ノ3の規定（以下，併せて「一般規定」という。）及びこれを具体化する形で取締役がその職務遂行に際して遵守すべき義務を個別的に定める規定が，本規定にいう「法令」に含まれることは明らかであるが，さらに，商法その他の法令中の，会社を名あて人とし，会社がその業務を行うに際して遵守すべきすべての規定もこれに含まれるのが相当である」と判示し，本件損失補填が独占禁止法19条に反し，したがって商法266条1項5号にいう法令に違反する行為に当たることを認めた。しかし，損失補填が行われた時点において，関係当局においてすら損失補填が独占禁止法19条に違反するという見解を採っておらず，右の状況下においては本件損失補填が行われた時点において，「その行為が独占禁止法に違反するとの認識を有するに至らなかったことにはやむをえない事情があったというべきで，右認識を欠いたことにつき過失があったとすることもできない」と判示して，被告取締役の損害賠償責任を認めなかった。

　取締役の責任ならびに責任追及の手段である代表訴訟の制度趣旨を，会社利益の保護と限定的に理解するのではなく，会社による違法行為一般の抑止と広くとらえると，会社法423条1号の「任務懈怠」の解釈として非限定説が導かれる。最高裁が非限定説を採用した背景には，非限定説の理論的正しさに加えて，会社による違法行為一般を抑止する代表訴訟のガバナンス効果を重視したことが挙げられよう。

4　第三期・立法による改革（2000年―　）

　大阪地裁は，平成12年9月20日，大和銀行事件に関して取締役一人当たり75億円から829億円の賠償を命じる判決[52]を下した。この判決は，経済界を震撼させ，取締役の責任制限立法および株主代表訴訟制度の見直しに関する商法改正がなされた。ここでは，平成13年商法改正によって実現した株主代表訴訟立法の中で，ドイツ法にとって参考になると思われる2つの領域，①株主代表訴訟の和解と，

---

(52)　大阪地判平成12・9・20判時1721号3頁。

②被告取締役に対する会社の補助参加に関する改正法の動向について論じたい。

　株主代表訴訟における和解は，会社が和解の当事者である場合と，原告株主が和解の当事者である場合とに分かれるが，重要なのは，後者の手続きである。改正前，学説の見解は分かれていた。和解を否定する説は，原告株主と被告取締役との和解を認めるならば，「その株主の一存で会社の権利の全部または一部を処分することを認める結果となる[53]」という理由から，和解を認めていなかった。

　しかし，肯定説を採る竹内昭夫博士は「判決確定までに要する時間と費用，それと終局判決により会社が回復を見込みうる金額とを比較検討すると，条件次第では和解する方が経済的にみて合理的と認められる場合もありえよう。そのような具体的事情を一切無視して，一旦提訴した以上は，判決確定までひたすら訴訟を追行せよというのは，まさに片道の燃料だけ積んで出撃した特攻隊的な訴訟を強いることに外ならない[54]」と主張していた。

　平成13年の改正法は，会社が取締役の責任を追及する訴訟を提起したとき，または株主から代表訴訟の告知を受けたときは，遅滞なく訴訟提起がされた旨を公告し，または株主に対して通知しなければならないこととした（平成13年改正商法268条4項）。こうして株主に訴訟参加の機会を確保することとした。また，和解内容について会社（具体的には原則として監査役）が異議を述べる機会を確保することで（平成13年改正商法268条6項），原告以外の株主の利益を守るための手続的保障を行った。

　以上の代表訴訟の和解の枠組みは，平成17年の会社法にも受け継がれた。すなわち，会社が和解を承認する場合，株主と会社間の和解は確定判決と同一の効力を有する（会社法850条1項2文）。和解内容は会社に通知され，会社は通知から2週間内に異議を述べることができる（会社法820条2項）。会社が期間内に書面により異議を述べなかった場合，通知の内容で株主が和解することを承認したとみなされる（会社法850条3項）。

　改正法が和解を認めたことは妥当な法改正であったが，改正法の欠点は，和解の内容の公正さを確保する制度が十分に構築されていない点にある。将来的には，

---

(53)　大隅健一郎＝今井宏『会社法論中巻〔第3版〕』（1992年・有斐閣）277頁。同旨，田中誠二『三全訂会社法詳論上巻』（1993年・勁草書房）704頁。
(54)　竹内昭夫「株主の代表訴訟」竹内昭夫『会社法の理論Ⅲ』（1990年・有斐閣）265頁以下。

わが国においては，株主と取締役との間の和解案の内容を株主に通知するなど開示を徹底し，かつ株主に和解内容に異議を述べる途を開くか，これが実現できない場合，和解に裁判所の許可を必要とする立法が必要である[55]。将来の立法においては，代表訴訟が係属する裁判所が和解を許可することとすべきであるが，裁判所が和解を許可しうる要件を法定する必要がある。

最後に株主代表訴訟における会社の補助参加について論じる。平成13年の改正前においては，株主代表訴訟において会社が被告取締役側に補助参加できるかについて下級審裁判所の決定例は分かれていた[56]。最高裁は，平成13年1月30日決定民集55巻1号30頁（万兵事件）において，粉飾決算を見過ごした取締役の責任が追及された事例につき，「取締役会の決定が違法であるとして取締役に対し提起された株主代表訴訟において，株式会社は，特段の事情がない限り，取締役を補助するため訴訟に参加することが許されると解するのが相当である。けだし，取締役の個人的な権限逸脱行為ではなく，取締役会の意思決定を前提として形成された株式会社の私法上又は公法上の法的利益に影響を及ぼすおそれがあるというべきであり，株式会社は，取締役の敗訴を防ぐことに法律上の利害関係を有するということができるからである」と判示して，代表訴訟に対する会社の補助参加を認めた。この最高裁判決に基づき，平成13年商法改正は，会社が被告取締役側に補助参加することができることを明らかにするとともに，その場合に監査役全員の同意を得なければならないこととした（平成13年改正商法268条8項，266条9項)[57]。

しかし，学説においては株主代表訴訟に会社が補助参加することを認めることに，批判的な意見が有力に唱えられている。補助参加を容認した改正法は，代表

---

(55) 高橋英治「ドイツ法における株主代表訴訟の導入──UMAG報告者草案とわが国法制への示唆──」商事法務1711号（2004年）13頁。
(56) 肯定例として，大阪地判平成2・2・28判時1365号130頁，東京地決平成7・11・30判時1556号137頁，東京高決平成9・9・2判時1633号140頁，東京地決平成12・4・25判時1709号3頁。否定例として，名古屋地決平成8・3・39判時1588号148頁，名古屋高決平成8・7・11判時1588号145頁。
(57) 平成13年に確立した補助参加の法的枠組みは平成17年成立の「会社法」においても維持されている。すなわち，会社法849条2項は，代表訴訟における被告への会社の補助参加を認めるとともに，補助参加には会社の監査役全員または監査役員全員の同意が必要であると定める。

訴訟の制度趣旨からは疑問であると主張されている(58)。また，平成13年商法改正によって，会社の補助参加につき立法するのであれば，それに応じた法整備もなされるべきであったと考えられている。重要な証拠資料を大部分有している会社が被告側に補助参加することは，その証拠資料・訴訟資料のうち被告に有利なもののみが裁判所に提出されることになり，被告の責任原因の立証責任を負っている原告株主は益々不利な立場に立たされる。もちろん原告株主によって被告会社に文書提出命令の申し立てがなされた場合には，当該文書が民訴法220条の定める要件に該当する限り，被告会社は提出を拒むことはできない(59)。しかし，かかる一般規定は原告株主の保護のために十分ではないと考えられており，代表訴訟における原告株主の不利を補い，少しでも衡平な裁判を実現するために，会社に証拠保全や証拠開示に応じる義務を課し，その実効性を確保するための規定を設けるべきことが立法論として主張されている(60)。

5 ドイツ法と株主代表訴訟

ドイツでは，戦後間もない頃アメリカ法に倣って，株主代表訴訟制度を導入することがグロースフェルトなどによって立法論として唱えられていたが(61)，株主代表訴訟は長く立法化されなかった。しかし，ドイツ連邦政府は，2004年1月，株主訴訟制度の導入を一つの柱とする「UMAG」すなわち「企業の誠実性と取消権の現代化のための法律」の報告者草案(62)を公表し，次いで政府草案(63)を公表した。UMAGは，2005年6月16日にドイツ連邦議会で可決され，2005年7月8日には連邦参議院を通過し，2005年11月1日から施行された(64)。

---

(58) 前田雅弘「株主代表訴訟制度」森本滋『比較会社法研究』（2003年・商事法務）290頁。

(59) この点につき，松本博之＝上野泰男『民事訴訟法〔第4版〕』（2005年・弘文堂）419頁以下。

(60) 岩原紳作「株主代表訴訟」ジュリスト1206号（2001年）131頁以下，前田雅弘「株主代表訴訟制度」森本滋『比較会社法研究』（2003年・商事法務）290頁。

(61) *Grossfeld*, Aktiengesellschaft, Unternehmenskonzentration und Kleinaktionär, Tübingen 1968, 311. この学説の分析として，早川勝「西ドイツ株式法における個人株主訴訟」産大法学18巻2・3合併号（1984年）166頁，周劍龍『株主代表訴訟制度論』（1996年・信山社出版）162頁。

(62) Bundesministerium der Justiz, Entwurf eines Gesetzes zur Unternehmensintegrität und Modernisierung des Anfechtungsrechts (UMAG), Stand: Januar 2004.

ドイツが導入した株主代表訴訟も，株主が会社を代表して取締役の会社に対する責任を追及する手段であるという点では，日本のそれと同じであるが，次の点で違いが認められる。

　第 1 に，経営判断の原則が立法化されている（株式法93条 1 項 2 文）。その内容は，2005年改正株式法では，2004年 UMAG 報告者草案と若干違っており，「取締役員が企業家的決定において適切な情報を基礎として会社の福利のために行為したと合理的に認められる場合，義務違反はない」となっている。報告者草案では，軽過失の場合は経営判断原則により免責されることになっていたが，この軽過失免責が民法の過失責任主義に反するという批判が学説(65)から提起されて，政府草案において以上のような表現になった。

　第 2 に，代表訴訟提起に持株要件が付されている。すなわち，1 パーセントの株式または10万ユーロ（約1350万円）の額面を有する株式(66)を有する株主だけが，裁判所に代表訴訟の許可を申請できる（株式法148条 1 項 1 文）。

　第 3 に，持株要件を満たす電子的手段として「株主フォーラム」が設けられている（株式法127 a 条）。すなわち，株主代表訴訟を提起したいが，持株要件を満たしていない株主は，国が設置管理している電子連邦公報の株主フォーラムにおいて，募集広告を出して，共同で代表訴訟を提起してくれる他の株主を募集することができる。

　第 4 に，いわゆる行為時株主原則が導入されている（株式法148条 1 項 1 号）。株

---

(63) Gesetzentwurf der Bundesregierung, Entwurf eines Gesetzes zur Unternehmensintegrität und Modernisierung des Anfechtungsrechts（UMAG）. UMAG 報告者草案につき，久保寛展「株主総会決議に対する濫訴防止の可能性——ドイツにおける UMAG 草案による措置を中心として」福岡大学法学論叢49巻 3 ＝ 4 号（2005年）385頁以下，高橋・前掲注（55）商事法務1711号（2004年）13頁以下参照。

(64) Gesetz zur Unternehmensintegrität und Modernisierung des Anfechtungsrechts（UMAG）, vom 22. September 2005（BGBl. I S. 2802）.

(65) *Fleischer*, Die "Business Judgement Rule": Vom Richterrecht zur Kodifizierung, ZIP 2004, 689; *Ulmer*, Haftungsfreistellung bis zur Grenze grober Fahrlässigkeit bei unternehmerischen Fehlentscheidungen von Vorstand und Aufsichtsrat? DB 2004, 862.

(66) 政府草案148条 1 項では「その持分が申立の時点で資本金の100分の 1 または10万ユーロの取引所価格（142条 2 項 2 文）に達する株主は，自己の名で147条 1 項 1 文の会社の賠償請求権を行使することを申し立てることができる」となっていたが，持株要件のうち，10万ユーロの取引所価値のある株式の保有は，連邦議会での審議の結果，10万ユーロの額面の株式保有と変更された（ドイツ連邦司法省ホームページ参照）。

主による代表訴訟申立が裁判所によって認容されるには，自己が株主を取得する以前に取締役の義務違反が発生したことを立証しなければならない。これによって，三井鉱山事件のようなケースは，ドイツでは起こりえないこととなっている。

第5に，株主代表訴訟の前に，許可手続が前置されている。すなわち，株主は代表訴訟を提起する前に，裁判所の許可を得なければならず，裁判所は次の4つの要件をすべて充足した場合にのみ代表訴訟の提起を許可する（株式法148条1項）。すなわち，①株主が申し立てられている義務違反もしくは主張されている損害を公告により知るはずであった時点以前に株式を取得したことを証明する場合，または包括承継による場合は前権利者が申し立てられている義務違反もしくは主張されている損害を公告により知るはずであった時点以前に株式を取得したことを証明する場合，②株主が会社に対し適切な期間を付して訴えを提起せよと要求したが効果がなかったことを証明する場合，③不誠実な行為または法律もしくは定款の重大な違反により会社に損害が生じたと疑うべき事実が提示される場合，④賠償請求権の行使に反する会社の福利の優越する理由が存在しない場合，である。

ドイツの株主代表訴訟は，わが国の株主代表訴訟と比べて，かなり株主の権利に制限的であるといえよう。これは，いわゆる強盗的株主（räuberischer Aktionär）[67]，すなわち，訴訟を提起すると会社を脅して会社から金品を奪い取る株主による濫用を警戒したためであると考えられる。しかし，それでも，経済界からは反発が強く，草案に対しては，強盗的株主による濫用を十分に防止できていないという批判が出されていた[68]。

反対に，株主団体は，草案は株主の権利に対してあまりにも制限的で，会社経営者は株主代表訴訟が導入されても全く脅威を感じないだろうと批判し，この法律が投資者保護を掲げつつ，「パンに代わって石」を投資家に与えていると主張した[69]。UMAGを巡っては，ドイツでは議論が活発に行われていた[70]。

---

(67) 強盗的株主につき，*Takahashi/Rudo*, Mißbrauch von Akionärsrechten in Japan und Deutschland, Recht in Japan, Heft 12 (2000), 84 ff.; 布井千博「会社荒らし訴訟における権利濫用について――ドイツ法の検討」東海法学17号（1997年）89頁以下参照。

(68) Gemeinsame Stellungnahme, Bundesverband der Deutschen Industrie, Bundesvereinigung der Deutschen Arbeitgeberverbände, Deutscher Industrie-und Handelskammertag, Gesamtverband der Deutschen Versicherungswirtschaft, Bundesverband deutscher Banken, zum Referentenentwurf eines Gesetzes zur Unternehmensintegrität und Modernisierung des Anfechtungsrechts (UMAG-RefE), 18.

Ⅳ　日本とドイツは相互に何を学ぶことができるか

　最後に日本とドイツが，コーポレート・ガバナンスの議論から相互に何を学ぶことができるのかについて，提言の形でまとめてみたい。

　1　日本はドイツに先駆けて一元型の機関構造を従来の二元型機関との選択で認めた。日本では，一元型の機関構造は大きな成功を収めたといってよい。ドイツ法が将来一元型の機関構造を従来の監査役体制との選択性で導入しようとしていることは，わが国の立場からも支持できる。日本の委員会設置会社の中でも，取締役会議長と代表執行役を分離するソニーが，社外取締役主導でのコーポレート・ガバナンス改革に成果を得たことは，ドイツ企業にとって参考にされてよい。

　2　ドイツにおいて将来導入される一元型機関において，親会社の代表者が子会社の独立取締役の要件を満たすとみるべきかについては争いがある。子会社の独立取締役は，子会社の少数派株主を含めた全株主の利益のために活動を行う法律上の義務を負っているが，親会社の代表者が，かかる任務を適切に果たさない危険があることを考慮すると，親会社の代表者は独立性要件を満たさないと見るべきである。わが国の委員会設置会社においても，かかるヨーロピアン・スタンダードが導入されるか，もしくは，さらに進んで，子会社の監査委員会を構成する取締役の最低一名は，親会社が議決権を行使しない総会決議で選任されるとするべきである。

---

(69)　Stellungnahme der Schutzgemeinschaft der Kleinaktionäre e.V. (SdK) zum Entwurf eines Gesetzes zur Unternehmensintegrität und Modernisierung des Anfechtungsrechts, Masssive Kritik der SdK: Unter dem Deckmantel des Anlegerschutzes werden Aktionärsrechte einschränkt, 2.

(70)　UMAG 政府草案以降のドイツ語文献として，*Schütz*, UMAG Reloaded, NZG 2005, 5; *Jahn*, UMAG: Das Aus für „räuberische Aktionäre" oder neues Erpressungspotenzial, BB 2005, 5; *Wilsing*, Der Regierungsentwurf des Gesetzes zur Unternehmensintegrität und Modernisierung des Anfechtungsrechts, DB 2005, 35; *Gantenberg*, UMAG: Die Reform der Hauptversammlung, DB 2005, 207; *Jänig*, Aktienrechtliche Sonderprüfung und UMAG, BB 2005, 949; *Semler*, Zur aktienrechtlichen Haftung der Organmitglieder einer Aktiengesellschaft, AG 2005, 321; DAV, Stellungnahme zu dem Regierungsentwurf eines Gesetzes zur Unternehmensintegrität und Modernisierung des Anfechtungsrechts (UMAG), NZG 2005, 388.

3 ドイツ法が，UMAGにおいて株主代表訴訟を導入したことは，株主の「権利のための闘争」により，会社のコーポレート・ガバナンスを向上させる取り組みとして，積極的に評価できる。ドイツでも，日本の総会屋と同じような，訴訟を提起すると脅して会社から金品を巻き上げる「強盗的株主」が存在するため，濫用対策は必要である。しかし，ドイツの立法者が，訴訟前の「許可手続」の要件を高く設定して，正当な株主代表訴訟までもが排除される結果となることは避けなければならない。

4 株主代表訴訟における和解内容の公正の確保は日独共通の課題である。UMAGにおいては，株主代表訴訟の和解について，和解内容の公正を保障する制度が十分に構築されていない。2000年のライプチヒにおけるドイツ法曹会議では，和解に裁判所の許可を必要とすべきことが決議されたが[71]，この決議は無視された。日本とドイツで，かかる立法が着手されることが望ましい。そのためには，裁判所が代表訴訟の和解に許可を与える要件についての議論が深められるべきである。

5 経営判断原則の立法化については，ドイツ法が日本法に先行した。ドイツでは，UMAGにより，経営判断原則を定める明文の規定が設けられた。日本では，最高裁の手による経営判断原則の定式化がないため，この原則の内容に関する判例・学説のコンセンサスを得ることは困難であろうが，法的安定性の見地から，ドイツ法を参考にし，経営判断原則の立法化に向けた努力がなされるべきである。

---

[71] Verhandlungen des dreiundsechzigsten Deutschen Juristentages, Band II /2 (Sitzungsberichte-Diskussion und Beschlussfassung), München 2000, O 229.

ドイツにおける株式法の改正：基本方針および基本的傾向

ハンノ　メルクト
小柿徳武／守矢健一　訳

I　導入：株式法が恒常的に改正されるというイメージ

　制定法の改正および裁判官による法形成という「日常業務」を超えて，現在の会社法そしてとりわけ株式法の展開について，何を言い得るであろう。さて，以下において，詳細の分析というよりは，むしろ，その展開を，会社法および資本市場法のより大きな関連のなかに，体系的に位置づけることとしよう。この株式法の展開には基本的な筋というものがあるのか，基本的なテーマはあるのか？あるとすればそのテーマをどう言い表すことができるか？　そうしたテーマは首尾一貫して追求されているのか，それとも筋が通っていないところがあったり，限定があったり，または削除部分があったりしないか？　もしそういうものがあるというのであれば，それはどこに見られるのか？　それは正当化されているか？　こうした問いはすべて，法形成の日常業務においては容易に影に隠れてしまうたぐいのものである。中でも，ヴォルフガング・ツェルナーが数年前に述べたように，常に改正が起こっている[1]，そのような法領域においてはなおさらそうである。

　実際，連邦政府による，現在の株式法の改正プログラムは印象的である。出発点をなすのは，2000年における第63回ドイツ法曹大会の株主訴訟に関する勧告（Empfehlung）および2002年の第64回ドイツ法曹大会の金融市場改正に関する勧告，さらには，コーポレート・ガバナンスに関する政府委員会の勧告である。これらの勧告に基づいて，連邦政府は，法典委員会（Kodex-Kommission）の設置および2002年の「透過性および開示についての法律」（Transparenz -und Publizitäts-

---

（1）　*Zöllner*, Aktienrechtsreform in Permanenz-Was wird aus den Rechten des Aktionärs?, AG 1994, 336.

gesetz ＝ TransPuG）により改正プログラムを開始した。このプログラムは，テーマ別に分けられた10にもおよぶ部門で，ほとんど同時に着手される。

- 企業廉直法（Unternehmensintegritätsgesetz ＝ UMAG）は会社に対する機関構成員の内部責任（Binnenhaftung）および株主訴訟の問題に取り組む[2]
- 連邦財務省により提出された投資家保護改善法（Anlegerschutzverbesserungsgesetz）の草案は，市場の濫用に対する保護に取り組み，灰色市場（Grauer Kapitalmarkt）[i]に対する目論見書作成義務（Prospektpflicht）を導入する[3]
- さらに，司法省の管轄で作成された資本投資家モデル手続法（Kapitalanleger-Musterverfahrensgesetz）草案は，集団的権利保護形式の導入により，投資家保護の手続法上の強化を目指す[4]
- 連邦政府は，株式オプションの透明性の改善のための提案を行った[5]
- 貸借対照表法改正法（Bilanzrechtsreformgesetz）の草案は商法典の貸借対照表諸規則の改正およびヨーロッパ法により要請されている，国際基準への適応ならびに会計監査人の役割の強化を図ろうと努める[6]
- 貸借対照表監督法（Bilanzkontrollgesetz）の草案は，決算書の監督機関を新設することで，決算書監視の改善を目指す[7]
- 取引所および資本市場についての法ならびに金融市場監督の現代化，さらには金融アナリストおよび格付機関（Rating-Agentur）の業務の信頼性確保に関する提案がある[8]
- 最後に，連邦政府は金融市場不法行為（Finanzmarktdelikt）の処罰を厳格

（2） Entwurf eines Gesetzes zur Unternehmensintegrität und Modernisierung des Anfechtungsrechts（UMAG）vom 28. Januar 2004.
（3） Entwurf eines Anlegerschutzverbesserungsgesetz（AnSVG）vom 21. April 2004.
（4） Diskussionsentwurf eines Kapitalanleger-Musterverfahrensgesetz（KapMuG）vom 7. April 2004.
（5） Punkt 3 des Maßnahmenkatalogs der Bundesregierung（10-Punkte-Programm）vom 25. Februar 2003.
（6） Entwurf eines Gesetzes zur Einführung internationaler Rechnungslegungsstandards und zur Sicherung der Qualität der Abschlussprüfung（Bilanzrechtsreformgesetz, BilReG）vom 21. April 2004.
（7） Entwurf eines Gesetzes zur Kontrolle von Unternehmensabschlüssen（Bilanzkontrollgesetz, BilKoG）vom 21. April 2004.

化する提案を行った(9)。

　こうした株式法および資本市場法における改正の展望と平行して，共同決定法が（極めて用心深くではあるものの）現代化される。すなわち「監査役会に送られるべき被用者代表の選出の単純化のための第二法律」(Zweites Gesetz zur Vereinfachung der Wahl der Arbeitnehmervertreter in den Aufsichtsrat) により，新しい3分の1参加法（Drittelbeteiligungsgesetz = DrittelbG）が導入される。500人以上2000人以下の被用者数の資本会社ならびに1994年8月までに設立されたすべての株式会社は，3分の1を被用者から選出して監査役会を形成する義務を負う。

　しかしこれだけでは十分でない。すなわち，資本保護についての従来の株式法のシステム，つまり，会社債権者保護を目指した資本充実および資本維持の定めも，現在，ヨーロッパのレベルでも国家のレベルでも，様々な方向からプレッシャーをうけている。すなわち，ヨーロッパレベルにおいてまず言及すべきは，資本会社法における債権者保護の改正に取り組む2つのプロジェクトであり，その1つは，域内市場体制のスリム化すなわち規制緩和の可能性を模索するSLIMグループ[ii]，もう1つは，ヨーロッパの会社法および企業法の現代化に係る提案を作成したハイレベルグループ[iii]である。両プロジェクトとも，現行のヨーロッパ資本保護の体系に対して，程度の差こそあれ，根底的な提案を行った。この現行ヨーロッパ資本保護体系とは，周知のように，1976年の会社法関係第二指令，いわゆる資本指令により形成され，個々の点において1978年の会社法関係第四指令，すなわち年次決算書指令により現代化されたものである。

　EU委員会はこうした刺激に反応して，昨年［2004年のことである］アクションプランを策定した。これは上記第二指令の現代化提案の国内法化を短期的優先課題だとし，ヨーロッパにおける資本保護の，新しい基本的方向については，中期的に，資本維持システムに代わる選択肢の実現可能性に関する調査を行うことを予告している。さらに，このアクションプランに反応して，また，このプランを引き合いに出しながら，競争能力について審議するヨーロッパ理事会は，2003年9月のEUサミットにおいて，資本維持原則の現代化および単純化の緊急性

（8） Punkte 7 und 9 des Maßnahmenkatalogs der Bundesregierung (10-Punkte-Progremm) vom 25. Februar 2003.

（9） Punkt 10 des Maßnahmenkatalogs der Bundesregierung (10-Punkte-Progremm) vom 25. Februar 2003.

を強調した。その後，アクションプランに関する公式協議の成果が公表され，資本保護システムの現代化に関する委員会の方針は，ヨーロッパ産業および経済の関係者の過半数から賛成を獲得したことがわかった。

制定法による資本保護を通じた債権者保護というコンセプトに対する留保は，ヨーロッパ裁判所（EuGH）の判例においても表明されている。EuGH は，Inspire Art のケースで——Centros および Überseering のケースにおける自らの判例の延長線上に——資本市場法的発想に立つ開示または情報提供モデルを，制定法による資本保護という会社法的コンセプトよりも優遇する。すでに，かつて，EuGH は Centros のケースにおいて，資本市場法的発想によるコーポレート・ガバナンスのコンセプトに対する明白な共感を見せていた。そこでは裁判所は，同種の事例において有効な債権者保護は，決して法定の最低資本によってではなく，開示によって保証され得る，と指摘したのであった。Überseering 判決も同一線上にある。この判決によれば，確かに，債権者または少数社員の利益保護のような，公共の福祉に係る根拠は，一定の事情のもと，一定の条件が具備されていれば，居住の自由の制限を正当化し得ることを排除できないが，それでもしかし，そうした目的によって，居住の自由を完全に拒むことは正当化できない，とされる。全体として，EuGH は，いずれにせよ，契約債権者の保護のためには，実体的な最低資本規制を，余計なものとみなしている。

こうした状況に照らすならば，ドイツにおいて，比較的短期間に，資本保護を通じた債権者保護を改正しようということについて活発な議論がなされるに至ったのは驚くべきことではない[10]。数年前にはまだ，第二指令のシステムを有限会社にも適用すべきかどうか，おおっぴらに考察がなされていたけれども，やがて，このシステムの緩和（Rückbau）をすべきかどうかの問題すら影を潜めつつあり，いまやいかに緩和させるかの問題だけが取り組まれるようになってきた。制定法による最低資本が，場合によっては，そうした緩和の最初の犠牲となるのではないか，と思われる。

---

(10) すでに，*Kübler*; 最近では *Mülbert, Schön, Micheler, Merkt.*

II　現代化と規制高度化の間の株式法改革

　こうした改正計画，プログラム，提案および理念のすべてによって，株式法の新たな創造がなされているかのような錯覚に陥るのではあるが，そうではないとすれば，一体なにが中心的課題なのだろうか。立法者はあっというまに10もの場所で工事現場を，しかも注意していただきたいのだが，既存の諸規律の解体撤去のためのではなく，改修のための工事現場を設けたわけだが，立法者は果たしてなにに駆り立てられているのか？　それは，国内的な文脈では，連邦政府の施策カタログによると，金融地域としてのドイツの国際的な競争力の向上だ，ということになる。株式法や，資本市場法におけるドイツ法の欠陥は除去されなければならない，すなわち「新市場」の衰退および，構造的欠陥を指示しているようにも見えた一連の貸借対照表関係スキャンダルにより，企業の正直さがダメージを受けているが，これが修復されねばならないし，投資家の信頼が回復されねばならない，と。ヨーロッパの文脈においては，一方で，居住自由の障害を除去することによる域内市場の確立が重要であり，他方では，我々の大陸からみて東側西側両方に位置する国際的競争力に伍していくために，金融地域としてのヨーロッパの強化が重要である。株式法および資本市場法における投資家保護の向上という思想がはっきりと前面に出ている。ここでは，コーポレート・ガバナンスに係る政府委員会の課題の記述から，以下のような核となる文を想起すべきである。すなわち「作業の目的は規制の改修ではなく，規制の適正化である[11]」。ところが，ドイツの立法者が現在，国内法化し，計画するものは，これとは全く逆の方向，すなわち，規制の拡充，それどころかより一層の規制，あるいは国際比較の見地からすると最も厳しい規制，ということなのである。それを数えることは容易でないけれども，上述したような立法計画一覧によって導入された，または導入されることとなっている新しい規定の数は，何ダースにも及ぶこととなろう。こうして，ドイツの株式法は，ヨーロッパ連合が取り組んでいる法の調和化と同じ運命をたどる。たしかに規制緩和とか柔軟化が大切だとかまびすしく言われて

---

(11)　*Baums* (Hrsg.), Bericht der Regierungskommission Corporate Governance, 2002, 1.

おり，またそれに向けて努力もなされているが，試みに，まさしく規制の緩和のために任命された SLIM グループが実際に行っている作業を想起せよ。国際的レベルでも，国内レヴェルでも，以下のことが妥当するのである。すなわち，委員会は，まさしくアクションプランによって，規制の在庫を拡充している。アクションプランに関する協議において，はたしてまさしく以下のような懸念が表明された。すなわち――アクションプランは，規定各種の単純化およびその数の減少という目標に，実のところ対応していない。アクションプランは，それどころか，既存の規律および勧告に更なる規律および勧告を付け加えることによって拡充することに適合的である。これは，企業領域において獲得が目指されている信頼形成にとって，極めて有害なものとなり得る[12]。過剰規制の防止が不可欠であることを強調した公式のメモランダムと，アクションプランにより惹起された包括的な立法プログラムとの間には，あきらかな矛盾が存在する[13]――このような懸念が表明されたのであった。

　現代の企業立法が抱えるこうしたジレンマ，すなわち現代化が規制強化によってなされること，これは，ドイツの立法者が TransPuG において選択した手がかりにより，まことにはっきりと例示することができる。コーポレート・ガバナンス法典（Corporate Governance Kodex）[iv]の理念は，ドイツの経済法の規制が過剰であり，これが企業活動上の自由を制限しているという洞察から生まれたものである。すでに KonTraG が，株式法の規制緩和，および，より柔軟な形成を目指すべく強行法の削除を目的とした。ドイツコーポレート・ガバナンス法典の勧告と提案は，企業の任意による自己規律の原則に基礎をおく。強行法や，あるいは任意法ですらなく，むしろ法による拘束を受けない行動基準――その法的性質はまだ明らかではないけれども――の策定が肝心だという点では意見の一致がある。［法典へ］対応していると表示すべき義務［以下では対応表示義務と訳す――訳者］（Pflicht zur Entsprechenserklärung）はたしかにあるが，それは上述の意見の一致に変更を齎すものではない。というのは，この法典に端的に遵守する（comply）か，説明する（explain）か，どちらの方法を採用するかは，各企業の自由に委ねられているからである。

---

(12)　Zusammenfassung der Antworten auf die Konsultation zum Aktionsplan, sub 2.2., S. 5.

(13)　A.a.O. sub 2.3., S. 6.

このような方針は，連邦政府の見解によれば，変更されなければならないとされる。もし法典委員会が政府提案を取り上げ法典をその趣旨に適応させない場合には，法典の一部を株式法およびその他の法律へと組み込み，それらの法律の内部でさらに展開させていかなければならない，というのである。要するに，国際的に比較するならば本当に例をみないほど百科全書的に網羅的なドイツ株式法およびこの法律についてこれまで下されたまた現在も下されている司法的判断に，さらに「任意的」と銘打たれたコーポレート・ガバナンス法典という形においてさらなる規制規範が積み上げられてしまうことになる。ところが，コーポレート・ガバナンス法典の核となる考えとは，この事態とはまさに正反対のものであったし現在もそうである。すなわち，任意の（「ソフトな」）行為規範が，強行さるべき国家法を代替し，そのようにして，自由化および規制緩和に配慮しなければならない，と。ドイツの立法者が選択した，（まさに従来の法を代替するというのではなくして）従来の法に規範を付加していくという傾向に鑑みれば，自由化ないし規制緩和などということを語ることはほとんど出来ないだろう。さらに，立法者は法典を明らかに次第に実験室であるとみなす傾向を強めつつある。すなわちそこで産み出されたものは，その実務的適性が証明されたとみなされると，ただちに，強行法のレベルに格上げされる，と考えているのである。かなり最近の例から，株式によるまたはインセンティブ型の取締役の報酬に係る規制に対する連邦政府の諸計画によって，このことをあきらかにできる。法典委員会は，株式法86条を削除し，株式法87条1項1文を補充し，転換社債を株式法193条2項4号に取り入れることを提案したのみである。つまり現在連邦政府が着手している，［法典委員会による］さらなる提案については，法典委員会はこれの法律による確定を予定してはいなかったのである。これは，注目に値する。というのも，とりわけ，連邦政府の施策カタログは，法典における単なる「提案（Anregung）」をも，あるいはまさにそれこそを取り込んだものだから，すなわち最適実務（best practice）とは言えないもの，あるいはいまのところはそうは言えない，というような規範をも含んでいるからである。株式法161条の対応表示義務（Pflicht zur Entsprechenserklärung）は，（法典における勧告（Empfehlung）と異なり），右の意味での単なる提案に関連づけられたことすらない。このことは，立法者が，承認されてもいない規制を強行法とするということを意味する。たとえ，立法者がそこで，例えば，「すべきである（soll））または「したほうがよい（sollte）」といった，

柔らかい定式化を選択したとしても，司法は，そのような定めを株式法93条1項の意味での〔取締役の〕行為基準とみるであろう。

しかし，決定的なのは，非拘束性という側面が失われることによって，すなわち，法典というものの役割を立法のための実験室へと機能的に縮減することによって，法典のある重要な任務が失われてしまうことである。すなわち法典はその任意的性質を失う。法典の提案は，相互に競争している企業にとって，企業各自の特徴をはっきりさせること，すなわち勧告に従う企業であるか，またはまさに従わない企業であるか，ということをはっきりさせることのためには，もはや役立たない。このことと共に，投資家はその判断自由を失うこととなる。というのは，投資家から，対応する最適実務を（理由はどうあれ）遵守しないことを決定した企業という肩書に対して投資する，という選択肢が奪われるからである。

III 利益多元的特質から利益単一性的特質への株式法の転換：しのびよるアメリカ化

これで，高度の規制については終えて，現代の株式および資本市場法改正の第二の特徴について話をすることとしよう。この改正は，一般的な国際的傾向にしたがって，次第に株主ないし投資家利益のみを志向するようになってきており，要するに，いわゆる株主価値（shareholder value）の考え方をより一層追求するものとなっている。長期にわたりドイツの株式法に特徴的であったところの，追求すべき保護利益の多元性，すなわち，社員利益，債権者利益，国庫の利益（Fiskalinteress），被用者利益，あるいはそれどころか一般利益までの，すべてを統合するという基本理念，いわゆるステイクホルダー[v]構想が，幻想であることと，そして企業が置かれている不可避的な競争という状況において，妨げとなることが，いよいよはっきりしてきた。最近になってようやく正当に認識された，この発展傾向を，しのびよるアメリカ化（schleichende Amerikanisierung）と名づけることができる。

世界的に，アメリカモデルとヨーロッパモデルという，2つの異なったコーポレート・ガバナンスシステムが区別されることを思い起こそう。後者は，ドイツにおいて最も特徴的に見られる[14]。本質的で原則的な相違は，追求される保護利益に存する。

資本市場法モデルにおいては，投資家の利益保護が重要である。株主の資産的利益を保護することが重要である，と言ってもよかろう。このような一次元的傾向は，一方で，自己資本市場を通じた企業の資金調達というアメリカにおいて当初から支配的である形式に，他方で，歴史的および国制構造的に分裂した法体系があるという状況に，すなわち会社法に関する立法管轄をもつ個々の州がある一方で，州際通商について従ってまた資本市場法について立法管轄を有する連邦があるという，そのように分裂した法体系があるという状況に，その起源を有する。会社法における個々の州による大幅な規制緩和，およびそれに続く1929年の取引所の暴落ならびに大恐慌の後で，個々の州の会社法においてより多くの会社を設立しようという競争の犠牲となったものすべてを，連邦資本市場法が引き受けることとなったのも，自然であった[15]。この2つの中心的なアメリカの資本市場法，すなわち，1933年証券法および1934年証券取引所法は，経営者の利己的な行動から投資家を保護するためには，すべての意思決定に重要なデータを公衆に開示することで十分であるという信念によって，特徴付けられまた支えられている。こうした「公開」(disclosure) という思想は，資本市場法の全体，さらには貸借対照表法 (Bilanzrecht) にも浸透する。同時に，これによって，会社法と資本市場法の役割分担が確定する。すなわち，資本市場法は，交渉によって変えることができない最低限の要請の，強行法的枠組を設定する。この枠組の範囲内で，民間の参加者は，したがって，とりわけ，会社設立者，経営者および自己資本提供者ないし投資家は，契約により自律的に協議して定められた定款を基礎として，自分たちにとって最も適切な解決を形成していくのである。会社法は，経営者のいきあたりばったりの行動を情報公開によってではなく命令と禁止 (Ge- und Verbote) によってのみ阻止するという，狭い領域に自己の役割を限定することができる。こうなると古典的会社法の機能が失われていくわけで，そのことは，個々の州における，ほとんどなぞめいたといってもよいほど簡略化された会社法典 (corporation codes) や，コモン・ロー法系には全く典型的であるところの，会社

---

(14) *Assmann*, Corporate Governance im Schnittfeld von Gesellschaftsrecht und Kapitalmarktrecht, Festschrift Kümpel (2003) 1, 3.

(15) 詳しくは *Merkt*, US-amerikanisches Gesellschaftsrecht, 2. Aufl. 2005, Rdnrn. 17 ff.; *ders*., Das Europäische Gesellschaftsrecht und die Idee des „Wettbewerbs der Gesetzgeber", RabelsZ 59 (1995) 545, 549 ff.

定款についての契約による広範な造形可能性が認められていることに，如実に現われる。最後に，連邦資本市場法と個々の州の会社法の間に，第三のレベルとして，私法的に組織された証券市場によって作り出された上場規則法（Börsenzulassungsrecht）が位置づけられる。これは，内容的には，かつて個々の州において会社法典において定められていたものの多くを定めるものであり，大陸法的な理解によれば株式法に属する[16]。

　大陸ヨーロッパにおいて伝統的なコーポレート・ガバナンスモデルにおいては，周知のように，状況は，全く異なっている[17]。ここでも，このモデルの成立および形態に対して規定的影響を及ぼしたのはやはり，事実上の，また経済的歴史的な事情である。一元的なアメリカのモデルと異なり，大陸における伝統的なコーポレート・ガバナンスモデルは，利益の多元性という契機を特徴とする。確かにここでも，株主は，投資家という資格において保護されはする。ただ，重要なアクセントの移動がある。というのも，投資家保護というのがここではなによりも少数者株主の保護として主題化されているからである[18]。しかしとりわけ，大陸ヨーロッパ諸国においては，アメリカ合衆国の場合と異なって，企業への資金調達のために，銀行を通じた外部からの資金調達がすでに長く中心的な役割を果たして来たのである[19]。この故に，大陸法系の会社法において債権者利益の保護のほうに高い価値を認めることになるのであり[20]，ドイツ法においてはこれは資本充実および資本維持原則という形でとりわけ生産的な仕方で定められたのである。それどころか貸借対照表法においては，債権者保護は，投資家保護よりも優位に位置づけられているほどである。これを越えてさらに，コーポレート・

---

(16)　*Assmann*, Corporate Governance im Schnittfeld von Gesellschaftsrecht und Kapitalmarktrecht, Festschrift Kümpel（2003）1, 3.

(17)　この比較を行ったものとしてすでに *Merkt*, Entwicklungen des Gesellschafts- und Kapitalmarktrechts in den USA-Vorbild für Deutschland und Europa?, KoR 2001, 142

(18)　典型的なのは Group of German Experts on Corporate Law in ihrer Stellungnahme zum Konsultationsdokument der High Level Group of Experts on Corporate Law（Winter Gruppe）in der Antwort zu Frage 1a, ZIP 2002, 1310. である。ここでは「少数者株主と投資家保護」のことが語られている。

(19)　*Rudolph*, Strukturwandel in der Industriefinanzierung seit den 90er Jahren: Ursachen und Folgen, Bankhistorisches Archiv 2001, Beiheft 40, 55; *ders.*, Mischformen der Finanzierung, in: *Ballwieser u.a.*（Hrsg.）, Handwörterbuch der Rechnungslegung und Prüfung（2001）Sp. 1560 ff.

ガバナンスの規制体系において直接的にも，被用者の利益が考慮されてきたし，今日でも考慮されている。このことは，例えば，企業引受指令の第6条によく現われている。すなわち，この条文により，買付者は，企業引受により，人および職場に対して起こりうる影響について，届出をすべきことが定められているのである[21]。そして最後に，公共の利益，とりわけ構造的，産業的，労働市場的，および競争政策的側面に係る公共の利益は，企業法上重要な保護利益規範において，伝統的に確乎たる地位を確保している[22]。このこともまた，企業引受法においてはっきりと示されている。企業引受法における，［企業引受に対する］防御的措置に親和的な定め（これについては後でも触れる）は，国内の産業および使用者連合の側からも，労働組合の側からも，大きな賛意を期待し得るものなのである。このように多次元的な構想の理屈には，自由な競争ゲームに委ねることは適さない。なんとなれば，株主や債権者，被用者，そして経営者は，てんでばらばらの利益を追い求めているのだから。求められているのはむしろ，こうしたさまざまの利益の保護と調整を担う明確な法的規律，洗練されていると同時に強行法的でもある会社法，これが必要なのである。たとえば株式法23条5項に定められる定款の厳格性に，こうした特徴をもっとも明瞭に見ることができる。利益の多元性のもつ問題性をとりわけはっきりさせるのは，貸借対照表法である。貸借対照表法においては基本的な主題として投資家への情報提供という利益を一方に，債権者保護という利益，および基準性の原則を通じて債権者保護と関連性を有す

---

(20) 債権者保護と少数者株主保護とがさまざまな局面で，人くくりに優位に扱われている，このことについてもう一度参照，Group of German Experts on Corporate Law in ihrer Stellungnahme zum Konsultationsdokument der High Level Group of Experts on Corporate Law（Winter Gruppe）in der Antwort zu Frage 1a, ZIP 2002, 1310 zu Frage 1 a.

(21) Art. 6 Abs. 1, 2 und 3 lit. h des Vorschlags der Übernahmerichtlinie vom 11. September 2002, KOM（2002）534 end., Der Kommissionsvorschlag für die Revitalisierung der EU-Übernahmerichtlinie, BB 2002, 2341; この新たな提案について *Krause*, Der Kommissionsvorschlag für die Revitalisierung der EU-Übernahmerichtlinie, BB 2002, 2341.

(22) ドイツ法における株主保護的な利益とステークホルダー的利益のランクをめぐる議論についてたとえば *Mülbert*, Shareholder Value aus rechtlicher Sicht, ZGR 1997, 129 ff. *v. Werder*, Shareholder Value-Ansatz als（einzige）Richtschnur des Vorstandshandelns?, ZGR 1998, 69 ff. 詳しい論拠もそこに掲げられている。

る国庫の利益を他方にして，その間に横たわる非常な緊張関係が，永いこと，議論を支配するものであり続けている。

近時，とくに最近は，さらに，資本市場法上の規定および思想は，コーポレート・ガバナンスを強行法的な企業組織法により統御する大陸ヨーロッパモデルと多くの接点を見出すようになってきている。「真実公正の視角」を重視する英米法的な情報提供決算への貸借対照表法の移行はとりわけドイツにおいてはなるほど巧みな切り離し技術を通じて回避された。しかしそれでも大陸ヨーロッパ全域で，金融市場規制について，発行市場および流通市場の開示について，目論見書責任について，適時開示について，インサイダー取引制限について，そして証券取引法全体について，国際化の圧力には従わざるを得なくなっていた。このことは，各国の金融市場が相互に競争しているのだという端的な認識からしても，そうせざるを得なかったということである。このことに対応して，われわれドイツ人のなかばかりでなく，すべてのヨーロッパの国々において，強行法的な会社法が強行法的な資本市場法によりいつの間にか押しのけられてしまうであろうという予測がなされている。いたるところで固有の上場株式法[23]または上場会社法[24]の形成が語られている[25]。それどころか上場株式会社というのはひとつの独立した類型だとさえされているのである。事実，上場株式会社の資本市場指向性と「閉鎖的会社（Privatgesellschaft）」の閉鎖性との間に見られる相違は，資本参加が［有限責任会社のように］人的かあるいは［株式のような］資本によるものかの相違よりもはるかに大きくまた深甚なものなのではないかと問いたくなる者も居るだろう[26]。現行法が用意する，株式会社に係る資本市場法的規律のすべてをまとめてみてみるならば，資本市場を指向しない株式会社の規範構造と有限

---

(23) *Seibert*, Kontrolle und Transparenz im Unternehmensbereich (KonTraG)-Der Referenten-Entwurf zur Aktienrechtsnovelle, WM 1997, 1; *Spindler*, Deregulierung des Aktienrechts?, AG 1998, 53; *Escher-Weingart*, Reform durch Deregulierung im Kapitalgesellschaftsrecht, 2001.

(24) *Nobel*, Börsengesellschaftsrecht?, Festschrift Bär (1998) 301, これに追随する *Fleischer*, Börseneinführung von Tochtergesellschaften, ZHR 165 (2001) 513, 514 mit Nachweisen zum ausländischen Recht.

(25) *Hommelhoff*, Anlegerinformation im Aktien-, Bilanz- und Kapitalmarktrecht, ZGR 2000, 748, 749 は「資本市場において活動する株式会社についての特別会社法および特別企業法」について語っている。

(26) *Fleischer*, Das neue Recht des Squeeze out, ZGR 2002, 757, 771

会社に対する規範構造の相違と比較して、資本市場指向型株式会社の規範構造と資本市場を指向しない株式会社のそれとの相違のほうがずっと大きい、というテーゼを立てることができる。こうして、深い溝は、株式会社と有限責任会社とのあいだではなく、資本市場指向的な会社と閉鎖的会社とのあいだに走っているのである[27]。

われわれの会社法、とりわけ株式法が、債権者保護、国庫保護、被用者保護といった、ヨーロッパおよび大西洋を越える領域における競争には妨げになるということが判明した諸機能から次第に解放されるようになってきているというのは、以上述べ来たった展開の論理に完全に則ったものである。したがって、債権者保護のためには契約法、不法行為法および倒産法が参照され、被用者保護のためには雇用契約法および経営組織法（Betriebsverfassungsrecht）が参照され、国庫保全のためには、会社法と商事貸借対照表法と完全に区別された租税貸借対照表法が参照される、ということにもなる。

そこでまず、資本充実および資本維持規定による債権者保護について触れよう。よく知られているように、ブリュッセルにおいて、昨年（2004年）の行動計画の枠組で、ドイツにおいて株式法による資本充実および維持というコンセプトに基づいた会社法第二指令（資本指令）のモデルに根本的な現代化と単純化がなされねばならないかどうか、あるいはそれどころか廃止すべきかどうかが検証された。その際、委員会はアメリカ合衆国のやり方を採用したいということをまったく隠していない。とすれば、会社法と債権者保護法は截然と区別されねばならないこととなる。会社法の任務は、もっぱら、会社の内部組織の規制である。債権者保護は会社法とは関係がなく、したがって別の法領域に、そしてそこにおける法的手段に委ねられることとなる。その結果、とりわけアメリカ法において、債権者保護のために法定された表示資本（stated capital）は、（例えばニューヨークおよびデラウェアのように）もはや意味を持たないか、または、カリフォルニアの例のように、表示資本という考え方が完全に断念されているかのどちらかである。資金調

---

(27) 法形式の類型についてすでに *Hommelhoff*, Jetzt die „Kleine" und dann noch die „Anleger AG", in: *Semler u.a.* (Hrsg.), Reformbedarf im Aktienrecht, ZGR – Sonderheft 12 (1994) 65; 最近のものとして *Schüppen*, To comply or not to comply-that's the question! „Existenzfragen" des Transparenz-und Publizitätsgesetzes im magischen Dreieck kapitalmarktorientierter Unternehmensführung, ZIP 2002, 1269, 1278.

達の強制がおよそなしに，現物出資の価値の検査なしに，会社が成立する。このことと，貸借対照表法が，財産および収益状況を「公正に表示すること (fair presentation)」による「投資決定への有用性 (decision usefulness)」としての情報提供機能のみを片面的に目指したものであることとは対応する。

　アメリカでは，債権者保護は，会社法立法者が対処すべき問題ではなく，第一義的には，債権者自らの対処に任せられている。従って債権者は，信用供与契約のなかに，通常はいわゆる「財務制限条項」の形式で相応の対応する保障条項を組み込む努力をしなければならない[28]。こうした信用供与を伴う合意において，会社は配当支払を限定し，確実な最低資本を確保し，また，自己資本および外部資本のある健全な割合を保持することを約する。この規制プログラムが完成し効果的なものになるには，会社が情報提供義務および決算開示義務を引き受けること，とりわけいわゆる「ソフトな」企業データの提示をすること，を要する。法比較的に見れば，こうした個別の契約により取り決められた諸原則はわれわれが法律で定めている資本充実法と驚くほど似ていることは目を引く[29]。法律による資本保護が債権法の姿を採ったという指摘は適切である[30]。ただこの債権法的な資本保護が法定資本保護と質的には同等でないということも見逃すことはできまい[31]。第1に，個々の契約による債権者保障の場合に掛かる，そのより高い取引コストが指摘されている。第2に，契約による解決は債権者の交渉能力に決定的に依存するのは明白である。小口債権者は市場支配力に欠けるので「財務制限条項」を交渉によって勝ち取ることはできないか，あるいはそれに費用が掛かることに鑑みてそうした交渉を望まないから，大口債権者の契約条項を法解釈を通じて援用することによって間接的にのみ保護される。大口債権者はこうして自身，ある意味では小口債権者の管財人の任務を引き受けることとなる。さらに，小口債権者の保護はその危険に相応するものではない。というのも彼らは契約に

---

(28) Näher *Fleischer*, ZIP 1998, 313; *Eidenmüller*, in: Hart (Hrsg.), Privatrecht im Risikostaat, 1997, 43.

(29) *Alberth*, ZfB 1998, 803, 814; *Leuz*, European Accounting Review 1998, 580; *Siegel*, BFuP 1998, 593, 594; *Hopt*, Festschrift Wiedemann, 2002, 1013, 1018 f.; 既に *Leftwich*, Accounting Review 58 (1983) 23 さらに *Schildbach*, ZfbF Sonderheft 40 (1998) 55, 78 ff.

(30) *Schön*, ZGR 2000, 706, 727.

(31) イギリス法について最近現われたのは *Keay*, Modern L. Rev. 66 (2003) 665.

よる債権者保護の変更にもその終結にも影響力を行使できないから(32)。大口債権者において，危機が到来しつつあるがまだ破産には至らない局面で債権の満足を得ることに成功しても，小口債権者のほうは保護されない。さらに，こうした契約条項を遵守する会社にとっては，多種多様な条項から，相互に矛盾する，あるいは累積された債務が帰結され，その債務は債務者たる会社の自由行動の余地を不当に狭めることになりうる。

　このことを背景として，ヨーロッパおよびドイツにおける資本保護制度改正の議論の現状を観察するならば(33)，まずは，ヨーロッパにおける資本保護のコンセプトを構成している3つの中心的な礎石，すなわち法定最低資本，資本充実，そして資本維持のうち，なかでも最低資本は，いまや広範な多数派により，お役御免とされたことが，目につく。債権者保護のための手段としては，最低資本額というものは，ヨーロッパ有限会社法（europäische GmbH-Gesetze）が大づかみな定めを置いているために，実質的に意味がない。このことはこんにちでは真剣に争われることがらではない。ヨーロッパ裁判所は Centros 事件においても Inspire Art 事件においても，法定最低資本額というものは，債権者にとっては，公示に係る指令（Publizitätsrichtlinie）およびヨーロッパ内の他国に支店を設けることに係る指令（Zweigniederlassungsrichtlinie）――これに年度決算に係る指令を加えてもよい――に基づいた情報提供モデルがある以上，もう余計である，ということを，適切にも指摘した。このことは閉鎖的資本会社にも資本市場指向型会社にも同じように妥当する。さらに，現行法上の最低資本額による信頼性保障というものも極めて限定的なものである(34)。個々の会社設立がこの制度によって妨げられることはないし，まして，いわゆる備蓄会社（Vorratsgesellschaft）(vi)の

---

(32) *Siegel*, BFuP 1998, 593, 594.
(33) アメリカ合衆国においては比較的最近，次のような基本的な反論が提起されている。すなわち自己資本と外部資本との相違，および債権者保護と情報化志向との差異，といったものが強調されすぎている，実際には，資本投資家にとっては，投資の性質が外部資本か自己資本かということは二次的な意味しか持たないし，外部資本提供者も全額の返還を想定しているわけではなく，そのことは利子に見て取ることが出来る，と。
(34) このようにのべているのは，Stellungnahme der Group of German Experts on Corporate Law zum Konsultationsdokument der High Level Group of Company Law Experts, ZIP 2002, 1310, 1318; おそらくこれと異なるのは *Heckschen*, GmbHR 2/2004, R 25 f.

活用の場合にはなおさらである。とにかくハイレヴェルグループは，最低資本については ヨーロッパ全体で廃止することもまた統一化することも出来ないだろうという見解を正当にも取っているが(35)，この点ではこのグループは，このグループに対して他の論点では批判的な陣営からも支持を勝ち得ている(36)。

はるかに興味深く，また一見したところ明らかにより一層争われてもいるのは，資本充実および資本維持義務をめぐる議論である。ただ，もうすこし詳しく見てみると，これまでは極めてわずかに言及され得たに過ぎなかった構造的比較の示すところでは，学問上の論争が暗示するほどにはアメリカモデルとヨーロッパモデルとのあいだの実質的な差異はそれほど大きくはない。われわれの法体系では法的に定められている配当障壁は，アメリカにおいては民間の契約により，信用供与に付随する取決の枠組で合意により取り決められている。そうすると，契約当事者が交渉で特定した額のほかには通常信用供与以降に獲得した利益のみが配当されてよい，ということになる。この特定額は繰越利益（Gewinnvortrag）およびいつでも取り崩し可能な利益準備金に応じて定められる以上，要するに，民事契約によって，自己株式取得禁止と結びついたドイツにおける資本維持の要請と極めて似たものが，取り決められているわけである。

こうした考察はここではこれ以上深めることができないし，すべきでもない。これらに関する議論がまだ始まったばかりであること，そしてそうした議論がドイツにおいては多くの者にとってまさに現実離れした空論的性質を持っていることに鑑みれば，なおさらすべきでない。

もうひとつの困難な問題，すなわち共同決定による被用者利益保護にも目を向けてみよう。興味深いことに，この論点で，［アメリカとドイツとのあいだに］極めて似通った症状が現れており，それに対する診断もまた似ている。ドイツ的特徴を持つ企業における共同決定，すなわち法律により労使関係のバランスが考慮されており，企業経営と異質である労働組合代表が監査役会に送り込まれ，労働者代表にも非常に多岐に亘る権限のカタログが認められていること，こうしたことはヨーロッパにおいても広く国際的に見ても，たしかにソリテール[vii]ではあろう，もとより宝石ではないけれど。批判はここでは原則的にまさにこの部分

---

(35) High Level Group of Company Law Experts "A Modern Regulatory Framework for Company Law in Europe", Brüssel, 4.11.2002, 82.

(36) *Schön*, Syposium zum 75. Geburtstag von Zöllner, 2004, 9.

に向けられる。強行法規で規律された団体法構造というのは，被用者が自己の利害を代表して参加する共同決定という制度を定めるにふさわしいものではない。このことは法比較的観点からしてあまりにも明らかである。ドイツモデルはこれまで外国のどの法秩序も法律で導入しなかったし，どの企業も契約で選択していない。このことはあらためて考慮する必要がある。それにドイツにおいてはストライキがそれほど頻繁でないという指摘も，とりたてて意味を持たない。経済評価に照らしてみれば，ストがないことによって保障される効果は，専門家の見るところ，ドイツモデルが持つ欠点と比較して明らかに小さいのであって，そうでなければ，ドイツモデルがどこでもコピーされていないということの説明がつかないだろう。諸外国の投資家はドイツで共同決定制度を持つ企業にも結構投資をしているのだという，労働組合のほうからはいつも繰り返される指摘についても，同じことが言える。すなわちこのような事実があるということは，共同決定がそれ自体として積極的に評価されているなどという帰結を必然的に導くものではさらさらない。このことはむしろ，共同決定があるにもかかわらず投資が利益を見込めるという冷静な計算があることを示しているに過ぎない。ドイツの会社法はとにかく資本提供者の利益と労働者の利益との対等性という要請に囚われ過ぎている。共同決定による［労働者］参加はある一定の役割を果たしているということには，共同決定が監査役会の監督の効率性向上を妨げているという別の事実が突きつけられる。ここから法政策的に帰結さるべきことが何かは明白だ。法体系的な観点からすれば，共同決定は会社法から切断して事業所組織法または——債権者保護と似て——契約法に任せるべきであろう。共同決定をドイツでも他の産業国家の圧倒的多数がそうしているように，個別の企業における契約を基礎として構築することに反対する確固とした論拠はない。こうしたことへ踏み出す一歩が社会的平穏を乱すことになりうるのは当然である。それでも，ドイツ法が国際基準に自らを合わせ，また外国においてそれ自体として不利だと考えられる法状況を除去しようとするのであれば，ドイツ法は，企業における共同決定をヨーロッパにおいて一般的な水準へと導かねばならない。このことは3つのことを意味する。第1に労使対等的な共同決定は被用者数が2000人を超える場合でも［現行の対等性ではなく］，被用者からは3分の1のみが選出される制度に替えなければならない。第2に企業に所属している被用者のみが監査役会に加わることができることにしなければならない。すなわち，企業に属していない組合員が企業運

営に携わるなどというのは，アメリカ人観察者にはわかってもらえない。第3に，共同決定による監査役会の権限カタログを，従業員の利益に事実具体的に関連するもののみに限定しなければならない。たとえば会社法的性質を持つ共同決定権の全領域（その例として：会社全体の繁栄にとって必要な株主総会召集，株主総会の議事日程についての議決提案，定款のヴァージョン改定，貸借対照表上の利益に基づいた一時金配当（Abschlagszahlung auf Bilanzgewinn），認可資本のもとでの株式引受権排除を含む株式発行条件，［親会社における］経営者になるという意味での共同決定子会社の参加権行使）は，従業員の利益に事実具体的に関連するとは言えない。こうしたケースのすべてにおいては，被用者代表が参加する共同決定は，彼らの利害に関わっているからではなく，デモクラシーに基づく参加という要請が誤って構想されたことによって正当化されているだけなのである。こうしたこととはまったく別に，被用者の50パーセント以上が外国で従事しているコンツェルンの頂点に位置する持株会社についての特別な定めが必要である。

IV　会社法と資本市場法の間の株主保護

　こうしてわれわれは，既に簡単にスケッチしておいたのだが，現在の株式法改正が進んでいく，さらなる方向について論じることとなる。すなわち公開株式会社における株主保護の任務を，会社法から資本市場法に移している，という方向についてである。このことを実体法的に，株主の参加権から株主の財産権へ重点が移されたということもできる。こうした動きと相俟って，立法者は情報提供モデルへの結びつきを強めた。投資家としての株主は，自身の財産権について，法律による命令と禁止によって，というよりも，企業にとって重要な情報の公開により保護されるようになってきている。企業が何をし，何をすべきでないか，ということは立法者が決定するのではないのであって，株主こそが，投資をするかどうかについて決断し，市場価格によって企業家の行動に圧力をかけるのである。立法者は企業家行動の操作を直接にではなく，間接に，資本市場に媒介されて行うこととなる。こうしたモデルにおいては，企業関連情報の伝達および加工――これは投資家自らがではなく，情報仲介者，とりわけ格付機関，金融アナリストおよび金融機関の投資コンサルタントの手を借りてのみ可能なのだが――に，すべてとは言わぬまでも多くのことがらが依存することは言うを俟たない。

会社法的発想に立つ構成員保護から，資本市場法的発想に立つ財産保護へのこのようなアクセントの移動は，極めてさまざまに異なった文脈で姿をあらわす。すなわち株式法の内と外との両方で姿をあらわすのである。

(1) まず株式法の外側でこうした傾向が発現することについて，簡単に見てみよう。まずは資本市場法上の定めの束を挙げなければならない。この規範群は，投資家としての株主に次第に拡大された保護を与えようとしている。もっとも最近の例として，投資家保護改善法がある。これは，一方では市場濫用防止指令の定めの国内法化を行ったものであるが，他方では灰色資本市場について報告書提出義務を導入するものでもある。報告書義務が実際に投資家保護に資するかどうか，現在の草案では，疑問がある。なぜならば，BaFin（= Bundesanstalt für Finanzdienstleistungsaufsicht 連邦金融サーヴィス監督庁）が検査するのは，情報提供項目に漏れがないかということであって，内容的な正しさではないから。したがって，ドイツ公認会計士機構（Institut für Wirtschaftsprüfer in Deutschland = IdW）の手になるいわゆるＳ４カタログ[viii]にしたがって目論見書の監査をしてはどうか，そしてそのために公認会計士による確認を求めるべきである，という提案には一理ある。というのも，そうしないと，いかがわしい申請者および仲介人がかれらのファンドを「連邦金融サーヴィス監督庁認可」という謳い文句を添えて提供し，それによって投資顧客を欺くという危険が生じるからである。

(2) 投資家保護を手続法的に裏打するものとして資本投資家モデル手続法（Kapitalanleger-Musterverfahrensgesetz）については[37]簡単にのみ触れておきたい。ここに予定されているモデル訴訟により，構成員の機関外責任は資本投資家の集団訴訟を可能にすることにより，効果的なものにされた。

　ここで，もういちど，ある基本的な問題を指摘したい。株式法および資本市場法の改正にあたり，法益保護のために設けられた制度の効果と有効性とが，全体としてはまだあまりにも不十分にしか検討されていないということである。株式法および資本市場法において，投資家保護の水準をよく調節せずに高めてしまうと，行き過ぎた，極端な保護を帰結してしまう危険がありうる。そのような極端な保護は，会社にも，そしてそれに伴ってもちろん社員にも，負荷をかけることになる。こうした現象に拍車をかけているのは，会社法および資本市場法につい

---

(37) *Reuschle*, WM 2004, 966; *Zypries*, BB 2004, Heft 23, 最初の頁。

ての管轄が，不幸にも司法部門と金融部門とに分けられていることにもよる。ここで，このように分割された管轄を制度的に統合したほうがよいのではないかという問いが生じる。

(3) 構成員保護から財産権保護へ，という株式法のパラダイム転換の第三の例として，もう一度，商法典による，債権者保護を第一に考えた貸借対照表規則から，国際財務報告基準（International Financial Reporting Standards = IFRS）による国際的貸借対照表原則が示す情報提供モデルへの移行について触れたい。IFRSは，国際会計基準の適用に関するヨーロッパ規則（Verordnung）によれば，まずは上場会社のコンツェルン貸借対照表にのみ妥当するが，しかしまもなく投資家を志向する個別決算（つまり配当会計および税務会計ではない）にも，おそらくはオプションとして妥当することになるだろう。いずれにしても，そのような予測が，2005年夏に出てくるはずの，連邦政府による10項目プログラムを基礎とした貸借対照表法現代化法(ix)についてなされている。

こうしてわれわれは，核心的領域へと導かれる。すなわち，株式法自体によって株主役割を新たに方向づけるということであり，それは参加に力点を置く構成員としてのではなく，財産権を保有しその利回りを関心事とする者としての株主，という新たな方向づけである。こうしてわれわれはUMAGが規律する機関内部責任の問題にたどり着く。司法省の関係者が機関内部責任についての新たな構想の基礎づけに関して以下のように述べるのは，特徴的だし正しい。曰く「外国では昨今次のような印象が生まれている。すなわち，ドイツは機関内部責任の体系を国際的な資本市場という状況において説得力を持って記述し得ないでおり，この体系は市場から見ると邪魔だと感ぜられている，と。だが，このように事態を理解する者は，ドイツ株式法においてはもともと，法益保護のための最も重要な手段は決議の取消しなのであって，責任法ではないということを見誤っている。とはいえ決議取消しは，取消訴訟が大量になされるという理由で不都合な制度だとも感ぜられている。株式法による法益保護手段はなるほど株主から損害を遠ざけねばならないが，しかし企業上の決定や企業の活動自由を制約することのないようにしなければならない」。このように司法省関係者は述べたのであった。こうした背景に照らすと，決議取消しに基礎をおく株主保護システムには疑義がある。このシステムにおいては，一株しか持って居ない株主が，［会社の］全体的な措置をストップすることができるのだから。まさしくここでいま，改正をめぐ

る論議の過程で，あの法諺「忍耐せよ，しかして支払わしめよ（Dulde und liquidiere）」に忠実に，取消訴訟から責任追及訴訟へと重心の移動をすべきだという提案がなされている。たしかに，連通管の理屈を援用すべきではないかもしれない。ぴったりと適切な例ではないから。というのも，連通管の場合には，連通管の一方の水位が上がると，もう一方の水位も上がってしまうから。ただ，これにより言わんとするところは明白になるだろう。すなわち，取消しのほうを充実させようとするならば，責任追及はほどほどにしなければならない。責任のほうを拡充したいと思うならば，取消しのほうは控えなければならない。このような考え方を，機関内部責任および取消訴訟がパラレルに改革されているなかで肝に銘じて置くことは，学説においてこれは「法政策的な折衷論だ」と軽蔑的口吻ですでに批判されているにもかかわらず，非常に賞賛に値する。というのも，こうすることによって，まさにさきほど注意しておいたこと，つまり会社法上の法益保護手段を資本市場法的な法益保護手段との間で調整を施すことで保護の行き過ぎを避けるべしということが，実は肝に銘ぜられているということなのだからである。

　この文脈でさらに次のことを指摘しておく。それは，虚偽情報について故意および重過失に限定して資本市場法的に外部責任を認めることと比較して，責任法上，機関内部責任の枠組では株主が優遇されているという指摘がたしかにあるけれども，株主が典型的には投資株主であることや強行法的な会社法の色彩が弱まり情報提供モデルが重視されつつあるという傾向に照らして，その重要性は低下してきている，ということである。

　そこでAktG 147条と147 a条に定められた，会社設立者による損害賠償請求の新規定に触れることになる。政府草案の理由書は以下のように述べている[38]。責任訴訟をすべての一口株主に認めるわけではないという意味で，この草案は，現代の上場株式会社における株主のあり方が大きく変わったという認識に従っている。長期的に企業に参加している株主は現代の株式会社においては投資家株主により補完されまたは後者にその位置を譲ることとなる。この投資家株主は投資目的で持分に参加し，その利回りという視点から持分を維持するのであり，しかも彼らの持株比率は低いから，こうした株主は会社における企業目的を追求する

---

(38)　RegE S. 34.

望みをそもそも持ってもいないし，客観的にも追求できない。こうした傾向は――と草案は述べる――望まれている，というのも，目指されているのは資本市場文化の改善であり，投資手段としての株式の普及であるからである，と。以上のような，草案の見解は留保なく賛成できる。ただ，損害賠償請求を起こすために必要な，政府草案147a条1項2文3番および4番の定める前提条件は構成要件について不明瞭であるため，裁判実務において損害賠償請求訴訟の適法性要件を不当に狭く解する惧れなしとはしないけれども。

次にこうした展開において司法が現在果たしている実際の役割を論ずる。BGH第二民事部により2004年4月26日に下されたゼラチン製造販売会社についての2つの判決（ゼラチン事件判決）[39]に示された裁判所の見解は，結論をここで先取りして言えば，ここまで述べてきた現代的展開に正確に対応する。ここで想起しなければならないのは，企業運営権限の，株式総会権限に対する関係は，発展史的にみて，波のように押し寄せては返す，というような関係であったことである。初期の展開は，これを株主集団に対する潜在的不信感によって特徴づけることができた。それによれば，典型的な株主というのは，実質に即して企業を助成することへの長期的関心にではなく，配当や相場状況，あるいは株式の流動性といった，場当たり的な関心によって導かれている，とされる[40]。このように，株主に対しては企業の観点からする信頼性に欠けているということから，経営陣の強い地位，というものが，総会において明示的な権限規定に欠ける場合には経営陣が常に管轄権を持つことになる，という法理論へと，非常に早い時期に，固められていくこととなった。1960年代および70年代になってようやくこれに対抗する展開が見られた。これを，企業所有者を再び解放する動き，ということもできよう。このことによって，上述の法理論は疑問に晒されることとなったし，総

---

(39) BGH vom 26. April 2004, ZIP 2004, 993 und 1001, これについて *Bungert*, BB 2004, 1345; *Fleischer* NJW 2004, 2335; *Götze* NZG 2004, 585; *Koppensteiner*, Der Konzern 2004, 381; *Simon*, DStR 2004, 1482 und 1528; *Habersack*, AG 2005, 137; *Reichert*, AG 2005, 150.

(40) *Hommelhoff*, in: *Schubert/Hommelhoff*, Hundert Jahre modernes Aktienrecht, ZGR Sonderheft 4, 1985, 53 ff., 56 やや古い文献からの論拠が示されている。

(41) こう述べるのはたとえば *Lutter*, Die Rechte der Gesellschafter beim Abschluß fusionsähnlicher Unternehmensverbindungen, 1974 およびこれについてこの論点については同調する本書書評 Bspr. von *Ulmer*, AG 1975, 15.

会を通じた株主のさまざまな参加権が，まずは企業結合のケースで[41]，次いで，より一般的に，次のような場合に参加権が認められることとなった——すなわち会社の構造自体が攻撃されたか，そうではないとしても構造に関わる場合，あるいは定款または法律に反して経営陣が総会の権限を侵害する場合[42]。こうした傾向は周知のとおり，1982年の BGH による Holzmüller 判決によって拍車がかかることとなった[43]。この判決に対する広範な批判は，取締役会の権限にこの判決が切り込んでいったことに向けられており，株主に対する古くからの不信をよりどころとするものである。したがってその後の議論が，経営陣と総会との管轄権区分の細かい調整を巡るものになったのも当然である。まさしくこの論点こそが，しかし，ドイツ企業引受法（Übernahmerecht）における取締役会の対応を巡る議論の基本主題でもあったのであって，そのことは，Siemens/Nold 判決[44]を巡る議論について非常にはっきりと見て取ることができる。これは認可資本についての事例で，株主総会それ自体または総会のために授権された取締役会による株主参加権排除には今後は実質的正当化は必要とされず，参加権排除の抽象的目的が定めてあれば十分である，とされた。こうして，まったく争いがないとはいえないにせよ[45]ひろく共有された[46]評価によれば，企業引受提案がなされる以前の局面では，防衛措置について取締役の裁量範囲はいささか拡大された[47]。

　ゼラチン事件判決により，BGH はいまやはっきりとしたシグナルを送った。すなわち，法政策的に極めて鷹揚な解釈を行った Holzmüller 判決に反論したのである。すなわち，株式会社における株主総会はいわば会社の最高機関であり，コンツェルンの形成および運営にかかるおよそすべての措置に参加するのにふさわしいのだ，というのである。BGH は一方では確かに，判決がかねてより具体化されているところの，株式会社における権限分配により必然的なものであった

---

(42) *Knobbe-Keuk*, Festschrift Ballerstedt, 1975, 239; さらなる論拠を示すものとして K. *Schmidt*, Gesellschaftsrecht, 3. Aufl. 1991, 537 in Fn. 205.
(43) BGHZ 78, 122.
(44) BGH vom 23.6.1997-II ZR 132/93, BGHZ 136, 133 = NJW 1997, 2815.
(45) 疑問を提起する，というかニュアンスをつけるものとして *Mülbert*, IStR 1999, 83, 90; *Kindler*, ZGR 1998, 35, 64 f.
(46) *Kort*, Festschrift Lutter, 2000, 1421, 1431.
(47) これについては *Hopt*, Festschrift Lutter, 2000, 1361, 1390; *Mülbert*, IStR 1999, 83, 89 Fn. 60; 別の見解を取るのは *Peltzer*, WM 1998, 321, 328.

ということを強調するのだが，核となる思想である，総会の管轄が明示されていない場合に［経営陣に権限を認めるかどうかについては］極めて謙抑的な解釈をすべきであるという考え方，これはすでに論じたところである共同経営権から財産権へのアクセントの移動という現代の傾向に，極めてよく合致する。こうした展開の動力になっているもの，またそこに新機軸があるところのもの，それは，そもそも株主自体に向けられた，また企業的判断権の関与者としての株主の性質に向けられた不信といったものではなく，大規模公開会社における現実の小口株主の姿は，合理的で冷淡な投資家であり，積極的社員というようなタイプではない，ということである。こうした見方と結びついて，取締役会のよりいっそうの形成権が再び認められるようになってきたのだが，これは関係する取締役員にとっては，「異議が提起される前の責任」という考え方に忠実に，場合によっては職務からの任期終了前での解任だけでなく損害賠償責任に個人的に問われる可能性もある，という意味で，取締役会により一層の責任が負荷される，ということと対応しているのである。

V 取消訴訟におけるアクセントの，共同経営権的な把握から財産権的把握への移動

　ここまで略述したような，株主像が財産法志向を強めていく展開のまさに延長線上に，取消権の改革が位置している。すでに議論では細かい批判がずいぶん表明されているけれども，取消権を限定し，それによって，株主が会社構成員であることにより持っている権利に重点を置く仕方に対して，株主の財産権的な側面により大きな比重を置くことには，基本的傾向として説得力がある。

　したがって，取消訴訟の認容制限についてすでに選択された端緒の評価が，とくに情報公開義務違反による取消しについてだけ下されたという，というわけではない。政府草案は243条4項1文において，判例および学説の一部と一致して，情報公開義務違反が決議結果に対して，［情報提供が齎す］価値判断を含む見方を通して，及ぼす潜在的因果関係あるいは少なくとも前者の後者に対する重要性に照準を合わせる。この点，連邦憲法裁判所とともに，情報開示請求権が，基本権的に保護されるべき所有権の目的と解される持分の処分自由の枠組において，持っている大きな意味を指摘することができる。的確な情報は株主にとって持分

の所有権的処分権を把握するために不可欠な条件である。但しもっと直接的に，政府委員会が提案した持分所有の基準は，株式の財産法的次元を視野に納めている。したがって恐らく多数派とされている見方とは逆に，最低持分所有は，これまで述べてきた現代の傾向，すなわち株主の実際の姿は財産権保持者であると理解する見方，これと最も調和する基準だと思われる。

最後に政府草案246 a 条で計画されている解放手続（Freigabeverfahren）について一言しておこう。この定めによれば，解放決定は以下の3つのケースにおいて生じうる。第1に，訴えが不適法である場合，第2に請求に明らかに理由がない場合，第3に，裁判所が，主張されている権利侵害の重みと会社がそれによって蒙る不利益との考量を行い，自由心証に基づいて，会社の蒙る不利益が優先さるべきだという結論に達した場合。これについて，議論において最近，次のことが適切にも指摘された。すなわち，小口株主はたいてい，会社の不利益が重大であることを弁ずる取締役会の主張を駁するに必要な情報も持たなければ財政的な手段も持たない，と。したがって今後は，誠実な小口株主は，総会決議が彼の気に入らない場合には，訴訟を提起するのではなく彼の持分を売却することとなろう。こうして利益保護はここでは，会社法によってではなく資本市場法によってよりよく実現される。このことはまたしても，取消権は最低持分所有という財産権的基準によってコントロールされているという見方を補強する。ある一定の持分限度を超えた場合にのみ，権利保護に訴えることが経済的な意味を持つのである。したがって極小の持分を基礎とした個々的な訴訟を濫用するということにも対処し得るということになろう[48]。

VI 結 語

立法および司法における現代の傾向が示唆するのは，上場株式会社の輪郭の一層の明瞭化である。取締役会と株主総会のあいだの，そして経営陣と株主のあいだの，権限分配のあり方は，取締役会の権限を強化する方向へと一歩進める方向に動いている。株主は，経営に参与する社員というより，しだいに利回りを重視する投資家としての性格を強めている。団体法はここではまたしても資本市場法

---

(48) *Hirschberger*, DB, 2004, 1137, 1139.

によって支えられているのである。そして，法律が最初は定めたところの，株式会社の遺伝子型は次第にその指針としての力を失い，閉鎖的でしかも資本市場に親和的という2つの特徴を持ったコーポレーションという表現型に道を譲るに至っている。

訳注

(ⅰ) 国家による監督下に置かれていない市場。ここではとくに，株式などの有価証券によらない資本，したがって危険を伴う資本投資のための市場のことが念頭に置かれている。

(ⅱ) SLIM とは，Simpler Legislation for the Internal Market の略である。

(ⅲ) High Level Group とは，2000年3月のヨーロッパ理事会におけるいわゆるリスボン戦略に基づき，Wim Kok をチェアマンにしたワーキンググループである。2010年までに，知識社会を基礎にした，ダイナミックで競争力ある経済を確立し，しかもそれが職場の確保増大とより一層の社会的結合を齎し，また環境にも配慮したものになるようにするための，具体策を講ずるために，2004年5月から10月まで計6回の会議を持ち，その成果がレポートにまとめられている。参照，http://www.std.lt/uploads/1099663060_2004-1866-EN-complet.pdf

(ⅳ) Kodex を「法典」と訳すことの理由は，コーポレートガバナンスについての約束事一般を《包括的に》まとめる，ということを強調するためである。かかる約束事が実定法によって定められている必要はない。もっともこの点は以下の論旨からも誤解の余地があるまい。

(ⅴ) 係争物受寄者と訳されることもある。さまざまの争いを調整する者，という意味でここでは用いられている。

(ⅵ) 新しい会社を興すのに，形式的に新しい会社を設立するのではなく，商業登記簿には登録されているが営業は休眠している（大抵は有限会社または株式会社の形式の）会社を活用する場合，その会社を Vorratsgesellschaft という。これはドイツでは普通に行われていた。

(ⅶ) カットされた宝石を一つだけ指輪にセッティングするタイプのこと。同時にドイツ語では「孤独」をも意味しうる。

(ⅷ) クローズド=エンド型ファンドをはじめとする，有価証券に拠らない持分の発行に際して，申請者は，持分の売却方法についての目論見書を作成しなければならないが，ドイツ公認会計士機構は独自に，この目論見書の基準を作成し，それが広く流通しているようである。そのひとつがS4であるが，このS4についてはすでに2005年7月7日に改訂版が出ている。詳しくは www.idw.de を参照いただきたい。

(ⅸ) 2006年に完成する見込みのようである。

第Ⅱ部　民事訴訟法

民事訴訟の集団化
——ドイツ法およびヨーロッパ法による団体訴訟の近時の展開について——

ディーター・ライポルド
髙田昌宏／松本博之 訳

I 序[1]

　団体訴訟（Verbandsklage）[2]は，今や既に古典とも呼ぶべき，ドイツ民事訴訟における集団的利益擁護の手段である。それは，最初に競争法で創出されたものであった。すでに100年以上にわたって[3]，公正な競争の保護を自らの目標にしている団体は，民事裁判所の面前で不正な競争行為の不作為（差止め）を求める訴えを提起する権能を有する。ずっと後の1965年に，提訴権能が消費者団体に拡張された。第2の形式として，1976年に普通取引約款法（AGBG）13条による団体訴訟が加わった。消費者団体も競争団体も，今度は，無効な普通取引約款の利用に対して不作為の訴えにより対抗することができた。両方の形式の団体訴訟とも，有効であることが実証され[4]，実務において相当な重要性を獲得した[5]。

　これによって（標語的に言うと）民事訴訟の集団化の必要がカバーされていたか，

（1）　私の助手シュテファン・アインハウスの助力に心より感謝する。
（2）　近時の文献（抜粋）：*Baetge*, Das Recht der Verbandsklage auf neuen Wegen, ZZP Bd. 112 (1999), 329; *Basedow/Hopt/Kötz/Baetge* (Hrsg.), Die Bündelung gleichgerichteter Interessen im Prozeß. Verbandsklage und Gruppenklage (1999); *Brönnke* (Hrsg.), Kollektiver Rechtsschutz im Zivilprozeßrecht (2002); *Greger*, Verbandsklage und Prozeßrechtsdogmatik-Neue Entwicklungen in einer schwierigen Beziehung, ZZP Bd. 113 (2000), 399; *ders.*, Neue Regeln für die Verbandsklage im Verbraucherschutz- und Wettbewerbsrecht, NJW 2000, 2457; *Koch*, Die Verbandsklage in Europa, ZZP Bd. 113 (2000), 413; Schaumburg, Die neue Verbandsklage, DB 2002, 723; *E. Schmidt*, Verbraucherschützende Verbandsklagen, NJW 2002, 25.
（3）　競争団体の提訴権は，既に1896年の最初の UWG（不正競争防止法）に含まれていた。*Baumbach/Hefermehl*, Wettbewerbsrecht, 22. Aufl. (2001), §13 UWG Rdnr. 1 参照。同じことは，1909年の第2の UWG にもあてはまった。

それとも，さらなる法政策的な措置が適切だと思われたかどうかは，比較的長い期間にわたり議論の対象であり続けた。このきっかけを与えたのは，とりわけ，時としてセンセーショナルな結果を伴うアメリカ合衆国法上のクラス・アクション（class action）である。それでも，ドイツの立法者は，民事訴訟の領域では，つい数年前までは，定評のある様式をもつ団体訴訟に基本的に甘んじていた。

　ところが，変動をもたらしたのはヨーロッパ法である。ヨーロッパ法は，消費者保護の分野において，集団的保護の手段に，国境を越えた有効性を確保すると同時に，客観的な適用範囲を明確に拡張した。ドイツ法では，これは，まずAGBGの改正に現れた。それから，債務法の大改正との関連で，新しい不作為訴訟法（差止訴訟法）が制定された。2004年の不正競争防止法（UWG）の改正のさいには，伝統的な団体訴訟が維持され，現代化されただけではなく，利益剥奪請求権（Gewinnabschöpfungsanspruch）の形式で，興味深い新しい集団的権利保護の手段が創設された。2003年の著作権法の改正によっても，団体訴訟のある程度の拡張が生じた。それを超えて，他の領域でも私法秩序の保証人（Garanten）として団体を指名する傾向が存在することを，現在活発に議論されている，「反差別団体（Antidiskriminierungsverbände）」付きの「差別禁止法草案（Entwurf eines Antidiskriminierungsgesetzes）が示している。ここでも重要な役割を果たしているのは，ヨーロッパ法の規準（Vorgaben）である。

　本稿は，民事訴訟における団体訴訟の展開に限られる。しかし，少なくとも，団体訴訟は行政裁判所手続においても若干の重要性を獲得してきた[6]ことは指摘させていただきたい。

（4）　もっとも，競争法上の団体訴訟では，競争団体が一部において，とりわけ，違反の警告を理由に事業者から金銭を徴収する目的で活動したという限りにおいて，濫用が現れた。これに対しては，——現在はUWG（2004年）8条4項に含まれている——明示的な濫用禁止が対抗すべきものとされている。
（5）　1982年までの展開について総括的なもの（数値の表示もある）として，*Leipold*, Die Verbandsklage zum Schutz allgemeiner und breitgestreuter Interessen in der Bundesrepublik Deutschland, in: *Gilles* (Hrsg.), Effektivität des Rechtsschutzes und verfassungsmäßige Ordnung, Die deutschen Landesberichte zum Ⅶ. Internationalen Kongreß für Prozeßrecht in Würzburg 1983 (1983), 57.

Ⅱ ヨーロッパの次元

1 ヨーロッパ消費者保護法における集団的権利保護の凱旋行進

　ヨーロッパ法は，消費者保護規定違反に有効に対処しうるために，早くから集団的権利保護に関心をもった。一歩一歩このような権利保護形式の適用範囲は，大きく拡大された。加盟国が消費者保護組織に濫用的契約条項の防止のために提訴権能を承認しなければなければならないとした約款指令（Klausel-Richtlinie）[7]（7条）の要求は，まだ，無効な普通取引約款に対するドイツの団体訴訟と基本的には一致していたのに対し，他のヨーロッパ指令は，加盟国に対し，非常に一般的な形式で，消費者保護規定違反の防止のための集団的権利保護を提供するよう要求した。たとえば，隔地販売指令（Fernabsatz-Richtlinie）[8]の11条は，当該指令の規定の遵守を保障する適切かつ有効な手段を要求し，公的な組織または団体の提訴権の創設をこれに数える。現在までに到達し，不作為訴訟指令（Unterlassungsklagenrichtlinie）によってまとめられた法発展の状況によれば，消費者保護規範が集団的権利保護手段によっても確保されていなければならないということは，まさしくヨーロッパ法の原則と呼ぶことができる。

　そのさい，ヨーロッパ法は，どのような機関に提訴権を認めようとするかを，個別に加盟国に委ねる。このような機関として，公的機関，とくに国家官庁，または私法上組織された団体——消費者団体または職業団体——がありうる。しかし，すべての他の加盟国の有資格組織に提訴権能が付与されるので，間接的に，各々固有の（国内）法をも，それに即してさらに発展させる著しい圧力が生じる。

（6）　以前は，自然保護法の分野で州法上の団体訴訟法のみが存在していたのに対し，今や，連邦自然保護法（2002年）61条に，連邦法上，社団もしくは団体訴訟が定められている。13条や2002年4月27日の障害者の平等な扱いおよび他の法律の変更のための法律13条による団体提訴権も言及に値する。これによると，承認された障害者利益促進団体は，行政裁判所または社会裁判所に，不利益禁止違反の確認を求める訴えを提起することができる。

（7）　消費者契約における濫用的条項に関する1993年4月5日の評議会の指令（Richtlinie 93/13/EWG）。

（8）　隔地販売における契約締結のさいの消費者保護に関する1997年5月20日のヨーロッパ議会および評議会の指令（Richtlinie 97/7/EG）。

たとえば、ある加盟国で確かに外国の消費者保護団体に提訴権が帰属するが、国内のそれには帰属しない場合、これは、少なくとも法政策的には説明困難であろう。それで、果たせるかな、イギリスは、以前は公法上の機関によってのみ集団的権利保護を行うことができたのに対し、ヨーロッパ法に促されて、私法上の団体の提訴権能を導入することとなった[9]。

2 不作為訴訟指令による国境を越えた有効性の確保

ヨーロッパ法の、伝統的な、今日では勿論もはやとっくに唯一ではない使命は、域内市場（Binnenmarkt）の樹立と確保、とりわけ自由な国境を越えた商品、サービスおよび資本の取引の樹立と確保にある。それゆえ、ヨーロッパ法が、消費者を保護する集団的権利保護の分野でも、とくに国境を超えた有効性を得ようと努力したとしても、それは不思議ではない。実務においては、ある加盟国の団体が外国企業の違法な行動を確認し、当該企業の本国で不作為の訴えを提起しなければならなかったときに、提訴権に関して困難が生じていた[10]。他方で、企業の本国の団体が、他の加盟国でのみ行われた当該企業の行動に対して団体訴訟により対処することができるかどうかも、疑義が存在した。

不作為訴訟指令[11]は、ある加盟国で消費者の集団的利益の保護のために提訴権を付与されている公的機関または団体に、ヨーロッパ共同体（EG）の他の国々においても提訴権を取得させる。したがって、その限りでは、訴え提起の相互承認の原則が妥当する[12]。不作為訴訟指令（個別的には3条および4条をみよ）は、このために「有資格組織（qualifizierte Einrichtungen）」という概念をつくっている。どのような機関または団体にその種の有資格組織の資格が付与されるかは、加盟国が決定しなければならない。加盟国は、ヨーロッパ委員会に自国の有資格組織の名称と目的を通知しなければならない。ヨーロッパ委員会は、これらの有資格組織の名簿を作成し、名簿は、ECの官報において公表される。この名簿への登録は、すべての加盟国の裁判所または行政官庁によって、提訴権付与の証明とし

---

(9) これにつき、*Schaumburg*, DB 2002, 723, 725 f.
(10) これにつき、*Baetge*, ZZP Bd. 112 (1999), 329, 342.
(11) 消費者保護のための不作為の訴えに関するヨーロッパ議会および評議会指令（Richtlinie 98/27/EG）。
(12) *Baetge*, ZZP Bd. 112 (1999), 329, 343 f. 参照。

て認められなければならない。

　もちろん，その点が，不作為訴訟指令の唯一の意義ではない。同指令は，それだけではなく，ヨーロッパ法により，いかなる分野で，消費者利益のための集団的権利保護，すなわち団体または公的機関による不作為の訴えが予定されているかを明確にする。不作為訴訟指令の付録（Anhang）において，不作為訴訟指令が妥当する領域の諸指令がまとめられている。それから，この付録への記入によって，国内法が違反防止のために集団的権利保護を提供しなければならないということが不作為訴訟指令から明らかになる。新たな消費者保護指令が出される場合，ヨーロッパの立法者は，集団的権利保護を定めるために，不作為訴訟指令の付録への新指令の記入を決定しさえすればよい。たとえば，既に消費財販売に関する指令[13]（10条）および電子商取引に関する指令[14]（18条2項）においてそのような手続が採られた。消費者への金融サービスの隔地販売に関する指令[15]（19条）も，付録に記入された。そのほか，同指令は，13条2項で，加盟国による集団的権利保護の付与を定める。これによって，不作為訴訟指令は，目下，12を下らない消費者保護指令の事物領域に適用される。

3　団体訴訟のための国際裁判管轄

　不作為訴訟指令（指令を置き換えるための国内法と結びついて）が，提訴権を有するある加盟国の団体が他の構成国においても，そこを本拠とする企業に対して対処しうるように配慮するのに対し，外国企業が消費者保護規定に違反したとされる国での提訴可能性が著しく拡大されたのはヨーロッパ司法裁判所（EuGH）の注目すべき裁判によってである[16]。それはオーストリアの消費者情報社団（Verein für Konsumenteninformation）によってウィーン商事裁判所に提起された，ドイツ企業に対する不作為の訴えであった。この企業は，オーストリアにおいて

---

(13)　消費財販売および消費財の保証に関する特定の局面のためのヨーロッパ議会および評議会の指令（Richtlinie 1999/44/EG）
(14)　域内市場における情報会社の役務，とりわけ電子商取引の一定の法的側面に関する2000年6月8日のヨーロッパ議会および評議会の指令（Richtlinie 2000/31/EG）（「電子商取引に関する指令」）。
(15)　消費者への金融サービスの隔地販売に関する，ならびに，評議会指令90/619/EWG，指令97/7/EGおよび98/27/EGの変更のためのヨーロッパ議会および評議会指令（Richtlinie 2002/65/EG）

も宣伝旅行（Werbefahrte）を実施し，オーストリアで，原告団体の見解によればオーストリア法の消費者保護規定に違反した普通取引約款を利用した。ヨーロッパ司法裁判所は，ヨーロッパ管轄・執行条約（EuGVÜ）の5条3号によりオーストリアの裁判所の国際裁判管轄を肯定した。興味深いのは，そのような訴えではEuGVÜの意味における民事または商事事件ではなく，むしろ原告が高権的権能を行使する官庁と同等に扱われるべきであるとの，イギリス政府の申し立てた原則的な異議である。EuGHは，この異議には従わず，団体訴訟を私法上の制度として，すなわちEuGVÜの意味における民事事件として評価した。EuGVÜ 5条3号[17][18]は，不法行為地の管轄権を定める。この不法行為管轄は，当該規定によれば，不法行為（またはそれと同視される行為）に基づく請求権が，加害事件が発生した地の裁判所の面前で訴求される場合に存在する。EuGHは，特定の普通取引約款条項の利用の禁止を求める消費者保護団体訴訟を，この規律の意味における不法行為に基づく訴えと認めた。同裁判所は，加害事件の概念が，消費者保護の領域では，個人的な加害のみならず，「その阻止が原告のような組織の任務であるような濫用的条項の利用による法秩序に対する攻撃」をも把握すると宣言した[19]。EuGH[20]は，理由づけのために，消費者契約における濫用的約款に関する指令の7条の目標設定を指摘した。そして，そこに定められた不適法な約款の利用の不作為を求める訴えの有効性は，企業に対してその営業所（Niederlassung）所在国でしか裁判上の対抗措置をとることができないとすれば，著しく損なわれるであろう，と述べた。

---

(16)　*EuGH*, Urteil vom 1. Oktober 2002, Rechtssache C-167/00, Verein für Konsumenteninformation gegen Karl Heinz Henkel, Slg. 2002, I -8111 = ZZPInt Bd. 7（2002），277（mit Anmerkung *Stadler*）= IPRax 2003, 341（dazu *Michailidou* IPRax 2003, 223）．この判決に関する詳細は，*Leipold*, Festschrift für Nemeth, Budapest 2003, 631, 639 ff.
(17)　*EuGH*（Fn. 16），zu Nr. 30.
(18)　同協定は，そうこうするうちに，民事および商事事件における裁判所管轄および裁判の承認および執行に関する評議会のヨーロッパ規則（EG）Nr. 44/2001の5条3号に取ってかわられた。同規定は，不法行為の管轄権が予防的な不作為の訴えに通用することを明らかにする。そのほかは，法律状態は変更のないままである。そのため，ここで紹介された*EuGH*の判決は，引き続き重要である。
(19)　*EuGH*（Fn. 16），zu Nr. 42.
(20)　*EuGH*（Fn. 16），zu Nr. 43.

EuGH の判決[21]は，ヨーロッパ法が消費者保護法の実現のために団体訴訟にいかに大きな意味を付与しているかということのもう1つの証左である。不作為訴訟指令と不法行為地管轄は，消費者保護団体にヨーロッパにおける包括的な提訴可能性を与える。

ドイツの国内法（ヨーロッパ法の通用範囲外でのみ適用可能である）も，不作為訴訟法（UKlaG）6条において，外国企業に対するドイツの裁判所の面前での広範な国際裁判管轄権および土地管轄権を提供する。外国企業は，ドイツ国内の営業所所在地で訴えられるほか，補充的に，異議を唱えられた普通取引約款が利用された場所またはその他消費者保護規定違反が生じた場所で訴えられることができる。

III ドイツの国内法化と不作為訴訟法におけるさらなる展開

1 法律の成立

ヨーロッパ不作為訴訟指令は，ドイツ法では，まず普通取引約款に関する法律における新規定によって国内法化された（AGBG 22条，22条のa，24条のa）。2001年の債務法の大改正を機に，AGBG は廃止され，その実体法規定は民法典（BGB）に挿入された（現在では BGB 305条以下）。それに対して，手続法規定は，新たに創設された不作為訴訟法（UKlaG）にその場を見出した[22]。

---

(21) この判決の弱点は，隠されてはならない。すなわち，判決は，いかなる規律により土地管轄（どのオーストリアの裁判所が管轄を有するか？）が決定されるかを明確に分からせない。提訴消費者団体がそこに所在地を有するという理由で，ウィーンの裁判所が管轄を有するとされるのだろうか。あるいは，争われている普通取引約款がウィーンに住所を有する人々に対しても使用されたという理由からか。その限りにおいて，ドイツの不作為訴訟法6条（上記参照）における規律の方が，はるかに明確である。
(22) 2002年8月27日公示の版における消費者法およびその他の違反のさいの不作為の訴えに関する法律（不作為訴訟法 UKlaG），BGBl.IS. 3422（その後変更を伴う）。不作為訴訟法の注釈を提供するのは，*Palandt/Bassenge*, BGB, 64. Aufl. (2005); *Erman/Roloff*, BGB, 11. Aufl., Bd. I（2004）。

2　団体訴訟の客観的射程

　不作為訴訟法 1 条は，以前 AGBG 13 条に定められていた団体訴訟，より正確には無効な普通取引約款に対する不作為請求権・撤回請求権を定めている。他の消費者保護法違反への団体訴訟の重大な拡張は，不作為訴訟法 2 条に見られる。自明のことながら，ヨーロッパの消費者保護指令が定めるすべての場合において，不作為訴訟法 2 条によっても団体の不作為訴訟を利用することができる。しかし，ドイツの立法者は，ヨーロッパ法の規準（Vorgaben）をさらに大きく踏み出した。不作為訴訟法 2 条 1 項は，この目的のために，「消費者保護法規（Verbraucherschutzgesetze）」の概念を導入し，これを全く一般的に，消費者の保護に資する規定と定義する。最も重要な消費者保護法規は，BGB の多くの規定から薬事法および投資法の規定に至るまで不作為訴訟法 2 条 2 項の広範なリストにみられる。

　すべての消費者保護規定違反への団体訴訟の拡張によって，権利保護の集団的側面が一見したところ分からない消費者保護規定においても，構造的な変化が生ずるかもしれない。無効な普通取引約款の推奨の利用に対する訴えの場合，かかる普通取引約款を取引から締め出し，それによって一般的に「消費者」を保護することが団体訴訟の目的であることは明らかである。しかし，その他の消費者保護法違反の場合には，常に消費者に対する企業の違反が問題であるので，企業の（市場関連的）取引への組込みに基づき，通常の場合に想定されうる繰返しの危険から同じく出発することができ，その限りで，ここでも団体訴訟の集団的目的を単なる個人利益の主張と区別することができるであろう。これが法律において現れているのは，いずれにせよ，違反行為者は「消費者保護の利益において」不作為を請求されることができるとの文言においてである（UKlaG 2 条 1 項）。繰返しが実際上ないと思われる事実関係が存在するならば，上述の法律文言を援用して，団体訴訟はおそらく理由なしとして棄却すべきであろう。

3　提訴権能のある組織

　提訴権能の規律においても，ヨーロッパ法の規準（Vorgaben）に対してドイツの立法者は非常に開放的である（aufgeschlossen）ことを示す。「有資格組織（qualifizierte Einrichtungen）」の概念は，国境を越える提訴権能に対してだけでなく，純粋に国内法的にも中心的な意味を取得する。ドイツの消費者団体の提訴権能を規律するために，立法者は，連邦管理庁によって作成される有資格団体の国内リ

ストを導入した。ドイツの消費者団体は，このリストに登録されていれば，提訴権能を有する。この規律の目標は，とりわけ法的明確性を図り，――旧法によればそうであったように――個々の団体訴訟ごとに，団体が提訴権能の法定要件を具備するか否かが調査されなければならないのを回避することにある。これらの要件（対応する定款上の任務，構成員として諸団体または75名の自然人，少なくとも1年以上の存続等。詳細は，不作為訴訟法4条2項を見よ）は，現在，（国内の）有資格組織をリストに登録するための要件である。これらの要件の存在は，連邦管理庁によって，したがって行政手続において調査されなければならない。公的機関の領域への一定の接近は，明白である。この関連で注目に値するのは，消費者センターおよびその他の消費者団体の場合は，それが公的資金によって助成されていれば，客観的要件の具備が覆滅の余地なく推定されることである。これによって，奇妙でけっして問題がないわけではない方法で[23]，消費者団体の承認が――市町村であれ，ラントであれ，連邦であれ――公法上の出資者の手に握られる。公的に資金支援を受けて公的に承認された消費者団体がそれでも，他のすべての私法上の主体と同様に，私法上の主体なのであろうか，批判的に問うことができよう。

有資格組織のリストは，ヨーロッパ委員会にも送付され，したがって，他の加盟国における国境を越えた提訴権能が与えられるヨーロッパ委員会のリストへの記入のための基礎をなす。

しかし，ドイツ法は提訴権能を消費者団体に限定することもしない。不作為訴訟法3条1項2号によれば，さらに，競争団体，すなわち営業上または自営業上の利益の促進団体が提訴権能を有する。しかし，これらの団体は，「有資格組織」に属せず，それゆえ，国内リストにもヨーロッパリストにも載らない。同じことは，不作為訴訟法3条1項3号により同じく提訴権能を有する商工業会議所や手工業会議所（すべてをひっくるめて，公法上の社団[Körperschaften]）にもあてはまる。

4 手続法上の特殊性

団体訴訟が手続法上，あらゆる点で，請求権者が自らに帰属する債務者に対する不作為請求権を主張するその他の私法上の不作為の訴えと同様に取り扱われる

---

(23) *Palandt/Bassenge*, BGB, 64. Aufl. (2005), §4 UKlaG Rdnr. 4 も批判的。

べきか否かは，とりわけAGBGによる団体訴訟に関して，常に幾分はっきりしないままであった。反対説は，団体訴訟の特別な，公益の擁護に向けられた目的を強調し，提訴権能を，とにかくAGBG上の団体訴訟について，固有の実体的請求権の主張とは区別されるべき「私法上のコントロール権限（privatrechtliche Kontrollkompetenz）」と解した。不作為訴訟法は，今や，団体に固有の不作為請求権・撤回請求権を割り当てることによって団体への権利付与を表現し，それゆえ，団体訴訟を，その他の私法上の不作為の訴えと等置する。提訴権能の要件は，立法者の見解[24]がそうであるが，これによって，訴えの適法性（訴訟追行権）の要件ではなく，理由具備（能動的事件適格［Aktivlegitimation］）の要件に組み入れられる。そのほかに，不作為訴訟法6条は，同法が別段の定めをしていない限り，民事訴訟法典（ZPO）が適用されることを明示的に宣言する。しかし，少なくとも立法論としては（de lege ferenda），個別的権利保護に向けられた通常の民事訴訟と団体訴訟をあらゆる点で等置することが適切なのかどうかについて引き続き争われうる[25]。その際とりわけ問題になるのは，弁論主義（当事者提出主義）の適用，および，それと結びついた事実資料に対する当事者支配である。現行法によってもいわゆる規範的事実（Normtatsachen），すなわち，主張された具体的違反ではなく一般的状況および規範的評価に関わる事実を，弁論主義ではなく職権調査（Prüfung von Amts wegen）に委ねることには一理ある[26]。

団体訴訟の集団的目的は，とにかく，不作為訴訟法7条に現れている。同条によると，勝訴原告には，被告の名前を挙げて判決主文を（連邦官報には被告の負担で，その例外の場合は原告の負担で）公表する権能を認められる。

ちなみに，すでに言及した不作為訴訟法6条における管轄規定のほかに，無効な普通取引約款に対する不作為の訴えについてのみ，旧AGBGの対応規定と大方一致する特別な手続法規定が存在する。これは，判決主文の記載事項（不作為訴訟法9条），後に判例が変わった場合の敗訴利用者の異議の許容性（同10条），お

---

(24) Bundestagsdrucksache 14/2658, S. 52（現在，不作為訴訟法に存在するAGBGの規律について）．

(25) *Greger,* ZZP Bd. 113 (2000), 399, 403 f. sowie NJW 2000, 2457, 2462は，立法者によって，解釈論上の争いは終結したとみなす。反対するのは，*E. Schmidt,* NJW 2002, 25, 27 ff.

(26) 詳しくは，*Stein/Jonas/Leipold,* ZPO, 22. Aufl., Bd. 3 (2005), vor §128 Rdnr. 184 f. を見よ。

よび——なかんずく——判決効の主観的な拡張（同11条）に関係する。判決で異議を唱えられた（beanstandet）普通取引約款規定は，その後も利用される場合，他の契約当事者に対しても無効とみなされる。この既判力拡張の中に，社会または，いずれにせよすべての消費者の利益のために権利侵害に対処するという団体訴訟の目的の刻印を見ることができる。これが普通取引約款の領域にのみ妥当し，その他の消費者保護法規違反に対する団体訴訟には同様の規定が設けられなかったことは，（すでに先に示唆したとおり）後者の領域では，具体的な異議事例（Beanstandungsfall）を超える集団的な権利保護の性格があまり明確には現れていない徴憑であるかもしれない。

5　著作権法の領域における団体訴訟の新しい適用分野

著作権法（UrhG）の改正を機会に，民事訴訟上の団体訴訟は，追加の適用領域を手に入れた。改正著作権法は，著作物の保護のための技術的な措置（例えば，CDやDVDへの複写排除）の有効性を確保するための特別な規定を含んでいる（UrhG 95 a 条以下）。他方で，著作権法上保護される著作物も，一定の範囲で，かつ一定の要件の下で——例えば，学校目的のためや，また障害者（たとえば目の不自由な人）に著作物に親しめるようにするために——権利者の許可なく複写できる。これらの優遇は，技術的な排除によって事実上奪われるべきではない。それゆえ，著作権法95 b 条は，優遇される者に認められた権能を行使しうるよう必要な（技術上の）手段を提供することを権利保有者に義務づける。この請求権を主張できるのは，著作権法95 b 条により優遇される人である。

この規律は，権利保有者の義務づけに関しては，著作権法の一定の側面の調和のためのヨーロッパ指令[27]における規準（6条）に基づく。しかし，指令が，指令において定められた権利および義務の侵害のさいに，一般的な形式で，適切な制裁および法律上の救済手段の提供を定めることで満足するのに対し（8条1項），ドイツの立法者は，すでに言及された個人法的な請求権の付与を超えて，有効な権利保護のために，団体訴訟を導入することを必要とみなした。団体訴訟は，不作為訴訟法2 a 条および3 a 条にある。提訴権を有するのは，たとえば障害者団

---

(27)　情報会社における著作権および類似の保護権の一定の側面の調和のための2001年5月22日のヨーロッパ議会および評議会の指令（Richtlinie 2001/29/EG）。

体のような，優遇される者の利益を非営業的に促進するための法人格ある団体である。有資格組織に関する規律は，そのかぎりで妥当しない。この興味深い刷新の理由書は，次のことを指摘する。すなわち，個人的な権利保護は，個々の優遇される者に著しい負担をもたらし，著しい時間的遅延を伴ってはじめて裁判に至り，その裁判は個別事例についてのみ拘束力を持つことができる。それに対して，団体訴訟の導入によって，個別事例を超えた裁判の拘束力が達せられる，と。もっとも，どこからこの広範な効力が生じるかは，不明確のままである。この新形式の団体訴訟は，民事訴訟における集団的権利保護の拡大の現在の傾向のもう1つの証左である。もっとも，この形式の団体訴訟は，まさに特殊な問題に関わる。それゆえ，これが比較的大きな実際上の重要性を獲得するか否かは，疑わしいように思われる。

Ⅳ　競争法における団体訴訟の更なる発展，とくに利益剥奪訴訟

1　競争法上の団体不作為訴訟

　不正競争防止法は2004年に全面的に改正された。改正の目標は，なかんずく競争法を自由化し，しかもヨーロッパの発展との関係でもそうすることであった（UWG 8条3項1号）。政府草案の冒頭にいわれているように，消費者を対等のパートナーとして法律の保護範囲内に受け入れることとされた。

　長い間実証されてきた競争法上の団体訴訟[28]は，維持された。UWG 3条以下の意味における不正な競争行為を行う者は，除去の請求を受け，繰返しの危険がある場合には不作為請求を受けることができる（UWG 8条1項）。請求権者，したがって提訴権者は，各競業者である。この個別の権利保護とならんで，従来と同様，団体訴訟が集団的権利保護の道具として供されている。除去請求権・不作為請求権が帰属するのは，一方で，競争団体（UWG 8条3項2号は，営業上また

（28）　ここでは詳述することができない団体訴訟の類似の形式は，競争制限防止法（GWB）33条2項ならびに商標その他の記号の保護に関する法律（商標法）55条2項3号，128条1項にみられる。GWB の規定は GWB の第7次改正，Bundestagsdrucksache 15/3640によってかなり改正されるといわれる。連邦国庫のための団体の利益剥奪請求権もこの草案に定められている（34a条）。

は独立の職業上の利益の促進のための権利能力ある団体についての要件を含む）ならびに商工業会議所および手工業会議所である（UWG 8条3項4号）。他方，消費者団体は提訴権能を有する。これは法技術的に現在では有資格組織の概念を受け入れることによって行われている（UWG 8条3項2号）。不作為訴訟法により国内リストに登録された有資格組織も，欧州委員会の目録に記載された有資格組織も，競争法上の団体訴訟について能動的事件適格を有する。したがって，ここでも原告団体が提訴権能を取得するための内容的基準に合致しているか否かを個々の訴訟においてその都度調査する必要がなくなる。

　消費者団体の提訴権能は，旧不正競争防止法によれば，不作為請求権が消費者の本質的な利益に触れる行為に関した場合にのみ与えられた。新法には，この制限はもはやない。立法者はこれを不要とみた。消費者の利益に触れない場合には，もともと訴えの利益がないからである。もっとも，いかなる法的観点により（権利保護の必要か？）このことが場合によって顧慮されるのかは，まさに明確でない。さらに理由書は，すでにUWG 3条が軽微な違反の追及を排除し，UWG 8条4項が濫用的な訴えに対抗することを指示している。それゆえ，新法は消費者団体の不作為訴訟権能のいうに足りる拡張をもたらすかどうかについて争われることがある。

2　ドイツ法にとって全く新しいこと：利益剥奪訴訟

　すでに長い間ドイツでは，いわゆる拡散損害のための特別の集団的な訴え提起形式を導入することが法政策的に望ましいか否かが議論された。まず念頭に置かれているのは，多数の人々が損害を受けたが，各人にとっての損害の額が僅かであるため個別の損害を裁判上主張することが一般的に努力のし甲斐がないようにみえる場合である。UWG 10条は今や利益剥奪に向けられた団体訴訟を規定している。どうような形にするかについては，立法手続中に非常に論争された。法律の規定が目的適合的で実行可能であるかどうか，はなはだ疑わしいように思われる[29]。

　疑念は，団体の提訴権能自体に向けられるのではない。法律はこれを不作為の訴えの提訴権能を有する同じ団体，したがって有資格組織（すなわち消費者団体）ならびに商工業会議所および手工業会議所に割り当てるのである。

　利益剥奪訴訟は，不正な競争の禁止に反する故意の違法行為を要件とする。重

大な過失のある競争準則の違反では足りない。理由書は，利益剥奪訴訟の予防的目的によって故意による行為への限定を正当化する。利益剥奪訴訟は，利益補償に資するものではなく，ましてや個人の損害補償に資するものではなく，むしろ有効な威嚇に資する。すでにここで，民事法および民事訴訟法の伝来的な目的を超えないかという疑問が押し寄せてくる[30]。

　利益剥奪訴訟の要件は，その他，故意による権利侵害により多数の購買者の不利益に利益が得られたことである。損害が比較的高額な場合にはもともと個々の被害者による権利行使に委ねることができるにもかかわらず，この規定は個別損害が低額の場合に限られていない。理由書は確かに少額事件における拡散損害に全面的に関連付けられているが，このことは法律には定着していない。この点で適用領域が余りにも広く引かれていると批判されうるが，他方で剥奪されるのは，たとえば競争違反行為によって得られたもの全部ではなく，利益だけである[31]。その結果，証明および算定の問題が生じうる。草案の文言には多数の購買者の「費用で（auf Kosten）」得られた利益と述べられているが，立法手続中には多数の購買者の「負担で」という定式が選ばれた。それによって，利益剥奪訴訟が「個別事案に関連した不利益」の調査を要件とするのでなく，多数の購買者が経済的に劣悪な地位に置かれることで足りることが連邦議会の法務委員の見解により明らかにされているとされる。私は，この区別は実行できないことをはっきり言わなければならない。確定されるべき利益だけが剥奪できるという批判された事情は，いずれにせよ，これによって変えられなかった。

　中心問題は当然，剥奪される利益がどうなるか，したがって，大まかに表現すれば，お金が誰の財布に入るべきかということである。法律の答えは明確である：請求権は連邦国庫への利益の返還に向けられている。したがって，それは不利益を受けた多数の購買者にも，勝訴した消費者団体にも入らない。当然，その場合には，とくに消費者団体にとって利益剥奪訴訟を提起する十分なインセンティブが存在するかという疑問が押し寄せてくる。訴訟の相手方が団体の権利行使に必

---

(29)　鋭い批判を述べるのは，たとえば *Sack,* WRP 2003, 549; *Stadler/Micklitz,* WRP 2003, 559 である。これらの記述は法律の草案に関するが，決定的な点は立法手続中に変更されないままであった。これに対して原則的に肯定的なのは，*Köhler,* GRUR 2003, 265 f.

(30)　利益剥奪請求権の刑事的性格に関して非常に批判的な *Sack,* WRP 2003, 549, 552 f.

(31)　これにつき批判的なのは，*Stadler/Micklitz,* WRP 2003, 559, 561.

要な費用につきもともと責任を負わないかぎりで，その償還を要求できるに過ぎない。訴訟リスクはもっぱら団体の負担となる。このような経済的枠組み条件で利益剥奪訴訟が団体不作為訴訟とならんで実際的な意義を獲得するかどうか，今後の展開が注目される。

利益剥奪請求権を細かく決めるさい，債務者は個々の被害者に支払った額のみならず国に行った給付をも差し引いてよいことが明らかである。そのさい，とりわけ罰金が考えられている(32)。他の箇所でも利益剥奪請求権と刑法上の制裁との類似性が明らかになる。

なお別の事情が，請求権のドグマーティシュな性質決定を考える機縁を与える。拡散損害議論は，個々の被害者がその請求権を少額のゆえに行使できず，それゆえ集団的権利保護が個別権利行使に代わらなければならないことを出発点とする。しかし注目すべきことに，ドイツの新不正競争防止法も個々の消費者に競争準則違反による損害賠償請求権を付与していないことである。理由書がいうように(33)，不正競争防止法の規定は民法823条2項による個別の損害賠償請求権を結果する第三者（この場合は消費者その他の買手）のための保護法規とは原則として見られていない。不正競争防止法に消費者の個別請求権をも取り入れる提案は，はっきりと拒否された(34)。不正競争防止法による企業活動に対する高い要求（「高い保護水準」）は，損害賠償請求権が是認されるときに重過ぎる重荷を負わせ，したがって立地上の不利益として作用するという，そのために与えられた理由は，もちろん独特なものである。予防的に作用する準則により競争法の遵守を確保するのが立法者にとって重要なのであれば（まさに利益剥奪請求権の議論はそうなのだ），競争準則の厳格な遵守に留意させる企業に対するインセンティブを期待するのであれば，個別請求権をも付与しなければならないであろう。

競争法上の損害賠償請求権の否定は，不正競争防止法の目的を消費者の保護にも拡張するという冒頭に述べた目標設定と確かに調和しない。業務上の買手も

---

(32) 連邦参議院の変更提案 Bundestagsdrucksache 15/1487, S. 43 に対する連邦政府の反対表明においてとくに明らかである。そこでは，不正な行態が報われてはならないという利益剥奪請求権の予防目的は刑罰によってすでに達成されているので，ありうる刑罰の控除が要請されると述べられている。

(33) Bundestagsdrucksache 15/1487, S. 22.

(34) Bundestagsdrucksache 15/1487, S. 22. UWG 16条ないし19条の刑事規定だけが民法823条の意味での保護法規とみなされうるという。

（利益剥奪請求権は消費者の不利益の場合に限られない），競争法上の損害賠償請求権を持たない。UWG 9条による個別の損害賠償請求権は，競業者にのみ帰属する。しかし競業者は通例買手と同じではない。

　利益剥奪請求権は，したがって買手の個別請求権の一種の束としてではなく，公的利益のための独自の，しかも二重の意味での制裁として理解することができる。制裁の目的と国庫を潤す目標である。訴え提起権を有する団体は，ここではまさに一義的に従来の理解によれば国家機関に留保されている機能を引き受ける。(もっとも，事実状態によっては他の私法上の諸規定から消費者またはその他の買手の損害賠償請求権が生じうる。たとえば民法826条の意味での故意による良俗違反の加害の場合，またはまさに消費者に対する詐欺が存在する場合（民法823条2項の意味での保護法規として刑法263条）である。たとえば物の瑕疵による買手の契約上の請求権も可能である。しかし，これらすべての場合において特別に競争法上の請求権が問題なのではなく，したがって利益剥奪請求権との目的的関連も存在しない。)

V　もっと集団的なもの：反差別団体と反差別機関

1　差別禁止法草案とヨーロッパにおける背景

　ドイツ私法における，現在非常に争われている立法計画に数えられるのは，2004年12月に与党が立法手続に持ち込んだ差別禁止法草案[35]である。ここでも改革の刺激はヨーロッパの立法者から来ている。ヨーロッパの差別禁止指令が置き換えを要求しているからである。

　人種または民族的出自を区別しない平等原則の適用のためのヨーロッパ指令[36]は，2003年3月19日までにすでに国内法に置き換えられていなければならなかった。これがまだ行われていないことが，とりわけ，計画された差別禁止法によってドイツ政府が追及する遠大な目標と関係する。ヨーロッパ法は反人種主義指令によって人種または民族的出自を理由とする差別に対し，（労働法を含む）職業活

---

(35)　ヨーロッパ反差別指令の置換えのための法律草案 Bundestagsdrucksache 15/4538。草案は，差別からの保護のための法律（差別禁止法-ADG）と差別からの兵士の保護のための法律（兵士差別禁止法-SADG）を含む。

(36)　2000年6月29日の人種または民族的出自の区別なき平等原則の適用のための委員会の指令2000/43/EG。

動のほか「住居を含む社会に供された財貨およびサービスへのアクセスおよびその供給も属する」（この指令の3条1項h）広範な適用領域において，したがって基本的に商品およびサービス市場の全分野において闘おうとする。それに対し，宗教，世界観，障害，年齢または性的な嗜好のようなその他の理由による差別を，（2003年12月2日までに置き換えられるべき）指令[37]が禁じるのは雇用および職業，とくに労働法の領域についてだけである。（2005年10月5日までに置き換えられるべき）修正された男女平等指令[38]は，職業上のとくに労働上のセクターに限られる。2004年の，2007年12月21日までに置き換えられるべき新たな指令[39]は，さらに財貨およびサービスへのアクセスにおける男女の平等を要求する。

ドイツの法律草案は，一方でこれらすべての指令をドイツ法に置き換えようとする。しかし草案は各々の事物的適用領域を少し超えている。草案の1条によれば，一般的に「人種を理由にまたは民族的出自，性，宗教または世界観，障害，年齢または性的同一性による不利益扱いを阻止しまたは除去する」ことが，ドイツ差別禁止法の目標である。このことは，職業領域のほか，上記の反民族主義指令からの定式――これは草案2条1項8号において文字通り受け入れられた――の意味での（住居を含む）財貨およびサービスの供給についても妥当すべきである。宗教または世界観，障害，年齢または性的同一性による不利益扱いに関しては，（これまで）ヨーロッパ法によって要求されていない。

批判が燃え上がるのは，私法取引における差別に対するこの包括的な闘いである。多くの者が恐れるのは，このようにして，――誰と私法上の契約を締結するかを自ら個人的な考えで決めることは，個人の原則的な自由であると解される――私的自治にはもはや多くのものは残らないということである。しかし，強調されるべきは，ヨーロッパ法がこの領域においても集団的権利保護の付与に大き

---

(37) 雇用と職業における平等の実現のための一般的枠組みの確定のための2000年12月27日の委員会の指令2000/78/E。この指令は，ここでは職業反差別指令と呼ばれる。

(38) 雇用へのアクセス，職業教育および昇進ならびに労働条件に関する男女平等扱いの原則の実現のための委員会の指令 Richtlinie 76/207/EWG の変更のための2002年9月23日のヨーロッパ議会および委員会の指令2002/73/EG。この指令は，ここでは職業平等指令と呼ばれる。

(39) 財とサービスへのアクセスと供給における男女の平等扱いの原則の実現のための2004年12月13日の委員会指令2004/113/EG。この指令は，ここでは財・サービス平等指令と呼ばれる。

な価値を置いていることである。ドイツの草案は反差別保護の上述の力強い拡張と結びつき，反差別団体の形での集団的道具にも広い作用範囲を与えようとする。

2 反差別団体による権利保護の支援

　先に言及したヨーロッパ反人種主義指令の7条2項ならびに他の置き換えられるべき反差別指令[40]によれば，構成国は，禁止準則の遵守に配慮しなければならない団体，組織またはその他の法人が，被害者の名でまたは，その援助のため，かつその同意を得て指令の実施を目的とする裁判手続または行政手続に関与しうることを確保しなければならない。差別禁止法のドイツの草案は，それゆえ24条において反差別団体による権利行使の援助を定めている。この団体は，その定款によれば不利益を受けた人々またはグループの特別の利益を擁護する目標を持たなければならない。少なくとも75人のメンバーを擁しまたは少なくとも7つの団体の連合をなすのでなければならない。ここでは消費者団体の模範の影響があった。反差別団体の訴え提起権能は，これまでのタイプの団体訴訟とは著しく異なる。それは，弁護士強制がなく，刑事手続でない限り，代理人または輔佐人として裁判手続に出ることができる。それに対して固有の請求権は，反差別団体には与えられない。草案の24条3項が不利益を受けた者の法律事件の支援を反差別団体に許す場合，これは法律相談を本質的に弁護士と公証人に留保するドイツの法的助言法の（これまでの）まさに狭い幅と関係している。草案の24条4項によれば，不利益を受けた者は不利益扱い禁止違反による損害賠償請求権を反差別団体に譲渡することができ，反差別団体はこの場合，裁判外または裁判上債権の取立てをする権能を有する。

　団体の機能は，もともと集団的利益の擁護ではなく，一種の個々の被差別者のための社会福祉活動にある。私法と民事訴訟法の領域における団体権能を創設する新たな傾向として，これらすべては甚だ注目に値する。明らかに，ヨーロッパおよびドイツの立法者は，差別された個人が自分の権利を十分実効的な方法で自分の力で行使できるとは思っていない。

---

(40) Art. 9 Abs. 3 Berufs-Antidiskriminierungs-Richtlinie; Art. 6 Abs. 3 Berufs-Gleichberechtigungs-Richtlinie; Art. 8 Abs. 3 Güter-und Dienstleistungs-Gleichberechtigungs-Richtlinie.

3 国家官庁による援助：連邦の反差別機関

 しかしヨーロッパ法および将来のドイツ法も，私法上組織された反差別団体だけに頼ろうとはしていない。反人種主義指令13条（同様に職業・平等指令の8a条，および財貨・サービス指令12条）は構成国に対し，人種または民族的出自を問わないすべての人の平等扱いの原則の実現を促進することを任務とする1つまたは数個の機関を指定するよう求めている。この機関はなかんずく，差別犠牲者の苦情を調査し，さらに差別のテーマについて独立の調査を実施し，このテーマについての報告と勧告を提出することで差別の犠牲者を支援するとされる。

 これに考慮を払って，ドイツの草案（26条以下）には反差別機関の創設が定められている。この官庁は連邦司法省に設置するとされる。差別されたと思う者は誰でもこの機関に赴くことができ，その場合この機関はこの者の権利の実現を支援しなければならないとされる（草案28条1項・2項）。反差別機関の任務に属するのは，（広報活動および不利益扱いについての学問的研究の実施のような一般的な機能とならんで）権利保護の可能性についての情報提供および個々人への助言であるが，関係人間での具体的な争訟の和解的解決の努力もそうである。ここでも明らかになるのは，ヨーロッパおよび将来のドイツ法の立案者が私法領域における差別において法定された権利が実際にも行使され実現されることをいかに重視しているか，そして自己の利益を自ら実効的に擁護する個人の能力にいかに信頼していないかということである。

Ⅵ 全体的考察

 ヨーロッパ法およびドイツ法は，民事訴訟における団体の訴え提起権能を近年著しく拡張した。将来もこの傾向が続くものと予想される。消費者保護の領域だけでなく他の領域でも，ヨーロッパおよびドイツの立法者は明らかにますます，新たな規範を完全に妥当させるには個人の権利保護だけでは足りないと考えている。一般的な利益のために権利侵害に対する制裁を創り出し実行することは，刑法，秩序違反法それとも警察法のいずれがそのさい投入されるかを問わず，第一次的に国家の任務である。一般的利益のために権利の実現を団体に委ねることは，このように見れば，国家の任務の団体への移転である。これはNGOにますます注目する一般的なトレンドに順応するかもしれない。問題となる団体は──原型

をなすのは消費者団体であるが——通常，私法により登記された社団として民法典により組織されているが，公金によっても助成されている。国家官庁の活動に対するこれらの団体の利点は，団体がもともとグループの利益にせよ，地域利益にせよ，いずれにせよ特定の利益の代表に集中してよいことにあるであろう。できるだけ共同生活の公正な秩序に全体として到達するために種々の諸力の相互作用を利用する民主主義国家においては，団体訴訟権能のような団体権能は原則として1つの価値のある要素でありうる。いかなる領域で，かついかなる範囲で，このような集団的権利保護が有意義であるかは，別の問題である。過度の規制と過度の集団化の危険は，多数の消費者保護指令に目を向けるならば全く明瞭である。

ドイツおよびヨーロッパのモデルによる団体訴訟は，個別請求権とくに損害賠償請求権の束ではない。勝訴は，直接個々の被害者の役には立たない。このことは，新たな競争法上の利益剥奪請求権についても当てはまる。それゆえ団体訴訟の拡張にもかかわらず，多数の被害者のために損害賠償請求権を実効的な方法で実現するためにアメリカ合衆国のクラス・アクションの模範による訴訟形式も推奨に値するか否かは未解決の問題である。ドイツ法はこの点でこれまで個人による権利実現に信を置き，それ自体存在する請求権がある場合に費用リスクをためらい，または快適さからも裁判上主張されない場合，それを耐え難い法秩序の妨害とは見なしていない。将来もそうであるか，できるだけ隙間のない規範実現の努力が結局，集団訴訟（Sammelklage）の創設に行くのか，今後の展開が注目される[41]。大ヨーロッパの隣国において集団損害賠償が導入されるとすれば——たとえば現在フランスにおいて具体的なプランがある[42]——ドイツ法はたぶん早晩後を追うであろう。ヨーロッパ法が集団訴訟を受け入れることも排除されない。その間にいかに国内法の発展が基本的にヨーロッパの基準の実行だけになっているかは，この講演が十分に明らかにしたことであろう。

---

(41) これについて最近では，*Eichholtz*, Die US-amerikanische Class Action und ihre deutschen Funktionsäquivalente (2002); *Stadler*, Bündelung von Interessen im Zivilprozeß, Überlegungen zur Einführung von Verbands-und Gruppenklagen im deutschen Recht (2004).

(42) Mitteilung in NJW Heft 8/2005, Umschlagseite XII.

わが国における団体訴訟制度の導入について
――消費者訴訟を中心にして――

髙 田 昌 宏

I　はじめに

　企業の違法行為――たとえば，欺瞞的な広告や不当約款条項の使用――によって，見通すことのできない多数の消費者が損害を被る危険が生じ，あるいは現実に損害を被る場合がある。このようないわゆる拡散的・集団的被害に対して，それを阻止しあるいはそこから救済するための裁判上の手段については，日本と欧米諸国を比較した場合に，大きな違いが存在する。その違いとは，欧米諸国の多くには，何らかの実効的な訴訟制度が存在するのに対し，わが国にはそれが欠けているということである。

　たとえば，アメリカに目を向ければ，クラス・アクション（class action）という集団訴訟制度が存在し，また，ドイツ，フランス，スイス，オーストリア，ギリシャ等の欧州の国々には，いわゆる団体訴訟（Verbandsklage）の制度が存在する[1]。クラス・アクションと団体訴訟の両者は，沿革も構造も全く異なる制度ではあるが，集団的被害に対する救済手段，集団的権利保護手段としての役割が期待されている点で共通する。これらの制度が，それを有する各国でどの程度効果的に機能しているかは，それぞれの国で事情が異なるとしても，これらの権利保護手段を利用する可能性が消費者に開かれていることは重要である。

　一方，わが国では，既述の通り，特別な集団的権利保護の制度は存在しない。クラス・アクションや団体訴訟の制度はかなり早くにその内容が紹介され，それらの制度を立法により導入すべきとの議論も存在したものの，これまでのところ，

（1）　クラス・アクションは，被害者集団（クラス）の一部のものが当事者となって，集団構成員全員のために一括して損害賠償請求などを行う訴訟形態である。これに対して，団体訴訟は，一定の団体に，集団的権利保護に資する訴えを提起する権能を付与する制度である。

導入にはいたっていない。しかし，何らかの集団的権利保護手段が必要であることは一般に認識されており，近年，消費者保護法の領域で，団体訴訟の導入が本格的に検討されている。この検討が順調に進めば，2006年に団体訴訟（とくに消費者団体訴訟）を認める法改正もありうる。

わが国に団体訴訟制度を導入することについて検討するにあたっては，団体訴訟制度をどのような制度として構想すべきかが問われる。すでに，わが国では，後述するとおり，内閣府国民生活審議会消費者政策部会に設置された消費者団体訴訟制度検討委員会がとりまとめた「消費者団体訴訟制度の在り方について」[2]や，日本弁護士連合会による「実効性ある消費者団体訴訟制度の早期実現を求める意見書」[3]が公表され，団体訴訟の基本的なモデルが提示されている。そこで，本稿では，これらのモデルも参考にしつつ，わが国における団体訴訟制度のあるべき姿を検討したい。検討にあたっては，まず，団体訴訟導入に関する立法論議にいたるまでの経緯を，集団的権利保護をめぐる学説の展開や法状態にも言及しつつ概観する。続いて，わが国の団体訴訟導入論に多大な影響を及ぼしているドイツの団体訴訟制度の現状を分析し，それを踏まえつつ，わが国において現時点で議論されている団体訴訟モデルを中心に団体訴訟のあるべき姿を探りたいと思う。なお，検討に際しては，消費者訴訟の領域に限定することにする。

II　わが国における集団的権利保護をめぐる理論の展開と立法

1　従来の法状態と理論の展開

企業の違法行為による多数消費者の被害態様は，大別すると，違法行為により多数消費者が侵害を受ける危険にさらされている場合と，すでに多数の消費者が現実に損害を被った場合とに分けられる。前者の場合には，違法行為の差止請求権の行使が問題となりえ，その局面では，被害を受ける危険のある潜在的な多数被害者の利益を予防的に保護することが期待されるのに対し，後者の場合は，契約違反や不法行為に基づく損害賠償請求権の行使が問題となり，そこでは，多数

（2）　内閣府国民生活政策ホームページ「消費者の窓」http://www.consumer.go.jp/ に掲載。

（3）　日本弁護士連合会ホームページ http://www.nichibenren.or.jp/ に掲載。

の消費者の利益に既に生じた侵害に対する事後的な権利保護が重要となる。

　これら2つの局面のうち，わが国の消費者訴訟で拡散的被害の救済が大きな問題となったのは，主に後者の損害賠償請求の局面においてである[4]。その具体的事例として，いわゆる灯油裁判を挙げることができる[5]。多数消費者被害が発生した事案で，彼らの各損害賠償請求権を1つの訴えでまとめて請求するために利用できる民訴法上の一般的な制度として，共同訴訟（通常共同訴訟）があるが（日本民訴法38条），当事者が何千，何万という人数に及ぶと，手続が著しく煩瑣になる。そこで，わが国の民事訴訟法によれば，さらに手続の合理化を図る手段として，選定当事者制度（日本民訴法30条）を利用することができる。これは，すでに1926年の民訴法改正の際に導入されていた制度で[6]，共同の利益を有する多数者の中から選定された1名ないし数名の者が，彼を選定した多数者に代わって訴訟を追行する制度であり，任意的訴訟担当の一種と位置づけられている。この制度では，個々の被害者からの選定行為による訴訟追行の授権を得て，選定当事者は訴訟を追行しなければならず，授権の調達の点で煩雑さと困難さが残る。個々の被害者の損害額が僅少であればあるほど，より多くの授権の調達が，訴訟に要する費用と勝訴した場合に得ることのできる利益とが引き合うようにするために必要となるが，それは，実際上，容易でない。

　拡散的消費者被害の場合の集団的な損害賠償請求訴訟において，より実効的な権利保護手段を創設することが必要であるとの認識は，わが国では，すでに1970年代には存在しており，とくにアメリカのクラス・アクション制度の研究[7]を通

（4）　ここで言及する灯油裁判のほかに，主婦連合会によるジュース訴訟（最判昭和53・3・14民集32巻2号211頁）も，消費者訴訟として世間の注目を浴びた。これは，消費者や消費者団体の行政上の不服申立資格が問題となった事例で，消費者利益の予防的保護に関わる。これについては，上原敏夫『団体訴訟・クラスアクションの研究』（商事法務研究会・2001年）349頁以下，大河内美保「消費者団体訴訟制度に期待すること」月刊国民生活35巻3号（2005年）11頁参照。

（5）　山形地判昭和56・3・31判時997号18頁，東京高判昭和56・7・17判時1005号32頁。これは，石油元売会社数社による灯油の卸売価格のカルテルによって，より高い価格で灯油を購入したと主張する最終消費者多数が一緒に損害賠償請求の訴えを提起した事件である。

（6）　選定当事者制度の沿革については，藪口康夫「現代型訴訟における当事者の拡大（4・完）――選定当事者制度の再構成――」上智法学論集41巻2号（1997年）156頁以下が詳しい。

じて，それを模範にしたモデル法案が発表され，具体的な立法提案も行われた[8]。そこで想定されたのは，いわゆるオプト・アウト（除外申出）型のクラス・アクション——被害者集団（クラス）の構成員は，積極的に除外申出をしないかぎり，クラスの代表当事者による訴訟結果に勝訴敗訴を問わず拘束されるというタイプのクラス・アクション——である。この型のクラス・アクションの場合，代表当事者の受けた判決効は，原則として，クラス構成員に有利にも不利にも拡張される。この判決効の拡張は，クラス・アクション導入に積極的な論者[9]によれば，代表当事者による適切な代表と提訴の通知（ノーティス）とによって正当化される。しかし，クラスを構成する個々の被害者からの明確な授権もないのに，彼らの権利が訴訟で賭けられ，代表当事者の受けた判決効が彼らに不利にも作用しうることが，これまでの伝統的な民事訴訟理論と調和するのかという疑問が存在した[10]。結局，オプト・アウト型のクラス・アクション導入論は，本格的な立法論議の俎上にのぼることなく，下火になった[11]。

一方，差止請求が問題となる局面では，そもそも，消費者個人に差止請求権が認められるのかという難しい問題がある[12]。かりに個人に差止請求権が帰属するならば，たとえ個人による差止訴訟の提起でも，勝訴すれば，他の多数の消費

---

(7) クラス・アクションに関する比較的初期の文献として，谷口安平「多数当事者紛争とデュープロセス」法学論叢78巻5号（1967年）24頁以下がある。

(8) クラスアクション立法研究会による「代表当事者訴訟法試案」ジュリ672号（1978年）17頁，さらに，具体的な立法提案として，公明党が1978年4月に参議院法務委員会に提出した「集団代表訴訟に関する法律案」がある。また，第一東京弁護士会公害対策委員会も，集団代表訴訟法案を発表した（「集団代表訴訟法案と概説」ジュリ759号（1982年）127頁，『集団代表訴訟（クラス・アクション）の研究（第一東京弁護士会私法研究叢書5）』〔第一東京弁護士会・1996年〕）。この点について，上原・前掲注（4）4頁，5頁注1参照。

(9) 今日，クラス・アクション導入に積極的な文献として，たとえば，新堂幸司『新民事訴訟法（第3版補正版）』（弘文堂・2005年）276頁注2が挙げられる。

(10) 伊藤眞『民事訴訟の当事者』（弘文堂・1978年）111頁参照。今日，わが国の民事訴訟法では，第三者に判決効が拡張される場合，その者に十分な手続保障があってはじめて，拡張が正当化されるとの見解が一般的であり，この見解によれば，クラス・アクションにおけるクラス構成員への判決効の拡張が適切な代表と通知だけで正当化されるか疑問視される（これは，ドイツにおける審問請求権保障と類似した議論である）。

(11) 伊藤・前掲注（10）110頁参照。

者の予防的権利保護も達せられうるから，差止めの訴えとの関連では，損害賠償請求の訴えの場合ほどにはクラス・アクションは注目されなかった。むしろ，1970年代末に，ドイツの不正競争防止法（Gesetz gegen den unlauteren Wettbewerb〔以下，UWGと略記〕）における差止めの訴えのための団体訴訟を中心に，団体訴訟制度がわが国に紹介され，それに対して高い関心が寄せられた[13]。

クラス・アクションや団体訴訟などの欧米の集団的権利保護制度の紹介や研究を通じて，わが国における何らかの集団的権利保護手段の必要性は一般に認められたものの，欧米の制度を範にした立法による解決をするところまでには立法論議は熟さず，解釈論による集団的権利保護手段の創出が工夫され，試みられた。主な試みとしては，団体――消費者団体――の任意的訴訟担当による消費者個人の損害賠償請求権等の主張を許容する見解[14]，選定当事者制度の選定の要件についてオプト・アウト（除外申出）方式に近い運用を認める見解[15]をはじめ幾つかの試みが存在するが[16]，中でも特に注目されたのが，いわゆる「紛争管理権説」である[17]。これは，実体権の帰属主体と自称する者に訴訟追行権を認めたり，それらの者の授権に基づき第三者の訴訟追行権を根拠づける伝統的な当事者適格に関する考え方を前提とするかぎり，効果的な集団的権利保護は望みがたい

---

(12) たとえば，欺瞞的な広告や不当条項の使用によって不利益を負う危険のある個々の消費者に，それらの行為の差止請求権が認められるか否かについては，差止請求をしようとする消費者本人は，少なくとも当該広告が欺瞞的であるとか契約条項が不当であると認識している以上，当該広告に誘導されたり，不当条項を含む契約を締結して不利益を受ける危険はないから，差止請求権を認められないと解することが十分可能である。

(13) 1970年代後半に，ドイツ民訴学界を代表する幾人かの教授により，団体訴訟に関する講演が行われ（たとえば，ライポルト（上田徹一郎訳）「ドイツ連邦共和国における最近の民事法上の消費者保護」民商76巻4号（1977年）93頁；バウムゲルテル（竹下守夫訳）「団体訴訟（Verbandsklage）」民訴24号（1978年）154頁；アーレンス（霜島甲一訳）「消費者保護における団体訴訟」民訴24号（1978年）183頁；ヴォルフ（佐上善和訳）「ドイツ連邦共和国における団体訴訟の理論と実際(1)～(3)」民商80巻3号283頁，同4号396頁，同6号686頁〔いずれも1979年〕）；邦語文献として，1979年に上原敏夫教授によるドイツの団体訴訟に関する包括的な研究が公表された（上原敏夫「集団的救済制度の基礎的研究」法学研究（一橋大学）11号（1979年）105頁。上原・前掲注（4）1頁以下に所収）。

(14) 内山衛次「消費者団体訴訟の諸問題――西ドイツの議論を中心として――」阪大法学140号（1986年）77頁。

として,訴訟提起前の紛争解決過程で相手方と交渉するなどイニシアティヴをもって紛争解決活動をした個人や団体組織に当事者適格を認めようとするものである。この当事者適格の基礎には,これらの個人や団体が紛争解決活動によって取得した当該紛争に関する「紛争管理権」が存在するとする。したがって,紛争解決行動の主体には,実体権者からの授権がなくても,紛争管理権にもとづいて当事者適格が認められる。そして,本来の実体権の主体は,紛争管理権者の活動に反対の意思表示をしないかぎり,紛争過程上の依存関係を理由に,紛争管理権者を当事者とする訴訟の判決効を,有利不利を問わず受けることになる。

この紛争管理権者とその背後の実体的権利・利益帰属主体との間の関係は,オプト・アウト型のクラス・アクション制度における代表当事者とクラス構成員との間の関係に類似している。紛争管理権説は,実体権者の授権なくしてその者の権利に関する紛争管理権者の当事者適格を根拠づける点で,伝統的な当事者適格論の枠を超える。しかし,この見解は,実体法上の権利や利益を当事者適格と完全に断ち切るがゆえに,一般的な支持を受けるにはいたらず[18],最高裁判所も,豊前火力発電所建設差止訴訟の判決の中で,この見解を採用できない旨判示している[19]。

---

(15) 藪口・前掲注(6)155頁以下。また,小島武司「共同所有をめぐる紛争とその集団的処理」ジュリ500号(1972年)332頁は,共同の利益を有する多数者間に緊密な団体的結合が認められる場合には,個別的な選定行為は必ずしも必要でないとする。その根拠は,「十分な代表関係」を肯定しうるだけの利害の一致と緊密な関係の存在に求められる。これに対して,福永有利『民事訴訟当事者論』(有斐閣・2004年〔初出1993年〕)327頁は,緊密な団体的結合があるとしても,訴訟物たる権利関係が各構成員に所属するものであるということを前提とする限り,客観的に十分な代表関係があるというだけで,その者になぜ権利関係を委ねなければならないのかと疑問を呈する。
(16) このほかに,福永教授による集団利益訴訟論が注目される(福永・前掲注(15)219頁以下〔初出1994年〕)。これについては,髙田「差止請求訴訟の基本構造——団体訴訟のための理論構成を中心に——」総合研究開発機構=高橋宏志共編『差止請求権の基本構造』(商事法務研究会・2001年)151頁参照
(17) 伊藤・前掲注(10)90〜153頁。
(18) ただ,実体権や実体的利益との結びつきを切断して当事者適格者を決定できるからこそ,拡散型被害に関する紛争のように権利帰属が必ずしも明らかでない紛争にも十二分に対応することができる面があるが,それだけに訴訟物たる権利関係が不明確となるきらいがある。

このように，差止訴訟，損害賠償訴訟のいずれの局面についても，理論・学説は，解釈により実効性のある集団的な権利保護手段を案出することに成功していない。クラス・アクションの導入が議論されてから二十数年を経た現在，いまだ，解釈と立法のいずれによっても，集団的権利保護手段の導入は果たされないままである。しかし，民事訴訟制度を取り巻く環境はといえば，消費者の拡散的被害がより深刻化しつつある。そこで，近年，ようやく，立法により，この拡散的な消費者被害の救済を実効的ならしめる法制度の構築が立法課題として意識されるようになってきている。

2　立法論議の進展

わが国において，団体訴訟制度の導入が初めて立法論議の対象になったのは，1996年の民事訴訟法の全面改正作業においてである。改正作業の最初の段階で団体訴訟制度の導入は，改正の際の検討事項の1つとして位置づけられた[20]。しかし，団体訴訟は，民事訴訟法という一般法ではなく，個別の実体法領域ごとにその導入を検討すべき事柄であるとして，結局，民事訴訟法改正においては，団体訴訟に関する手当てはされなかった[21]。

その後，2000年4月には，消費者契約法が成立し，消費者保護法制の実体法的

---

(19)　最判昭和60・12・20判時1181号77頁・判タ586号64頁。本判決については，たとえば，佐藤鉄男「紛争管理権――豊前火力発電所建設差止請求訴訟」伊藤眞＝高橋宏志＝高田裕成編『民事訴訟法判例百選（第3版）』（有斐閣・2003年）38頁参照。なお，この判決をきっかけに，伊藤教授は，団体等の紛争解決活動実績と包括的授権とを結びつけて，団体等の任意的訴訟担当を認める構成を提唱されるにいたっている（伊藤眞「紛争管理権再論――環境訴訟への受容を目指して――」竜嵜喜助先生還暦記念『紛争処理と正義』（有斐閣出版サービス・1988年）203頁以下。

(20)　法務省民事局参事官室「民事訴訟手続に関する検討事項」第二（当事者）・一（当事者適格）・2において，㈢当事者適格の団体への拡張として，一定の差止訴訟等一定の訴訟について，本来の権利義務の帰属主体にほかに一定の団体にも原告適格を認めるものとする考え方が検討事項として取り上げられていた。

(21)　平成民訴法改正作業が開始された当初，たとえば，福永教授は，選定当事者における被授権者を，現行の選定当事者のように共同の利益を有する多数者の中の一人または数人に限定するのではなく，共同利益者によって構成される団体（純粋共同利益者団体）や共同利益者を主たるメンバーとして構成された団体（準共同利益者団体）で，その共同の利益の保護・実現を主たる目的とするものに拡大することを提案されていた（福永・前掲注（15）328頁以下）。

な整備が進む。その一方で，消費者保護法規の実効的な実現のための手続面での手当ては不十分であったことから，消費者契約法制定時の衆参両院の附帯決議で，消費者契約法の施行状況などを踏まえ消費者団体訴訟の導入について検討を行うことが決議された。また，1999年に発足した司法制度改革審議会が2001年に発表した同審議会意見書（2001年6月12日）においても，少額多数被害の救済を図るために「団体訴権」の導入を個別の実体法において検討すべきとされた[22]。これを受けて，司法制度改革推進計画（2002年3月19日の閣議決定）[23]において，内閣府，公正取引委員会，経済産業省のそれぞれが「団体訴権」の導入の検討を行うこととされ，2004年4月には，国民生活審議会消費者政策部会に消費者団体訴訟制度検討委員会が設置された。そこでの審議の結果，2004年12月に「消費者団体訴訟制度の骨格について」がまとめられ，さらに2005年6月，それをもとに「消費者団体訴訟制度の在り方について」と題する最終報告（以下，「国生審最終報告書」[24]）がとりまとめられた。また，このような消費者契約法制定や司法制度改革の過程で，日本弁護士連合会は，消費者団体訴訟の導入を積極的に提言し，上記の立法の動きにも影響を及ぼしている。日弁連の見解は，2004年3月19日の「実効性ある消費者団体訴訟制度の早期実現を求める意見書」（以下，「日弁連意見書」[25]）に集約されている。

　今後「消費者団体訴訟制度」の導入にまでいたるかは断言できないものの，その導入に向けた本格的な検討とその具体化作業の進捗が見込まれる。

---

(22) 『司法制度改革審議会意見書——21世紀の日本を支える司法制度——』の「II 国民の期待に応える司法制度　7．裁判所へのアクセスの拡充　(4)被害救済の実効化　イ．少額多数被害への対応」に，次の記載がある。「団体訴権の導入，導入する場合の適格団体の決め方等については，法分野ごとに，個別の実体法において，その法律の目的やその法律が保護しようとしている権利，利益等を考慮して検討されるべきである。」
(23) 「第一　民事司法制度の改革　7．裁判所へのアクセスの拡充　(4)被害救済の実効化　イ．少額多数被害への対応」参照。
(24) 前注（2）参照。
(25) 前注（3）参照。

III ドイツにおける団体訴訟制度の現状

 消費者保護法の分野で団体訴訟制度の導入が真摯に検討され始めたわが国において，その立法議論のきっかけとなり，また，その模範となっているのは，ドイツをはじめとするヨーロッパ諸国の団体訴訟制度である。そこで，わが国の団体訴訟制度導入論を検討する前提として，ドイツの団体訴訟制度の現状について概観しておくことにする。

1 ドイツ法における団体訴訟制度の展開

 ヨーロッパでは，ドイツをはじめ幾つかの国で団体訴訟制度が存在する。その中で，ドイツの団体訴訟制度が，わが国において最もよく知られている。とくに消費者団体訴訟制度は，ドイツにおいて，1965年の不正競争防止法（UWG）の改正によりはじめて導入され，ついで1976年に，普通取引約款規制法（Gesetz zur Regelungen des Rechts der Allgemeinen Geschäftsbedingungen［以下，AGBGと略記］）でも採用された。これらの法律では，消費者を害する宣伝行為や違法な普通契約約款の使用などの不作為を求める団体訴訟が認められている。その後は，1970年代後半から1980年代前半に不正競争防止法の領域で，損害賠償を求める団体訴訟の導入をめぐる法改正論議はあったものの，結局，改正は実現しなかった。

 しかし，EU統合を契機に，消費者保護法制の強化の方向でEU加盟各国の法規のハーモニゼーションが進められる過程で，AGBGおよびUWG上の団体訴訟制度が一部改正され，さらには，「債務法の現代化」の過程で，AGBGの実体法部分がドイツ民法典に包摂されるに伴い，AGBGの団体訴訟に関する手続法部分が「不作為訴訟法（Unterlassugsklagengesetz）」という法律に変換され，消費者保護のための団体訴訟の強化が図られた[26]。そこでは，事業者の違反行為が国境を越えて行われた場合に，違反行為の行われた国の消費者団体等が他国の違反事業者を相手に不作為を求める団体訴訟を提起することが認められており，そ

---

(26) 消費者を誤認させる宣伝，訪問販売，消費者金融，たばこ等についてのテレビ広告の禁止・制限，パック旅行，人体用の医薬品についての宣伝，消費者契約における濫用的条項，期間限定の不動産利用権，通信販売）をはじめとして，消費者保護法規違反の行為が広く団体訴訟の対象とされた（改正AGBG 22条）。

のために団体の EC 委員会名簿への登録や，国内リストへの登録が提訴の要件とされた。また，それにとどまらず，2004年には，不正競争防止法の全面改正により，新たに，不正競争防止法違反の行為により不当な利益を獲得した事業者からの利益剥奪（Gewinnabschöpfung）を目的とする団体訴訟が導入された[27]。

2 団体訴訟制度の目的

2004年の不正競争防止法の改正までは，ドイツでは，不作為請求（差止請求）の領域でのみ団体訴訟が認められていた。とくに不作為の訴えのための消費者団体訴訟が導入されたのは，次のような理由からである。すなわち，事業者や営業利益促進団体は不作為の訴えの提訴権を有していても，事業者の違反行為を追及するのは，主として事業者利益の追求のためであることから，必ずしも消費者利益に応えるものとはいえず，消費者にとって重大な違反行為が追及されずじまいになることがよくあり，かといって，消費者個人に違反行為の不作為請求権（差止請求権）を与えても，有効な追及は望めない。このような状況——これを「権利保護の欠如（Rechtsschutzdefizit）[28]」または「法執行の欠如（Vollzugsdefizit）[29]」と呼ぶ者もいるが——を打開することは，むしろ消費者団体に期待できるとの考慮から，消費者団体訴訟が導入されたのである[30]。したがって，消費者団体訴訟は，多数消費者に損害を及ぼす違反行為を早期に中止することにより多数の消費者の利益を予防的に保護する制度として位置づけることができる一方，違反行為の中止によって法秩序維持が図られる点を捉えて，法遵守の監視や制度保護（Institutionenschutz）の目的を有する手段として位置づけることも可能である。そのため，消費者団体訴訟の保護法益が何かについては，消費者全体の利益や消費

---

(27) 近時のドイツにおける団体訴訟の展開については，髙田昌宏「団体訴訟の機能拡大に関する覚書き——ドイツ法における近時の展開を手がかりとして——」福永有利先生古稀記念『企業紛争と民事手続法理論』（商事法務・2005年）35頁以下参照。なお，2003年の不作為訴訟法の一部改正により，消費者団体訴訟ではないが，著作権法による不作為を求める団体訴訟の制度が新設された（不作為訴訟法2条のa，3条のa参照）。

(28) *Reinhard Urbanczyk*, Zur Verbandsklage im Zivilprozeß, 1981, S. 82 ff.

(29) *Peter Reinel*, Die Verbandsklage nach dem AGBG, 1979, S. 6.

(30) 髙田昌宏「消費者団体の原告適格——西ドイツ不正競争防止法上の消費者団体訴訟の理論的展開を手がかりとして——」早稲田法学61巻2号（1986年）69頁参照。

者集団の利益を保護法益と捉える立場と，公正な競争の維持のような制度保護に関する公共の利益や公の利益を保護法益と解する立場が対立してきた。

3　団体訴訟の法的性質

　消費者団体訴訟の保護法益の理解に関する前記の2つの立場は，さらに，消費者団体訴訟の提訴権の法的性質や法的組入れに関する見解の対立とも結びついた[31]。たとえば，消費者団体訴訟が消費者の私的利益や集団的利益を保護するという面を重視する論者には，消費者団体固有の実体法上の不作為請求権を団体訴訟の基礎に置く者が多いのに対し，公益擁護の制度として消費者団体訴訟を捉える論者には，実体権を基礎としない独立の訴訟追行権として団体訴訟を位置づける見解や，一種の民衆訴訟と解する見解，法定訴訟担当による国家の不作為請求権の主張として位置づける見解，あるいは，既存の実体的請求権から離れて私法上のコントロール権限として位置づける見解など，団体固有の実体的請求権を否定する立場をとる者が多い[32]。

　従来の判例・通説は，団体固有の不作為請求権を団体訴訟の基礎に置いていたが，上記のように団体固有の不作為請求権を否定する見解も有力に主張されていた。しかし，この学説上の論争問題は，結局，前記の不作為訴訟法や新しい不正競争防止法において，団体に固有の不作為請求権が帰属することが明文化されるに及んで，従来の判例・通説を立法が追認する形で決着したといえる[33]。もっとも，団体固有の不作為請求権を団体訴訟の基礎に置く見解については，団体訴訟の保護法益の帰属主体が不作為請求権の主体と一致しない点をいかに説明するかという問題が未解決のままである。これについては，かつてマンフレート・ヴォルフによる試み[34]などがあったが，幅広い支持を受けるに至っていない。

---

(31)　髙田・前掲注（16）156頁参照。
(32)　団体訴訟の法的組入れに関するドイツの従来の学説状況については，たとえば，髙田・前掲注（16）137頁以下参照。
(33)　*Reinhard Greger*, Verbandsklage und Prozeßrechtsdogmatik—Neue Entwicklungen in einer schwierigen Beziehung, ZZP Bd. 113 (2000), 403 f. 髙田・前掲注（27）50頁以下参照。
(34)　*Manfred Wolf*, Die Klagebefugnis der Verbände—Ausnahme oder allgemeines Prinzip ?, 1971, S. 19 ff. 髙田・前掲注（16）137頁以下参照。

4 手続的問題

　消費者団体訴訟における手続上の問題としては，複数の消費者団体による同一違反事件の追及（Mehrfachverfolgung）の際の取扱い，手続における訴訟原則の修正の要否，判決効の規律等が重要である。これらの問題についても，前記の団体訴訟の法的性質と結びつけて論じられることが多い[35]。団体の法的性質から一義的に上記の諸問題の解決が導き出されるわけではないが，両者の間にはある程度の関連性が認められる。たとえば，団体訴訟を，団体固有の請求権を前提に私的利益の擁護のための制度として位置づけると，複数の団体による同一違反事件の追及の場合，たとえ同じ不特定多数人の集団的利益が問題であっても，団体ごとに訴訟物として別個の私権が主張されていることになるから，訴訟係属の抗弁（重複起訴の禁止）は働かないし，また，ある団体の得た判決の既判力も別の団体の提訴を妨げない。さらに，団体訴訟手続における審理手続には，通常の民事訴訟と同様，原則として，処分権主義や弁論主義が妥当することになる。

　これに対して，団体が私的権利を主張するとしても，それが法定訴訟担当者として，消費者全体や消費者集団の利益に基づく集団的権利を主張すると解すると，複数の団体による同一違反行為の追及には，訴訟係属の抗弁や既判力の抗弁が対抗するものと解される余地がある。さらに，団体訴訟の公益擁護の側面を強調すれば——たとえば，団体訴訟を団体の訴訟担当による国家の不作為請求権の主張と解すれば[36]——手続における処分権主義および弁論主義の制限や，さらには職権探知主義の通用という形で訴訟原則の修正が提唱されよう。

　実際，従来は，ドイツにおいてこのような見解の対立があったが，不作為訴訟法等において団体固有の不作為請求権が法文上明確にされたことにより，通常の民事訴訟に沿った取扱いを認めるべきとの従来の通説的立場が，さらに強固にされることになろう[37]。また，不作為訴訟法5条が，特段の定めがないかぎり，団体訴訟手続に民事訴訟法の規定が適用される旨定めていることも，この立場を確証するものといえる。

---

(35)　そうした傾向の強い文献として，たとえば，*Wolfgang Marotzke*, Rechtsnatur und Streitgegenstand der Unterlassungsklage aus §13 UWG, ZZP Bd. 98 (1985), 160 ff. がある。

(36)　*W. Marotzke*, ZZP Bd. 98, 187 ff. 髙田・前掲注（16）143頁参照。

(37)　髙田・前掲注（27）52頁参照。

5 利益剥奪請求訴訟と団体訴訟

2004年の不正競争防止法（UWG）改正により，利益剥奪のための団体訴訟が導入されたことは，ドイツの団体訴訟制度において現在最も注目される事柄である[38]。利益剥奪請求権（Gewinnabschöpfungsanspruch）は，ドイツの法体系において全く新しいものである。これは，故意に新UWG 3条に違反した者が多数の購買者の負担で利益を得た場合に，不作為の訴えの提訴権を有する団体が当該違反者に対して当該利益の国庫への支払いを請求しうるという制度である（新UWG 10条1項）。これまで，多数消費者の損害賠償をどのようにして実効的に達成するかについて立法論議がなされてきた領域に，新しく導入された制度である。

損害賠償請求のための団体訴訟に関しては，1970年代後半から1980年代前半にかけて，UWGの領域で，法改正による導入が検討されたという経緯がある。当時は，消費者団体が個々の消費者から彼らの損害賠償請求権を譲り受けて，集束的に行使するモデルが提案されたが，結局，そうした制度は導入されなかった[39]。当時，すでに，このようなモデルのほかに，消費者団体固有の損害賠償請求権を付与するモデル，消費者団体によるクラス・アクションのモデルなども導入が議論されていた。その中で，消費者団体固有の損害賠償請求権を付与するモデルは，フランスやギリシャにおいて採用されているものである[40]。これに対して，ドイツ法では，団体固有の損害賠償請求権という法的構成こそ採用されなかったものの，そこで採用された利益剥奪請求権の行使は，違反行為をした事業者からすれば，損害賠償請求権を行使されたのと同様の効果をもたらす。もっとも，利益剥奪請求権は，剥奪された利益が現実に損害を被った消費者ではなく国庫に帰属するため，損害賠償請求権でも不当利得返還請求権でもない独特の請求権であると解されている[41]。

---

(38) この利益剥奪の訴えのための団体訴訟の導入については，宗田貴行「ドイツにおける団体訴訟の新展開——不正競争防止法上の利益剥奪請求権——（上）・（下）」国際商事法務32巻10号（2004年）1343頁，12号1650頁が詳しい。ドイツの文献では，*Astrid Stadler*, Bündelung von Interessen im Zivilprozess, 2004, S. 8 ff. が有益である。

(39) このいわゆる集束的団体訴訟（gebündelte Verbandsklage）の可能性は，2004年の法的助言法（Rechtsberatungsgesetz）の一部改正によりようやく認められることになった。

(40) フランスやギリシャの団体訴訟法制については，*Jürgen Basedow/Klaus J. Hopt/Hein Kötz/Dietmar Baetge*（Hrsg.），Die Bündelung gleichgerichteter Interessen im Prozeß, 1999, S. 149 ff., 187 ff. 参照。髙田・前掲注（27）59頁以下も参照。

利益剥奪請求権の制度趣旨は，かりに消費者団体による違反行為の差止めが成功しても，事業者がその間に獲得した不法な利益の保持を容認すれば，結局，違反行為のやり得を認めることになり，違反行為を抑止できないことから，違反行為の抑止のため，違反者から不法な利益を吐き出させることにある。したがって，刑法上の没収と類似して予防的機能を有する。このような利益剥奪請求権がこれまでの不作為請求権と相まって消費者利益の保護をより一層実効的ならしめうることは十分に理解できる。しかし，実質的に制裁として機能するこのような新しい請求権を認めることは，私法と公法との限界を曖昧にし，また，損害填補を原則とする伝統的な民法と整合しえないのではないかとの疑問に直面するであろう[42]。

Ⅳ　わが国の消費者団体訴訟立法の方向

　現在，わが国では，消費者団体訴訟立法に向けての作業が本格化しつつあるが，そこでは，どのような消費者団体訴訟制度の創設が計画されているのか。ここでは，先に言及した国生審消費者政策部会消費者団体訴訟制度検討委員会が2005年6月23日に公表した「消費者団体訴訟制度の在り方について」と題する報告書（「国生審最終報告書」）と，消費者団体訴訟制度導入に積極的な日弁連により提出された「実効性ある消費者団体訴訟制度の早期実現を求める意見書」（「日弁連意見書」）を取り上げ，わが国で計画されている消費者団体訴訟制度の概要を紹介する。これら「最終報告書」，「日弁連意見書」のいずれも，欧州諸国の団体訴訟制度をはじめとする集団的権利保護手段に対する詳細な比較法的研究やその実態調査の結果を踏まえたうえでの成果である[43]。

1　「国生審最終報告書」における消費者団体訴訟制度モデル

　最初に，「国生審最終報告書」における消費者団体訴訟制度に関する考え方とその提示するモデルの内容を概観する。

---

(41)　*Hans-W. Micklitz/Astrid Stadler*, Unrechtsgewinnabschöpfung, 2003, S. 120 ff.
(42)　髙田・前掲注（27）57頁以下，68頁参照。
(43)　たとえば，日本弁護士連合会は，2003年1月に「ヨーロッパ消費者団体訴訟制度調査報告書」を公表し，内閣府は，2004年9月に「諸外国における消費者団体訴訟制度に関する調査」と題する調査結果を公表している。いずれも，現地実態調査も踏まえた詳細な報告書である。

(1) 消費者団体訴訟の必要性

まず,「最終報告書」は,とくに消費者契約に関連する被害が,一般に同種の被害が多数の者にわたるという特徴を有していることから,消費者被害の未然の防止・拡大防止を図ることが重要であるという認識から出発する。そして,事業者による不当な行為を抑止する者として,消費者の利益の擁護を図るために自主的に活動する消費者団体が適当であり,一定の消費者団体に事業者の不当な行為に対して差止めを求める権利[44]を認める必要があるとする[45]。他方,消費者被害の損害賠償請求については,消費者団体にそれを訴求する権利を付与することに対して慎重な態度を採っている[46][47]。

(2) 消費者団体訴訟の法的構成

「最終報告書」[48]は,消費者団体には,消費者全体の利益を擁護するため,民事実体法上の差止請求権を認めるのが相当であるとする。そして,ここでは,差止請求権を行使する主体とそれによって保護される利益の帰属先が異なると考えている。そのうえで,①消費者全体の利益を擁護するという観点から,どのような事業者の行為を差止対象とすべきかを検討し,②消費者全体の利益のために請求権を行使する主体としてふさわしい消費者団体はどのようなものかという観点から適格消費者団体の要件を決め,そして,③請求権の行使主体と,請求権行使によって保護される利益の帰属先が異なることから,訴訟手続において特別な措置を講じる必要があるかを検討すべきとする[49]。

---

[44] 差止めの対象とすべき事業者の行為の範囲については,「国生審最終報告書」は,事業者による不当な契約条項の使用と,契約締結の不当な勧誘行為を差止めの対象とする必要があるとする(「国生審最終報告書(注24)」6頁)。これに対して,対象が狭きにすぎるとして批判的な文献として,鹿野菜穂子「消費者団体訴訟の立法的課題——団体訴権の内容を中心に——」NBL 790号(2004年)62頁。

[45] 「国生審最終報告書(注24)」3頁。

[46] 少額多数被害の事後的救済の手法には,消費者団体が損害賠償請求をする制度以外にも様々なものが想定できること,個人の訴え提起に伴う困難そのものを改善する具体的な施策が講じられつつあることを理由として,消費者団体による損害賠償請求の許容に対しては慎重な検討が必要であるとする(「国生審最終報告書(注24)」4頁)。

[47] また,ドイツUWG上の団体訴訟で許容されている利益剥奪請求についても,慎重な検討が必要であるとする(「国生審最終報告書(注24)」4頁注4)。

[48] 「国生審最終報告書(注24)」5頁。

[49] 「国生審最終報告書(注24)」5頁。

(3) 適格消費者団体の要件

「最終報告書」は，適格消費者団体の要件のための基礎として，(1)消費者全体の利益を代表して消費者のために差止請求権を行使できること(消費者利益代表性)，(2)差止請求権を行使しうる基盤を有していること（訴権行使基盤），(3)不当な目的で提訴するおそれがないこと（弊害排除），の３つの観点を置くべきであるとし，具体的には，①法人格を有していること，②団体がその定款等において規定する団体の目的に消費者全体の利益擁護が掲げられていること，③当該団体の主たる活動が②の目的に沿って，相当期間，継続的に行われていること，④一定程度の団体規模，⑤団体が特定の事業者ないし事業者団体から独立していること，⑥差止請求権が適切に行使されるために，当該団体が適切な組織運営体制や人的基盤，財政基盤を備えていること，⑦暴力団等の反社会的存在からの独立性，を要件として要求する[50]。

そして，適格要件の有無の判断は，あらかじめ行政が判断する方法をとるべきとする[51]。どの消費者団体が適格団体かが消費者，事業者双方にとって明確となり，団体訴訟制度の効果的・効率的な運営に資するからである。

(4) 訴訟手続

消費者団体訴訟手続に関しては，消費者団体訴訟制度が民事訴訟法の枠組みを利用するものであることから，原則として民事訴訟法の規定に従うべきであるとする[52]。

複数の適格団体が同時にまたは相前後して同一の事業者の不当な行為に対して差止訴訟を提起した場合，重複起訴の禁止や既判力に触れるかどうかが問題となるが，触れないとするのが民事訴訟法の原則に整合的であるとする[53]。請求の放棄・和解等も，特段の制限がないとするのが民事訴訟法の原則に整合的であるとする[54]。そのほか，ドイツ不作為訴訟法11条が定めるような判決の援用制度や判決の周知・公表の制度（不作為訴訟法７条）の導入を検討する必要性が指摘される[55]。

---

[50] 「国生審最終報告書（注24）」10頁以下。
[51] 「国生審最終報告書（注24）」16頁。
[52] 「国生審最終報告書（注24）」20頁。
[53] 「国生審最終報告書（注24）」20頁以下。
[54] 「国生審最終報告書（注24）」22頁。

2 「日弁連意見書」における消費者団体訴訟制度モデル

　一方,「日弁連意見書」は,消費者被害の発生・拡大防止,救済の実効化のために消費者団体訴訟制度の早期実現を訴え,上記「国生審最終報告書」に比べると,かなり具体的なモデルを提示する。「国生審最終報告書」と比較して,とくに特徴的な点にのみ言及すると,次の諸点を挙げることができると思われる。

　①消費者団体訴訟による権利行使が認められるのは,差止請求権[56]に限られず,損害賠償請求権も含まれる[57]。この点は,フランス法などと類似する。また,これらの差止請求権等は,消費者団体に帰属するとし,その請求権の基礎に,消費者被害を防止,救済することについての団体固有の利益を置く[58]。

　②消費者団体の適格要件として,より具体的な要件が設定されている[59]。すなわち,団体目的,実際の活動,100人以上の自然人または100人以上の自然人を構成員とする社団を構成員とすることを要求するととともに,登録された団体は上記要件を満たすものと推定する。

　③損害賠償請求権について,「日弁連意見書」[60]は,消費者団体により損害賠償請求を認め,請求できる損害額を違反事業者の獲得した利益の一定割合とし(正確には,売上額に一定の割合[たとえば,100分の6ないし100分の10]を乗じた金額),

---

(55)　「国生審最終報告書(注24)」22頁以下。ドイツの不作為訴訟法11条によれば,団体訴訟で約款条項の使用の差止めを命じられた約款使用者が,差止判決(不作為判決)に違反したときは,当該契約の相手方が,その判決の効力を援用するかぎり,当該約款条項は無効とみなされる。もっとも,報告書は,この種の判決の援用制度が,判決の効力に関する民事訴訟法上の一般原則に対して,わが国の法制度上これまでにない例外を定めるものであり,また,その導入の是非等をめぐって様々な考え方がありうることから,その導入については慎重な検討が必要と考えられるとする。

(56)　「日弁連意見書」は,消費者団体訴訟による差止請求の対象を,消費者契約法の規律対象を超えて広く認める(「日弁連意見書(注25)」1頁,12頁)。

(57)　「日弁連意見書(注25)」2頁,16頁以下。

(58)　「日弁連意見書(注25)」11頁,16頁。なお,日弁連は,消費者契約法制定の際にまとめた「消費者契約法日弁連試案(1999年10月22日)」で,既に,消費者団体に差止請求権を付与することを提案していたが,そこでは,「消費者被害を未然に防止する」という団体固有の利益に対する侵害を根拠に団体の固有の差止請求権を説明しようとしていた(「同試案解説」65頁以下参照)。この点については,髙田・前掲注(16)152頁以下参照。

(59)　「日弁連意見書(注25)」1頁,9頁以下。

(60)　「日弁連意見書(注25)」2頁,16頁以下。

支払われた金額は，消費者基金に帰属するものとすることを提案する。消費者全体が被った抽象的な損害を，消費者全体の利益を代表する消費者団体が訴求するものと位置づけ，また，違法行為の抑制のために政策的に付与された金銭請求権として位置づける。

④ドイツ不作為訴訟法11条を範として，差止訴訟の判決の援用制度を導入する[61]。

前記「国生審最終報告書」と比べると，差止請求のための消費者団体訴訟の場合に，団体勝訴の確定判決に援用制度を導入するなど，より明確な態度決定をしていることのほか，損害賠償請求についても消費者団体訴訟を認めるべきとしている点がとくに注目される。

3 団体訴訟の導入に際しての問題点

以上の2つのモデルから，消費者団体訴訟制度の導入に関する主要な論点として，次のような論点が抽出できると思われる。

まず，そもそも消費者団体訴訟制度が必要とされるだけの理由があるかどうかである。次に，消費者団体訴訟制度の導入が必要であるとして，それがいかなる場面で導入されるべきか，消費者団体訴訟にいかなる役割を担わせることができるかということである。つまり，団体訴訟の導入が差止請求の分野に限定されるべきか，損害賠償請求やドイツ法のように利益剥奪請求の分野でも団体訴訟を導入すべきか，という問題である。また，団体訴訟の対象として，いかなる違法行為を対象とすべきかも，実体法上の重要な問題として挙げられる。

このほかに，理論的問題として，消費者団体訴訟制度を法的にどのように組み入れることができるかという難しい問題が存在する。

手続上の問題としては，消費者団体訴訟の手続で民事訴訟一般の手続原則がそのまま妥当するか，あるいは変容を受けるか，判決効に関して特別な制度を設ける必要があるか否か，といった問題が提起される[62]。

---

(61) 「日弁連意見書（注25）」3頁，24頁以下。
(62) このほかにも，差止請求権の執行も含めた権利実現の実効性確保の問題が存在するが，団体訴訟固有の問題とはいえないので，本稿では取り上げない。

V　わが国の消費者団体訴訟制度の導入とそのあり方

　ドイツ法における団体訴訟の制度と理論の現状，それに，わが国での消費者団体訴訟制度の導入に向けた議論の動向を概観したが，最後に，わが国で消費者団体訴訟を導入しようとする際の課題——ここではとくに理論的課題——のいくつかを手がかりに，わが国の団体訴訟制度のあるべき姿を考察したい。

1　消費者団体訴訟制度の必要性

　まず，消費者団体訴訟制度の導入のための前提議論として，消費者団体訴訟制度が必要であるか否かが問題となる。今日，消費者を取り巻く状況については，ドイツか日本かを問わず，次のことが言えるであろう。すなわち，消費者被害は，大量消費社会を背景にして，とどまることを知らず，その被害の広がりの大きさに特徴があるだけでなく，一般的に，個々の被害者の被害の程度は訴訟へのインセンティヴが生じないほど僅少であることが多い。一方，いったん被害が発生すれば，侵害者側の利益は莫大である場合が多く，それがさらに消費者利益の侵害行為へと駆り立てる要因となっている。このような状況において，広範な消費者被害の発生する前に消費者利益を侵害する事業者の行為を抑える必要性は，きわめて大きい。そのため，消費者被害が顕在化する前に差止請求権の行使により，違反行為を阻止する可能性が存することが，何にもまして実効的な消費者被害救済につながりうると言える。しかし，差止請求が，多数消費者への具体的な被害の発生前に行われるべきものである以上，差止請求権の実現を個々の消費者に期待することは難しく，また，そもそも消費者個人に差止請求権の帰属が認められるかも疑わしい。違反行為の差止めは消費者全体の利益保護につながるから，その行使を託すべき者としては，まず，たえず消費者一般ないし消費者集団の利益の擁護を目的として活動する組織が考えられる。これは，消費者個人との比較において，消費者団体が，一般に，訴訟追行能力を含む高い紛争調整能力，情報収集能力，より豊富な財政的・人的基盤をもちうることからも支持されうる。国によって消費者団体の実態も様々であるとしても，ヨーロッパのかなりの国で消費者団体に差止請求権の行使が委ねられている事実も考慮されてよいであろう。また，消費者団体への差止訴訟の委託は，たとえば，かわりに行政機関にそれを委

ねることでは代替できない側面を有している。つまり，広範囲の消費者に侵害をおよぼす企業活動などに対して，実効的な権利保護手段を行使する可能性が，消費者の側に開かれていることが必要であるということである。したがって，差止請求については，消費者団体訴訟制度の導入の必要性が肯定されるであろう[63]。

また，消費者被害が現実化した場合の損害賠償のための救済手段として，消費者団体訴訟の導入が必要かどうかについては，事後的救済の局面でも実効的な権利保護制度が必要であることには異論がないとしても，構想される制度として，クラス・アクションをはじめ様々な制度設計の可能性があるだけに，直ちに，消費者団体訴訟制度の導入の必要性を肯定することは難しい。

2　消費者団体の提訴権の構成

消費者団体訴訟における団体提訴権の法的性質をどのように捉えるかという問題は，立法で決着をつける必要はないが，複数の団体による訴え提起があった場合などの取扱いを考える際の指針となりうるので，明確にしておくことが望ましい面があることも否定しきれない[64]。この点，「国生審最終報告書」や「日弁連意見書」は，いずれもドイツの現行法の立場や従来の通説・判例と同様，団体に固有の実体法上の差止請求権が帰属するとの考え方を支持している。

しかし，この提訴権の規定の仕方は，たんなる技術的な問題にとどまらず，団体の提訴権がいかにして正当化されるかという問題と密接に関わる。そのため，

---

(63)　かりに消費者団体訴訟制度を立法化するとした場合に，どのような立法形式で法制化するかは議論の余地があろう（「日弁連意見書（注25）」9頁参照）。1996年の日本民事訴訟法改正の際に，団体訴訟の定めを民事訴訟法に設けるかが検討されたことがあるが，団体訴訟を，純粋に訴訟担当のように訴訟法的に構成するならともかく，一定の団体に差止請求権や利益剥奪請求権などの権利を付与する制度として構成するならば，実体法に規定する方が自然であろう。「国生審最終報告書」や「日弁連意見書」は，消費者契約法などの各実体法で規律することを念頭に置いている。

　　　ドイツの不作為訴訟法――これは不正競争防止法上の団体訴訟を含んでいないので，団体訴訟の完全な包括的な立法とは必ずしもいえないが――のように，団体訴訟に関する実体法・手続法を含む包括的な1つの法律（団体訴訟法）を制定することも考えられるが，この場合は，団体訴訟のための共通の法理が確立していることが前提として必要であろう。

(64)　ドイツの団体訴訟規定は，従来は，団体が不作為請求権を主張しうると定めていたため，団体に不作為請求権が帰属しないとの解釈論の余地を残し，それが，団体訴訟の法的位置づけに関する種々の見解を登場させるきっかけになった。

ドイツでは，不作為訴訟法や新不正競争防止法で団体固有の不作為請求権が明文化されるまで，団体提訴権の法的組入れをめぐり多種多様な見解が提唱されていたのである。ドイツでは，団体固有の請求権を支持することを立法者が宣言した以上，これと異なる法的構成，たとえば，法定訴訟担当や独立の訴訟追行権のような構成はもはや採る余地がなくなったように思われる。しかし，わが国の場合は，これから団体訴訟を導入しようとするのであるから，ドイツ法と同様の法的構成をとらなければならない必然性はない[65]。むしろ，これまでのわが国の民法，民事訴訟法の原則や体系との関係で，最も整合性のある法的構成をとることが要求される。したがって，「国生審最終報告書」におけるように，団体固有の請求権を認めることが果たして妥当かどうかが問題とされねばならない。

かりに消費者の集団的利益なるものが認められると仮定して，事業者の違反行為により消費者の集団的利益が侵害または脅かされた場合に，消費者団体の提訴権がなぜ根拠づけられるのか。これに対する最も簡単な解答は，法律がそれを認めるからということであろう。しかし，それだけで制度の実質的な正当化があったとはいえまい。ドイツにおいて従来，団体訴訟の法的性質に関して多数の研究が発表されてきたことがそのことを示しているように思われる。わが国でも，ドイツ法の強い影響下にある請求権概念や訴訟追行権（当事者適格）の概念を前提としつつ，この問題は検討される必要があろう[66]。

この点について，ドイツでは，団体固有の請求権を明定したにもかかわらず，十分納得いく説明はいまだ存在しないように思われる。かつてマンフレート・ヴォルフは，集団的利益（Gruppeninteresse）の侵害または侵害のおそれがあるときに，集団的利益の担い手である団体が不作為請求権を有するとし，これは，法的に保護される利益が帰属する者に当該利益を侵害する違反行為の不作為請求権が認められるとの一般原則の発現であると述べた[67]。しかし，なぜ団体が集団的

---

(65) 三木浩一「消費者団体訴訟の理論的課題——手続法の観点から——」NBL 790号（2004年）46頁は，団体訴権は，立法によって創設的に付与される権利であるので，その法的性質は政策的に自由に決定できるとする。
(66) これに対して，団体訴訟の法的性質を論じる意味に対して疑問を提起するものとして，三木・前掲注（65）45頁。なお，最近の文献でこの点を比較的詳しく検討しているものとして，鹿野菜穂子「消費者団体による差止訴訟の根拠および要件について」立命館法学292号（2003年）1777頁以下。

利益の担い手なのかの説明は容易でない⁽⁶⁸⁾。かといって，団体固有の利益が侵害されたから，団体固有の請求権が発生するというように構成しても，この構成に対しては，団体にこのような法的に保護される実体的利益が認められるかという疑問が生じる⁽⁶⁹⁾⁽⁷⁰⁾。

また，そもそも消費者利益が集団的利益なのか，私的利益を超えた公益なのかも議論の余地がある⁽⁷¹⁾。しかし，EU 指令や他のヨーロッパ諸国の法制度では，公益でも個人の利益の集積でもない集団的利益（Kollektivinteresse）という概念を認め，それを前提にしている事実は注目されてよい。

3 消費者団体の適格要件

消費者団体が差止請求をなしうるための要件⁽⁷²⁾については，「国生審最終報告書」は，その要件の基礎として，消費者利益代表性，訴権行使基盤，弊害排除という3つの観点を置き，具体的には，①法人格，②消費者全体の利益擁護を団体

---

(67) *M. Wolf*, a.a.O. (Fn. 34), S. 11 ff.

(68) たとえば，ベッターマンは，団体が集団の代表であることが必要であるとヴォルフ説を批判した（*Karl August Bettermann*, Zur Verbandsklage, ZZP Bd. 85 (1972), 144)。

(69) *J. Basedow/K. J. Hopt/H. Kötz/D. Baetge* (Hrsg.), a.a.O. (Fn. 40), S. 45 は，団体訴訟の場合に団体が固有の損害を主張するとの想定は，疑わしいとする。団体が自ら被った損害なら，団体はとにかく訴求できる以上，なんら団体訴訟は必要ないことになるはずであるからである。

(70) この点につき，わが国では，団体の固有の利益を根拠に団体固有の請求権を根拠づける見解が，「日弁連意見書（注25）」(同11頁）や，「国生審最終報告書」作成に関わった委員会のメンバーによる論説において主張されている（たとえば，三木・前掲注（65）46頁は，団体への固有の請求権付与を根拠づけるために，様々な政策的理由のほかに，固有の請求権の基礎として，消費者一般の利益の擁護を活動目的とする消費者団体の固有の利益などを措定することができることを挙げる）。これに対して，鹿野・前掲注（66）1780頁は，団体固有の利益を基礎に置くことに疑問を呈する。

(71) わが国の文献では，集団的利益を，私益と公益の中間的な利益と位置づける立場や，集団構成員の個人的利益の集合物ではないとする立場が有力である。鹿野・前掲注（44）59頁，60頁注4参照。

(72) 「国生審最終報告書」の基礎となった「消費者団体訴訟制度の骨子について」や，「日弁連意見書」における消費者団体の適格要件についてドイツ法を参考にしながら検討するものとして，宗田貴行「団体訴訟の原告適格」奈良法学会雑誌17巻3・4号（2005年）1頁，とくに28頁以下がある。

の目的とすること，③前記団体目的に沿った活動実績があること，④一定程度の団体規模，⑤団体が特定の事業者ないし事業者団体から独立していること，⑥差止請求権が的確に行使されるための適切な組織運営体制，人的基盤および財政基盤を具備していること，および，⑦反社会的存在からの独立性を要件として要求する[73]。

「日弁連意見書」の方は，上記②，③[74]のほかに，100人以上の自然人を構成員とするか，構成員である社団を構成する自然人が総数100人以上であること，および，法人または権利能力なき社団であることを要件とする。「国生審最終報告書」と「日弁連意見書」を比較すると，前者が⑥を要件とすることや，①の法人格を常に要求する点で，要件が厳格であることがわかる。

また，提訴団体がこれらの要件を欠いている場合の取扱いについては，それらの要件を行政に判断させる[75]のではなく，受訴裁判所が直接に判断するとした場合には，要件の欠缺を訴訟要件の要件として訴えを却下するのか，団体の差止請求権等の欠缺を理由に請求棄却判決を言い渡すべきかが問題となる[76]。ちなみに，この問題に関しては，これらと類似の要件が団体提訴権の要件とされていたドイツのかつての団体訴訟制度のもとでは，訴えを却下すべきとするのが通説・判例であったが（両性説），現在は，それらの具備を前提とするリスト登録が団体提訴権の要件とされ，その登録の欠缺は請求権の要件の欠缺として請求棄却判決に帰着すると解する見解が有力である。この問題を立法で解決すべきかは，

---

[73] 「国生審最終報告書（注24）」11頁以下。
[74] 消費者利益の擁護を団体目的とすることと，実際にその目的に沿った活動を継続的にしていることを団体の適格要件として要求する点は，団体の追求する利益と保護される集団的利益としての消費者利益の同方向性を求めているものと言える。アメリカのクラス・アクションの場合に代表者の適格要件として適切な利益代表の可能性を要求することと共通する面があるといえなくはない。
[75] 行政による要件審査に基づく登録や認可を団体の訴求に要求することは，法的安定に資する面があるほか，適格要件審査に関する裁判所の負担を節約し，裁判所の面前でのそれをめぐる紛争を回避できる点で考慮に値するが，ドイツのかつての不正競争防止法上の団体訴訟の場合にそうであったように，登録などを要求せずにスタートすることは十分考えられる。
[76] 団体の適格要件への適合性をあらかじめ行政に判断させる方法を採用した場合でも，その行政の判断をクリアしたかどうかを裁判所が判断することになろうが，それをクリアしていないことが判明したときに，同じように，却下か，棄却かの問題が生じる。

立法に際しての検討課題となりうると思われる[77]。

ドイツ法では，権利能力なき社団は能動的当事者能力を有しないため（ドイツ民訴法50条2項），提訴団体は法人格を有しなければ当事者となりえないが，わが国の民事訴訟法29条では，ドイツ法と異なり，権利能力なき社団であっても能動的および受動的当事者能力を有しうるから，法人格なき消費者団体にも団体訴訟を許容する余地はありうる。しかし，少なくとも，団体に固有の差止請求権等を付与するならば，権利主体となれる能力すなわち法人格が必要であるとするのが首尾一貫するであろう[78]。

4 消費者団体訴訟の訴訟手続

消費者団体訴訟の訴訟手続については，どのような手続原則の下に手続が進められるべきかという問題がある。この点は，フランスのように民事訴権の制度（action civile）を採っているために結果的に刑事訴訟手続と一緒に職権探知主義等の支配する手続のもとで審理が行われる法制や，ギリシャのように真正争訟事件として職権探知主義の妥当する非訟手続にしたがって柔軟かつ迅速に審理が行われる法制もある。団体訴訟が単純に団体固有の権利の実現のみを目的とするのではなく，実質的には消費者の集団的利益や公共の利益を保護するのに資することを重視するならば，職権探知主義の妥当などが支持される可能性がある。しかし，団体固有の権利という構成をとるならば，処分権主義や弁論主義といった通常の民事訴訟を支配する手続原則にしたがって手続が進められるという立場の方

---

(77) 「日弁連意見書（注25）」2頁は，適格要件の欠缺の場合は，訴えを却下すべきとするが，それが「日弁連意見書」の団体固有の請求権構成と整合するかは議論の余地があろう。

(78) 法人格を必要とするかどうかについては，我が国の消費者団体の実情を踏まえると，法人格なき団体でも団体訴訟を認めてよいようにも考えられるが，一方で，団体に固有の差止請求権等が帰属するとして，その実体法上の権利享受主体性を肯定し，他方でその法人格を要求しないことが法体系的に整合するのかは疑問がある。近時，判例・学説上，法人格なき団体の訴訟当事者能力を認めることが実体法上の権利享受主体性（権利主体性）を認めるものではないとする傾向が有力になっているなか，はじめから権利主体性のない団体に差止請求権が帰属するとの構成には矛盾があるとの批判が考えられる。なお，「国生審最終報告書」が法人格を適格要件とすることについて批判的な文献として，大河内・前掲注（4）13頁，また，法人格を必要でないとする文献として，鹿野・前掲注（66）1783頁以下。

が，その訴訟物の構成に，より整合的ではないかと思われる(79)。

団体訴訟の判決の効力については，他の団体や個々の消費者への既判力等の判決効の拡張の可否が問題となる。この点につき，ドイツでは，不作為訴訟法11条により，団体訴訟の判決効が，個々の消費者への有利な方向で片面的に拡張されている。このほかに，すべての者に対して既判力拡張を有利にも不利にも認めるギリシャのような国があれば(80)，オランダのように当事者にのみ及ぶとするものもあり，団体訴訟の判決効に関する規律は，国によって様々である(81)。

たとえば，ドイツ法は，不当約款条項の使用差止めを求める団体訴訟で原告団体が勝訴した場合に，被告が判決の不作為命令に違反したときは，契約の相手方（消費者）も団体勝訴判決を援用して当該約款の無効を主張することができるとする（不作為訴訟法11条）。この団体訴訟の判決を当事者以外の消費者が援用できるとする制度は，無効の判断が判決理由中の判断であることと，当事者の援用を必要とすることから，伝統的な既判力理論を前提とするかぎり，既判力の拡張と捉えることは難しい(82)。そのため，ドイツの有力説は，この判決援用制度を，特別な訴訟上の作用と解する。これは，権利保護の実効性を高めるものであることと，約款使用者が裁判上確定された個別の不作為命令に違反することから，実質的に正当化されている(83)。

かりにわが国において権利保護の実効性を高めるために，ドイツ法のように判決効拡張の制度を導入しようとするならば，既判力等の片面的拡張とすべきか，また判決理由中の判断にも既判力等を認めるべきかなどが制度設計上問題となる。たとえば，「日弁連意見書」は，ドイツ法類似の制度の導入を提案するが(84)，判決効の基本原理からの正当性が検証される必要があろうし，消費者団体訴訟の対

---

(79) 三木・前掲注（65）50頁は，消費者団体訴訟手続における処分権主義や弁論主義の通用の問題について，団体提訴権の法的性質とリンクさせて議論することは非生産的であり，それらの原則の具体的発現場面ごとに，実質的な検討を加えるべきであるとする。

(80) *J. Basedow/K. J. Hopt/H. Kötz/D. Baetge* (Hrsg.), a.a.O. (Fn. 40), S. 199.

(81) *J. Basedow/K. J. Hopt/H. Kötz/D. Baetge* (Hrsg.), a.a.O. (Fn. 40), S. 22.

(82) 約款条項の無効確認請求と差止請求との併合提起を行い，無効確認判決部分についてはムスタ訴訟判決として他の者に片面的に既判力を拡張するという制度設計もありうる。

(83) *R. Urbanczyk*, a.a.O. (Fn. 28), S. 220.

(84) 「日弁連意見書（注25）」3頁，24頁以下。

象のうち，実質的な判決効の拡張になじむ訴訟（たとえば，約款条項の使用差止め）とそうでない訴訟の線引きも必要となろう。

5 消費者団体による損害賠償請求

拡散的消費者被害の事後的救済手段としての損害賠償請求制度のあり方については，諸外国を見ても，対応は様々である。ドイツは，既述の通り，個々の消費者の損害賠償請求権を消費者団体が譲り受けて集束的に訴求することが可能であるほか，厳密には損害賠償請求権ではないが，利益剥奪請求権の行使を団体に認めている。他の欧州諸国では，フランスのように，私訴という形ではあるが団体に損害賠償請求権を付与する法制もあれば，ギリシャの1994年の消費者保護法のように，団体に，集団的消費者利益における非財産的損害の賠償請求をすることを認める法制もある。また，さらに，スウェーデンのように，クラス・アクションに相当する集団訴訟として私人の集団訴訟，官庁や自治体による公的な集団訴訟，さらには団体訴訟を認める国も存在する。

したがって，損害賠償請求のような事後的救済が問題となる場面では，差止訴訟のような予防的権利保護の場面とは違い，より多様な制度設計の可能性が存在する。ただ，上記の国々に共通するのは，差止請求制度だけでは，十全かつ実効的な消費者利益保護が達せられないという認識であり，それゆえに，何らかの集団的損害賠償請求制度や利益剥奪請求制度が設けられているということである。わが国では，少なくとも「国生審最終報告書」は，損害賠償請求について，現時点での団体訴訟やクラス・アクションなどの特別な集団的権利保護手段の導入を予定していないが，将来的には，損害賠償請求に関しても団体訴訟などの集団的権利保護制度の導入が検討されてよいであろう。その関連では，「日弁連意見書」が，フランスなどの消費者団体による損害賠償請求制度を参考にしつつ，消費者団体の損害賠償請求の制度の導入を提案しており，注目される。そこで，最後に，消費者団体による損害賠償請求制度の導入について少し検討しておきたい[85]。

まず，消費者団体による損害賠償請求を認める趣旨は，多数の消費者が被った損害を填補すること，または，違法行為により不当に利益を得た事業者の利益をはき出させることにある。両者は互いに相容れないものではないが，損害の填補

---

(85) 以下の点については，髙田・前掲注（27）56頁以下，68頁以下参照。

に重きを置くならば，消費者団体による損害賠償請求において，団体が被害を受けた消費者に代わって彼らの権利を訴求する方式が考えられる。その最も強力な形式は，消費者団体によるクラス・アクションである。それに対して，不当な利益の吐き出しや制裁的な側面に重きを置くならば，被害を受けた消費者の個々の権利と無関係に消費者団体に損害賠償請求権を付与することが考えられる。フランス法における消費者団体の損害賠償請求の制度や，ドイツ法の消費者団体による利益剥奪請求の制度は，後者に重きを置いたものと解することもできる。

このうち，ドイツ法による団体の利益剥奪請求権やフランス法上の団体固有の損害賠償請求権のような制度を立法により導入しようとするならば，いくつかの解決すべき問題が生じる。まず，理論的には，これらの請求権がどのように正当化されるかという問題が存在する。たとえば，フランスでは，団体による損害賠償請求の制度は，団体によって代表される集団的利益への損害に基づいて訴求する制度として捉えられ，集団的損害または団体固有の損害，それも大抵は，非財産的な＝精神的な損害に基づくものと解されているといわれる[86]。しかし，団体がなぜ集団的損害を賠償請求できるのかは明らかではなく，また，団体固有の非財産的損害を認めうるのかも問題となろう[87]。同様の正当化の問題は，ドイツにおける団体の利益剥奪請求権にも存在する[88]。

また，消費者団体固有の損害賠償請求権や利益剥奪請求権の制度を採用する場合，それに附随して様々な問題が生じうる。とくに，問題となるのは，損害賠償

---

(86) *J. Basedow/K. J. Hopt/H. Kötz/D. Baetge* (Hrsg.), a.a.O. (Fn. 40), S. 45, 175.

(87) ギリシャ法では，団体固有の損害賠償請求権は，非財産的損害の金銭賠償と捉えられ，集団的消費者利益それ自体が被った非物的な損害の賠償を団体は要求でき，個々の消費者の現実的な損害の賠償を求めるものではない。立法者は懲罰的賠償の側面を引き合いに出しているが，むしろ，この制度によって，消費者の一般的な集団的な利益が保護されるものと考えられており，消費者一般大衆という一般的利益をもつ始めから不特定の人的範囲の保護のための制度として位置づけられている（*J. Basedow/K. J. Hopt/H. Kötz/D. Baetge* (Hrsg.), a.a.O. (Fn. 40), S. 201 ff.）。

(88) *J. Basedow/K. J. Hopt/H. Kötz/D. Baetge* (Hrsg.), a.a.O. (Fn. 40), S. 45 は，団体訴訟の場合，まさに団体の損害ではなく，自らは手続に関与しない多くの第三者の財産損害が問題であり，この理由から，損害賠償に向けられた団体訴訟の場合，団体訴訟により攻撃される権利侵害によって不利益を被った者の個人的損害の賠償が中心になっているとする。この枠内では，威嚇（脅かし）と権利侵害者からの不法な財産利益の吸上げの観点も斟酌されうるとするが，とにかく，通常事例と異なる損害概念を団体訴訟において認めることは必要ないという。

金や剥奪利益の帰属先が誰かである。損害賠償金や剥奪利益の帰属先や取扱いは，集団利益を個々の消費者の損害の集積と捉えると，場合によっては，クラス・アクションのように被害者への分配問題が生じうる。ただ，賠償金の分配が実際的でないことは，ドイツやフランスの場合の損害賠償金や収奪された利益の扱い方——ドイツでは国庫に帰属し，フランスでは団体に帰属する——からも窺うことができる。

消費者団体の提訴のインセンティヴからは，賠償金が団体に帰属するものとする考え方もありうるが，その場合，複数の提訴権ある団体間での分配問題が生じる可能性がある。また，利益目当ての団体訴訟の濫用の危険も生じうる。実際，ドイツの立法者が剥奪利益の帰属先を提訴団体ではなく，国庫としたのは，利益目当ての団体訴訟の濫用をおそれたためである。しかし，そうかといって，ドイツのように国庫に帰属するとするのも疑問がないわけではない。

このほかにも，利益剥奪請求権については，政策的な問題として，どの範囲の利益を剥奪の対象とすべきかという問題，利益剥奪請求権と個々の購買者の損害賠償請求権との関係，複数の団体による同一違反行為を理由とする同一事業者に対する利益剥奪請求訴訟相互の関係など，制度を構想する上で難しい問題が存在する。もちろん，ドイツ法は，これらの問題に対しても法規定を置いて対応しているが，その対応の当否も今後検証する必要があろう。

最後に，私権や私的利益の実現の枠を超えた利益剥奪請求権や損害賠償請求権の行使という権限を消費者団体に付与することが，社会秩序の中で消費者団体に認められるべき地位・役割と整合するのか，さらに検討を重ねる必要があるように思われる。また，差止請求とは違い，消費者団体の訴訟追行と個々の消費者に帰属する損害賠償請求権行使との間に緊張関係が生じるだけに，消費者団体の訴訟活動による個人の自由領域への介入という問題[89]も検討する必要があろう。

Ⅵ　おわりに

前記の「国生審最終報告書」を踏まえ，内閣府は，現在，消費者契約法を中心

---

(89) 団体訴訟と個人の自由領域との関係について論じた文献として，*M. Wolf*, a.a.O. (Fn. 34), S. 61 ff.

とした法領域での消費者団体訴訟制度の導入のための法案を2006年度通常国会に提出することを目指して，具体的な法制化とそのための制度整備に努めているといわれる[90]。そこで計画されている消費者団体訴訟制度は，団体訴訟の先進国ともいうべきドイツ等ヨーロッパ諸国の消費者団体訴訟制度に比し，対象や実効性などの点で不十分なものに落ち着くかもしれない。とはいえ，消費者団体の訴訟外ならびに訴訟上の活動を通して消費者全体の利益の擁護を図る途が法的に開かれるならば，そのような制度が存在すること自体が，消費者利益の実効的保護のための大きな第一歩として評価されてよいであろう。それを出発点として，制度の担い手たる消費者団体による制度活用の工夫および努力，さらには将来の立法による制度の機能強化および機能拡大に向けた努力が継続されていく必要がある。その際，理論の側には，あるべき消費者団体訴訟制度の理論的基盤の構築という課題が課されよう。そのためには，これまでにもまして，ドイツをはじめとした諸外国の団体訴訟立法および理論の動向をも注視していくことが重要となろう。

＜追記＞　本稿脱稿後，2006年5月31日に，消費者団体訴訟制度の新設を盛り込んだ「消費者契約法の一部を改正する法律案」が成立し，6月7日に公布された（2007年6月7日施行）。これによって，消費者契約法違反行為の差止めを求める消費者団体訴訟制度が導入された。この制度の内容はさておき（改正消費者契約法の法文および同法による消費者団体訴訟制度に関する資料については，http://www.consumer.go.jp/seisaku/cao/soken/index.html 参照），消費者の集団的権利保護手段として消費者団体訴訟制度がわが国にはじめて導入されたことは，拡散的被害救済のための実効的手段の創設として歓迎されよう。改正消費者契約法上の消費者団体訴訟制度に対する考察は，他日を期したい。

　なお，脱稿後に，宗田貴行『団体訴訟の新展開』（慶應義塾大学出版会・2006年）；同「EUにおける競争法違反行為に係る民事的救済制度の新たな展開――我が国の独占禁止法・景品表示法への団体訴訟制度の導入についての示唆――」奈良法学会雑誌18巻1・2号（2005年）1頁のほか，法律のひろば58巻11号（2005年）4頁以下の「特集・消費者団体訴訟制度の導入へ向けて」所収の以下の論稿に接した。内閣府国民生活局消費者団体訴訟制度検討室「消費者団体訴訟制度の検討委員会の報告」；上原敏夫「団体訴権をめぐる議論の沿革」；山本豊「わが国における消費者団体訴訟の制度設計」；長野浩三「消費者契約法をめぐる論点――消費者団体訴訟制度導入への期待――」；齋藤憲道「消費者団体訴訟制度を考える」；野々山宏「消費者団体訴訟制度の担い手として」。

---

(90)　坂東俊矢「消費者団体訴訟が問いかけるもの―国民生活審議会『最終報告書』を読む」消費者情報365号（2005年）22頁参照。

第Ⅲ部　社会保障法

ドイツ労働・社会法秩序における団体の機能

ウルズラ・ケーブル
西谷　敏訳

は じ め に

　ドイツ連邦共和国の多元主義的国家においては，とくに経済分野とその中心的領域である「労働と社会保障」の分野で，諸団体に最も重要な影響力が与えられている。中心的な役割を果たすのは，いわゆるソーシャル・パートナー，すなわち労働組合とその対抗者である使用者団体・経済団体である。医療と福祉の分野では，それらの提供主体（医師，病院，介護施設，薬剤師，製薬会社，福祉施設）の団体も，重要な役割を演じる。

　ドイツの社会的市場経済の特徴は，いわゆる「コーポラティズム」にある。すなわち，とくにソーシャル・パートナーが，労働・社会法秩序の規範的な決定にも，その行政的，司法的な実現と実効性確保にも強く関与するということである。たとえば，労働裁判所においても社会裁判所においても，労働組合と使用者団体の代表が，三審制のすべての段階で，職業的裁判官と同権をもつ非職業的裁判官として，それぞれ一人ずつ関与する。行政の次元についていえば，ドイツ社会保険制度では，そのすべての領域において，19世紀の創設以来，いわゆる「社会的自治」（soziale Selbstverwaltung）が基本的特徴をなしている。社会保険の保険運営主体は，自治的権限をもった公法上の団体（Körperschaft）であり，その機関は，原則として同権をもつ両陣営の代表によって構成される。

　ソーシャル・パートナーの影響力（提供主体，とりわけ医師の団体と協力してであるが）は，こうした社会的自治の範囲をはるかに越えて，いくつかの層から成る下位規範の形成にまで及ぶ。それは，部分的には国民にとって最も重要な意味を

＊私の作業と広範な資料の評価にあたって熱心に助力してくれた私の助手で司法修習生のダニエラ・クンニングハムさんにお礼を申し上げる。

もつのである。その１つの例として、医師と疾病金庫から構成される、いわゆる連邦合同委員会（der Gemeinsame Bundesausschuss）が法定医療保険制度における診療方法に関して出す指針があげられる。労働生活の分野では、（産業レベルの）労働協約の規範的な、および事実上の効力があげられる。労働協約には、きわめて巨大な（最近大いに論じられている）力が与えられている。ソーシャル・パートナーは、最後に、ドイツの諸政党との親密な関係をもっているため、ロビー活動やメディア活動を通じて、それらに情報上の影響力を及ぼす可能性をもっている。

ソーシャル・パートナーは、国際的にも、国を超えたレベルでも大きい影響力をもっているが、ここでは扱うことはできない。

I　労働と社会保障の領域における団体多元主義

1　団結 Koalitionen（「ソーシャル・パートナー」）

全経済的な意義からいえば、なんといっても労働法上の団結、とりわけ労働組合が諸団体のうちで最も重要な位置を占める。労働組合は、労働・社会法秩序の決定について広範囲の諸権利をもっており、それについて以下で多少詳しく述べることになるが、それと並んで、この核心的領域以外においても広い活動範囲を与えられており、それはドイツ社会全体のシステムにおいて多様な影響力の可能性をもっている[1]。

(1)　団結の発展について

19世紀ドイツにおいて、営業の自由が導入（1810年）され、ストライキ・団結の絶対主義的な禁止が廃止された後に、工業化の進展と「社会問題」の発生のなかで、労働組合運動が誕生した[2]。それは、労働者の自助の運動であり、労働条件を改善することと、（労働力）供給カルテルの形成によって、使用者とある程度対等な交渉上の地位を確立することを目的としていた。最初の労働組合の結成は、

---

(1)　これについては、*Löwisch*, Manfred, Arbeitsrecht, 7. Aufl., 2004, Rn. 188 f.; *Preis*, Ulrich, Arbeitsrecht, Praxis-Lehrbuch zum Kollektivarbeitsrecht, 2003, S. 15; *Belling*, Detlev W., Die Verantwortung des Staats für die Normsetzung durch die Tarifpartner, ZfA 1999, 547（575）参照。

(2)　歴史的展開については、*Gamillscheg*, Franz, Kollektives Arbeitsrecht, Band 1, 1997, §2. Geschichte, S. 79 ff. 参照。

社会主義政党あるいは社会民主主義政党の設立と密接に関係していた。このような政治的な動きが君主制政治体制にとっていかに危険であるかを熟知していたビスマルクは，最初は厳しい手段で，次は穏和な措置によって，つまり「最初は鞭にて，次は飴にて」この運動を弱体化させようとした。1878年には，社会主義鎮圧法(3)によって，社会主義政党，社会主義的労働組合，そしてこれらと近い関係にあった労働者教育協会が解散させられた。周知のとおり，それは失敗であった。ビスマルクは，1881年の皇帝詔勅が述べるように，「社会的な損傷の治癒は…もっぱら社会民主主義的な逸脱を抑圧することのみにてなしうるところでなく，同時に労働者福祉の積極的な増進が試みられるべきである」(4)という認識に達した。この考えにもとづき，社会保険制度(5)が，社会主義者鎮圧法と同様の政治的考慮から導入された。このように，ドイツの労働・社会史においては，労働組合運動と社会保険とは相互に密接に関連して発展してきたのである。1890年に社会主義者鎮圧法が廃止された後，労働組合は急速かつ持続的に組合員数を増大させることができた(6)。

使用者側も，1890年以降，しばしば革命的な要求をもちだす労働組合に対抗するために，使用者団体を結成していった。しかし，その発展は，労働組合よりは遅れをとっていた(7)。

団結は，ワイマール時代の飛躍的な発展の後，ナチスによって解散させられ，統制的画一化（Gleichschaltung）が進められたが，すでに1945年の占領下において再び，今度は政治的にも世界観的にも中立的な最初の「統一労働組合」が結成された(8)。そして，ドイツの経済発展とともに，組合員数も増え，その影響力も

---

(3) Gesetz gegen die gemeingefährlichen Bestrebungen der Sozialdemokratie. この法律について詳しくは，*Huber*, Ernst Rudolf, Deutsche Verfassungsgeschichte seit 1789, Band IV, 1969, S. 1153 ff., 1187.

(4) Kaiserliche Botschaft vom 17. November 1881, Verhandlungen d. Reichstags, 5. Legislaturperiode, I. Sess. 1881/82, Bd. 1,1; abgedruckt auch in Zeitschrift für Sozialreform 1981, 663; vgl. auch *Stolleis*, Michael, Geschichte des Sozialrechts in Deutschland – ein Grundriß, 2003, S. 55.

(5) 皇帝詔勅に続いて，1883年には労働者疾病保険法，1884年には労災保険法，そして1889年には老齢障害保険法が制定されている。詳しくは，*Gamillscheg* (Fn. 2), S. 102; *Huber* (Fn. 3), S. 1191 ff. 参照。

(6) *Löwisch* (Fn. 1), Rn. 179.

(7) *Gamillscheg* (Fn. 2), S. 100, 103; *Löwisch* (Fn. 1), Rn. 192.

増大していく。

しかし，ここ10年の経済の停滞と大量失業の結果として，経済生活におけ労働組合の役割が疑問視されるようになっている。ドイツと日本の労働組合の相違を観察することによって，両者の強さと弱さを明確にすることができよう。

(2) 団結の概念について

ドイツの憲法・労働法における団結概念にとって——この点がドイツ法と日本法の大きな相違であるが——超企業性と任意性の要素が特徴的である[9]。この点については，西谷敏教授の明快な比較法的研究[10]が役にたつ。

ドイツでは，労働組合の多数は産業別の原則に従って組織されている。日本では，労働組合の大部分は企業別組合として組織されている[11]。私の理解が正しければ，日本では，ユニオン・ショップ制度，すなわち採用にあたって従業員に労働組合への加入を強制する制度が定着している[12]。それとは対照的に，ドイツでは，個々の労働者の消極的団結自由もまた基本法によって保障されているのである（基本法9条2項，2条1項）。

ドイツの労働組合は，私法上の結社（Vereinigungen）として，その組織形態や，人的，職業的，地域的な活動領域を，自ら規約によって自由に定めることができる（基本法9条3項。いわゆる集団的団結自由）。ドイツ史における団結禁止の苦い経験から，ドイツの労働法は，労働組合一般や労働争議法に関する特別の法律規定をもっていない。

---

(8) *Löwisch* (Fn. 1), Rn. 180. 以前の社会主義的，キリスト教的，自由主義的な傾向労働組合（„Richtungsgewerkschaften"）からの転換について，*Richardi*, Reinhard, in BMAS (Hrsg.), Geschichte der Sozialpolitik in Deutschland seit 1945, Bd. 2/1, 2001, S. 166 f. 参照。使用者団体は，占領軍の抵抗もあって，ようやく1949年にこれに続くことになった。

(9) ドイツ法における団結概念については，*Löwisch* (Fn.1), Rn. 202; *Preis* (Fn.1), S. 19 参照。

(10) *Nishitani*, Satoshi, Vergleichende Einführung in das japanische Arbeitsrecht, 2003, S. 22 ff.

(11) たしかに日本でも，多くの労働組合が結集する「産業別労働組合」は存在するが，それは協約交渉においては重要な役割を果たさない（vgl. *Nishitani* [Fn.10], S. 99）。

(12) *Nishitani*, Satoshi (Fn.10), S. 22 ff. は，このことを，ワイマール憲法159条の影響を受けた日本国憲法28条が，消極的団結自由の保護という観念を知らなかったことから説明している。

今日，労働組合の大多数は，産業別の原則を採用している。それは，ある労働者についてどの労働組合が管轄するかが，その労働者が修得した職業や現在営んでいる職業によってではなく，現在就労中の事業場がどの経済分野に位置づけられるかによって決せられることを意味している[13]。職業別団体という，歴史的にはより早くから見られた形態は，今日では稀になっている[14]。労働組合の大多数は，今日でも，権利能力なき社団という伝統的な法的形態を保持している[15]。労働組合の財政は，組合費によってまかなわれる。組合費は，通常，税込み所得の1％となっている[16]。

労働組合の世界では，加入組合の連合体（ナショナル・センター）としてのドイツ労働組合総同盟（DGB）が支配的な役割を果たしている。DGBとそこに加盟する——現在は8つしかない——個別組合[17]は，完全なヒエラルキーをなしている[18]。労働組合は，政治的，宗教的な立場を越えた「統一組合」であること，すなわち政治的，宗教上のいかなる信念をもつ者のためにも活動を行うものであることを標榜している[19]。労働組合は，全体として730万人を少し超えた組合員を組織している（もっとも，組合員数は急速に減少しつつある。これについては，以下(3)参照）。DGBの組織は，地域的には，州本部（Landesbezirk），地方本部（Kreise），支部（Nebenstellen）に枝分かれしている。DGBそのものは，財政的独自権限も協約締結権ももっていない。すなわち，DGBではなく，各個別組合だけが

---

(13) Löwisch (Fn. 1), Rn. 184.
(14) 職業別団体原則による組織の実例として，たとえば，勤務医の労働組合としての「マールブルク同盟」，パイロット，航空乗務員，航空技術者の団体としての「コクピット」などがある。vgl. Löwisch (Fn. 1), Rn. 184.
(15) しかし，現在，統合サービス労働組合（ver.di）は，法人登録している。
(16) Preis (Fn. 1), S. 59.
(17) 建設・農業・環境産業労働組合（IG Bau-Agrar-Umwelt），鉱山・化学・エネルギー産業労働組合（IG Bergbau Chemie Energie），教育科学労働組合（Gewerkschaft Erziehung und Wissenschaft），金属産業労働組合（IG Metall），食品・嗜好品・飲食店労働組合（Gewerkschaft Nahrung-Genuss-Gaststätten），警察労働組合（Gewerkschaft der Polizei），交通通信労働組合（TRANSNET），そして統合サービス産業労働組合（ver.di）である。これまで労働組合が統合されてきた過程については，Schaub, Günter, in Schaub/Koch/Linck, Arbeitsrechts-Handbuch, 11. Aufl. 2005, § 189 Rn. 11 参照。
(18) Löwisch (Fn.1), Rn. 187.
(19) Preis (Fn.1), S. 57.

労働協約締結資格をもち，協約交渉を行うのである。

DGBに結集する労働組合と並んで，それ以外にもいくつかの労働組合が存在する。たとえば，ドイツ商工業職員団体，キリスト教労働組合（CGB），産業別管理職組合の中央組織としての管理職連盟（ULA），そして100万人以上の組合員を擁するドイツ官吏同盟（DBB）である。

これに対して，使用者は，労働組合に比較しうるような一元的な組織をもっていない。それは，多様な組織形態を形成してきた。同業者団体（Fachverbände）と並んで，業種を越えて組織された使用者団体も存在する。地域的な同業者団体は，しばしば州段階の同業者団体に結集し，それがさらに連邦レヴェルの中央団体に加入する。州同業者団体は，業種を越えた地域の使用者団体とともに，州使用者団体連合会を結成し，それが直接，ドイツ使用者団体連合（BDA）に加入するのである。使用者団体は，協約交渉における使用者団体としての役割のほか，労働組合側に対応して，国家的，社会政策的な諸機関において使用者を代表するという重要な役割を果たす。当然のことながら，使用者団体は，労働者の特殊利益の擁護が問題となる分野，とくに企業および事業所における広範囲の共同決定という領域では，労働者団結（労働組合）のような役割を果たすことはない。

(3) 団結の危機

最近10年のうちに，団結は様々な理由から危機に陥った。すなわち，経済構造の変化が古い産業分野の没落をもたらした，従来の組織構造が古くなり，あまりに費用がかさむようになった，労働組合は，女性，若年者，比較的高い資格をもった職員を十分に組織できていない[20]，などの要因である。高失業率，就業構造の変化，労働者意識における連帯の後退などの結果として，かなりの組合員数

---

[20] *Bischoff*, Werner, Änderungen in der Verbandslandschaft - Gewerkschaften, Sonderbeilage zu NZA 2000, 4 (5) は，「とくに新たな，将来性のある分野で組織化が遅れている。技能が高く専門的な労働者集団に対して，労働組合が提供するものは往々にして十分な魅力をそなえていない。［労働組合の］伝統的な発想法や構造は，労働組織や事業所組織の新たな形態を十分に把握していない」と指摘している。労働組合の危機について，詳しくは，Bundeszentrale für politische Bildung - Aus Politik und Zeitgeschichte（B 47-48/2003）に収録された*Klammer*, Ute/*Hoffmann*, Reiner, Unvermindert wichtig: Gewerkschaften vor alten und neuen Aufgaben, S. 23; *Schroeder*, Wolfgang, Der neue Arbeitsmarkt und der Wandel der Gewerkschaften, S. 6; *Funk*, Lothar, Der neue Strukturwandel: Herausforderung und Chance für die Gewerkschaften, S. 14. 参照。

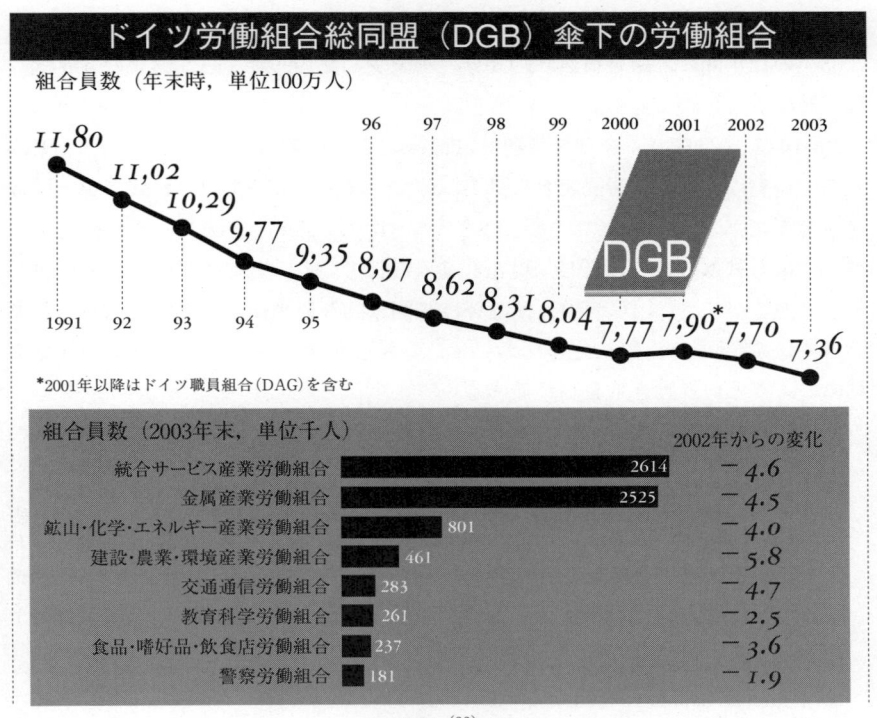

ドイツ労働・社会法秩序における団体の機能　191

ドイツ労働組合総同盟（DGB）傘下の労働組合

組合員数（年末時，単位100万人）

年	1991	92	93	94	95	96	97	98	99	2000	2001	2002	2003
	11,80	11,02	10,29	9,77	9,35	8,97	8,62	8,31	8,04	7,77	7,90*	7,70	7,36

*2001年以降はドイツ職員組合（DAG）を含む

組合員数（2003年末，単位千人）　　　　　　　　　　2002年からの変化

組合	組合員数	変化
統合サービス産業労働組合	2614	－4.6
金属産業労働組合	2525	－4.5
鉱山・化学・エネルギー産業労働組合	801	－4.0
建設・農業・環境産業労働組合	461	－5.8
交通通信労働組合	283	－4.7
教育科学労働組合	261	－2.5
食品・嗜好品・飲食店労働組合	237	－3.6
警察労働組合	181	－1.9

図1 [22]

組合員数の減少

ドイツ労働組合総同盟（DGB）全体

1999　8,034,000
→　7,013,000　2004

1999 ～ 2004：-1,021,000人
-12.7%

図2 [23]

の減少が生じた[21]。そのことは，前頁の図表から明らかである。1991年から2003年の12年間に，組合員数は約3分の1減少し，1999年から2004年の5年間に，12.7％減少したのである。

2005年2月24日の「今日の話題」(Tagesschau) の報道するところでは，DGBの内部調査によれば，労働組合自身が，政治，経済においてその影響力を一層後退させるであろうと踏んでいるという[24]。すでに様々な方法で，それに立ち向かう方策も試みられてきたし，現在も試みられている。とくに労働組合の合併がそうであるが，さらに国際的，あるいは超国家的な協力体制の確立も試みられている[25]。最近では，協約交渉において，非組合員よりも組合員の労働条件を有利にしようという動きも見られる[26]。

使用者の組織率も後退しつつある。それは，従業員数で計算すれば，1960年の

---

(21) 組合員数は，www.dgb.de/dgb/Mitgliederzahlen/2003 で知ることができる。組合員数が減少しているだけでなく，組合員数のなかで年金受給者層の占める比率が年々高まっている。金属産業労働組合では，その比率は20％に達し，統合サービス産業労働組合でも17％になっている。25未満の若い労働者は，10％足らずしか労働組合に組織されていない。vgl. *Klammer/Hoffmann* (Fn. 20), S. 23 m.w.N.

(22) Badische Zeitung vom 03.11.2004.

(23) tagesschau.de vom 24.02.2005.

(24) tagesschau.de vom 24.02.2005「組合内部の調査。危機は『すでに一般に知られているより深刻』」によれば，労働組合はずっと防御姿勢を強いられ，獲得した成果を守ってきただけである。そこでは，「十分魅力的な新たな闘争目標」も，構造改革を断行するためのコンセプトも欠けている，という。

(25) 組合員減少に対処するためのその他の労働組合戦略としては，次のようなものがある。組合員獲得運動，内部の組織改革，労使協力関係の展開，政治参加（たとえば「雇用のための同盟」），市民運動との同盟および共同行動である。Vgl. *Klammer/Hoffmann* (Fn. 20), S. 24 f. m.w.N.

(26) 2004年10月31日の南ドイツ新聞オンライン・ニュース（「より多くの賃金，より多くの休暇，より多くの年金――しかし組合員についてだけ――」）が報じる，ノルトライン・ヴェストファーレン州金属産業労働協約の締結。しかし，通説は，1967年の連邦労働裁判所大法廷決定（BAG v. 29.11.1967, E 20, 175）以来，そのようないわゆる格差条項は違法との立場にたっている。*Löwisch*, Manfred/*Rieble*, Volker, in Richardi/Wlotzke (Hrsg.), Münchener Handbuch zum Arbeitsrecht (zit.: MünchArbR), Band 3, 2. Aufl. 2000, §245 Rn. 73 m.w.N. これに対して，最近の実務におけるそうした条項の内容を紹介しつつ，通説に批判的な立場を明らかにしたものとして，*Gamillscheg*, Franz, Ihr naht euch wieder, schwankende Gestalten-„Tarifbonus" für Gewerkschaftsmitglieder, NZA 2005, 146 がある。

約80％から，2001年の62％へと低下した[27]。ここ数年，多くの企業が，所属する使用者団体の協約政策への不満から脱退した[28]。比較的大規模の伝統的な企業は，依然として強く団体に組織されているが。こうした加入企業の減少とともに，産業別労働協約の適用範囲がこの面からも後退しているのである。

使用者団体は，協約に拘束されない特別加入資格制度（OT-Mitgliedschaft）[29]の導入や，とりわけ，協約上の労働条件の一層大きい格差づけと弾力化への圧力をかけることによって，この問題に対処しようとしている。

ドイツにおける団結［労働組合と使用者団体］の強みと，強い政治的影響力とは，それが超企業的であり，その結果産業分野の利益をまとめうる点にあるのだが，それが同時に弱さを露呈してきたということである。というのは，ドイツにおいても，より多くの問題を事業所レベルで解決しようとする傾向が進んでいるからである。さらにいえば，憲法上保障された消極的団結自由が，組合員（構成員）にさせることの「保障」の欠如をもたらしているだけでなく，組合員が労働協約の分野においても特別の地位を貫徹することを妨げているのである（注26参照）。

2 労働法秩序におけるその他の経営者団体，職業的団体，自営業団体

ドイツの経営者団体は，3本柱から成っている。すなわち，上述の使用者団体，

---

(27) *Schroeder* (Fn. 20), S. 10.
(28) *Stumpfe*, Werner, Änderungen in der Verbandslandschaft‐Arbeitgeber, Sonderbeilage zu NZA Heft 24/2000, S. 1.
(29) 使用者団体は，この制度によって，協約に関する管轄権限を正会員に限定し，協約適用外構成員に対しては，その他の使用者利益を擁護するにとどめようとする。いくつかの産業分野では，協約の拘束を受けることなく使用者団体の構成員になる使用者が近年急増しているという。たとえば，金属産業の分野では，企業の約半分が協約の拘束を逃れ，協約適用外構成員になったという（金属産業分野に関する数値は，2004年9月29日のHandelsblatt：「横断的労働協約の意義が低下する」において公表された）。しかし，労働協約の適用範囲をこのように構成員に一部に限定することが許されるか否かは，争われている。許されるとするものとして，LAG Rheinland-Pfalz v. 17.02.1995, NZA 1995, 800; *Kissel*, Otto Rudolf, Arbeitskampfrecht, 2002, §7 Rn. 10 ff.（そこに引用されている多くの文献も参照）があり，そうでないとするものとして，*Glaubitz*, Werner, Tariffähigkeit von Arbeitgeberverbänden mit tarifgebundenen und -ungebundenen Mitgliedern?, NZA 2003, 140; *Däubler*, Wolfgang, Tarifausstieg‐Erscheinungsformen und Rechtsfolgen, NZA 1996, 225（230 f.）がある。

経済団体，そして会議所（Kammer）である。

　一般に財界の経済政策的利益を代表する経済団体のなかでは，ドイツ連邦産業連盟（BDI）が最大の組織として突出している[30]。

　ドイツ商工会議（DIHT）は，それぞれの商工会議所が加入する中央団体である。それぞれの商工会議所は，強制加入の原則にもとづく公法上の団体（Körperschaft）である。商工業と並んで，手工業，農業や，医師，薬剤師，弁護士などの一定の自由業も，それぞれの会議所組織をもっている。

　法律にもとづいて制度化されている会議所は，経済領域の自己管理と委託された公的任務の遂行という二面的性格をもっている。それぞれの会議所法が，その組織，意思決定手続や任務について規定している。国家は，会議所に一定の活動の遂行，とくに当該職業階層の監察を義務づける。それは，広い範囲で職業訓練を実施することができ，また経済的な問題や構造政策上の問題について，国に助言する[31]。

3　社会保障法秩序におけるその他の団体

　社会保障法分野での「団体の状況」は，労働や経済の領域におけるよりもはるかに多様である。というのは，この分野の法律が自ら多様な団体的組織を創設し，社会国家的課題を遂行させようとしているからである。さらに，とりわけ福祉諸団体（Wohlfahrtsverbände）が給付主体として重要な役割を果たしているからである。

　社会保険の領域においても，ソーシャル・パートナーが主要な役割を果たしている（Ⅲ1において後述）。自主管理の任務を担うソーシャル・パートナーと並んで，保険運営主体と，双方の「対抗者」すなわち給付義務者と受給権者とは，それぞれ団体的に組織されている。

---

(30)　*von Alemann*, Ulrich, Handlungsfelder der Interessenverbände, in Bundeszentrale für politische Bildung, Informationen zur politischen Bildung, Heft 253: Interessenverbände, 1996, S. 22 は，「ドイツ連邦産業連盟（BDI）は，個々の個別団体の複雑に入り組んだ構造の頂点にたっている。そこには，16の州団体と35の産業分野別団体が直接加入しているが，これらの諸団体がまた多くの分野別団体から成り立っているので，結局，合計するとほとんど400くらいの団体がそこに加入していることになる。」と述べる。

(31)　*von Alemann* (Fn.30), S. 24.

紙数の制約上，法定疾病保険（GKV）の分野における団体の入り組んだ様を描くにとどめよう（Ⅲ１ｂの図参照）。保険運営主体としての疾病金庫は，通常は疾病金庫の性格ごとに(32)公法上の団体としての州と連邦レベルの諸団体(33)に組織されている（社会法典５篇207条以下，212条，214条以下）。その他，様々な団体が，いわゆる中央団体として（社会法典５篇213条），疾病金庫の性格の相違を越えて協同している。

医師という医療提供主体については，保険医，保険歯科医，そして心理療法士が，法律にもとづき，公法的団体としての疾病金庫（歯科）医師会（KÄVen），連邦疾病金庫（歯科）医師会（DÄBVen）に強制加入させられている（社会法典５篇77条，72条１，２項）(34)。

病院の領域における医療提供主体は，州病院協会に，連邦段階ではドイツ連邦病院協会（DKG）に組織されている。これらは，いずれも私法上の社団法人である（社会法典５篇108ａ条）。

提供主体システムの形成には，薬局や製薬企業の中央団体や，治療・補助器具業者の団体も引き入れられる（社会法典５篇129条，131条，126条以下）。もっとも，これらの団体は法律にもとづくものではなく，私法的性格をもっている。

給付受給権者，とくに患者の利益を擁護するのは，相当数の利益代表組織と自助組織である（たとえばドイツ障害者連盟（DBR），ドイツ女性患者連盟（BAGP），社団法人・ドイツ自助グループ連盟，社団法人・ドイツ中央消費者連盟（vzbv）(35)

---

(32) 金庫の種類として，以下のものがある。一般地域金庫（AOK），事業所疾病金庫（BKK），連邦鉱員金庫，代替金庫，同業組合金庫（IKK），農業疾病金庫，海員疾病金庫。ドイツにおける金庫の種類がこのように多様であるのに比較すると，日本においては，金庫の構造は均一的である。Vgl. *von Maydell*, Bernd, Zur Weiterentwicklung des Gesundheitssystems in Japan und Deutschland. Vergleichender Bericht, in v. Maydell/Shimomura/Tezuka (Hrsg.), Entwicklungen der Systeme sozialer Sicherheit in Japan und Europa, 2000, S. 494 f.

(33) 例外は代替金庫であり，それは，私法上の登記法人に結合している（vgl. §212 Ⅴ１SGB Ⅴ）。しかし，代替金庫の諸団体は，その私法的な性格にもかかわらず，通常は公法的団体として組織された疾病金庫団体として扱われている。

(34) その点に，給付主体の組織化に関する日本とドイツの顕著な差異が存在する。*von Maydell* (Fn.32), S. 489 は，「ドイツにおいては，医療保険制度における義務的任務を遂行すべき医師，歯科医師の公法的な強制的協力体制である，金庫医師団体と金庫歯科医師団体が存在するが，日本にはそれに対応する制度はない」と指摘する。

である。

　被害者や受給権者の多くの私的な団体的結合が，社会保険の領域を越えて活動している。たとえば，戦争犠牲者，障害者，あるいは一般的にいって社会的弱者の利益を擁護するものとして，伝統ある諸団体，とくにドイツ社会的弱者同盟（Sozialverband VdK Deutschland），ドイツ社会団体（SoVD），そして連邦障害者援護協会（BAGH）がある。

　ドイツの社会保障においては，大きな福祉団体も重要な意味をもっている。ドイツでは，いわゆる「自由社会福祉事業」の提供者，施設，サービスは，いずれも社団法人である6つの中央団体に組織されている。すなわち，ドイツ・カリタス会（DCV），ドイツ新教社会奉仕団（DW），ドイツ同権福祉事業団（DPWV），ドイツ赤十字（DRK），労働者福祉事業団（AWO），ドイツ・ユダヤ人福祉中央協議会（ZWST）である。これらは，さらに連邦自由福祉事業団協会（BAGFW）に結集している[36]。

II　私的経済における団体権力

　現在のドイツの労働法・経済法は，諸団結，なかでも労働組合に，労働・経済条件の決定に参加するための多様な手段を与えている。最も重要なのは，賃金や労働時間といった伝統的な核心的内容をもった労働協約による，広い領域での労働条件決定であり，それは基本法9条3項の団結権という基本権と労働協約法（TVG）[37]によって基礎を与えられている。それより明らかに劣位にあるのが，経営組織法（BetrVG）[38]にもとづく事業所レベルでの共同決定である。労働者側には，こうした対立的な規整制度とは別個に，巨大な資本会社の管理機関への直

---

(35)　これらの組織は，連邦合同委員会において，提案権と協議参加権をもっている（社会法典5篇140 f 条2項）。

(36)　それぞれの福祉団体について，詳しくは，*Boeßenecker*, Karl-Heinz, Spitzenverbände der Freien Wohlfahrtspflege in der BRD, 1995, S. 27 ff.; *Schmid*, Josef, Wohlfahrtsverbände, in Andersen/Woyke (Hrsg.), Handwörterbuch des politischen Systems der Bundesrepublik Deutschland, 5. Aufl. 2003, S. 713 ff.; *Flierl*, Hans, Freie und öffentliche Wohlfahrtspflege, 2. Aufl. 1992, S. 181 ff. 参照。

(37)　1949年4月9日法（WiGBl 1949, 55, 68）。1969年に全面改正され（Bek. v. 25.08.1969, BGBl. I 1323），さらに2003年に改正（Art. 175 V v. 25.11.2003, BGBl. I 2304）された。

接的参加が，とくに共同決定法（MitbstG）によって保障されている。

1 労働協約自治を通じての団体による支配体制（Verbandsregime）
(1) 広汎な協約規整領域

　ドイツ法は，かつて職業団体が与えられたもののなかで最も大きい自由と責任を労働協約当事者に与えている[39]。国家は，協約当事者の権利・義務，とくに労働関係の内容，締結，終了に関する規整や事業所上および経営組織法上の問題の領域において，自らの立法権限を大幅に後退させている（労働協約法1条）。というのは，国家は，基本的に，協約当事者が「何が当事者双方の利益であり，何が共同の利益に合致するかを，民主的な立法者よりも」よく知っている[40]と信頼しているからである。その限りで，労働協約当事者には「規範設定権限」[41]まで付与されている。少なくとも国家は，労働条件を完結的に規整する労働法システムを創造してはならないのである[42]。とはいえ，両者の勢力範囲の線引きは，原則的なレベルでも，個別具体的なレベルでも論争の的となっている[43]。

　立法者の謙抑は，とくに国家諸機関が固有の管轄権をもって協約紛争に介入してはならない[44]ということに表現されている。その代わりに，「ソーシャル・パートナー」には，労働争議という衝撃力のある手段が与えられている。ドイツ法は，強制仲裁制度を予定していないし，協約に対する司法審査やその他の方法による協約検閲（Tarifzensur）も予定していない[45]。ときおり協約自治の外的限界とし

---

(38)　1972年1月15日法（BGBl. I, 13）。2001年に全面改正され（Bek. v. 25.09.2001, BGBl. I 2518），また2004年に改正（Art. 5 Nr. 2 G v. 18.05.2004, BGBl. I 974）されている。
(39)　*Gamillscheg* (Fn. 2), S. 290.
(40)　BVerfG v. 27.02.1973, E 34, 307 (317); *Gamillscheg* (Fn. 2), S. 290.
(41)　BVerfG v. 24.05.1977, E 44, 322 (341); v. 01.03.1979, E 50, 290 (367).
(42)　*Preis* (Fn. 1), S. 46. これに対して，*Picker*, Eduard, Tarifautonomie - Betriebsautonomie - Privatautonomie, NZA 2002, 761 (766) は，団結の規範設定権限に断固として反対する。
(43)　Vgl. *Söllner*, Alfred, Grenzen des Tarifvertrags, NZA 1996, 897; *Gamillscheg* (Fn. 2), S. 289 f.（そこに議論状況を示す多数の文献があげられている）; *Waltermann*, Raimund, Zu den Grundlagen der Tarifautonomie, ZfA 2000, 53 (62 f.); *ders.*, Zu den Grundlagen der Rechtsetzung durch Tarifvertrag, in Festschrift für Alfred Söllner, 2000, S. 1251 (1257, 1261 ff.).
(44)　*Gamillscheg* (Fn. 2), S. 290 f.

て公共の福祉が要求される(46)が,これまで実際に適用された事例は存在しない。

　団結と協約制度の,歴史的に最も古くかつ依然として最も重要な機能は,使用者との関係で構造的な弱者たる地位に置かれた労働者を保護することである(47)。労働協約は,それと並んで,秩序づけ機能や当事者を満足させる機能をもつ。というのは,それは多数の労働関係について一定期間労働条件を固定的に定め,それによって,企業に対し賃金費用のより確実な計算の基礎を与えるからである(48)。また,とくに産業別協約は,労働条件の最低基準を産業段階で統一的に決定する結果として,一種のカルテル機能をもつ(49)。

　労働協約当事者は,労働生活の「秩序づけ機能と満足付与」により,「公的任務」を果たすことになる。連邦憲法裁判所は,それは義務であるとまでいう(50)。協約当事者は,さもなければ「絶望的なほど負担過重となる」(51)国家の負担を軽減するのである。さらに,社会主義において見られたように,国家が分配闘争の当事者になると,すべてのストライキが革命運動に転化する危険性があるという

---

(45)　*Gamillscheg* (Fn. 2), S. 284 ff.; *Löwisch*, Manfred/*Rieble*, Volker, Tarifvertragsgesetz, 2. Aufl. 2004, Grundl. Rn. 49 ff., § 1 Rn. 213.

(46)　たとえば,*Thüsing*, Gregor, Tarifautonomie und Gemeinwohl, in: 50 Jahre BAG, 2004, S. 889; *Zöllner*, Wolfgang/*Loritz*, Karl-Georg, Arbeitsrecht, 5. Aufl. 1998, S. 433 f.; *Gamillscheg* (Fn. 2), S. 317 ff.; BVerfG v. 18.12.1974, E 38, 281 (307)。これに対して,*Kissel* (Fn. 29), § 10 Rn. 32 ff. は強い疑念を表明し,*Löwisch* (Fn. 1), Rn. 306 もそうした限界設定を否定する。

(47)　*Preis* (Fn. 1), S. 62; *Löwisch/Rieble*, in MünchArbR (Fn. 26), § 252 Rn. 34.

(48)　*Löwisch* (Fn. 1), Rn. 229.

(49)　*Rieble*, Volker, Arbeitsmarkt und Wettbewerb, 1996, Rn. 1305 ff. *Preis* (Fn. 1), S. 64 は,「それは,労働条件を統一するのであり,労働協約の適用領域においては労働力の『自由市場』は存在しない」とする。日本の労働協約との相違については,*Yonezu*, Takashi, Regulierungsdichte der Arbeitsbeziehung und ihr Einfluss auf die Beschäftigung in Japan, in *Kitagawa/Murakami/Nörr/Oppermann/Shiono* (Hrsg.), Regulierung‐Deregulierung‐Liberalisierung. Tendenzen der Rechtsentwicklung in Deutschland und Japan zur Jahrhundertwende, 2001, S. 180 参照。そこでは,「日本では,団体交渉は個別企業とその企業内で組織された労働組合の間で行われるので,日本の労働協約は原則として企業別労働協約である。それは,産業あるいはある職業分野において一般的に妥当する統一的な規整の役割を営むものではなく,個別企業において,労働条件と,使用者と組合の関係を決めるにすぎない。」と指摘されている。

(50)　BVerfG v. 18.11.1954, E 4, 96 (107); *Gamillscheg* (Fn. 2), S. 291.

(51)　*Gamillscheg* (Fn. 2), S. 292 m.w.N.

ことも指摘されてきた(52)。

(2) 労働協約の拘束力

① 法源としての労働協約の主たる特徴は，労働契約の両当事者が協約に拘束される場合，協約が個々の労働関係に対して直接的，強行的に妥当するという点にある（労働協約法4条1項）。この協約拘束性は，労働者が協約締結組合の組合員であり，使用者が協約を締結した使用者団体に所属している（団体協約の場合）か，もしくは自ら協約当事者である（企業別協約の場合）場合に存在する（労働協約法3条1項）。

労働協約には，時間的・人的観点にできるだけ長い妥当期間と拘束力が与えられている。脱退によって構成員としての期間が有効に終了したとしても，それだけで協約の効力が終了するわけではない。協約の効力は，労働協約が終了するまで継続する（労働協約法3条3項）のであり，その労働協約も，期間満了後，他の協定によって代替されて初めて終了するのである（労働協約法4条5項）(53)。

② 労働協約の規範的，強行的効力は，労働契約の両当事者が，団体に所属するか自ら協約当事者になることによって協約に拘束される場合を越えて，一般的拘束力宣言（労働協約法5条）によって，協約の地域的，職業分野的適用範囲のすべての労働関係に拡張される。この可能性は，立法理由によれば，労働協約のカルテル作用の保障とアウトサイダーの保護に寄与するものであるが，この間，ほとんど「協約自治制度における国家的規制という石器時代の迷子石」に等しい，として批判されている(54)。

③ 最後に，労働協約は，きわめて広く普及している同等取扱い協定（Gleichstellungsabreden），すなわち個別労働契約による労働協約の援用によって，最も広い人的適用範囲を獲得する(55)。それによって，非組合員である労働者は，組合加入への意欲をなくすことになる。そこで，これについては「ただ乗り」の

---

(52) *Gamillscheg* (Fn. 2), S. 293 m.w.N. 団結に対する「国家授権としての労働生活の秩序づけ」については，*Rieble* (Fn.49), Rn. 1119 ff. 参照。

(53) この余後効に対する法政策的批判として，*Löwisch/Rieble* (Fn.45), §4 Rn. 397 ff. とそこに引用する文献参照。

(54) *Gamillscheg* (Fn. 2), S. 290. 経済的観点からする批判として，*Lesch*, Hagen, Die Allgemeinverbindlichkeit von Tarifverträgen aus ordnungspolitischer und empirischer Sicht, Sozialer Fortschritt 2005, 13.

(55) 労働契約による労働協約の援用については，*Löwisch* (Fn. 1), Rn. 288 ff. 参照。

批判が加えられるのである。

④　協約自治が経済的にも労働市場政策的にも巨大な意味をもつことは，次の数字からも明らかとなろう。2005年7月1日現在，連邦経済労働省（BMWA）に登録された有効な労働協約は61,800，そのうち468について一般的拘束力宣言がなされた[56]。2003年末に有効であった労働協約のうち，約33,100が団体協約であり，約26,500が企業別協約であった[57]。これらの協約によって，ドイツの労働者のうち約84％について，労働協約が完全に，もしくは主として労働条件基準となっているのである[58]。

(3)　協約自治の個別自治への開放の狭さ

労働協約に拘束される当事者にとって，協約自治からの逸脱は，労働協約がそれを許容している[59]か，それが労働者にとって有利な変更を意味する場合[60]にのみ許される（労働協約法4条3項）。

その基本的な考え方は，労働市場における強い個々人の展開の自由が集団によって制約されてはならないというものであり，それ自体は自明のことであるが，労働者にとって法律がいうところの有利であるとは何かは，しばしば不明確である。高い賃金が低い賃金よりも，そして長い休暇が短い休暇より有利であることは当然である。しかし，たとえば協約所定の労働時間よりも弾力的あるいは長い労働時間が，より高い賃金を伴っている場合はどうだろうか。現実に問題となっているのは，使用者が数年間の雇用を保障し，その間整理解雇を行わないことを

---

(56)　一般的拘束力宣言された労働協約の数については，www.bmwa.bund.de 参照。

(57)　*Clasen*, Lothar, Tarifverträge 2003 - Zweijährige Abschlüsse, in Bundesministerium für Wirtschaft und Arbeit（Hrsg.）, Bundesarbeitsblatt 3/2004, S. 20

(58)　*Clasen*（Fn. 57）。しかし，ピッカー（*Picker*, Eduard, Die Privatautonomie in der Moderne. Zur Zukunft der deutschen Tarifautonomie, in Festschrift für Ernst A. Kramer, 2004, S. 775（779））は，全経済発展鑑定専門家委員会の年次報告「改革圧力下の経済政策」（Jahresgutachten 1999/2000, Nr. 36, S. 176 des Sachverständigenrates zur Begutachtung der gesamtwirtschaftlichen Entwicklung, „Wirtschaftspolitik unter Reformdruck"）を示して，「多くの一致した評価によれば，…中小企業の約70％は協約の拘束を逃れている」と指摘する。

(59)　連邦労働協約記録にもとづく開放条項の概観については，*Löwisch/Rieble*（Fn. 45）, §4 Rn. 207 参照。

(60)　これに対して，「日本では，労働協約は通常，事業所レベルにおける労働条件を決定するので，有利原則を認めると従業員の差別や使用者の不当労働行為のために濫用される可能性があるとして，通説は有利原則を否定する」（*Yonezu*（Fn. 49）, S. 180）。

約する場合に，賃上げなしの労働時間延長や弾力化，あるいは賃金引き下げでさえ，全体として労働者に有利といえないだろうか，ということである。その際，誰の判断が基準になるのであろうか。直接の当事者の主観的判断は，基準にならないのであろうか[61]。

この問題は，ドイツの労働市場の長期的な危機のなかで，労働法において解釈論上も立法論上も激しく争われている問題に属する。連邦労働裁判所[62]は，数年前の判決で，上に示唆した有利原則を広い視野でとらえる立場に反対することを明らかにし，雇用確保を重要視しなかった。

---

(61) 比較対象については，労働契約全体を労働協約全体と比較することは許されないし，他方，それぞれの協約もしくは契約の有利な規定を，内容的関連から切り離して「干しぶどう」のように取り出すことも許されない。むしろ，いわゆる「事項群比較」が中心になるべきである。すなわち，種類として関連しあう規定だけを比較のためにまとめて考慮してよいということである。たとえば，協約以下の賃金は，協約以上の休暇と引き換えにされてはならない。有利性の比較については，*Kort*, Michael, Kündigungserschwerungen gegen Lohnverzicht in „Bündnissen für Arbeit" - Vergleich von Äpfeln und Birnen?, in: 50 Jahre BAG, 2004, S. 753; *Thüsing*, Gregor, Vom verfassungsrechtlichen Schutz des Günstigkeitsprinzips - Eine Skizze zu neueren Thesen im Lichte der Rechtsprechung des BVerfG-, in Gedächtnisschrift Meinhard Heinze, 2005, S. 901; *Löwisch* (Fn. 1), Rn. 296; *Zöllner/Loritz* (Fn. 46), S. 398 ff. 参照。通説は，その領域における「理性的な労働者」であれば，「自分の熟慮された利益」のために有利性をいかに判断するであろうか，を基準にすべしとする (vgl. *Gamillscheg* (Fn. 2), S. 855 m.w.N.)。しかし，この命題は，強い法政策的色彩をおびた議論から脱出するよりは，むしろそこに引き入れられることになる。

(62) BAG v. 20.04.1999, E 91, 210 - „Burda"; vgl. auch Entscheidung ArbG Marburg, DB 1996, 1925- „Viessmann"。これらの判断に賛成するものとして，たとえば *Wohlfarth*, Hans-Dieter, Stärkung der Koalitionsfreiheit durch das BAG, NZA 1999, 962; *Däubler*, Wolfgang, Das neue Klagerecht der Gewerkschaften bei Tarifbruch des Arbeitgebers, AiB 1999, 481 があり，場合によって分けるべしとするものとして，*Löwisch*, Manfred, Deliktsschutz gegen abtrünnige Mitglieder? BB 1999, 2080; *Richardi*, Reinhard, Tarifautonomie und Betriebsautonomie als Formen wesensverschiedener Gruppenautonomie im Arbeitsrecht, DB 2000, 42 (44 ff.); *Rieble*, Volker, Die Burda-Entscheidung des BAG, ZTR 1999, 483; Schliemann, Harald, Tarifliches Günstigkeitsprinzip und Bindung der Rechtsprechung, NZA 2003, 122 があり，批判的なものとして，とくに *Picker*, Eduard, Die Tarifautonomie am Scheideweg von Selbstbestimmung und Fremdbestimmung im Arbeitsleben - Zur Legitimation der Regelungsmacht der Koalitionen, in: 50 Jahre BAG, 2004, S. 795 (798); Adomeit, Klaus, Der Tarifvertrag - liberal revidiert, NJW 2000, 1918 がある。

大量解雇や事業所閉鎖を迫られる企業の危機のなかで（たとえば，最近では，オペルやカールシュタット・クヴェレで問題となった），いわゆる「労働のための事業所同盟」において，賃金引き下げその他と引き替えの職場の保持の計画が交渉されるのが通例となってきた。それは，企業経営者と従業員代表委員会の間で交渉されるものであるが，それの法律的拘束力をもった現実化は，規範的効力をもつ経営協定という集団的制度（経営組織法77条，これについては以下の2を参照）によってはできず，集団的に交渉された提案に従う個別契約の変更によるか，それとも協約からの逸脱の許可（下記2(2)）によるほかない。

2　事業所組織に対する団体の影響
(1)　従業員代表委員会と労働組合の原則的分離

事業所段階では，使用者と従業員代表委員会とは，とくにいわゆる「社会的事項」（経営組織法87条）の領域において，自治的な規整権限をもつ。たとえば，事業所における労働者の行為，労働時間の配分，休暇計画，賃金評価の方法などである。これに対して，労働者の採用，配転，解雇などの人事事項（経営組織法92条以下）や，経済的事項（経営組織法106条以下）に関する共同決定は，経営協定という形態の規範設定よりは，個別行為を通じてなされる[63]。

事業所の自治は，法的な最低限の要請だけから見ると，「団体から自由な」領域である。経営組織法の規定によれば，団体の関与は形式上は要求されていないからである。事業所の共同決定における使用者の相手方は，労働組合ではなく，従業員代表委員会である。こうしてドイツ法は，事業所組織の諸機関の組織・任務と労働組合のそれとの原則的分離という原則に従っていることになる。従業員代表委員会は，それぞれの事業所の労働者によって選出された従業員全体の機関であり，労働組合は組合員の企業を超えた団結である[64]。

そのことに対応して，従業員代表委員会の選挙（経営組織法14条）も，従業員代表委員としての被選挙資格（経営組織法8条）も，団体の組織からは完全に独立している。労働者の代表としての従業員代表委員会の事業所における日常的活動も，原則として団体から自由になされる。

---

(63)　しかし，「社会計画」（§112 I S. 3 BetrVG）は重要な例外である。
(64)　*Löwisch* (Fn. 1), Rn. 537; *Preis* (Fn. 1), S. 521.

しかし，現実には，事業所における効果的な共同決定は，労働組合に強く依存しており，そのことは法律も十分に考慮している。組合員が事業所に1人でも存在する限り，労働組合には，広い範囲でイニシャティブをとる権利，相談に応じる権利，コントロール権が保障されている(65)。たとえば，事業所に立ち入る権利（経営組織法2条2項），とくに従業員代表委員の選挙にあたってイニシャティブをとる権利（経営組織法16条2項，17条3，4項），独自の選挙提案権と選挙への異議申立権（経営組織法14条3，5項，19条2項）がある。労働組合は，従業員集会の開催を要求することができ（経営組織法43条4項），経営組織法への重大な違反がある場合，労働裁判所に，従業員代表委員会の解散や使用者に対する強制措置さえ申し立てることができる（経営組織法23条）。のみならず，労働組合は団結自由からの直接的な帰結として，情報提供と組合員募集の権利をもっている(66)。

また，立法者は労働組合と従業員代表委員会の人的な一致や協同について法的に規定しはしなかったが，事業所自治は通常，人的な結びつきによって労働組合に支配されている(67)。事業所における労働者代表の70％から75％は，DGBに属する労働組合の組合員である。

もっとも，現在でもなお，従業員代表委員会が労働組合の利益や労働協約の内容に反するような使用者の措置に荷担するという事例がしばしば見られる(68)（不作為請求については，Ⅳ参照）。

(2) 事業所自治に対する協約自治の優位

労働協約法と経営組織法の考え方からすれば，事業所自治は明らかに協約自治

---

(65) これらの権利について包括的に論じるものとして，*Däubler*, Wolfgang, Gewerkschaftsrechte im Betrieb, 10. Aufl. 2000, S. 69 ff.; *Richardi*, Reinhard, Betriebsverfassungsgesetz, 9. Aufl. 2004, §2 Rn. 64 ff., 86 ff.; *Eisemann*, Hans Friedrich, in Dieterich/Müller-Glöge/Preis/Schaub (Hrsg.), Erfurter Kommentar zum Arbeitsrecht (zit.: ErfK), 5. Aufl. 2005, §2 BetrVG, Rn. 5 ff.; *Löwisch*, Manfred/*Kaiser*, Dagmar, Betriebsverfassungsgesetz, 5. Aufl. 2002, §2 Rn. 16 ff., 20 ff. 参照。
(66) *Löwisch*/*Kaiser* (Fn.65), §2 Rn. 28 ff. しかし，事業所に関係のない組合員の立入の権利，範囲については争いがある。vgl. *Eisemann* (Fn.65), Rn. 5, 8; *Richardi* (Fn.65), Rn. 100 f.
(67) *Preis* (Fn.1), S. 521. 労働組合と従業員代表委員会の関係全般については，*Däubler* (Fn.65), S. 47 ff. („§2: Gewerkschaft und Betriebsrat-Konkurrenten oder Kooperationspartner") 参照。
(68) その代表例として，フィースマン事件がある（ArbG Marburg v. 07.08.1996, NZA 1996, 1331)。

に劣後する。そのことは，まず，企業別協約もまた，従業員代表委員会によってではなく労働組合によってしか締結されえないこと（労働協約法2条）において宣言されている。また，「労働協約によって規定されているか，規定されるのが通例である賃金その他の労働条件は，経営協定の対象となしえない」との規定が重要である（経営組織法77条3項1文，協約への留保に関する類似の規定として，87条1項）[69]。労働協約における明文の開放条項がなければ，労働協約の内容は，事業所自治に対して一般に閉ざされているのであり，その際，内容が有利であるか否かは問題ではない。

この規整の遮断の目的は，団結の強化である。労働組合なしでは，「小規模の集団法的な道」［経営協定］を通じて結果を得ようとしても，非組合員にとっても，協約に類した（ましてや部分的にそれよりも良い）結果を達成することはできない，というのである。また，［経営協定の機能を強化すれば］労働組合への加入が魅力的でなくなるであろうともいわれる[70]。労働者利益の長期的に見て効果的な保護は，強力な超企業的労働者代表，つまり労働組合に期待するほかないのである。

もっとも，25年以上にわたって深刻となっている雇用危機のなかで，この労働協約の優位，とりわけ産業別協約の優位に意味があるのかどうか，次第に疑いの目で見られるようになっている。協約自治，事業所自治，個別自治の関係を新たに整序すべきではないかということが長らく熱心に論じられてきた[71]。しかし，それが実際に雇用にいかなる影響を及ぼすかを別としても，事業所レベルでの弾力性を増大させるために協約自治を後退させることが基本法9条3項と合致するのかどうかが問題とならざるをえない[72]。

しかし，深刻な経営危機と［投資］立地危機のなかで，事業所パートナーの力が事実上大きくなり，団体［労働組合と使用者団体］の力が後退した。企業経営者は——オペルの最近の例に見られるように——当地の事業所閉鎖と大量解雇の

---

(69) ある条項が通常協約で定められるかどうかの認定は，困難な課題である。少なくとも，ある協約条項が，問題となっている地域的，事業所的，分野的，人的な適用範囲において，「定着」している場合には，それが認められる。これに対して，ある条項が一度だけ労働協約の対象になったことがあるというだけで，通常協約で定められるといえるかどうかについては，争いがある。vgl. Preis (Fn. 1), S. 561 f.; *Zöllner/Loritz* (Fn. 46), S. 539.

(70) *Preis* (Fn. 1), S. 560.

「脅し」の下に従業員代表委員会との間で,労働協約の水準を下まわる労働条件に関する協定を成立させ,協約当事者にその認可を迫る。そうなると,労働組合には,単に形式的な力の形骸,すなわち一種の「公証人の役割」[73]しか残らないのである。

3 企業の共同決定に関する団体の影響

労働者の共同決定は,いくつかの特定の事項に関する,固有の機関を通じての経営組織法上の利益代表に限定されるのでなく,規模の大きい企業経営への直接的な参加にまで及んでいる。とくに労働者代表が,資本会社の監査役会の構成員になる(原則として同権的に)という形態である[74]。

現在の規定の起源は,1951年の石炭鉄鋼共同決定法にある。それは,軍需産業はとくに厳しいコントロールの下に置かれるべきとの考え方によるものであった。1976年の共同決定法(MitbestG)は,企業段階の共同決定を,従業員2000人を超える企業という,より広い範囲に拡大した。従業員500人を超える企業については,2004年7月1日をもって,それまでより広い範囲で適用されていた1952年経

---

(71) 1996年の第61回ドイツ法曹大会(労働法部会)は,「事業所労使当事者との関係において協約当事者の規整権限を見直すことは推奨しうるか」というテーマを扱った(Gutachten: *Richardi*, Reinhard, Band I, B 1; Referate von *Wendeling-Schröder*, Ulrike und *Reuter*, Dieter, Band II/1 K 35)。2003年末には,連邦経済労働省が,「岐路にたつ協約自治」というタイトルをもち,多くの改革提案を含んだ研究者諮問委員会の意見書を公表した。諮問委員会は,全体として,立法者は労働協約の開放のために配慮をすべきであるとの結論に達した。この問題については,さらに,*Picker* (Fn. 42), S. 761 ff.; *ders.* (Fn. 58), S. 775 ff.; *ders.*, Regulierungsdichte und ihr Einfluß auf die Beschäftigung, in Kitagawa u.a. (Fn. 49), S. 195; *Buchner*, Herbert, Öffnung der Tarifverträge im Spannungsfeld verfassungsrechtlicher Vorgaben und arbeitsmarktpolitischer Erfordernisse, in Gedächtnisschrift Meinhard Heinze, 2005, S. 105; *Löwisch*, Manfred, Tariföffnung bei Unternehmens- und Arbeitsplatzgefährdung, NJW 1997, 905; *Preis* (Fn. 1), S. 561; *Rieble*, Volker, Alle Macht den Betriebsräten, Frankfurter Allgemeine Zeitung v. 19.02.2005, S. 13 参照。労働法の弾力化について,ドイツと日本を比較したものとして,*Yonezu* (Fn. 49), S. 177-194 参照。

(72) この点で疑念を表明するものとして,*Dieterich*, Thomas, Flexibilisiertes Tarifrecht und Grundgesetz, RdA 2002, 1; *Rieble* (Fn. 49), Rn. 1477; *Preis* (Fn. 1), S. 561がある。この問題については,*Löwisch* (Fn. 71), S. 905 ff.; *Thüsing* (Fn. 61), 901も参照。

(73) *Rieble* (Fn. 71), S. 13.

(74) *Zöllner/Loritz* (Fn. 46), S. 607; *Löwisch* (Fn. 1), Rn. 836.

営組織法の規定が「三分の一参加法」[75]にとって代わられた。

共同決定法の特徴は，いわゆる同権的参加である。すなわち，監査役会は，株主代表と労働者代表がそれぞれ半数ずつをもって構成する（共同決定法7条1項）。可否同数となった場合，最終的には，通常株主側から選出される監査役会議長が決定権をもっており（共同決定法27，29条），それによって共同決定法は憲法違反の疑いを免れたのである[76]。

監査役会における労働者代表のうちには，労働組合の代表も含まれていなければならない（共同決定法7条2項）。その数は，労働者代表が6人から8人の場合には2人，10人の場合には3人となっている。注目されるのは，労働組合代表がその企業で雇用されている必要はないということである[77]。これによって，労働組合は，かなりの程度，経済における企業横断的な影響力行使の可能性を得たのである。

ドイツの共同決定モデルが外国の投資家をひるませているかどうか，についてはここでは問題を指摘するにとどめる[78]。しかし，われわれのテーマとの関係では，団体が構成員の利益を超えて団体の利益を追求するという傾向の，教訓になる実例をここに見ることができる。というのは，かつて労働組合は，労働者が生産資本に物的に参加する機会をもつという案を批判し，企業段階の共同決定をそれに対置したからである[79]。労働者における財産形成は，労働組合役員にとってたしかに同じように影響力のあるポストを用意するものではなかったであろ

---

(75) BGBl. I 2004, 974.
(76) BVerfG v. 01.03.1979, E 50, 290 - „Mitbestimmungsurteil"; *Löwisch* (Fn. 1), Rn. 847 f., 854; *Oetker*, Hartmut, in ErfK (Fn. 65), Einleitung MitbestG Rn. 4.
(77) *Oetker*, in ErfK (Fn. 65), §7 MitbestG Rn. 3 m.w.N.; BVerfGE v. 01.03.1979, E 50, 290 (361).
(78) これを肯定するものとして，たとえば *Ehmann*, Horst, Deutschland - eine Standortfrage?, Die Neue Ordnung, Sondernummer 1996, S. 14.
(79) *Sinn*, Hans-Werner, Ist Deutschland noch zu retten? 7. Aufl. 2004, S. 178 f. は，このように批判する。当時，労働組合によっても論じられた，事業所を越えた労働者への収益分配の形態については，*Krelle*, Wilhelm/*Schunck*, Johann/*Siebke*, Jürgen, Überbetriebliche Ertragsbeteiligung der Arbeitnehmer, Band I, 1968, S. 267. 共同決定法成立に対する労働組合の影響については，*Schröder*, Michael, Verbände und Mitbestimmung. Die Einflussnahme der beteiligten Verbände auf die Entstehung des Mitbestimmungsgesetzes von 1976, 1983, S. 71 ff.（DGBその他の原則的態度について），S. 93 ff., 115 ff., 224 ff., 273 ff. 参照。

う。ひょっとしたら，資本主義的な考え方の浸透によって，労働組合の基礎が弱化することになったかもしれない。

　この間，企業の共同決定に関するドイツ的制度は，2つの面でヨーロッパ法から圧力を受けている(80)。

　① 第1に，ちょうど導入されたばかりのヨーロッパ株式会社（Societas europaea, SE）(81)の新たな共同決定規則によってである。それによれば，SEへの労働者の参加については，個々の会社経営陣と，いくつかの加盟国の労働者代表によって構成される特別の交渉委員会との交渉による決定が優先される（SEBG 1条2項，4条以下，21条）。交渉において，労働者参加について合意が成立しなかった場合，法律上の補充規定（§§22, 34 ff. SEBG）が適用され，それによると，通常は最も進んだ共同決定水準が考慮される（§35 SEBG）。

　もっとも，34条以下の補充規定は，合併によって成立した SE については，SE の登記の前に全従業員の少なくとも25％が共同決定権をもつ場合に限って適用される。子会社 SE あるいはホールディング SE が設立された場合には，この要件は50％にまで引き上げられる（§34 I SEBG）。さらに，特別交渉委員会が，交渉を行わないとかすでに開始された交渉を中止するという決定を行う自由を行使した場合にも，企業段階の共同決定は成立しない（§16 I, II SEBG）。しかし，このような労働者参加の放棄は，組織変更による SE の設立の場合には許されない（§16 III SEBG）。

---

(80) *Henssler*, Martin, Mitbestimmungsrechtliche Konsequenzen einer Sitzverlegung innerhalb der Europäischen Union - Inspirationen durch „Inspire Art"-, in Gedächtnisschrift Meinhard Heinze, 2005, S. 333.

(81) Richtlinie 2001/86/EG des Rates vom 8. Oktober 2001（Abl. EG Nr. L 294 S. 22）．ドイツでは，2004年12月22日の SE 参加法（SEBG, BGBl I, 3686）によって国内法化された。ヨーロッパ株式会社とは，一種の株式会社の形態における商事会社である。その設立のためには，4種類の手続が準備されている。すなわち，既存の株式会社の組織変更，合併，およびホールディングもしくは子会社の設立である。すべてに共通しているのは，その所在地と中央執行機関を複数の EU 加盟国に置く既存の法人のみがそれを設立しうるということである。SE における共同決定ルールについては，vgl. *Horn*, Norbert, Die Europa-AG im Kontext des deutschen und europäischen Gesellschaftsrechts, DB 2005, 147（151 f.）; *Grobys*, Marcel, SE-Betriebsrat und Mitbestimmung in der Europäischen Gesellschaft, NZA 2005, 84; *Henssler*（Fn. 80），S. 333 参照。

② 第2に，会社の本拠地自由の原則（Artt. 43, 48 EGV）に関するヨーロッパ裁判所の判決[82]は，これまでドイツで妥当していた所在地主義に代えて，部分的に設立地主義を採用するようになった（EU 諸国からの，いわゆる移転の場合）。これによって，ドイツの共同決定からの逃避がなされる危険性がある。というのは，他の EG 加盟国の会社法に従って設立された会社が，その後実際上の執行機関所在地をドイツに移した場合，ドイツの共同決定の拘束に服さないということになるからである[83]。

Ⅲ　社会保障領域の自治における団体権力

1　社会保険法における規範設定

(1)　機能的な自治の基本構造

社会保障法の分野では，法律が創造しもしくは前提とする主体と行動手段はきわめて多様であり，また法律的に定められた諸関係の錯綜した構造は非常に複雑である。これらは，ドイツの法制度のなかで他に類例を見ないほどである。そこで，以下においては，問題をきわめて単純化した形で示すことにしよう。

まず，基本的要素である社会保険の担い手から始めよう。社会保険の一貫した構成原理は，自治権をもった公法的団体としての社会保険運営主体の設立である（社会法典 4 篇29条）。ここでいわれるのは，地方自治とは異なり，機能的な自治

---

(82)　これは，"*Centros*"決定（EuGH, Slg. 1999, I-1459＝NJW 1999, 2027）から始まり，"*Überseering*"決定（EuGH, Slg. 2002, I-9919＝NJW 2002, 3614）を経て，"*Inspire Art*"事件の決定（EuGH, Urt. v. 30.9.2003-Rs. C-167/01, NJW 2003, 3331）にまで至るものである。

(83)　この判決とそれが企業レベルの共同決定に及ぼす影響については，*Horn*, Norbert, Deutsches und europäisches Gesellschaftsrecht und die EuGH-Rechtsprechung zur Niederlassungsfreiheit - Inspire Art, NJW 2004, 893; *Geyrhalter*, Volker/*Gänßler*, Peggy, Perspektiven nach „Überseering" - wie geht es weiter? NZG 2003, 409; *Merkt*, Hanno, Die Gründungstheorie gewinnt an Einfluß, Anmerkung zu BGH, Urteil vom 13.3.2003-Ⅶ ZR 370/98 - Überseering und BGH, Urteil vom 29.1.2003-Ⅷ ZR 155/02-US-Gesellschaft, RIW 2003, 458; in Gedächtnisschrift Meinhard Heinze, 2005: *Henssler* (Fn. 80), S. 342 ff.; *Roth*, Wulf-Henning, Unternehmensmitbestimmung und internationales Gesellschaftsrecht, S. 709; *Zimmer*, Daniel, Unternehmerische Mitbestimmung bei Auslandsgesellschaften mit Inlandssitz?, S. 1123.

(funktionale Selbstverwaltung) である。ここでは，領域に関係した自治ではなく，命令から自由な公法人による，課題に関係した自治であって，その決定機関は，関係者（典型的には構成員）から選出される[84]。機能的自治は，当事者が自らに関係する管理業務の非集権的な実施に引き入れられ，自己責任をもって関与することに意義をもち，そのことによって正当化される[85]。それは，「組織された利益の行政への取り込みの見本事例（Paradefall）」[86]である。そこでは，使用者団体と労働者団体は，単なる助言者として関係するのではなく，公的生活保障の一部分について完全な給付責任を負わされる[87]。その限りで，社会保険法は，補充性原則[88]にも対応するのである。

自治（Seblstverwaltung）は，「19世紀の流行語」のうち例を見ないほど成功した言葉であるといわれる[89]。それは，国家と社会を媒介し，絶対主義的国家行政からの独立性を約束することによって，当初から自由主義的，啓蒙主義的諸利益の中核思想であり，とりわけナポレオンによって解体された国家の再組織化のために用いられた[90]。自由経済思想家や労働者階級がこの理念にとびついた。歴史法学派のゲルマン法論者もまた，ゲルマン法の基本的要素としての仲間団体（Genossenschaft）に結びつけて，それを支持した。ビスマルクは，社会民主主義

---

(84) Vgl. *Böckenforde*, Ernst-Wolfgang, Demokratie als Verfassungsprinzip, in Isensee/Kirchhof（Hrsg.), Handbuch des Staatsrechts（HStR）Band II Verfassungsstaat, 3. Aufl. 2004, § 24 Fn. 61; *Hendler*, Reinhard, Das Prinzip Selbstverwaltung, in HStR Band IV, 2. Aufl. 1999, § 106 Rn. 15 ff.; *Oebbecke*, Janbernd, Demokratische Legitimation nicht-kommunaler Selbstverwaltung, Verwaltungsarchiv 1990, 349（351); *Musil*, Andreas, Das Bundesverfassungsgericht und die demokratische Legitimation der funktionalen Selbstverwaltung, DÖV 2004, 116（117) m.w.N..

(85) *Böckenförde*（Fn. 84), Rn. 33; *Hendler*（Fn. 84), Rn. 51.

(86) *Schuppert*, Gunnar Folke, Selbstverwaltung als Beteiligung Privater an der Staatsverwaltung? - Elemente zu einer Theorie der Selbstverwaltung, in Festgabe für Georg Christoph von Unruh 1983, S. 183（192).

(87) Vgl. *Bogs*, Harald, Die Sozialversicherung im Staat der Gegenwart. Öffentlich-rechtliche Untersuchungen über die Stellung der Sozialversicherung im Verbändestaat und im Versicherungswesen, 1973, S. 123.

(88) Vgl. *Zippelius*, Reinhold, Allgemeine Staatslehre, 14. Aufl. 2003, S. 207 ff., 241.

(89) *Stolleis*（Fn. 4), S. 33, 71.

(90) Vgl. *Ruland*, Franz, Funktion und Tradition funktionaler Selbstverwaltung am Beispiel der gesetzlichen Rentenversicherung, DRV 1993, 684（688).

との闘争のために，また労働者階級を統合するという目的をもって，その考え方を地方自治組織[91]，手工業組織，そして大学の組織[92]に取り入れた。そして，プロテスタントの教区の組織にあたって採用された自治モデルを社会保険に取り入れることにしたのである[93]。

古典的な社会保険，すなわち疾病保険，年金保険，労災保険の領域で，自治は，第二帝政の開始から現在まで（ナチスの画一的統制の時代を別として），ほとんど中断なく持続し，同一性を保っている。それは，被保険者と使用者の原則的な同権にもとづいている（社会法典4篇29条2項)[94]。自治の機関は，若干の例外[95]を除けば，被保険者と使用者のそれぞれ半数ずつの代表者によって構成されている（社会法典4篇44条1項1号）。これに対して，雇用促進の分野，つまり連邦雇用エイジェンシー（Bundesagentur für Arbeit）の管轄範囲においては，三者構成となっており，公的団体の代表も第3の構成員として加わることになっている（社会法典3篇371条5項）。

自治の機関構造は，二元主義的管理モデルにしたがっている。つまり，団体の頂点に議長と代議員大会（もしくは管理委員会 Verwaltungsrat）が置かれている（社会法典3篇31条1項1号)[96]。代議員大会（もしくは管理委員会）は，最高機関であり，自ら社会保険運営主体の規約やその他の自治的法を定める（社会法典4篇33条1項）。理事会は，保険運営主体の事務を執行し，裁判においても裁判外においても，保険運営主体を代表する（社会法典4篇35条1項）。

州や連邦レベルの法定疾病保険金庫の団体は，個々の疾病金庫と同様の組織となっている（社会法典5篇209，209a，215条)[97]。そこでも，同権的構成は維持さ

---

(91) シュタイン・ハルデンベルクの都市改革（1808年のプロイセン都市法）。
(92) 1810年のフンボルトの大学改革。
(93) *Stolleis* (Fn. 4), S. 72 f.; *Ruland* (Fn. 90), S. 688 f. ドイツにおける伝統的な，きわめて多様な自治の領域については，*von Mutius*, Albert (Hrsg.), Selbstverwaltung im Staat der Industriegesellschaft, Festgabe für Georg Christoph von Unruh, 1983 参照。
(94) 1994年に創設された介護保険も同様である。
(95) 例外に属するのは，農業災害保険，連邦鉱山金庫，そして代替金庫である（§44 I Nr. 2 bis 4, II-IV SGB IV）。
(96) この原則とは異なり，地区・事業所・同業者組合の疾病金庫の自主管理機関は，管理評議会 *Verwaltungsrat* である（社会法典4篇31条3a項）。連邦労働エージェント（BA）においては，自主管理機関は，管理評議会 Verwaltungsrat および管理委員会 Verwaltungsausschusse（社会法典4篇1条1項2文，3篇371条1項）である。

れ（社会法典 5 篇209条 2 項，215条 1 項 1 号），委員は，それぞれのグループごとに，個々の疾病金庫もしくは個々の州団体の管理委員会から選出される（社会法典 5 篇209条 2 項 2 文），3 項）。

医師，歯科医師，疾病金庫の州委員会（社会法典 5 篇90条）と連邦合同委員会（G-BA）[98]においては，疾病金庫の州団体あるいは連邦団体と，医療提供者（医師，心理療法士，歯科医師の代表，あるいは病院の代表）のそれぞれの団体が協力する。連邦合同委員会は，疾病金庫の代表と医療提供者の代表それぞれ 9 人と，中立委員 3 人によって構成される。その 3 人については，関係当事者の同意が必要とされる（社会法典 5 篇91条 2 項 1 - 4 文）。医療提供者の側は，いずれの領域が問題になっているかによって，代表の数は異なる（社会法典 5 篇91条 4 - 7 項）。患者代表と自助組織は，連邦合同委員会に参加するが，評決権はもたない（社会法典 5 篇140条 f 第 2 項）。

保険運営主体は，社会法典 5 篇87条 1 項により，国家の監督に服するが，それは自治の一般原則（社会法典 4 篇29条 3 項）に対応して，法的監督（Rechtsaufsicht）に限定される[99]。疾病金庫医師会と連邦疾病金庫医師会も同じく法的監督にだけ服する（社会法典 5 篇78条 3 項 1 文）。連邦合同委員会もまた，法的監督に服する（社会法典 5 篇91条10項）[100]。

(2) 自治の裁量範囲（概観）

自治の担い手の裁量範囲は，内部組織に関する疑問の余地ない決定権限を別とすれば，保険の領域によって大きく異なるので，十把一絡げに評価することは意

---

(97) *Hänlein*, Andreas, in Kruse/Hänlein (Schriftleitung), Lehr- und Praxiskommentar (LPK-SGB V), 2. Aufl. 2003, Vor §§ 207-219 Rn. 9.

(98) 2003年11月14日制定（2004年 1 月 1 日発効）の法定疾病保険現代化法（GMG, BGBl I 2190）によって設立された G-BA は，これまで 4 つの委員会（連邦医師・疾病金庫委員会，連邦歯科医師・疾病金庫委員会，病院委員会，調整委員会）がもっていた任務と管轄を統合した。

(99) *Becker*, Ulrich, Organisation und Selbstverwaltung der Sozialversicherung, in von Maydell/Ruland (Hrsg.), Sozialrechtshandbuch (SRH), 3. Aufl. 2003, B 6 Rn. 43; *Schnapp*, Friedrich, in Schulin (Hrsg.), Handbuch des Sozialversicherungsrechts, Band 1 Krankenversicherungsrecht (HS-KV), § 52 Rn. 2 ff. 労災保険法においては，予防は専門的監督に服する（社会法典 4 篇87条 2 項，88条）。

(100) *Hess*, Rainer, in Niesel (Gesamtredaktion), Kasseler Kommentar Sozialversicherungsrecht (KassKomm-Hess), Stand: 01.12.2004, § 91 Rn. 33.

味がないし，ほとんど正当でもない(101)。

　まず年金保険の保険運営主体には，事実上わずかの裁量権限しか与えられていない(102)。年金保険運営主体の規程は，純粋の組織規約にすぎない(103)。すべての重要な決定要素（被保険者の範囲，保険料額，そしてとくに年金支給条件と年金額）は，法律もしくは法規命令で厳密に規定されている。自己責任をもって決定する可能性が認められているのは，自己の財政基準の枠内でなされるリハビリテーションと予防の領域に限られる（社会法典 6 篇31条以下，220条）。

　労災保険の領域では，規約によって，被保険者の範囲を部分的に調整することができる（社会法典 7 篇 3，5 条）。また，給付(104)や保険料(105)についても，規約の規定が予定されている。最も重要な規範設定機能として，「災害防止規程」の作成が同業組合に委ねられている（社会法典 7 篇15条以下）。とはいえ，それは，ヨーロッパ法的基準(106)と連邦労働社会省の専門監督法規の制約を受ける（社会法典 6 篇87条 2 項，90条 1 項）。その規程は，危険率の設定によって保険料を決定する（社会法典 7 篇157条）。労災保険運営主体の諸団体は，補助器具の支給，家庭内での看護，交通・住宅補助，旅費負担といった，受給権に関するどちらかといえば付随的な問題について共通のガイドラインを協定することができる(107)。

　雇用促進の分野（社会法典 3 篇）では，法律は，とくにいわゆる積極的雇用促進のための様々な制度について，給付の細目と範囲や手続を規則で定める権限を連邦雇用エージェンシーに付与している(108)。たとえば，使用者への給付(109)，

---

(101) *Schnapp*, Friedrich E., Friedenswahlen in der Sozialversicherung - vordemokratisches Relikt oder scheindemokratisches Etikett?, Festschrift für Knut Ipsen, 2000, S. 807 (825); この裁量の余地については，*Muckel*, Stefan, Friedenswahlen in der Sozialversicherung, in Schnapp (Hrsg.), Funktionale Selbstverwaltung und Demokratieprinzip - am Beispiel der Sozialversicherung, 2001, S. 151 (158 ff.); *von Wulffen*, Matthias, 50 Jahre soziale Selbstverwaltung, DRV 2003, 662 (664 ff.); *Becker*, in SRH (Fn. 99), B 6 Rn. 40 ff. も参照。

(102) 同旨，*Ruland*, Franz, Rentenversicherung, in SRH (Fn. 99), C 16 Rn. 9.

(103) *Hänlein*, Andreas, Rechtsquellen im Sozialversicherungsrecht, 2001, S. 131.

(104) 社会法典 7 篇46条 2 項，83条，85条 2 項 2 文，94条。

(105) 社会法典 7 篇155条，156条，161条，162条，165条，167条 3 項，168条 3 項。

(106) *Hänlein* (Fn. 103), S. 130.

(107) 社会法典 7 篇31条 2 項 2 文，32条 4 項，40条 5 項，41条 4 項，43条 5 項。Vgl. dazu *Hänlein* (Fn. 103), S. 261 f.

保険運営主体への給付[110]，労働者への給付（たとえば，再雇用の見通しと移動可能性を高めるための給付，再就職支援，自営活動のための給付，あるいは職業訓練給付）[111]である。当該職場に関する期待可能性という中心的な問題について，法律は現在，以前の雇用促進法とは異なり，自ら具体化している（社会法典3篇121条）[112]。エージェンシーの定める規則は，法的監督のための許可を必要とする。

介護保険法においては，わずかな裁量の余地しか与えられていない[113]。保険の対象となる人的範囲や保険料額は法律で規定されている（社会法典11篇11条以下，55条）[114]。介護の要件や要介護性の段階については，事細かに規定されている（社会法典11篇14条以下）。介護金庫の中央団体は，比較的ささいな細目についてのみ，指針で決定することができる（社会法典11篇17条）。

自治という点で，内容的に最も重要で法的形態において最も多様なのが，法定疾病保険の分野である。これについては，簡単にスケッチするにとどめざるをえない。まず，次の図を見れば，自治の主体の段階構造と，最も重要な規整制度が概観できるであろう。

---

(108) 規約としての法的性格については，BSG v. 30.01.1973, E 35, 164 (166); *Winkler*, Jürgen, Die verfassungsrechtliche Legitimation der Bundesanstalt für Arbeit zum Erlaß arbeitsförderungsrechtlicher Anordnungen, 1997, S. 41 ff.; *Clemens*, Thomas, Normenstrukturen im Sozialrecht - Unfallversicherungs-, Arbeitsförderungs- und Kassenarztrecht, NZS 1994, 337 (341 ff.); *Becker* (Fn. 99), B 6 Rn. 41 参照。
(109) 社会法典3篇222条，228条，233条，239条。
(110) 社会法典3篇247条，251条，253条，271条。
(111) 社会法典3篇47条，52条，55条，58条，76条，115条，152条。失業者の報告義務については社会法典3篇322条。
(112) 1997年3月31日までは，期待可能性に関する詳細な基準は，連邦雇用庁が雇用促進法103条のもとづく期待可能性規則で定めていた。この間の法的発展については，*Lauer*, Gisela, in Wissing/Mutschler/Bartz/Schmidt-De Caluwe (Hrsg.), Sozialgesetzbuch III - Arbeitsförderung, Praxiskommentar, 2. Aufl. 2004, §121 Rn. 1.
(113) Vgl. *Muckel* (Fn. 101), S. 159.
(114) しかし，社会法典11篇57条4項による例外を参照。

図3

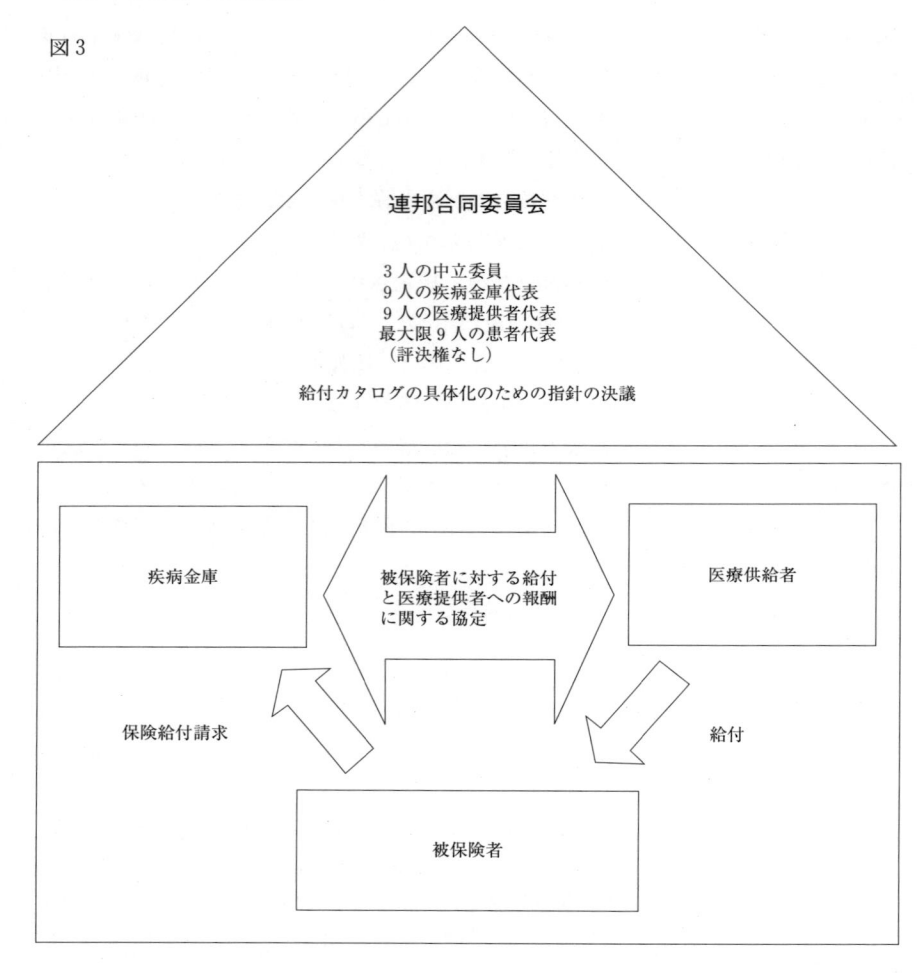

連邦合同委員会

3人の中立委員
9人の疾病金庫代表
9人の医療提供者代表
最大限9人の患者代表
（評決権なし）

給付カタログの具体化のための指針の決議

疾病金庫 ⇔ 被保険者に対する給付と医療提供者への報酬に関する協定 ⇔ 医療供給者

保険給付請求　　　　　　　　　給付

被保険者

図4

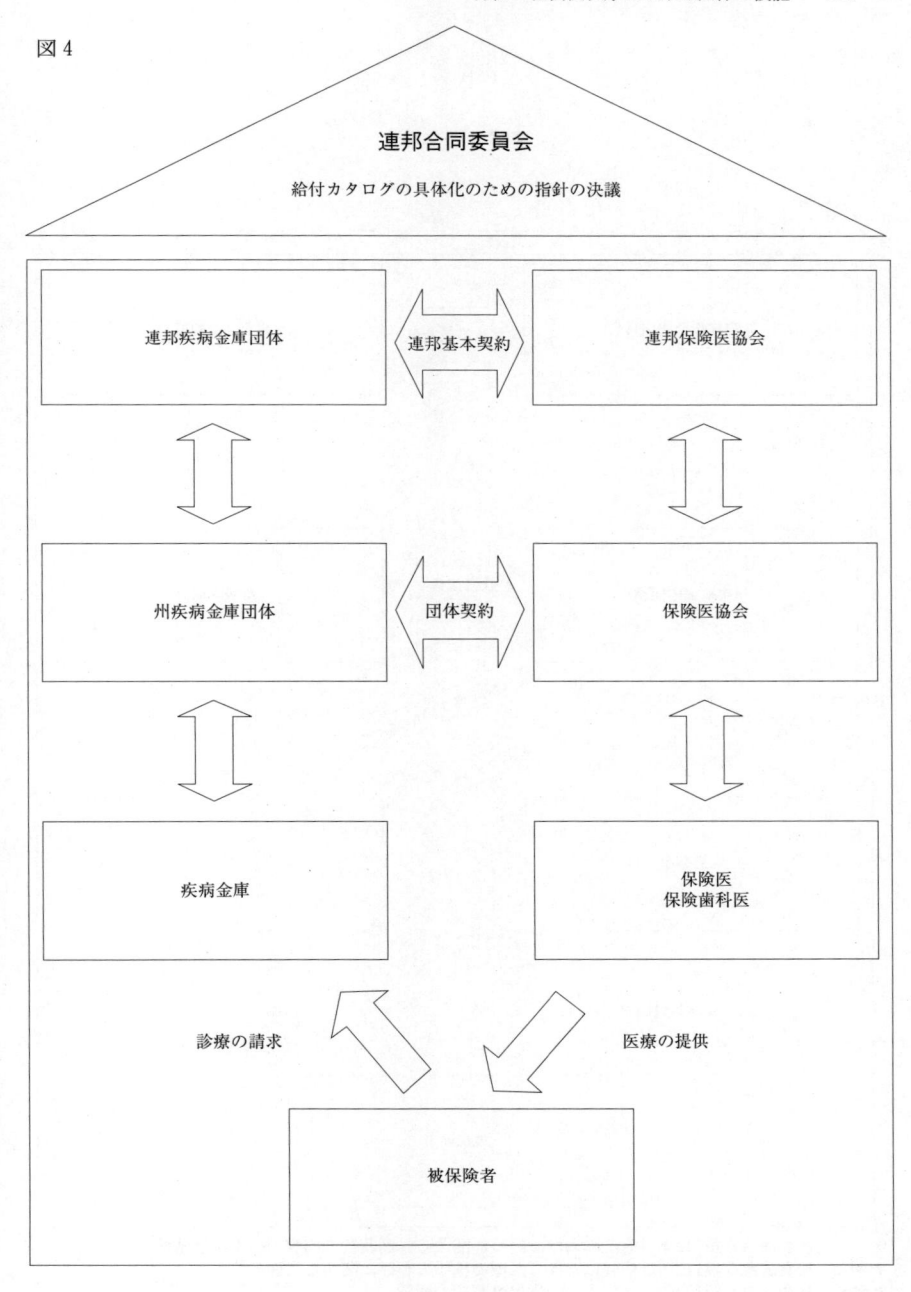

```
                    連邦合同委員会
          給付カタログの具体化のための指針の決議
```

連邦疾病金庫団体	⇔ 連邦基本契約 ⇔	連邦保険医協会
⇕		⇕
州疾病金庫団体	⇔ 団体契約 ⇔	保険医協会
⇕		⇕
疾病金庫		保険医 保険歯科医

診療の請求 ⬉　　　⬊ 医療の提供

被保険者

図 5

連邦合同委員会

給付カタログの具体化のための指針の決議

| 連邦疾病金庫団体 | ⇔ 基本推奨基準* | ドイツ病院協会 |

| 州疾病金庫団体 | 社会法典5篇112条** | 州病院協会 |

社会法典5篇109条***

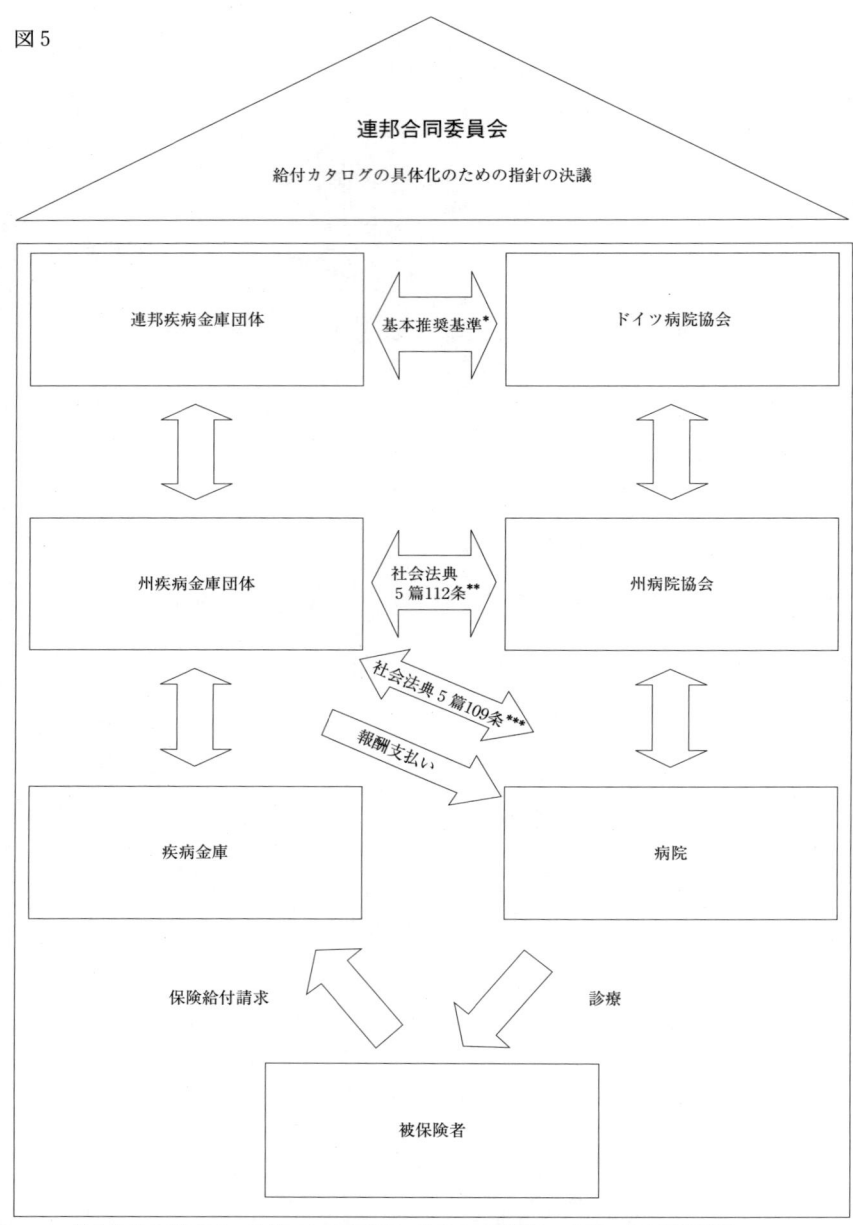

報酬支払い

| 疾病金庫 | | 病院 |

保険給付請求　　　　　　診療

被保険者

*　　　社会法典5篇112条：病院における医療に関する二面契約の内容の基本推奨基準
**　　社会法典5篇112条：病院における医療の種類と範囲に関する二面契約
***　社会法典5篇109条：病院との医療提供契約の締結

図3は，被保険者，疾病金庫，医療供給者（医師，病院，医薬品・補助具の供給者），そして連邦合同委員会という4つの極から成る基本モデルを高度に抽象化した形で示している。図4は，被保険者の外来診療の分野における，より詳細な姿を示しており，図5は，入院診療の分野における詳細な姿を示している。

　法定疾病保険の分野においても，たしかに基本的な構造基準は法律で定められており，とくに組織や手続に関する規定は，近年の法律改正とともにますます詳細になっている。しかし，それにもかかわらず，立法者は，現在もなお，被保険者の健康，関係医療供給者への報酬支払，制度全体の費用計算などに関する重要な規整を，社会的な自治に委ねているのである。たとえば，保険料の決定，診療方法，保障形態，医療の質の保障，現物給付（医薬品，補助具）の種類と範囲の決定，医師・病院・薬局などへの報酬については，広い範囲で裁量の余地が与えられている。そのことを，規整制度との関係で少し詳しく見ておこう。

(3)　疾病保険における法規範設定制度の例

　上に略述した法定疾病保険における裁量が行われる法源は，2つの大きいカテゴリーに分類できる（もう一度前掲の各図を見るのが最もわかりやすい）。

①　個々の団体とその構成団体によって設定される法である。それは，一方の疾病金庫と，他方の医療供給者という2つの柱に分かれて設定される。

②　いわゆる「共同の自治」によって創造される法である。ひとつは，連邦合同委員会（G-BA）の指針の形態であり，もうひとつは，2つの柱に属する各団体間の集団的契約の形態である。

　まず，①個々の団体と，それらが結合した団体の法について。

　個々の団体とそれらが結集した団体の法源は，主に定款からなっている。そこにおける規整は，自らの組織を超えた意義をもつが，それがどの程度の重要性をもつかは，それぞれの法律上の授権によって決まることになる。特筆すべきは，社会政策上も経済政策上もきわめて重要な意味をもつ法定医療保険の保険料の決定が——法律によって詳細に基準が定められているとはいえ——制度の基礎的部分に，つまり個々の疾病金庫に委ねられていることである（社会法典5篇194条1項4号，241条1文）[115]。

　さらに，法律は，いわゆる定款による割増し給付の余地を若干認めている（た

---

(115)　もっとも，諸々の金庫団体の間での事実上協定が存在するという問題はある。

とえば，社会法典 5 篇38条 2 項の家事援助)。州疾病金庫団体の法設定権限（社会法典 5 篇207条 1 項，21条 1 項，4 項）は，基本的には，それぞれ独自の組織に関する規約としての定款を制定することに限定されている（社会法典 5 篇210条)(116)。

連邦疾病金庫団体は，さらに，法律上詳細には定められていないが，報酬，疾病予防，リハビリ，治験に関する問題について「原則決定」を行うことができる。それは，所属する州諸団体と地域金庫に対して効力を有する（社会法典 5 篇217条 3 項 1 文）が，被保険者に対しては効力をもたない。もちろん，この「原則決定」の際に，規整について広汎な裁量権限が認められるわけではない(117)。

一番上位のレベルでは，いわゆる疾病金庫中央団体が，統一的かつ共同して行われるべき決定に関して，原則として協定による合意という手法を通して規整を行う（社会法典 5 篇213条 2 項)(118)。そうした協定のとくに重要で論争の的になった例は，社会法典 5 篇35条 5 項による薬剤価格の固定という問題である(119)。連邦社会裁判所は，この種の協定に法規範としての性質を認めた(120)が，連邦憲法

---

(116) 組織法的な領域を越えた規制権能については，*Ebsen*, Ingwer, Rechtsquellen, in HS-KV (Fn. 99), §7 Rn. 59.

(117) その理由づけとして，*Hänlein* (Fn. 103), S. 216, 225 f. は，たとえば報酬の問題については，広い範囲で給付提供主体法によって決定されるべきであることをあげている。

(118) *Hänlein* (Fn. 103), S. 265 f., 258 ff. 法律を越えて点在する規定の多くは，「共同して，かつ統一的に」という概念の組み合わせを用いることにより，また場合によっては明示的に，社会法典 5 篇213条 2 項による協力を指示している（たとえば，金庫の選択権を行使しなかった保険義務者に関する「管轄に関する規定」，社会法典 5 篇175条 3 項 3 文)。法律は，合意が成立しなかった場合のために，多数決定を可能としている（社会法典 5 篇213条 2 項 2 文)。必要な決議がなされなかった場合，管轄権のある連邦大臣が決定を行う（社会法典 5 篇213条 3 項，大臣の代替措置)。

(119) ある薬剤についてある固定価格が決められると，病院はこの固定価格の部分しか費用を負担しない（社会法典 5 篇31条 2 項）ので，被保険者のこの薬剤の提供に対する請求権が制限されることになる。医師が固定価格を超える薬剤を処方した場合，彼は被保険者に，追加分を自ら負担するよう通告しなければならない（社会法典 5 篇73条 5 項 3 文)。しかし，いかなる種類の薬剤について固定価格を決めてよいかの決定は，中央団体の事項ではない。それについては，社会法典 5 篇92条 1 項 2 文 6 号による指針において，連邦合同委員会があらかじめ決定する。この種類に関する決定にもとづいて，その後に，薬剤の価格の決定がなされるのである。この固定価格設定手続がカルテル法上問題になるとのではないかとの指摘については，*Muckel*, Stefan, Die Selbstverwaltung in der Sozialversicherung auf dem Prüfstand des Demokratieprinzips, NZS 2002, 118 (119) 参照。

裁判所はそれを一般処分（Allgemeinverfügungen）にすぎないとした[121]。

法定医療保険における給付提供者の組織にも，規約制定権限（社会法典5篇81条）と並んで，自治的な法制定権限が与えられている[122]。

保険医協会は，とくに保険医による医療を保障しなければならず（社会法典5篇73条2項），疾病金庫とその団体に対して，保険医による医療が法律上及び協定上の要請を満たしていることを保証しなければならない（社会法典5篇75条1項。いわゆる保証委託）。これには，たとえば救急診療規則を発する権限も含まれている（社会法典5篇75条1項2文）。

連邦保険医協会は，自らがその権限内で締結した協定，とくに連邦基本契約の実施について指針を発する権限を委ねられている。さらに，広域での金庫間の支払い調整，疾病金庫の経営，財政，会計（社会法典5篇75条7項1文1-3号）についても，指針を発する権限を委ねられている。

②の「共同の自治」の法について

いわゆる共同の自治は，自治的諸団体の協力によって成立する。それは，二当事者間あるいは多数当事者間の契約によって，もしくは共同して設立された委員会の決議によって，給付内容を決定する[123]。その典型的な実例は，医療行為，すなわち，疾病になった場合の給付の範囲，種類，内容とそれに対する報酬の規整に関する，疾病金庫団体，保険医協会，連邦保険医協会の共同の決定である[124]。たとえば，ある医師が法定疾病金庫の負担で，新たな診察方法や治療方法を用いてよいかどうかの決定は，法律あるいは法規命令ではなく，連邦合同委員会の決定に任されている（社会法典5篇92条）[125]。

共同の自治については，利害の対立が特徴的である。というのは，疾病金庫が

---

(120) BSG v. 14.06.1995, NZS 1995, 502.
(121) BVerfG v. 17.12.2002, E 106, 275 („Festbetragsentscheidung"). 労働・社会秩序委員会も同様の見解である（BT-Drs. 11/3480 v. 24.11.1988, S. 54）。
(122) この問題を包括的に扱うものとして，*Hänlein* (Fn. 103), S. 305 ff. 参照。
(123) *Axer*, Peter, Gemeinsame Selbstverwaltung, in Festschrift 50 Jahre Bundessozialgericht, 2004, S. 339 (340) m.w.N.
(124) *Axer* (Fn. 123), S. 340 f. は，「給付提供者の諸団体，たとえば保険医協会を，給付提供者の一種の労働組合と考えるならば，金庫側の州団体はいわば使用者団体である」と述べる。また，*Hänlein*, in LPK-SGB V (Fn. 97), Vorbemerkungen zu §§ 207-219, Rn. 1 参照。

被保険者にできるだけ費用が安く価値の高い給付を保障したいと考えるのに対し，医療供給主体は，できるだけ範囲の広い給付を行い，しかもそれに対して高い報酬を得たいと考えるからである。また，健康な被保険者は安い保険料を望み，患者は最高の医療保障を期待する。

　法形式的には，共同の自治は，2つの方法で行われる。すなわち，共同の委員会の指針の発令と，団体間の集団的契約の締結である。

　まず，連邦段階から始めよう。トップの機関は，連邦合同委員会（G-BA）である。それは，「被保険者の十分かつ合目的的な経済的保障の確保のために，医療保障の確保に必要な指針を決議する」（社会法典5篇92条1項1文第1段）。社会法典5篇92条1項2文があげるカタログは，医師（歯科医師）の治療，新たな診察・治療方法の許可，薬剤，包帯，補助具に関する規則，入院治療，自宅における看護から，医療需要計画にまで及ぶが，これも限定的なものではない[126]。このように包括的な権限を与えられているために，連邦合同委員会は，「小立法者」[127]とさえ呼ばれうるのである。

　連邦段階での集団的規整の制度[128]上の中心は，連邦保険医協会（KÄBVen）がいくつかの疾病金庫中央団体と締結する連邦基本契約である。その内容は，州レベルの下位協定（いわゆる総合契約，後述）に関するものを含む（社会法典5篇82条1項1文）。連邦合同委員会（G-BA）の指針は，同じく連邦基本契約の構成部分である（社会法典5篇92条8項）。

　連邦基本契約の重要な構成部分は，「統一的評価基準」（EBM）である。そこで

---

(125) *Axer* (Fn. 123), S. 339 m.w.N.; *Rolfs*, Christian, Neue Untersuchungs-und Behandlungsmethoden, in Festschrift 50 Jahre Bundessozialgericht, 2004, S. 475 (491 f.). 共同の自治は，給付提供の方法に関する医師と疾病金庫の個人契約が失敗したという結果を受けて導入されてきたものである。しかし，ここ数年，医療供給における競争を活性化させるために，保険医協会を廃止し，もしくはその機能を制限しつつ，個別契約を再導入してはどうかと論じられている（*Axer*, a.a.O., S. 350 m.w.N.）。

(126) 個別的に発せられた指針のリストについては，*Hänlein* (Fn. 103), S. 457 ff.; *Kötter*, Ute, in LPK-SGB V (Fn. 97), §92 Rn. 19 ff.参照。

(127) *Oldiges*, Franz Josef, Wechselwirkung zwischen Leistungsrecht und Vertragsrecht in der gesetzlichen Krankenversicherung, Sozialer Fortschritt 1998, 69 (70 ff.); *Butzer*, Hermann/*Kaltenborn*, Markus, Die demokratische Legitimation des Bundesausschusses der Ärzte und Krankenkassen, MedR 2001, 333 m.w.N.

(128) *Hänlein* (Fn. 103), S. 411.

は，支払可能な医療給付の内容と，ポイントで示されたそれら相互の価値関係が決定される（社会法典5篇87条2項1文）。連邦基本契約は，認可を要しない。

州レベルでは，州疾病金庫諸団体と保険医協会（KÄven）の間で，とりわけいわゆる総合契約（Gesamtverträge）が締結される（社会法典5篇83条）。その主要な規整対象は，医師の診療行為に関する諸問題（たとえば社会法典5篇83条2項，73条3項）や，いわゆる総合報酬（社会法典5篇85条），すなわちすべての医療給付の全体に対する報酬である。総合契約で協定された総合報酬を，疾病金庫医師がどのように分配するかは，報酬分配基準（社会法典5篇85条4項1，2文）によってはじめて決められるが，この基準は，2004年以来，同一の当事者によって決定されることになった（社会法典5篇85条4項2文）[129]。ここに，医療分野の巨大な「労働協約」のようなものが生まれたといってもよい。

交渉によって連邦基本契約と総合契約が締結されない場合，統一的評価基準（EBM）は，連邦仲裁局あるいは州仲裁局が「拡大評価委員会」を通じて決定する（社会法典5篇89条，87条4項1文）[130]。医療行為の確保のために必要な連邦合同委員会の決定がなされない場合には，連邦健康・社会保障省が指針を制定する（社会法典5篇94条1項3文）。

連邦基本契約，総合契約，連邦合同委員会の指針は，いずれも疾病金庫，保険医協会，連邦保険医協会，保険医，そして被保険者に対して，直接的な規範的効力をもつ[131]。連邦合同委員会の指針と総合契約における報酬問題の規整に関しては，監督官庁が法的監督のための異議申立権をもつ（社会法典5篇94条1項1，2文，71条4項）[132]。

病院における医療給付に関する法は，保険医法の先例に従う形で発展して来た。たとえば，病院での治療の種類及び範囲に関しては，州レベルでは，州疾病金庫団体，州病院協会，そして保険医協会の，いわゆる「三面関係協定」（社会法典5篇115条）があり，同じく，州疾病金庫団体と州病院協会の，いわゆる「二面関係

---

(129) 2003年11月14日の法定疾病保険現代化法（2004年1月1日施行，BGBl. I 2205）による（以前は，規定はもっぱら疾病金庫諸団体の同意の下に，保険医協会によって決められていた）。

(130) 仲裁裁定の法的な性格づけについては，*Clemens*（Fn. 108), S. 346; *Axer*, Peter, Normsetzung der Exekutive in der Sozialversicherung, 2000, S. 96 ff.; *Hänlein*（Fn. 103), S. 370 f.; BSG v. 01.07.1992, E 71, 42 (49 ff.).

協定」(社会法典5篇112条)とが存在する。これらの協定の内容に関しては，疾病金庫中央団体が共同して，ドイツ病院協会とともに，そして三面関係協定の場合には連邦保険医協会も加わって，基本枠組みに関する勧告を行うことになっている（社会法典5篇112条5項，115条5項）。

これと並行して，病院部門では，連邦レベルと州レベルで，団体間ないしは中央団体間で，報酬協定が締結されることになっている（社会法典5篇115a条3項，115b条1項，116b条1～3項）[133]。

(4) 自治の民主主義的正統性の問題

① 機能的自治は，民主的正統性の視点からして，問題がないとはいえない。民主主義的正統化は，一見すればそう見えるかもしれないが，実は国民の参加や関係当事者の関与だけで確保されるわけではない[134]。なぜなら，「すべての国

---

(131) 社会法典5篇82条1項2文，83条，85条2項，95条3項2文参照。総合契約と連邦基本契約については，*Hänlein* (Fn. 103), S. 368 ff. m.w.N., 427 f.; *Ebsen* (Fn. 116), §7, Rn. 110 f.; *Kötter* (Fn. 126), §83 Rn. 6; KassKomm-*Hess* (Fn. 100), §82 Rn. 9; Axer (Fn. 130), S. 67 ff.; BSG v. 30.05.1969, E 29, 254 (256); v. 01.07.1992, E 71, 42 (48); v. 08.05.1996, E 78, 191 (196) 参照。連邦合同委員会の指針については，BSG v. 20.03.1996, E 78, 70 (76f.); *Kötter* (Fn. 126), §92 Rn. 5 ff. 論争状態については，*Axer* (Fn. 130), S. 118; *Hänlein* (Fn. 103), S. 464 ff. 参照。被保険者に対する拘束力を認めることに批判的なのは，*Schimmelpfeng-Schütte*, Ruth, Richtliniengebung durch den Bundesausschuss der Ärzte und Krankenkassen und demokratische Legitimation, NZS 1999, 530; *Ossenbühl*, Fritz, Richtlinien im Vertragsarztrecht, NZS 1997, 497 (498 f.) である。

(132) So KassKomm-*Hess* (Fn. 100), §91 Rn. 33.

(133) 病院部門における集団契約の詳細やその成立，正統性については，*Hänlein* (Fn. 103), S. 354 ff., 362 ff., 399 ff.(州段階), 419 f., 423 ff., 432 ff., 446 ff.(連邦段階)参照。

(134) 参加民主主義の積極的作用については，*Jestaedt*, Matthias, Demokratieprinzip und Kondominialverwaltung, 1993, S. 133; *Zippelius*, Reinhold/*Würtenberger*, Thomas, Deutsches Staatsrecht, 31. Aufl. 2005, §10 II 2, S. 76; *Bogs*, Harald, Strukturprobleme der Selbstverwaltung einer modernen Sozialversicherung, in ders./von Ferber, Christian/Institut für angewandte Sozialwissenschaft (infas), Soziale Selbstverwaltung, Aufgaben und Funktion der Selbstverwaltung in der Sozialversicherung, Bd. 1, 1976, S. 30; in Festgabe für Georg Christoph von Unruh, 1983: *Klages*, Helmut, Selbstverwaltung und menschliche Selbstverwirklichung, S. 41 (47); *Frotscher*, Werner, Selbstverwaltung und Demokratie, S. 127 (131 ff) 参照。批判的立場をとるものとして，*Dederer*, Hans-Georg, Korporative Staatsgewalt, 2004, S. 200 ff.（「『関与による正統化』は外見上の正統化にすぎない」とする）参照。

家権力は国民にその起源をもつ」との基本法20条2項は,「すべての国家権力」について妥当すべきものであり,それは,機能的自治の担い手についても,決定としての性質をもつすべての行政的行為に関する基準になると解されるからである[135]。厳格な形式的平等理解[136]からみても,「民主主義の中枢原理」[137]からみても,すべての国民は,同等に公共的事項に関与する権利を有するのであって,自治的事項に直接関係する当事者(実際には,彼らには広い範囲における参加が認められているが)だけがそうした権利をもつのではない。しかし,一定の分野が分権化されればされるほど,それらの分野は,国民全体の政治的影響を免れることになる。これは,たしかにある部分社会(「部分国民」Teilvolk)が,多かれ少なかれ明確に限定された自らの生活圏を自ら管理している場合には,何の問題もない。しかし,民主主義的分権主義が,より大きな全体的関係に複雑に入り込んでいるような分野,しかもそれについてより上位の政治的決定が必要な専門分野を僭取する場合には,そうは言えないのである[138]。

② 基本法の適用下で伝統的な機能的自治の民主主義的正統性が根本的に問われるようになったのは,比較的後になってからのことであるが,その後,きわめて集中的で広範な議論がわき起こった[139]。そのきわめて多様な論点について本稿で詳細に論じることはできないし,その必要もないであろう。というのは,今日の視点から見ると,「ローマが発言し,事件は決着した」[140]といえるからであ

---

(135) BVerfG v. 05.12.2002, E 107, 59 (87); *Oebbecke* (Fn. 84), S. 357 f.; *Brohm*, Winfried, Die Dogmatik des Verwaltungsrechts vor den Gegenwartsaufgaben der Verwaltung, in Veröffentlichungen der Vereinigung der Deutschen Staatsrechtslehrer Band 30 (1972), 245 (270 f.); *Frotscher* (Fn. 134), S. 144 f.; *Herzog*, Roman in Maunz/Dürig/Herzog, Grundgesetz, 1989, Art. 20 Rn. 44; *Schmidt-Aßmann*, Eberhard, Zum staatsrechtlichen Prinzip der Selbstverwaltung, in Gedächtnisschrift Wolfgang Martens, 1987, S. 249 ff (257); *Stober*, Rolf, Zur wirtschaftlichen Bedeutung des Demokratie- und Sozialstaatsprinzips, GewArch 1988, 145 (148); *Jestaedt* (Fn. 134), S. 262 f, 369 ff.; *Kluth*, Winfried, Schutz individueller Freiheit in und durch öffentlich-rechtliche Körperschaften, DVBL 1986, 716 (721);異なった見解をとるものとして,*Breuer*, Rüdiger, Die Selbstverwaltung der Wasser-und Bodenverbände, in Festgabe für Georg Christoph von Unruh, 1983, S. 855 (878) がある。
(136) Vgl. *Hendler* (Fn. 84), Rn. 49.
(137) *Leibholz*, Gerhard, Strukturprobleme der modernen Demokratie, 3. Aufl. 1967, S. 147; *Hendler* (Fn. 84), Rn. 49.
(138) *Zippelius* (Fn. 88), S. 209 f.

る。憲法裁判所は，2002年末に，現行構造を擁護する基本的判断を示し，機能的自治は基本的には民主主義原理と一致すると宣言したからである。判決の核心的な判旨は以下のとおりである[141]。すなわち，憲法制定者は，歴史的に生成し基本法の発効時点で存在していた機能的自治の組織形態を認識し，それに言及することによって，それが憲法と基本的に合致することを承認したのである。基本法20条2項の要請は，発展に対して開かれている原理として性格のゆえに，機能的自治については，独自に展開させられるべきものである。たしかに，社会保険の当事者団体は，それ自身から正統性を創出しうるような「部分国民」ではない。しかし，憲法裁判所の見解によれば，民主主義原理を基本法の他の中心的価値決定や方向性決定と合わせて見るならば，自治原理の民主的正統化は，その基礎となっている分節的な平等思想と合わせ考え十分なものに達しているとして，基本法によって承認されているのである。基本法は，自治原理に対して，民主主義原理に対する補完的機能を与えており，民主主義原理の中に，自治と自己管理のための根源も見ている[142]。

自治団体の設立と形態については，2つの民主的要請が課されている[143]。つ

---

(139) Vgl. u.a. *Emde*, Ernst Thomas, Die demokratische Legitimation der funktionalen Selbstverwaltung, 1991; *Jestaedt*（Fn. 134), S. 537 ff.; *Kluth*, Winfried, Funktionale Selbstverwaltung. Verfassungsrechtlicher Status‐Verfassungsrechtlicher Schutz, 1997, S. 342 ff.; *Schnapp*, Friedrich E.（Hrsg.), Funktionale Selbstverwaltung und Demokratieprinzip‐am Beispiel der Sozialversicherung, Tagungsband zum 8. Fachkolloquium des Instituts für Sozialrecht am 28./29. Juni 2000 in Bochum, 2001; *Muckel*（Fn. 119), S. 118 ff.; *Oebbecke*（Fn. 84), S. 349 ff.; vgl. aus neuester Zeit: *Jestaedt*, Matthias, Demokratische Legitimation-quo vadis? JuS 2004, 649; *Musil*（Fn. 84), S. 116 ff.

(140) BVerfG v. 05.12.2002, E 107, 59（水利団体の設立に関して).

(141) Zum Folgenden BVerfG v. 05.12.2002, E 107, 59（87 ff.); vgl. auch BVerfG v. 09.05.1972, E 33, 125（159); *Hendler*（Fn. 84), Rn. 49; *Musil*（Fn. 84), S. 119.

(142) 手続による民主的正統化という「インプット面」を補充するために，効率性やよき政治という，正統化の「アウトプット」的要素を強調する正統化の新たな試み（*Zippelius/Würtenberger*（Fn. 134), S. 76 は，*Peters*, Anne, Elemente einer Theorie der Verfassung Europas, 2001, und *Schliesky*, Utz, Souveränität und Legitimität von Herrschaftsgewalt, 2004 を示して，このことを指摘する）については，ここでは問題を指摘し，内容的にはかなり重大な疑問があるという一般的指摘にとどめざるをえない。

(143) Vgl. *Jestaedt*（Fn. 134), S. 543 ff.

まり，その担い手の任務，組織，権限について，重要性原則（Wesentlichkeitsgrundsatz）を満足させるような法律上の規整がなされていること（とりわけ，問題が団体構成員を越えて第三者や公共に及んだりする場合。いわゆる実質的内容的正統性），そして，民主的に責任をもってなされる国家による法的監督が実施されること（いわゆる人的民主的正統性）(144)である。これら2つの正統化の形態は，互換的関係にあり，相互に補完しあうことができるのである(145)。

③ 社会保険の分野では，正統化問題はとくに医療保険における共同の自治の行う法創造について議論される。というのは，医療保険の場合，団体のヒエラルヒー構造によって，「基底の」構成員から最上位の団体レベルのアクターに至るまで，相当長い「正統性の連鎖」が続くことになるからである(146)。そしてその結果，「正統性の稀釈化」——まさに「同種療法による稀釈化」(147)と風刺されるような——が生じるが，それは，規整対象の重要性のゆえに，その正統性を大いに疑わしめることになる(148)。最後に，基本的に対抗的な利益を有するパートナー間で合意された規範的な規整の正統性が議論される場合には，さらに，このような形態の法設定を正当化しうる特別な根拠が見つかるのかどうか，という問題も付加的に生じる。なぜなら，協定当事者の協働は，それぞれの対抗者の「基底」から見るならば，他人決定として表れるからである(149)。この点に関して，保険

---

(144) BVerfG v. 05.12.2002, E 107, 59 (94); *Böckenförde* (Fn. 84), Rn. 34; *Hendler* (Fn. 84), Rn. 58 f.; *Emde* (Fn. 139), S. 331. *Oebbecke* (Fn. 84); *Frotscher* (Fn. 134), S. 144 ff.; *Musil* (Fn. 84), S. 117 はより一層進んだ立場をとっている。

(145) BVerfG v. 31.10.1990, E 83, 60 (72); v. 24.05.1995, E 93, 37 (67); *Jestaedt* (Fn. 139), S. 650. しかし，完全な補完がなされうるか否かについては，争われている。論議の状況と文献については，*Axer* (Fn. 130), S. 295 参照。

(146) *Hänlein* (Fn. 103), S. 438 f. 社会法典5篇92条にもとづく指針の決定については，契約医の次のような正統化の連鎖が存在する。医師―保険医協会の代議員大会―連邦保険医協会大会代議員―連邦合同委員会の代議員，である（*Clemens*, Thomas, Verfassungsrechtliche Anforderungen an untergesetzliche Rechtsnormen, MedR 1996, 432 [437]）.

(147) *Castendiek*, Jan, Versichertenbeteiligung und Demokratie im Normenkonzept der Richtlinien des Bundesausschusses, NZS 2001, 71 (73); *Clemens* (Fn. 146), 437; *Sodan*, Helge, Normsetzungsverträge im Sozialversicherungsrecht, NZS 1998, 305 (309).

(148) *Hänlein* (Fn. 103), S. 52 ff., 439; *Clemens* (Fn. 146), S. 436.

(149) *Hänlein* (Fn. 103), S. 438.

医法上の集団協定を，基本法9条3項の類推適用という方法で正当化しようとする試みがみられる(150)。

とくに論争になったのは，連邦合同委員会指針の正統性をめぐる議論である。連邦社会裁判所(151)が，指針の正統性を認めることから出発して，民主主義原理への違反を否定した(152)のに対して，とくに最近の学説では反対の見解が有力である(153)。反対する論拠は，次の点である。つまり，委員会構成員について人的に見て民主主義的正統性が欠けている点，立法者の代理委任権限が欠けている点，さらに起こりうる基本権侵害の重大性に比して十分に綿密化された法律上の要件設定が欠けている点，である。

④　上記連邦憲法裁判所判決によれば，機能的自治は「基本的に」合憲である

---

(150) *Schirmer*, Horst Dieter, Verfassungsrechtliche Probleme der untergesetzlichen Normsetzung im Kassenarztrecht, MedR 1996, 404 (410 ff.), *Hänlein* (Fn. 103), S. 385 ff., 409 f.; a.A. *Rompf*, Thomas, Die Normsetzungsbefugnis der Partner der vertragsarztrechtlichen Kollektivverträge, VSSR 2004, 281 (294 ff.).

(151) BSG (6. Senat) Methadonurteil v. 20.03.1996, E 78, 70 (80 ff.); fünf Urteile v. 16.09.1997 (いわゆる9月判決) BSGE 81, 54; 81, 73; BSG, MedR 1998, 230; BSG, ZfS 1998, 211. これらの見解を支持するものとして，*Kötter* (Fn. 126), §92 Rn. 13 ff. がある。新たな診療・治療方法の導入については，この2005年に連邦憲法裁判所第1法廷の決定がなされる見込みである (Az. 1 BvR 347/98)。

(152) BSG v. 20.03.1996, E 78, 70 (79 ff.); v. 16.09.1997, E 81, 54 (64 ff.); v. 16.09.1997, E 81, 73 (84 ff.); v. 18.03.1998, E 82, 41 (46 ff.). 結論を支持するものとして，*Axer* (Fn. 123), S. 355 f.; *Engelmann*, Klaus, Untergesetzliche Normsetzung im Recht der gesetzlichen Krankenversicherung durch Verträge und Richtlinien (Teil 2), NZS 2000, 76 (80 ff.); *Hiddemann*, Till, Die Richtlinien des Bundesausschusses der Ärzte und Krankenkassen als Rechtsnormen, Die BKK 2001, 187; *Schnapp*, Friedrich E., Untergesetzliche Rechtsquellen im Vertragsarztrecht am Beispiel der Richtlinien, in Festschrift 50 Jahre BSG, S. 497 (515).

(153) *Butzer/Kaltenborn* (Fn. 127), S. 333 ff.; *Castendiek* (Fn. 147), S. 71 ff.; *Hänlein* (Fn. 103), S. 453 ff.; *Hebeler*, Timo, Verfassungsrechtliche Probleme „besonderer" Rechtssetzungsformen funktionaler Selbstverwaltung, DÖV 2002, 936; *Koch*, Thorsten, Normsetzung durch Richtlinien des Bundesausschusses der Ärzte und Krankenkassen, SGb 2001, 109, 166; *Neumann*, Volker, Anspruch auf Krankenbehandlung nach Maßgabe der Richtlinien des Bundesausschusses?, NZS 2001, 515 (516 f.); *Ossenbühl* (Fn. 131), S. 497 ff.; *ders.*, Die Richtlinien im Vertragsarztrecht, in Schnapp (Hrsg.), Probleme der Rechtsquellen im Sozialversicherungsrecht - Teil I, Tagungsband zum 5. Fachkolloquium des Instituts für Sozialrecht am 25./26. Juni 1997 in Bochum, 1998, S. 65; *Schimmelpfeng-Schütte* (Fn. 131), S. 530 ff.

が，しかし自治機関の形成の手続とその構成は，なお固有の疑いを呼び起こす。法律は，これに関して，使用者団体リスト，労働者団体リスト，任意の被保険者リストにもとづく6年ごとの選挙を定めた（社会法典4篇45条以下）(154)。真の選挙というならば，予備選挙も考えられるが，しかしそれが行われるのはごく例外である。というのは，いわゆる平和的選挙(155)という帝国時代にさかのぼる制度が，広く法的現実をなしているからである。つまり，使用者側と被保険者側からそれぞれ1つのリストだけが提出されるか，あるいは複数のリストが出た場合でも，構成員として選挙されるだけの数の提案が提出される場合には，社会法典4篇46条3項は，直ちにその自治機関の選挙がなされたものと擬制しているのである。たとえば，今年（2005年）に行われた直近の社会保険分野の選挙では，予備選挙が行われたのは351の保険主体のうちわずかに8だけであった。1999年には，550の保険主体のうち，15において予備選挙が行われていた(156)。

つまり，自治と民主主義原理との一致についてはもともと問題があるのに，平和的選挙を通して，高権的な決定の影響を受ける当事者から事実上影響力行使の可能性が完全に奪われることによって，もうひとつの問題が生じているわけである。選挙への参加についてかなり高いハードルが設定されているという点でも，選挙の平等性が侵害されている(157)。平和的選挙の擁護者は，コストの問題，予備選挙に対して関係当事者の関心が低いことに加えて，「通常の」被保険者に比べて団体代表者の方がより高い知識を持っていること，議会で可決された法律の執行によって，客観的内容的な正統性が与えられることをあげ，これらは合わさって，民主主義的正統性のある種の不足を補填すると主張するのである(158)。憲法裁判所は，社会保険法に関しては，この問題についてまだ判断を下していない。地方自治については，連邦憲法裁判所は，平和的選挙は違法と判断している(159)。

---

(154) 連邦労働エイジェンシーは，三者構成となっている（社会法典3篇377条1，2項，379条1項）。

(155) *Wimmer*, Raimund, Friedenswahlen in der Sozialversicherung - undemokratisch und verfassungswidrig, NJW 2004, 3369 (3370).

(156) 2005年の数値については，*Rexin*, Burkhard, Sozialwahlen: Nur bei acht Sozialversicherungsträgern gibt es echte Wahlen, Soziale Sicherheit 2005, 74. 1999年の数値については，Statisken des Bundeswahlbeauftragten für die Sozialversicherungswahlen, Gesundheit und Gesellschaft (G + G), AOK Forum für Politik, Praxis und Wissenschaft (G + G Spezial) 7-8/2004, S.6, 16; *Wimmer* (Fn. 155), S. 3369.

連邦社会裁判所(160)は，地域的団体の選挙要件を社会的自治主体の問題に移し替えることはできない，と判断している。

平和的選挙の方法による機関代表者の任命という問題の多い方式は，立法者があまり手をつけなければ，民主的な基準形態となりうるかもしれない。これに対して，自治機関の人的構成に対する批判は，はるかに多様で，争いの多い問題である。とりわけ，使用者側が医療保険の給付法の形成に関して対等に協働することが攻撃されている(161)。

しかし，社会的自治は，基本法上はなんら明文上定められておらず，通説では，基本法20条１項及び28条１項の社会的法治国家原理からも，基本法87条２項からも，憲法上は社会保険における社会的自治の保証は導き出せないということになっている(162)ので，立法者は，その管轄権限を制限し，最終的には廃止することすらできるのである。

(5) 展　望

---

(157)　平和選挙を支持するものとして，*Ruland*（Fn. 90), S. 700（年金保険に関して），*Reiter*, Heinrich, Die Selbstverwaltung als Organisationsprinzip der Sozialversicherung, DRV 1993, 657 (665); *Engelmann* (Fn. 152), S. 78 m.w.N.; ähnlich *Becker* (Fn. 99), B 6 Rn. 53 m.w.N.; *Schnapp* (Fn. 101), S. 822, 826 (siehe aber *ders*. 1994, in HS-KV (Fn. 99), §49 Rn. 174; *Eschner*, Monika, Wo die Basis das Sagen hat, G + G Spezial 7-8/2004, 4 (6) があり，場合によって区別するものとして，*Muckel* (Fn. 101), S. 172 ff. そして，平和選挙に反対する *Wimmer* (Fn. 155), S. 3369 ff.; *Emde* (Fn. 139), S. 459; *Axer* (Fn. 130), S. 305; *Neumann*, Volker, Normenvertrag, Rechtsverordnung oder Allgemeinverbindlichkeitserklärung, 2002, S. 30; *Castendiek* (Fn. 147), S. 73 m.w.N., *Schmidt-Aßmann*, Eberhard, Verfassungsfragen der Gesundheitsreform, NJW 2004, 1689 (1693); *Hebeler* (Fn. 153), S. 941; *Windels-Pietzsch*, Astrid, Friedenswahlen in der Sozialversicherung, VSSR 2003, 215.
(158)　BSG v. 15.11.1973, E 36, 242 (244); vgl. auch VGH Mannheim, NVwZ-RR 1998, 366 (369); *Christmann*, Selbstverwaltung und Selbstverantwortung, 1977, S. 221, zit. nach *Ruland* (Fn. 90), S. 700; *Schnapp* (Fn. 101), S. 823.
(159)　BVerfG v. 30.05.1963, E 13, 1 (17 f.).
(160)　BSG v. 15.11.1973, E 36, 242
(161)　*Hänlein* (Fn. 103), S. 160 ff; *Ebsen*, in HS-KV (Fn. 116), §7 Rn. 57; *Schulin*, Bertram, Gedanken über die Rolle der Arbeitgeber bei der sozialen Sicherung der Arbeitnehmer, in Festschrift für Otto Rudolf Kissel, 1994, S. 1055 (1067 ff.); *Haverkate*, Görg, Verfassungslehre, 1992, S. 300 f.
(162)　*von Wulffen* (Fn. 101), S. 666 f. m.w.N.; BVerfG v. 09.04.1975, E 39, 302 (314 f.); differenzierend *Reiter* (Fn. 157), S. 659.

出版物においては，社会保険法における自治の現実的意義の評価については，統一的なものは明らかになっていない。一方では，自治団体とその結合団体の自己責任的決定権限は，「残余的部分であり周辺的領域」[163]に残っているにすぎないという意見も見られるし，他方では，自治は成功モデルとして評価すべきだとする意見も見られる[164]。連邦社会裁判所の見解[165]によれば，医師と疾病金庫の協働は，「受容可能な財政的条件の下で，国民の10分の9に医療を保障するシステムが機能するために，決定的に貢献して」いるから，この分野に携わる諸団体の決定自由については，外部から，その機能を妨げるように制限してはならない[166]，という。さらに，さまざまな社会保険分野の機関における社会的パートナーの代表者の二重機能の多くは，客観的に提起されてくる利益紛争を調整し，緩和するために貢献している[167]，とも主張されている。

　たしかに，ドイツの自治の決定権限の範囲は，ますます膨大になっていく社会保障法の法典化作業によって実際上は次第に狭められている。主として賦課方式で財源をまかなっている社会保障システムは，コスト圧力の増大によって，現在非常に緊迫した状態にある。しかし，立法者は，国家による直接的指導措置を通して抜本的な問題解決を図ろうとはしてこなかった。むしろ，たとえば共同自治組織の中央組織の再編――以前の4つの委員会の代わりに2004年以後は唯一の連邦合同委員会を設けることになった[168]――は，再び自治を強化しているのである[169]。

(163) *Schnapp* (Fn. 101), S. 824 f.; *Becker* (Fn. 99), B 6 Rn. 40 ff.
(164) とくに，*Axer* (Fn. 123), S. 361; *von Wulffen* (Fn. 101), S. 662 ff. は，自治をたしかに「成功したモデル」と評価しているが，しかし，そこではそれはきわめて限定された意義しかもたないことが前提とされている。
(165) BSG v. 16.05.2001, E 88, 126 (133), mit Verweis auf BVerfG, Beschl. v. 20.03.2001, NJW 2001, 1779 (1780).
(166) もっとも，ここで非職業裁判官の構成（以下，IV参照）が引合いに出されていることは，「自己利益の観点」の表明を思わせる。
(167) *Ruland*, Franz, Verbände der Leistungsträger als Instrument der Zusammenarbeit, DRV 1988, 359 (361) m.w.N.
(168) 2003年11月14日の法定社会保険現代化法（2004年1月1日施行，BGBl I 2190）によって創設されたもの。
(169) *von Wulffen* (Fn. 101), S. 670; *ders*., Eckpfeiler des Sozialstaates, in G＋G Spezial 7-8/2004, S. 3.

EU法の影響が強まった結果，新しいもう一つのシナリオを見ることができる。その点に関しては，本稿では，EU法，とくに競争法がなんら原則的なシステム転換を求めているものでないことを指摘するにとどめておく[170]。

2 社会扶助法における規範設定

社会扶助法にも，社会扶助主体と給付提供者（たとえば，高齢者施設運営者ないし介護施設運営者）間の共同自治による規範設定協定が存在する。たとえば，社会法典11篇79条1項は，社会扶助主体団体と施設運営者団体に対し，入所施設（たとえば介護ホームへの入所）における給付提供とその報酬に関する，給付提供者と給付主体間での地域段階での協定（社会法典12篇75条3項，76条2項）に関して，州レベルでの枠組み協定を締結する権限を認めている[171]。それは，標準事例についての規整内容を定めているが，真の拘束力は有していない[172]。さらに，連邦社会扶助主体協議会，地方自治体中央団体連邦協議会，施設運営者協議会は，連邦レベルで，枠組み協定に内容と方向性を与える連邦勧告を合意することができることになっている（社会法典12篇79条2項）。

Ⅳ 裁判および法執行への団体の参加

1 労働裁判所および社会裁判所における非職業的裁判官としての団体構成員

諸団体は，労働裁判所においても社会裁判所においても，非職業的裁判官を通じて，判決に対して重要な影響力をもっている。

ドイツの労働裁判所に対する非職業的裁判官の関与は，長い伝統をもっている。それは，1808年以降，ナポレオン法の模範に従ってドイツのいくつかの都市で設

---

(170) 共同の自治については，*Axer* (Fn. 123), S. 359 f. 参照。

(171) このテーマについては，*Köbl*, Ursula/*Brünner*, Frank (Hrsg.), Die Vergütung von Einrichtungen und Diensten nach SGB XI und BSHG-Tagungsband, 2001. 連邦社会扶助法93d条2項（2005年1月1日からは，社会法典12篇79条が適用）における契約法については，*Fakhreshafei*, Reza, Rechtscharakter und-verbindlichkeit der Landesrahmenverträge nach §93d II BSHG, RsDE (Beiträge zum Recht der sozialen Dienste und Einrichtungen) 52 (2003), S. 3 参照。

(172) *Schellhorn*, Walter und Helmut/*Hohm*, Karl-Heinz, Das Bundessozialhilfegesetz, 16. Aufl. 2002, §93 d Rn. 8.

立された営業裁判所に起源をもつ。社会裁判所制度も，確実な伝統と結びついており，それはワイマール時代の類似の形態にまでさかのぼる[173]。非職業的裁判官の——まさに法律的訓練ではなく職場での事象に関する経験と知識に由来する——専門知識を引き入れることによって，現実に密着した労働裁判が達成でき，裁判所の判断が社会的に受容されると考えられたのである[174]。陪席裁判官の関与によって，職業裁判官も，労働者側と使用者側の共通の評価や利害対立を知ることができ，それを判決の際に考慮することが可能となる。労働裁判所と社会裁判所における非職業的裁判官は，刑事裁判における参審員よりも一層強い程度において，法的感情や利害の立場に左右されない，熟練し経験を積んだ人材である。彼らの関与の重点は，単なる人生経験の提供ではなく，当該職業階層の放棄しえない専門知識の提供である[175]。そこで，多少古い調査[176]になるが，職業的裁判官もまた，非職業的裁判官の関与を歓迎しているという。非職業的裁判官は，自らが「パートナー」として受け入れられていると感じている。この調査は，さらに，非職業的裁判官が，判決にあたって基本的には自らの「元来の立場」を代表するのではなく，いずれの陪席裁判官が使用者側でいずれが労働者側であるかが部外者にほとんどわからないほど，「立場の逆転」がひんぱんに生じ，裁判の90％以上が全員一致の結果によることを明らかにしている。この理想的な像が，大規模な職場の喪失と社会保障の一般的な後退が起こっている今日においてなお，裁判の実態を表わしているのかどうかについては，独自の調査を必要とするであろう。しかし，上記の報告のなかに，対立する利害の調和のとれた代表という，団体権力を緩和する，有益な作用を見ることができるのである。

労働裁判所制度では，すべての審級において職業的裁判官とならんで，非職業的裁判官が関与する。それは，労働者側と使用者側から半数ずつ選出される（労

---

(173) 伝統については，*Bader*, Peter/*Hohmann*, Roger/*Klein*, Harald, Die ehrenamtlichen Richterinnen und Richter beim Arbeits- und Sozialgericht, 11. Aufl. 2004, S. 2.

(174) *Neumann*, Dirk, Die ehrenamtlichen Richterinnen und Richter beim Arbeits- und Sozialgericht, RdA 2001, 420.

(175) Vgl. BVerfG v. 17.12.1969, E 27, 312 (323); BSG v. 28.05.1965, E 23, 105 (110) m.w.N. 社会裁判所の成立過程については，*Meyer-Ladewig*, Jens, SGG-Sozialgerichtsgesetz mit Erläuterungen, 7. Aufl. 2002, §3 Rn. 2.

(176) *Klausa*, Ekkehard, Ehrenamtliche Richter - ihre Auswahl und Funktion, 1972, S. 129 und 141, zitiert bei *Bader*/*Hohmann*/*Klein* (Fn. 173), S. 2.

働裁判所法16条2項，22条，23条，35条2項，41条2項，45条5項）。彼らは，労働裁判所と州労働裁判所(177)においては，それぞれ管轄の州最高官庁によって，4年任期で任命される（労働裁判所法20条1項）。連邦労働裁判所(178)については，任期は5年で，連邦経済労働省が，労働者団体と使用者団体，そして地域諸団体の推薦リストにもとづいて任命する（労働裁判所法43条1項1文）。彼らは，利益集団から供給されるけれども，裁判官としての憲法上の地位を保有している。彼らは独立しており，つまり，いかなる指示からも自由であり(179)，法律と法にのみ拘束される（基本法20条3項，97条1項，裁判所構成法1条，ドイツ裁判官法45条1項）。彼らは，自らの職務を非党派的に，中立に遂行しなければならない（EMRK 6条1項1文参照）。彼らは，裁判長と同等の権限をもって法的問題の決定に関与しうるし，またそうあるべきである(180)。

社会裁判所(181)の審問廷もまた，同じくすべての審級において，同権をもった（社会裁判所法19条1項）職業的裁判官と非職業的裁判官から構成される（社会裁判所法3条，12条，33条，40条，41条5項）。もっとも，社会裁判所における参加は，労働裁判所におけるように，明確な利益の対立構造にもとづいているわけでなく，社会的自治の考え方をなおとどめている(182)。それに対応して，裁判官の選出母体が多様であることは，労働裁判所の比ではない。彼らは，被保険者と使用者の階層（社会裁判所法16条4項）から選出されるだけでなく，関係する専門領域に応じて，医師，疾病金庫（社会裁判所法17条4項），社会的補償法あるいは障害者参

---

(177) 1法廷あたり1人の職業裁判官と2人の非職業的裁判官（労働裁判法16条2項，35条2項）。

(178) 1法廷あたり3人の職業裁判官と2人の非職業的裁判官（労働裁判所法41条2項）。

(179) BVerfG v. 09.05.1962, E 14, 56（69）.

(180) Vgl. BVerfG, Beschluss v. 04.06.1969, E 26, 163（170）.

(181) 非職業的裁判官の数： 社会裁判所については，1法廷あたり1人の職業裁判官と2人の非職業的裁判官（社会裁判所法12条1項1文）。州社会裁判所については，1法廷あたり，3人の職業的裁判官と2人の非職業的裁判官（社会裁判所法33条1文）。連邦社会裁判所については，1法廷あたり，3人の職業裁判官と2人の非職業的裁判官（社会裁判所法40条1文，33条1文）。

(182) *Bader/Hohmann/Klein*（Fn.173）, S. 2 f.; *Eichenhofer*, Eberhard, Die Rolle ehrenamtlicher Richter in der Sozialgerichtsbarkeit, SGb 2005, 313（318 f.）; BSG v. 28.5.1965, E 23, 105（110）.

加法に習熟した人々，保障請求権者，そして障害者（社会裁判所法12条以下，35条，45条以下）からも任用される。

社会保険事項を扱う法廷と失業保険事項を扱う法廷については，推薦リストは，労働者団体と使用者団体，そして社会裁判所法16条4項3号に列挙された連邦・州の最高官庁から提出される（社会裁判所法14条1項）[183]。推薦を行う団体は，被推薦者の適性について保障を与えなければならない。そのための前提条件は，構成員数と財政状況である。連邦社会裁判所は，原則として最低構成員数1000人という基準を要求している。さらに，団体は，社会的・職業的な目的を強力に追求する真摯な意図と能力をもつことを要求される[184]。

この手続は，非職業的裁判官が他の裁判所制度の場合よりも選出団体に拘束される危険性がありうるように思わせる。そこで，この推薦手続は，三権分立の原則（基本法20条2項2文）と，裁判官の独立性・中立性の観点から批判されてきた[185]。すなわち，これらの原則からすれば，一方では，裁判所は組織的に行政当局から十分に分離されていなければならないし，他方では，法実務に携わる官職と行政の間に人的な結合があってはならないことになるという。たとえば，推薦リストに関するある疾病金庫医師会の代議員会における代議員選出にあたって，当該疾病金庫医師会が訴訟当事者になりうるという場合に，こうした疑いが生じうるのである。

連邦社会裁判所[186]と連邦憲法裁判所[187]は，ほぼ40年にわたって，こうした

---

(183) 保険医法にかかわる事項を扱う法廷に関する提案リストは，保険医協会もしくは保険歯科医師協会，そして疾病金庫連合体から提出される（社会裁判所法14条2項）。社会的補償法と重度障害者法を扱う法廷については，提案リストは，とくに州扶助局，社会的諸団体，そして労働組合から提出される（社会裁判所法14条3項）。

(184) *Meyer-Ladewig* (Fn. 175), §14, Rn. 2 m.w.N.

(185) 社会裁判所の裁判に対する素人の関与に対するこうした批判や，それ以外の批判について，詳しくは *Eichenhofer* (Fn. 182), S. 316 ff. 参照。

(186) BSG v. 28.05.1965, E 23, 105: 原告の医師は，上告において，次のような理由で州社会裁判所の判決を争った。すなわち，1人の非職業裁判官が，判決に関与した時点で，被告である保険医協会の大会代議員であり，したがって基本法によって命じられている裁判官の中立性が保障されておらず，州社会裁判所は規定どおりに構成されていなかったというのである。

(187) BVerfG, Beschl. v. 17.12.1969, E 27, 312 (zur Verfassungsmäßigkeit von §14 II SGG): Die Verfassungsbeschwerde wandte sich gegen die in Fn. 186 zit. Entscheidung des BSG v. 28.05.1965, E 23, 105.

疑念に対し次のような理由をあげて答えてきた。一方では，被保険者共同体が非職業的裁判官によって代表されることによって，利害対立が緩和され[188]，それによって，その他の分野でも決して完全には排除できない裁判官の「利害関係性（Mitgetroffensein）」も緩和される[189]。他方，社会裁判所の構想に際して，それまでの伝統が考慮された[190]。関係者，たとえば保険医の関与は，とくに専門的であり，それゆえ非職業的裁判官に適した人材の関与というメリットをもっていた[191]。それでも生じる裁判官の中立性原則との緊張関係は，「民主的かつ社会的な連邦国家」（基本法20条1項）の思想に照準をあわせて，適切な陪席裁判官の関与を認めることによって解消されるべきである[192]。連邦憲法裁判所の見解によれば，「現実的な義務の衝突」[193]を避けるために，社会裁判所法60条は，「十分な対応措置」を予定しているという[194]。というのは，この規定は，［裁判官の］偏見に関して重要な意味をもつ，民事訴訟法上の諸規定[195]を，単に類推的に適用するだけでなく，相当程度厳格にしているからである。

　連邦社会裁判所と連邦憲法裁判所は，よく似た論拠によって，三権分立原則との合致を根拠づけようとしている。すなわち，自治的団体は，その顕著な専門知識ゆえに，適切な非職業的裁判官を紹介し推薦するという任務をとくに与えられる。自らの利益を追求するのではないかとの懸念は，恒常的に社会保障裁判の当事者になるのでないにせよ，裁判官の推薦によって一定の見解を裁判で貫徹させようとするような団体の手に推薦権を与える場合に比較すると，少なくともより大きいとはいえない。最後に，最終的な裁判官の選出決定は，形式的な執行行為ではなく，州法によって管轄権をもつ機関の裁量行為であり（社会裁判所法13条1項，35条1項2文），それによって合憲性が保障されるのである，と[196]。

---

(188) BSG v. 28.05.1965, E 23, 105 (110).
(189) BVerfG v. 17.12.1969, E 27, 312 (324).
(190) BSG v. 28.05.1965, E 23, 105 (112); BVerfG v. 17.12.1969, E 27, 312 (324).
(191) Vgl. BSG v. 28.05.1965, E 23, 105 (110 ff.).
(192) BSG v. 28.05.1965, E 23, 105 (112).
(193) BSG v. 28.05.1965, E 23, 105 (114 f.) m.w.N.; BVerfG v. 17.12.1969, E 27, 312 (321 f.).
(194) BVerfG v. 17.12.1969, E 27, 312 (324 f.).
(195) §§ 41-44, 45 II 2, 47-49 ZPO.
(196) BSG v. 28.05.1965, E 23, 105 (116 f.); BVerfG v. 17.12.1969, E 27, 312 (320 f.); *Bader/Hohmann/Klein* (Fn. 173), S. 26 ff.

2 訴訟代理人としての団体構成員

かなり以前から，労働裁判所でも社会裁判所でも（もっとも連邦労働裁判所を除く），各団体の代表は，規約もしくは授権によってその資格が与えられている限り，訴訟においてその構成員の代理人を勤めることができる（労働裁判所法11条，社会裁判所法73条)[197]。

以前は，労働裁判所においては，協約締結能力のある団体にしか代理権を認めなかった。その理由は，労働裁判の相当多数においては，協約上の権利の主張が問題となり，それゆえ，労働協約当事者の代表に訴訟代理の特権を与えることは合目的的であるが，協約締結資格のない団体にはそうした理由がない，ということであった[198]。しかし，これに対する反論として，基本法9条3項によって保護される団結に特有の活動には，構成員のために訴訟に付き添うことも含まれるということがあげられる。代理権限を協約締結能力に結びつけることは，団結の活動権を比例原則に反して制約するものといえる。そのことは，協約締結資格のない中央団体や，第一審については，社会的・職業政策的目的をもった一般的な労働者団体にも訴訟代理権限を付与している労働裁判所法11条からも導かれる[199]。

社会裁判所については，社会裁判所法73条6項3文により，法発見のためにとくに団体の専門知識を利用するという目的で[200]，以下の人々が代理権限を与えられている[201]。すなわち，社会裁判所法166条2項の意味における授権された者，労働者団体と使用者団体の構成員と職員[202]，農業職能団体および戦争被害者団体の構成員と職員[203]である。

---

(197) *Meyer-Ladewig* (Fn. 175), §73 Rn. 4d m.w.N. は，団体活動の包括的な評価を抜きにして，当該団体が主として社会的，あるいは職業政策的目的をもつものではないという理由で団体構成員を訴訟代理人から排除することは，基本法9条3項に違反するという。
(198) BAG, NJW 1956, 1332; BAG, NZA 1986, 249.
(199) *Löwisch* (Fn. 1), Rn. 211; *Koch*, Ulrich, in ErfK (Fn. 65), §11 ArbGG Rn. 8 ff.
(200) *Friese*, Birgit, Die Postulationsfähigkeit der Angestellten und Mitglieder von Vereinigungen beim Bundessozialgericht nach §166 Absatz 2 Satz 1 SGG, NZS 1999, 229; BSG v. 15.10.1957, E 6, 47 (50) m.w.N.
(201) これは制限列挙である。しかし，それぞれの団体の連合体，とくに全国団体を含んでいる。vgl. *Friese* (Fn. 200), S. 229 m.w.N.; BSG v. 15.10.1957, E 6, 47 (49 f).

3 労働裁判所と社会裁判所における団体の訴訟資格

基本法19条4項の限定的な規定により，法的保護への憲法上の請求権は個人的諸権利の侵害の場合にのみ存在するので，構成員の利益擁護や公共性のために団体が行う訴訟（団体訴訟）が適法であるためには，明文の法律上の根拠が必要とされる。社会保障法の分野では，それは社会法典9篇63条ではじめて規定された(204)。この規定は，社会法典9篇にもとづく障害者の権利を彼らに代わって，また彼らの同意を得て実現しうるために，原告として訴訟当事者となる地位を定めている(205)。この権利は，連邦および州の段階で障害者を代表することを規約で規定している団体に与えられる。

これに対して，構成員から独立した「真の」団体訴権は，障害者均等法（BGG）で定められている(206)。承認された団体(207)は，障害者に不利益となるように権利が侵害されたということがなくても，訴訟を遂行できる（障害者均等法13条3項）(208)。いずれかの障害者の同意なるものは不要である。訴訟は，障害者均等法

---

(202) 諸団体は，その構成員数と財政状態に応じて，連邦社会裁判所における訴訟代理のために適切な代理人をあてられるという保障を与えなければならない。連邦社会裁判所の判例によれば，この保障は，労働者団体の場合には原則として最低1000人の構成員を擁している場合に限り与えられるという（*Krasney*, Otto Ernst in Krasney/Udsching, Handbuch des sozialgerichtlichen Verfahrens, IX Rn. 243 m.w.N.; *Friese* (Fn. 200), S. 234 m.w.N.; *Meyer-Ladewig*, (Fn. 175), §73 Rn. 6.). 使用者団体については，構成員数はより少なくてもよいとされている（*Krasney* a.a.O., IX Rn. 246 m.w.N., *Meyer-Ladewig*, (Fn. 175), §73 Rn. 7.)。

(203) 社会裁判所法73条，166条にいう団体（Vereinigungen）とは，連邦社会裁判所法によれば，構成員と課題を，法律があげる人的集団に限定しているものに限られる（*Friese* (Fn. 200), S. 230 は，多くの裁判例をあげている）。

(204) SGB IX vom 19.06.2001, BGBl I 1045 (1065).

(205) *Götz*, Marion, in Kossens/von der Heide/Maaß, Praxiskommentar zum Behindertenrecht (SGB IX), 2002, §63 Rn. 2.; *Majerski-Pahlen*, Monika, in Neumann/Pahlen/Majerski-Pahlen, Sozialgesetzbuch IX-Rehabilitation und Teilhabe behinderter Menschen. Kommentar, 10. Aufl. 2003, §63 SGB IX Rn. 1 f.

(206) BGG vom 27.04.2002, BGBl I 1467 (1470 f.).

(207) 団体訴訟を提起する権利をもつのは，障害者均等法13条3項により，労働者グループ代表，障害者団体，あるいは連邦民間福祉協議会の推薦にもとづき，社会法典9篇64条にもとづいて連邦社会保健省におかれた審議会において承認された団体に限られる。

(208) *Majerski-Pahlen* (Fn. 205), §13 BGG Rn. 1 m.w.N.

の重要規定もしくは障害者均等法の基本原則を反映した個別法への侵害が存在することの確認を求めるものに限定されている。しかし，ある障害者が自らの権利のために自ら訴訟を提起しようとすればできたという場合には，団体訴訟は，問題とされている措置が一般的意義をもつ事案である場合（たとえば同様の事例が多数存在する場合）に限り，許される。

ドイツ労働組合総同盟（DGB）は，労働法の領域においても，個々の使用者に対する団体訴権を法律に明記するよう要求している。その目的は，とくに労働協約規定や国家法的な最低労働条件が遵守されているかどうかの司法審査にある[209]。1998年に締結された社会民主党と緑の党の間の政権合意において，「協約規範を強化すること，とりわけ団体（…）の訴権を通じて強化すること」がうたわれた。2002年の政権合意では，この問題はもはや表面化はしなかった[210]が，この間，判例によって，労働組合は協約違反の事業所規整に対して不作為請求訴訟を提起しうることが認められた[211]。

V 社会国家的任務の共同目的団体への委任

社会福祉団体は，資本および労働の諸団体と並ぶ，いわば「第三のソーシャル・パートナー」[212]とみなすことができる。それは，社会保障サービス全体の約3分の1の提供主体となっている。それは，老人介護，障害者介護，健康保護，青少年保護，家族保護，そしてその他緊急状態にある者（たとえばホームレス，薬物

---

(209) *Koop*, Volker, Hitzige Debatte um Verbandsklagerecht‐Gewerkschaften ante portas? Ausdruck aus dem Internet-Angebot der Zeitschrift „Das Parlament" mit der Beilage „Aus Politik und Zeitgeschichte", Deutscher Bundestag und Bundeszentrale für politische Bildung, 01.08.2003.
(210) Vgl. dazu kleine Anfrage der CDU/CSU-Fraktion im Deutschen Bundestag vom 30.03.2004 mit Antwort der Bundesregierung vom 19.04.2004 in BT-Drs. 15/2932, S. 10.
(211) BAG, NZA 1999, 887; *Schaub* (Fn. 17), §201 Rn. 22.
(212) *Spiegelhalter*, Franz, Der dritte Sozialpartner. Die Freie Wohlfahrtspflege‐ihr finanzieller und ideeller Beitrag zum Sozialstaat, 1990; Begriff aufgegriffen von *Schmid*, Josef, Zwischen politischer Macht und Nächstenliebe‐Zur Topographie von Wohlfahrtsverbänden im westeuropäischen Vergleich, in von Alemann/Weßels (Hrsg.), Verbände in vergleichender Perspektive, 1997, S. 83 (86).

依存症，その他，一般的に破局にある者）の保護の分野において活動している(213)。これらの自由な福祉活動(214)の多くは，社会法典が予定している任務でもある。社会国家は，社会福祉諸団体を公的な生活保障(215)に引き入れることによって，これらの団体に，それらが引き受ける領域における一種の「公的地位」(216)を与えるのである。

次のデータは，ドイツにおけるいわゆる「自由な供給機関」が労働市場政策や社会政策においていかに重要な役割を果たしているかを証明するものである。まず，これらの団体は，全部で116万人以上を正規職員として雇用している。そして，それ以外に250万人から300万人が，非職業的に補助している。それは，約9万4000の社会施設を有し，そのベッド数とその他の収容定員をあわせると327万になる(217)。それは，年間約550億ユーロの費用をつかっている(218)。福祉団体とそれが行うサービスの財政については，団体自身の計算では，国家支出，社会給付運営主体の費用負担，そして，寄付と会費がそれぞれ3分の1ずつであるという(219)。これに対して，懐疑的な論者は，団体自身が負担するのは，10％から20

---

(213) 福祉諸団体が市場に占める割合についていえば，たとえば介護施設については56％，保育所については49％，介護サービスについては46％，病院については40％となっている。ドイツ赤十字社は，ドイツの輸血のうち80％をコントロールしている。このように福祉諸団体が有力な地位を占めていることから，すでに独占委員会が，福祉諸団体を批判し，競争の拡大と市場への開放を要求している（Institut der deutschen Wirtschaft［www.iwkoeln.de; Pressekonferenz vom 28. Juni 2004, Die Wohlfahrtsbranche in Deutschland - Mehr Wettbewerb tut Not］）．

(214) 租税通則法66条2項によれば，福祉活動の概念は，「営利のためでなく，公衆の福祉のために計画的に行われる，緊急事態にあるかそのおそれのある同胞のための援助であり，この援助は，医療的，倫理的，教育的，あるいは経済的福祉にまで拡げられ，また予防と救済を目的としうる。」と定義されている。通常，「自由な（福祉活動）」という言葉が付け加えられるが，これは，基本的に国家的諸制度からは独立して任務が設定されることと，任務の遂行が自律的になされることを意味する（*Schuhen*, Axel, Nonprofit Governance in der Freien Wohlfahrtspflege, 2002, S. 31 ff.）．

(215) *Backhaus-Maul*, Holger, Wohlfahrtsverbände als korporative Akteure - Über eine traditionsreiche sozialpolitische Institution und ihre Zukunftschancen, Internet-Angebot der Zeitschrift „Das Parlament" v. 01.08.2003.

(216) *Schmid* (Fn. 212), S. 86; *Backhaus-Maul* (Fn. 215).

(217) Zahlen der *BAGFW*, Die Freie Wohlfahrtspflege - Von Menschen für Menschen, Infobroschüre vom 07.10.2003, S. 13.

(218) ドイツ経済研究所の2002年の推計による（Fn. 213）．

％を超えないとしている(220)。

　福祉団体が特別大きい規模をもっていることと，それに特権的地位が与えられていることは，ドイツの特質であり(221)，それは古くからの伝統に根ざしている。そして，政治的アクターとしての，またサービス提供主体としてのそれの成功は，ワイマール共和国においてそれが社会国家に統合されたこと(222)と，それ以降，憲法的，社会保障法的特権を得たことによって確実なものとなった。すべての公法的な社会給付主体は，目標設定とその課題の遂行に際して，共同目的のための任意の施設および組織と協力し，その独立性を尊重することが義務づけられている（社会法典1篇17条3項2文）。のみならず，任意の福祉活動に対して，様々な形で優先権が与えられている。すなわち，国家は一定の——本来は国家のものである——任務の遂行にあたって，任意の福祉活動を優先させ，それに対して費用を保障するのである（社会法典12篇5条4項，75条2項，11篇11条2項，8編4条2項による補足性原則）(223)。連邦憲法裁判所(224)は，1967年の判決において，この任意の福祉活動と公的なそれとの関係を合憲と判断した。いわく，社会国家原理は，国家に対し，公正な社会秩序をととのえることを義務づけるが，立法者がこの目標の実現のためにもっぱら官庁による措置だけを予定することまで要求するものではない。立法者は，そのために私的な福祉団体の助力を規定するか否かの裁量権をもつ(225)。青少年扶助および社会扶助は，たしかに国家の任務ではあるが，国家は，自分だけではこれらの扶助を組織的にも財政的にも十分な程度において行

---

(219) *von Alemann*, Ulrich, Die Vielfalt der Verbände, Informationen zur politischen Bildung (Bundeszentrale für politische Bildung), Heft 253: Interessenverbände, 1996, S. 17 ff. (19); *Schmid* (Fn. 36), 4. Aufl. 2000, S. 673 ff. (674).

(220) *von Alemann* (Fn. 219), S. 19; Institut der deutschen Wirtschaft (Fn. 213); *Schuhen* (Fn. 214); *Boeßenecker* (Fn. 36), S. 111.

(221) *von Alemann* (Fn. 219), S. 19; *Schmid* (Fn. 212), S. 87 m.w.N.; *Backhaus-Maul* (Fn. 215).

(222) 歴史的展開については，とくに *Schmid* (Fn. 36), S. 714; *Flierl* (Fn. 36), S. 113 ff., 150 ff.; *Roider*, Gisela, Die rechtlichen Beziehungen zwischen freier und öffentlicher Wohlfahrtspflege, 1989, S.19 ff.; *Backhaus-Maul* (Fn. 215), m.w.N. 参照。

(223) 補充性の概念については，*Sachße*, Christoph, Subsidiarität in Lessenich (Hrsg.), Wohlfahrtsstaatliche Grundbegriffe, 2003 S. 191 [201]); *Roider* (Fn. 222), S. 75 ff. 参照。

(224) BVerfG v. 18.07.1967, E 22, 180.

(225) BVerfG v. 18.07.1967, E 22, 180 (Leitsatz 1 und S. 204).

うことはできない。むしろ，国家と任意の青少年支援組織や福祉団体との共同の努力が必要である。立法者は，何十年にもわたって積み重ねられてきた，国家と任意団体とのこの伝統的な共同作業を促進させ，定着させようとしたのである，と[226]。

さらに，基本法2条1項〔人格展開の自由〕と9条1項〔結社の自由〕は，自己責任による慈善活動の権利を憲法的に保障している[227]。それに加えて，任意の福祉活動が教会施設（カトリックおよびプロテスタントの慈善活動 Caritas und Diakonie）によって行われる場合には，それらは信教の自由（基本法4条）の保護を受け，基本法140条（それが引用するワイマール憲法137条3項）が保障する教会の自己決定権によって把握されるのである[228]。

おわりに

ドイツの労働法秩序と社会法秩序を比べると，団体の活動主体や，国家がイニシャティブをとったり特別に保護したりする行動形態は，たしかにかなりの部分で重なりあっているが，完全に重複しているわけではない。際だって特徴的なのは，諸団体や団体的に構成された諸機関に対して，正式に規整権限が付与されていることである。長い期間にわたって成長してきたこのような構造が，経済・政治状況の変化のなかで，あるいは現在だけとってみても，公共の福祉のためにいかなるメリットとデメリットをもつかを評価することは，あまりに大胆な試みであろう。しかし，少なくとも，団体の関与と管轄のシステムが近い将来に大きく変化することはないであろうこと，しかし同時に，このシステムが，少しずつ力を失っていくのではないかと予測することだけは許されるであろう。

---

(226) BVerfG v. 18.07.1967, E 22, 180 (200).
(227) Dazu *Roider* (Fn. 222), S. 36 ff. m.w.N., S. 68.
(228) *Roider* (Fn. 222), S. 38 ff.; BVerfG v. 16.10.1968, E 24, 236.

社会保障制度における「団体」の位置づけについて
―― 医療保障制度における「医師団体」の役割を例に，日独比較の視点から ――

木下秀雄

I　はじめに

シンポジウムの「団体，組織と法」というテーマを，社会保障法，あるいは社会保障制度においてどのように論じるかは，きわめて多様な論点と視点が想定される。たとえば，家族をどのように位置づけて議論の対象とするのか 1 つをとっても問題が生じうる。さらに社会保障といっても，医療から年金，社会福祉サービス，最低生活保障制度など多様な分野が存在する。

ドイツ側ケーブル報告では，労働法・社会保障を通じて「団体」の役割を詳細かつ包括的に論じられているが，本稿では，対象をまず社会保障分野に限定した上で，さらに社会保障の中でも医療保障制度を取り上げることとし，その中における「医師団体」[1]の制度的位置づけを，日独比較，という視点から検討することとする。ドイツにおける医療保障制度内の団体の役割分析はケーブル報告でも詳しく論じられている。本報告では，そうしたドイツの制度との対比で日本の制度の特徴を明らかにし，その上で，社会保障における「団体」の役割について，どのような役割・機能が期待されるのか，を考えてみたい。

II　日本の医療保障の概観

1　医療保障制度構造

日本の医療保障制度は，ドイツのそれと類似している点が多い。

---

(1) 日本では，後述するように「医師団体」自体が任意的団体で，ドイツの「保険医協会（Kassenärztliche Vereinigung）」（こうした訳語自体，日本の開業医が中心の保険医協会と混同されるおそれがあるが。）のように法律上の位置づけが明確な医師団体とどのように比較するか議論の余地がある。

第1に，日独いずれも，社会保険方式を中心とする医療保障システムを採用しており，イギリスなどのいわゆるナショナルヘルスサービス（NHS）制度を採っていない。

　第2に，その社会保険方式においても，医療提供に関して現物給付原則を採用し，フランスなどのように，償還払い制度を採っていない。

　第3に，医業については自由開業医制度が採られている。つまり，医療提供者は公行政に限定されておらず，医師もそのほとんどは公務員ではなく，また医療給付の主たる財源担当者である社会保険主体に直接雇用されているわけではない。これは開業医の場合だけではない。一定の医療計画の枠内でではあるが，病院の開業・経営も基本的に民間が独自に展開することが出来る建前になっている。こうした点では，病院経営がほとんど公行政であるイギリスや，医師のほとんどが公務員であるスウェーデンなどと異なる。

　しかしもちろんいくつか大きな違いも存在している。ここでは特に以下の2点指摘しておきたい。

　第1の，そして最大の日独の差異は，日本には国民健康保険制度という，住民であるという資格で医療保険加入を強制する社会保険制度（「市町村又は特別区（以下単に「市町村」という。）の区域内に住所を有する者は，当該市町村が行う国民健康保険の被保険者とする。」（国保法第五条）とされている。）が，被用者医療保険制度とともに設けていることとである。

　この国民健康保険制度は，①被用者医療保険によってカバーされていない人を，市町村の住民である，ということを要件として加入を強制する仕組みになっている。つまり，被用者医療保険による医療保険強制を補完する役割を担っており，両者があいまって「国民皆医療保険」を実現することになっている。②国民健康保険の保険者には，地方自治体である市区町村自身が当たることになっている。③被保険者は，自営業者，農業従事者のほか無業の高齢者，さらに，最近増大しているのが被用者医療保険から排除された擬似自営業者，つまり，不安定雇用労働者である。このため，全体として低所得者が多数を占め，また高齢者の比率が被用者医療保険に比べて圧倒的に高いという状況になっている。④財源は，被保険者自身が患者として医療機関の窓口で支払う一部負担が医療費全体の約30％。残りの医療費全体の約70％を，公的給付である保険給付がまかなうことになっている。この保険給付のうち半分を国が負担し，残り半分を被保険者の保険料負担

がまかなうことになっている。国民健康保険の保険料は，所得比例負担，資産比例負担と世帯割と個人割の定額負担とをミックスしたもので，各市区町村によって異なる方式で算定され，徴収されている。被保険者の構成において全体として低所得層が多いことと，保険料において定額負担が相当部分を占めていることから，国民健康保険の保険料負担は所得に対する負担割合という点からみると，被用者保険の保険料率に比較して相対的に過重になっている。

第2に，日本の被用者医療保険において，保険者は，ドイツの経営疾病金庫にほぼ対応していると思われる健康保険組合と，政府自身が保険者となる政府管掌健康保険とからなっている。特に後者は，保険者であるという形で，実質的に中央政府自身が登場している点が大きな特徴である。つまり，日本の場合，中央行政自身が被用者医療保険の保険者として，保険関係の中の登場してくることになっている点に注意しておく必要がある。なお，被用者医療保険では，保険料率は8,2％で，労使折半負担となっている。

2　日本の医療保障の現状

日本の医療保障制度は，全体として，低コストのわりに高パフォーマンスを維持してきた。

乳児死亡率は，対1000人比で3,0（2002年）である。

これは，スウェーデン3,2（2000年），ドイツの4,4（2000年），フランス4,4（2001年），イギリス5,5（2001年），アメリカ6,9（2001年）と比べて相当良好である[2]。このほか，平均余命でみても，男性78,36歳，女性85,33歳（2003年）となっている。これは，スウェーデンが77,30歳，82,00歳（2001-2003年），イギリス75,68歳，80,39歳（2001-2002年），フランス75,2歳，82,8歳（2000年），ドイツ75,38歳，81,22歳（2001-2002年），アメリカ74,4歳，79,8歳（2001年）などと比較しても，「男女とも世界有数の長寿国の一つ」であることは周知のことである[3]。しかも，これに要した医療費総支出状況を，対国民所得に対する国民医療費比率で国際比較すると，日本は8,5％（2001年）であるのに対して，イギリス7,7％（1999年），ドイツ11,7％（1997年），フランス11,6％（1998年），アメリカ11,8％

（2）　国民衛生の動向 2004 年版，60頁。
（3）　同上，68頁。

(1998年) となっている[4]。

しかし，こうしたこれまでの実績は，一方で国民皆保険制度が維持され，医療システムが有効に機能してきたことの結果であるとともに，他方で家族や企業など公的社会保障とは異なる，いわばインフォーマルなさまざまな社会的経済的制度と諸条件の下で支えられてきた結果でもあることに注意する必要がある。つまり，そうした条件が崩れるならば，今後日本の医療がどのようになっていくかは必ずしも楽観できないと考えられるのである。そうしたことの象徴が国民健康保険をめぐる以下の2つの現象である。

1つは，制度的には被用者保険の適用を拡大方向に進んできたにもかかわらず，労働形態・雇用形態の急激な変化で，国民健康保険加入者が増大し続け，他方健康保険加入者が減少し続けている点である。つまり，被用者保険の中心である健康保険の強制適用対象は，従来の常用雇用労働者が5人以上の事業所とされていたが，事業所が法人の場合は，常用雇用労働者数がたとえ1人の場合であっても強制適用とされるように法改正され，漸次実施されてきた。すなわち，健康保険法の適用対象は法制度上は拡大されてきたのであるが，この間の健康保険法適用対象事業所も，適用対象被保険者数もむしろ減少傾向が続いている。他方で，国民健康保険法においては適用対象世帯も被保険者数も増加傾向を続けているのである。これは，企業を退職した高齢者が被用者保険から国民健康保険に移行する，というこれまでも見られた現象に原因があるだけとは考えられず，むしろ若年労働者層も含めて非正規雇用労働者が増大し，非正規雇用を理由に健康保険加入から排除され，国民健康保険加入に移行ないし滞留していることに原因があるのではないかと考えられるのである（表1参照）。

2つには，その国民健康保険で，保険料滞納世帯が激増しており，これに対する制裁措置として現物給付原則の適用排除対象世帯が急増している点である。現在国民健康保険法では，原則としては，「世帯主は，市町村に対し，その世帯に属するすべての被保険者に係る被保険者証の交付を求めることができる。」（同法9条2項）ことになっている。そして，この被保険者証（いわゆる保険証）を提示すれば，日本の医療保障制度の特徴である，現物給付による医療保障を享受できることになっている。ところが，1984年以後，保険料滞納者に対して，被保険者

---

(4) 保険と年金の動向2004年版, 61頁。

証の返還を求め代わりに「被保険者資格証明書」を発行するという制度が作られるに至っている。この被保険者資格証明書しか持たない場合には，医療の現物給付を受けることができず，いったん医療費を全額自己負担せざるを得ないことになっている。こうした国民健康保険制度における保険料滞納世帯と被保険者資格証明書交付世帯数が，この間急激に増加しているのである。1999年の保険料滞納世帯数は348万5976世帯で，全国民健康保険加入世帯に対する比率は17,1％であったが，2004年にはこれが461万1603世帯，18,9％になっている。そして，これに対する制裁措置である現物給付適用排除対象世帯（「被保険者資格証明書」交付世帯）は，1999年の8万676世帯（全世帯比で0,4％）が，2004年には29万8507世帯（全世帯比1,32％）と，3,7倍になっている。また，現物給付原則適用排除ではないが，被保険者証の有効期間を短期に限定される「短期被保険者証」の交付世帯数も1999年の32万6282世帯から，2004年には104万5438世帯，と急増している（表2参照[5]）。

　こうした事態は，日本の医療の根幹をなしていた国民皆保険制度が空洞化してきていることを意味していると考えられる。また，良好な医療パフォーマンスを支えていた社会的背景も，家族関係の解体状況，あるいは企業福祉もその水準の低下とそのカバーする範囲の大幅縮減など，大きく変化してきている。

　社会保障法における団体の役割を考える場合，このように日本の社会保障制度が大きく変化し，これまで果たしてきた機能が失われる可能性が出てきている現在，そうした事態に何らかの歯止めをかけるのに役立つのかどうか，ということが最大の焦点ではないか，と著者は考えている。

　いずれにせよ，以下，日本の医療制度における「医師団体」の制度上の位置づけを，ドイツのそれと比較する，という視点から概観してみる。

Ⅲ　日本における医療保障制度と「医師団体」の制度的位置づけ

　先に指摘したように，日本においても，ドイツにおいても，財源担当者である社会保険主体と医療提供者たる医療組織とがそれぞれ別個独立に存在している状

（5）　2005年1月厚生労働省発表資料（メデイペーパー京都68号，163頁）。

況で，この両者の関係はどのような関係にあるのか，それを法的のどのように構成するか，また，社会保険主体と被保険者との関係，さらに被保険者が疾病に罹患して患者となった場合，その被保険者＝患者と医療提供者との関係をどのように構成するかが問題となる。そして，こうした社会保険主体，医療提供者，被保険者＝患者，の相互関係の中で医師団体がどのような位置を占めているのであろうか。

まず，日本においてこれらの関係がどのように説明されているかを確認したうえ(a)で，診療報酬基準決定方式(b)と，診療報酬支払方式(c)，さらに被保険者自己負担分の徴収関係(d)において「医師団体」がどのように位置づけられているか比較し，さらに「医師団体」といわれるもの自体の構造について(e)比較を試みたい。

1 日本の保険医療供給体制

ドイツと同様に日本でも，医師は医師免許を有するだけでは社会保険医療の担当者になることができない。社会保険医療の担当者としての資格を別に取得する必要がある。

ただ，ドイツと比較して日本での社会保険医療制度にはいくつか特徴がある。

1つは，日本では社会保険医療担当者としての資格は2重構造になっている。つまり，医療機関自体が厚生労働大臣からの「指定」を受けなければならない（「保険医療機関」。健康保険法63条，65条）。同時に，医師個人も，厚生労働大臣の登録を受けた医師でなければ社会保険診療を行ってはならないことになっている（「保険医」。同法64条，71条）。日本では，このように医療機関指定方式と医師個人登録方式の二本立てによる規整を通して，社会保険医療提供が組織されている。このため，医療提供機関が，個人開業医である場合も，診療所開設者としての保険医の登録と，医療機関としての診療所の指定の両方が必要となる[6]。この結果日本では，診療報酬基準や行政監督などの社会保険医療としての仕組みは，開業医の場合と病院の場合とで，基本的構造は同じものとなる。他方，ドイツでは，保険医個人登録方式のみであるためか，逆に診療報酬基準の設定などは，開業医

---

(6) ただし，1981年3月の法改正で手続きの簡素化が図られ，診療所において，開設者のみが診療の従事する場合には，当該開設者について保険医の登録があったときは，保険医療機関の指定があったものとみなすこととされている（昭和56年2月25日厚生省発社保第19号）

の場合と病院の場合の二本立ての制度となっているようである[7]。

第2に，この保険医療機関ないし保険医の指定または登録を行うのは，日本では厚生労働大臣である。また，厚生労働大臣は，保険医療機関並びに保険医に対し指導を行う権限や（健康保険法73条），報告提出命令権や監査権限を有し（同法78条），保険医療機関指定の取り消しや保険医の登録取り消しを行う権限も有している（法81条，82条）。ドイツでは，保険医認可は，保険医協会とラント疾病金庫団体及び補充金庫団体の代表者からなる委員会で，ケーブル報告で指摘されている「共同的自治」機関の一種と考えることができる保険医認可委員会（Zulassungsausschüsse）が行う（SGB 5編96条）。また，保険医に対する懲戒権などは，基本的に保険医協会が有しているものと考えられる。

日本でも，厚生労働大臣が指定拒否や登録拒否，あるいはそれらの取り消しなどの権限を行使する場合，地方社会保険医療協議会に諮問することになっており（健康保険法67条，82条2項），この地方社会保険医療審議会は，医療費を負担する保険者側と医療提供者側と公益委員からなる，いわゆる三者構成委員会になっている。その点で，「医師団体」の関与は介在するとも言えるが，少なくとも，「共同的自治」というには程遠いことは明らかであろう。

第3に，日本では，この「指定」の法的性格について，第三者のためにする契約であり，かつ，公法上の契約である，と説明されている[8]。つまり，「本来，保険者と病院などが第三者すなわち被保険者のために結ぶ契約について，保険者に代わり地方社会保険事務局長が締結するものである。」，「健康保険事業は，国が指導し，監督し，その発展を積極的に図っていくべき性格のものであるから，むしろ，地方社会保険事務局長が保険者に代わり医療機関などと契約を締結することが適当と考えられるからである」と説明されている[9]。そしてその契約内容は，「一定の療養の給付の担当方針などに従い，政府および健康保険組合にいずれの保険者に属する被保険者に対しても，療養の給付を行い，一方，その対価として診療報酬を請求しその支払を受けるという双務契約である」とされている[10]。

---

(7) 本書215頁以下の図4，図5；*Eichenhofer*, Sozialrecht, 5. Aufl., Abb.17, S. 206.
(8) こうした説明は行政庁の説明であるが，裁判例もこうした法的性質を前提に事案の処理を行っている。
(9) 健康保険法の解釈と運用（平成15年3月第11版，法研），483頁。
(10) 同上，482頁。

こうした説明は、医療保険制度における「自治（Selbstverwaltung）」より、行政的指導を優先する思想が前面に出ているという側面と、政府自身が最大の保険者である（政府管掌健康保険）、という日本の医療保険制度の特徴から出てくる側面とがあるように思われる[11]。

ドイツの場合は、保険医として認可されることによって、まず、保険医協会の正式会員になることができる、というのが最初の重要な効果であり、保険医協会会員として保険医協会に対し診療報酬請求を行うことができる地位を取得することになる。ドイツの場合、ドイツ語で「契約医」という表現が用いられているが、開業保険医自身は保険者と直接的な契約関係に立つのではなく、保険医協会が疾病金庫ないしその団体との間で契約関係に立つことになる。

そうした日本の保険者と、社会保険行政と、医療供給機関並びに被保険者の関係を簡略化して図示すれば図-1のようになる[12]。

2　診療基準ないし報酬基準の決定方式と「医師団体」

さて、こうした日本の保険者と、社会保険行政と、医療供給機関並びに被保険者の関係を前提として、日本の診療報酬基準の決定方式を見てみると以下のようになっている。

診療基準ないし診療報酬基準は、厚生労働省に置かれた中央社会保険医療協議会が、厚生労働大臣の諮問に応じて審議し答申し、この内容をもとに、厚生労働大臣が定めるものとされている（健康保険法76条2項、85条2項、86条2項、船員保険法28条ノ4第2項、社会保険医療協議会法第2条）。そして、この中央社会保険医療協議会は、保険者並びに被保険者を代表する8人の委員と、公益を代表する4人の委員と並んで、医師、歯科医師及び薬剤師を代表する委員8人によって構成されることになっている。つまり、形態としては、団体そのものが参加するという方式ではなく、団体から推薦された委員が、委員会で意見を表明する、という形態がとられている。そしてこのように厚生労働大臣が定めた診療報酬基準が、個々の医療機関ないし医師が、医療保険者に対して請求する報酬の基準となること

---

(11) ドイツの医療保険制度における社会的自治に歴史については、倉田聡『医療保険の基本構造』（北海道大学図書刊行会、1997年）参照。
(12) 日本の裁判例のまとめとして、加藤智章「医療保険における原点査定の手続きと判例法理」山形大学紀要（社会科学）18巻1号75頁以下参照。

になっている。これは，先に見たように，保険医療機関ないし保険医になるについて指定ないし登録されるという行為を通して，保険者と当該医療機関ないし医師との間に契約を締結したこととみなされ，その契約により，厚生労働大臣の定める基準が，保険者―医療機関・医師の間の報酬請求基準となる，とみなされているのである。

他方ドイツでは，ケーブル報告に詳しいように，保険者団体と保険医団体ないしは病院団体の，連邦，ラントのレベルでの「交渉」を通して締結された協定と，それを具体化する，両当事者が構成する合同委員会による指針が，保険者団体の構成なり医師団体ないし病院団体の構成員を拘束する，という形で，診療基準ないし診療報酬基準が決定されているのである。

こうしてみる限り診療基準ないし診療報酬基準の決定方式での医師団体の位置づけは，日独で明らかに異なる。

3 診療報酬の支払方式と「医師団体」

日本では，各医師が個別に，直接に，診療報酬審査支払機関に対して，それぞれ自ら算定した報酬額を請求することになる。この診療報酬審査支払機関は，保険者の委託を受けて診療報酬の審査，支払の事務を行うとされ，そうした委託を受けたときは「自らの名前において診療報酬を支払う義務を医療機関に対して負うものとされている。そしてその場合には，保険医療機関と診療報酬審査支払機関との間の法律関係は保険者自らが審査，支払をなす場合と異なるものではない」，と解されている[13]。つまり，この審査支払機関の「審査」の法的性格については，行政機関の行政決定ではなく，保険者と医療機関ないし医師の間で（ただし，行政が「指定」ないしは「登録」という方法を通して）締結した準委任契約の履行過程における，「一般取引上の債権の点検確認と異なるところがない」と解されている[14]。

つまり，診療報酬の審査支払の場面で，日本では，医師団体が介在する余地は基本的に存在しない。

他方ドイツでは，医師団体である保険医協会が疾病金庫ないしその団体と交渉

---

(13) 川合事件控訴審判決，大阪高裁昭和56年3月23日判決訟務月報27巻9号1607頁。
(14) 名古屋高裁昭和52年3月28日判決（判時856号40頁）。

を通じて総報酬額を決め，個々の開業保険医は，保険医協会の内部基準である配分基準に従って，自らの行った診療行為に対する報酬請求権を保険医協会に対して有することになるのである。

両者の違いは歴然としている。

4 被保険者自己負担の徴収方式と「医師団体」

以上のような医師団体の制度的位置づけの大きさは，最近ドイツでも導入されるようになった医療保険診療受診の際の被保険者＝患者の「自己負担」をめぐっても明らかである。

日本では2003年時点では，受診時に，3歳未満が2割，70歳以上が1割（ただし，一定額以上の所得のあるものは2割）以外は，被保険者本人も比扶養家族もすべて医療費の3割の自己負担をすることになっている。ただ，自己負担額が一定の額を超えた場合には，越えた分については「高額療養費」として償還されることになっている。つまり，被保険者やその被扶養家族が，同一の月にそれぞれ1つの保険医療機関などから受けた療養にかかる一部負担金などの額の合算額が，「7万2300円＋（医療費－24万1000円）×1％」を超えた場合には，その費用を償還することになっている。ただし，標準報酬が56万円以上の者の場合には，この額が「13万9800円＋（医療費－46万6000円）×1％」となる。言いかえると，保険医療において日本の場合，この額までの自己負担が前提となっている。

このような自己負担について，自己負担が支払えないために，保険診療を断念する患者が相当数存在すると考えられるだけではなく，医療機関ないし医師にとっても，自己負担額を未納・滞納する患者が相当数出てきていて，医療機関ないし医師にとっても大きな経済的負担となっている。

ドイツでも，法定医療保険近代化法（GMG）によって，2004年1月1日から受診時自己負担（Praxisgebühr）が導入されるようになった（SGB 5編28条4項）。これは，3ヶ月ごとに見て，その期の最初のすべての外来受診時に10ユーロ支払わなければならないことになる。ただし，社会的緩和措置がとられていて，他の自己負担額と合算して，総収入の2％を超えてはならないことになっている。慢性疾患患者の場合は，この上限が1％とされている[15]。

このような受診時の被保険者者の自己負担に関しても，ドイツでは医師団体が登場する。

連邦保険医協会と疾病金庫団体とが締結する連邦枠組み協定で，被保険者の自己負担に関して次のような手続きが合意されている[16]。

つまり，被保険者が，自己負担額を，診療前に支払わない場合には，保険医は，この額を事後的に徴収することができる。しかし被保険者が，保険医が書面による支払い請求を行ったにもかかわらず医師の定めた期間内に支払を行わない場合には，当該医師を管轄する保険医協会は，保険医に代わって，その後の支払取立て（den weiteren Zahlungseinzug）を引き受けることになる。保険医協会は，改めて被保険者に書面で，期間を定めて支払を請求する。被保険者が再び支払を怠る場合には，金庫医協会は，強制執行する。強制執行を行っても成果がない場合には，当該自己負担額を総報酬額から控除しないことされる。疾病金庫は，この場合には，保険医協会に，4ユーロの定額を加えた証明された裁判費用を償還するものとするとされている。

5　医師団体の法的性格

日本の「医師団体」という場合，基本的に加入強制を伴わない任意の団体であるから，ある意味無数に存在しうるのであるが，全国的規模の団体としてはさしあたり日本医師会が存在する。日本医師会は医師のみを組織対象としており，会員数15万9224人（2003年12月）で，医師26万2687人（2002年12月）の60％を組織している。会員の内約8万3000人が開業医，約7万6000人が勤務医といわれている。

また，歯科医師は9万2874人（2003年12月）いるが，これには日本歯科医師会が組織されている。さらに，医師，歯科医師両方を組織している全国団体としては，全国保険医団体連合会がある。会員数は10万730人（2005年1月）で，内訳は医師6万4127人，歯科医3万5919人となっていて，それぞれの分野での組織率は，医師で約24％，歯科医で約40％である。

いずれにせよ，団体名を特定している法律の条文は，母体保護法14条1項「都道府県を単位として設立された社団法人たる医師会の指定する医師（以下「指定

---

(15)　なお，こうした自己負担導入で，立法者は，被保険者の自己責任感を喚起しようとしたといわれている（*Thomas Sommer*, Die wichtigste Änderungen des Leistungsrechts der gesetzlichen Krankenversicherung (in:Brennpunkte des Sozialrechts 2004), S. 170）。

(16)　Ebenda, S. 173 ff.

医師」という。)…」というものくらいしか存在しない。先述の社会保険医療協議会に関しても,「医師,歯科医師及び薬剤師を代表する委員」とされているだけで,具体的な団体名が定められているわけではない。日本の医師団体の代表的存在である日本医師会の場合も,法的には民法上の法人とされ,加入強制を伴わない。

　他方ドイツでは,保険医協会は公法人で,保険医として活動しようとするものに対して加入強制を行っている。保険医協会と保険医の関係は,公法関係と解されている[17]。これは,保険医協会の組織等について社会法典5編に詳細な規定が置かれており,保険医と保険医協会との間の法律関係は,こうした公法上の規定の根拠を置くことを一つの根拠として,公法関係と理解されている。

Ⅳ　若干の検討

1　福祉国家レジュームの比較の視点から

　以上概観したように,大枠での医療保障システムの類似性は大きいように見えるが,医療保険法上の医師団体の位置づけについて立ち入ってみると,存外日本におけるそれとドイツにおけるそれとでは相当大きな差異があるように見える。

　ドイツの場合,ケーブル報告が指摘するように,「自治」の担い手として位置づけられているだけではなく,診療報酬の決定方式などに見られるように,「社会的パートナー」モデルに沿って,疾病金庫団体と医療給付提供団体の両者合わせての自治(「共同的自治」)が採用され,医師団体はその一方当事者として明確に位置づけられている。それは,そのベースに,労働秩序における労使関係モデルがあることは明らかであろう。しかも,ドイツの場合,こうした社会的パートナーモデルに沿った団体の位置づけが,いわば制度化されており,法律の中に明文上根拠を有している点に特徴があるように思われる。

　他方,日本の場合,医師会の政治的影響力の大きさは自他共に認めるところであろう。しかしそれは,いわばインフォーマルな政治的プレッシャーグループとしてのそれが中心であって,制度的には,法律の中に明確な位置づけがなされているわけではない点に特徴があるように思われる。

---

(17)　*Eichenhofer*, ebenda. S. 204.

要するに，ドイツも日本もコーポラテイズム型の福祉国家レジュームに分類されることが多いが，それを具体的に検討すると，相違点が存在することが明らかになるのである。

ところで，そうした団体の現実の社会保障制度への影響の大きさを考えて，ケーブル報告では，特にドイツ型の団体的自治の民主主義的正統性について，議論を展開している。この点について，日本でも，診療報酬基準の決定など社会保障給付水準の根幹にかかわる問題が利害関係者のみの協議に委ねられ，これに対するより幅広い市民的な民主主義的コントロールが及ばない点，共通した問題が指摘できよう。

そうした職業団体や業者団体を通した社会保障制度の実質的運営に対する民主主義的コントロールをどのように確保するか，という問題とともに，さらには，一方で社会保障自体の効率化が求められ，さらには，社会全体の効率化を求める要請が強まり，今や社会保障制度自体の再編縮小を求める圧力が強まってきている。他方で，そうしたグローバリゼーションの下での効率化追及の嵐の中でこそ，社会保障制度による「脱商品化」機能が求められているところでもあるとも考えられる。グローバリゼーションを背景とする効率化要請と地域性に基づく「脱商品化」の要請の2つのベクトルが作用している中で，社会保障制度に公式，非公式に組み込まれた「団体」にどのような役割が今後求められるのか，「団体」がどのような役割を果たしうるのか，も，大きな論点である。

そうした視点で，日本とドイツの今後の課題について簡単に触れてみたい。

2　日本における社会保障制度の展開の中での「団体」の役割への期待

日本では現在，経済のグローバル化の波を受けてあらゆる分野で競争の激化が進行している。そして，財政危機と少子高齢化の進行の中で，社会保障制度の縮減が進められている。その結果，いわば労働力の「再商品化（Rekommodifizierung）」が急激に進みつつある。そしてそれは，ホームレスの増大，自殺者の増大，犯罪の増加などなど，社会の統合能力の減退，いわば「社会の荒み」となって現れつつある。

そこで，思い出されるのが，G.エスピング・アンダーソンが『福祉資本主義の3つの世界』の「日本語版への序文」で述べている言葉である。「日本型福祉国家はまだ定着していないのかもしれない」，「日本の社会政策を論じる者の多く

が，福祉改革，福祉削減に対して強い政治的反対が起きなかったことに驚いている」，「日本の福祉システムは，その支持基盤として強力に制度化された利益集団を涵養して来なかったのである」[18]。

そこで，現在劇的に進行しつつある「再商品化」の流れを押しとどめ，社会保障制度による「脱商品化（Dekommodifizierung）」を維持するための歯止めとしての役割を「職業団体」をはじめとする「団体」に期待する，という戦略は可能であろうか？

こうした「団体」を手がかりとして，グローバリゼーションを口実とする経済効率化に抵抗するには，まず第1に，伝統的「職業団体」に社会的権力を委ねることによる「歪み」，つまりケーブル報告の指摘する民主主義的「正統性」の欠如を回避するための手続き的透明化の試みが必要であろう。そしてそれとともに第2に，これらの「団体」に対し，みずからの構成員のみの利益代表として機能することに対するに，医療を必要とする市民全体の利益を考慮に入れるように圧力をかけることが，課題となるであろう。

3　ドイツにおける今後の展開について

ドイツでは，ケーブル報告が詳細の描き出しているように，制度化された団体による「自治」が，労働秩序においても，社会保障制度においても強固に存在している。これは，労使関係における社会的パートナーモデルに沿ったものと考えることができるであろう。

しかし，こうしたドイツの労働・社会秩序は，労働と生活形態の急激な変化により，特に労働秩序が大きく変化しつつある現在，ドイツで今後も維持されるのであろうか？

たとえば社会保険方式について，ドイツにおいても市民保険方式（Bürgerversicherung）の導入が主張されてきているが，もしこうした方式が導入されたとすれば，従来型の社会的パートナーモデルに基づく制度は引き続き維持されるのであろうか？そもそも経済のグローバル化の波が押し寄せてきている中で，ドイツがこれまで達成してきた高い水準の社会保障を維持することが，今後も可能なの

---

[18]　G．エスピング・アンデルセン著/岡沢憲芙・宮本太郎監訳『福祉資本主義の三つの世界』（ミネルヴァ書房）ⅹⅲ。

であろうか？

ハルツ改革は，ドイツのこれまでの「脱商品化」の方向を変えるものではないのだろうか？もしドイツも，経済のグローバル化の波の中で「再商品化」の方向に転換しつつあるとすれば，そうした流れに対して社会的パートナーモデルに沿った団体「自治」はどのような役割を果たすのだろうか？

V　まとめにかえて

最後に，日本でもドイツでも，社会保障法を，公的な社会給付にかかわる法の体系，いわば「公法の一部」としてみる見解が有力であるが[19]，社会給付を実現する給付の提供システムを無視することが出来ないことは，社会保障における各種団体の役割を考えると明らかである。そうであるすれば，社会保障法における団体の位置づけを論じることは，社会保障法の射程を改めて検討する必要性を提起しているともいえる。つまり，社会保障法を国家ないし公行政対個人，という単線関係にとどめることは出来ず，これらを取り巻く家族を含めた各種中間的社会団体を含めてとらえる法体系として考える必要性が出てくる。ドイツにおける社会保障法体系をめぐる議論がどのように展開していくのか興味がもたれるところである。

---

(19)　ドイツでは，*Hans Zacher*, Die Sozialversicherung als Teil des öffentlichen Rechts, in „Sozialrecht und Sozialpolitik", Festschrift für Kurt Jantz zum 60. Geburtstag 1968, S.29 ff. をはじめ，*Eichenhofer*, ebenda も，社会保障法を「社会給付を対象とする法分野」と理解している（S.3）。日本でも籾井常喜教授が，社会保障法は「国家が国民に対して行う生活保障立法として公法の領域に属する」とする（同，社会保障法（総合労働研究所・1972年），41頁）。

表1

政管健保の事業所数と被保険者数の推移

各年度末現在

	事業所数		被保険者数		1事業所当たり被保険者数	被保険者1人当たり被扶養者数
	実数	増加率(%)	実数	増加率(%)		
平成11年度('99)	1 548 221	△0.4	19 526 999	△0.8	12.61	0.91
12 ('00)	1 541 989	△0.4	19 450 872	△0.4	12.61	0.89
13 ('01)	1 522 868	△1.3	19 124 131	△1.7	12.56	0.90
14 ('02)	1 496 270	△1.8	18 811 690	△1.7	12.57	0.91

資料　社会保険庁調べ

国保の被保険者数と世帯数の推移

各年度末現在

	被保険者数（人）			世帯数（世帯）		
	総数	市町村	組合	総数	市町村	組合
平成10年度('98)	45 454 003	41 020 566	4 433 437	22 201 704	20 337 626	1 864 078
11 ('99)	46 581 219	42 241 677	4 339 542	22 984 623	21 153 483	1 831 140
12 ('00)	47 627 952	43 374 015	4 253 937	23 747 087	21 948 183	1 798 904
13 ('01)	48 952 557	44 769 558	4 182 999	24 613 450	22 833 889	1 779 561
14 ('02)	50 296 678	46 190 812	4 105 866	25 467 002	23 713 339	1 753 663

資料　厚生労働省保険局「国民健康保険事業年報」

表 2

滞納世帯数等の推移
厚生労働省　2005年1月

> 滞納世帯数等の推移

○滞納世帯数等の推移

	平成11年	平成12年	平成13年	平成14年	平成15年	平成16年
全世帯数	20,337,706	21,153,483	21,948,183	22,833,889	23,712,561	24,436,749
滞納世帯数	3,485,976	3,701,714	3,896,282	4,116,576	4,546,714	4,611,603
割合	17.1%	17.5%	17.8%	18.0%	19.2%	18.9%

(注1) 滞納世帯数は各年6月1日現在の状況
(注2) 全世帯数は各年3月31日現在の状況（平成16年は速報値）
(注3) 平成12年調査は東京都三宅村を除く

○被保険者資格証明書の交付状況の推移

	平成11年	平成12年	平成13年	平成14年	平成15年	平成16年
実施市町村数	935	1,072	3,236	3,230	3,198	3,110
交付世帯数	80,676	96,849	111,191	225,454	258,332	298,507

(注1) 各年6月1日現在の状況
(注2) 平成12年調査は東京都三宅村を除く
(注3) 平成13年度より，被保険者資格証明書交付事務が全市町村において義務化されている。

○短期被保険者証の交付状況の推移

	平成11年	平成12年	平成13年	平成14年	平成15年	平成16年
実施市町村数	1,499	1,666	2,325	2,712	2,831	2,913
交付世帯数	326,282	399,182	693,772	777,964	945,824	1,045,438

(注1) 各年6月1日現在の状況
(注2) 平成12年調査は東京都三宅村を除く

図1　日本の医療供給システムと「医師団体」

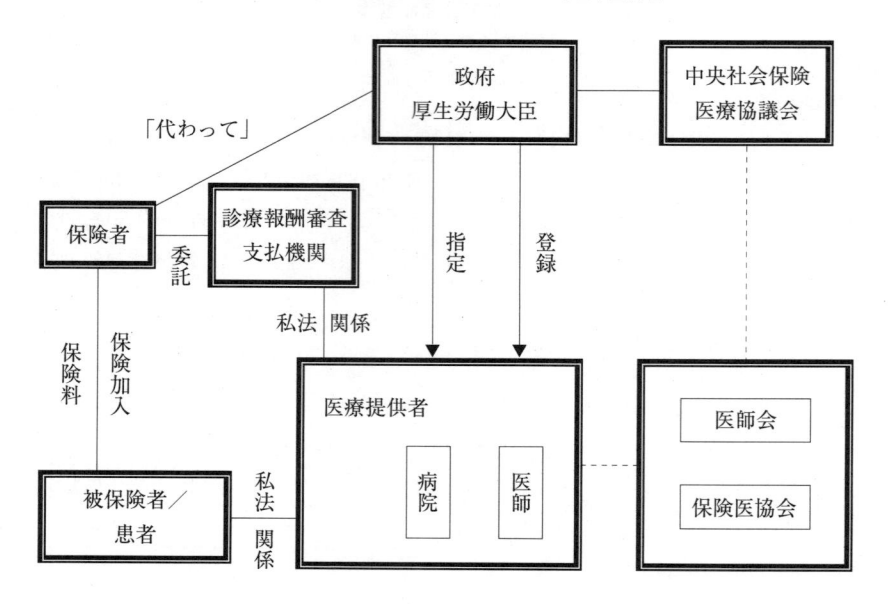

```
                              ┌──────────┐      ┌──────────┐
                              │  政府     │──────│中央社会保険│
         「代わって」          │厚生労働大臣│      │医療協議会  │
                              └──────────┘      └──────────┘
                                  │  │                │
  ┌──────┐   ┌──────────┐       指│  │登              │
  │保険者│   │診療報酬審査│        定│  │録              │
  └──────┘   │支払機関    │         │  │                │
      │  委託 └──────────┘         ▼  ▼                │
      │                    私法 関係                    │
      │                  ┌────────────────┐   ┌──────────┐
 保険 │保険加入           │   医療提供者    │   │ 医師会    │
 料  │                  │  ┌────┐ ┌────┐│- -│          │
      │                  │  │病院│ │医師││   │保険医協会 │
      ▼                  │  └────┘ └────┘│   │          │
  ┌──────────┐  私法関係  └────────────────┘   └──────────┘
  │被保険者／│─────────
  │  患者    │
  └──────────┘
```

第Ⅳ部　刑事法

企業の犯罪に対する刑事責任
―― 個人的責任か集合的責任か ――

ヴァルター・ペロン
高田昭正訳

I 〈個人刑法〉と〈団体刑法〉の対立

 Societas delinquere non potest. この古い命題は，数多くの批判に晒されながらも，なお現行のドイツ法の基礎になっている。現行ドイツ法では，法人またはその他の団体について刑法上の責任は認められない〔からである〕。ただ，秩序違反法において，また，財物の没収のような「刑罰」以外の法的制裁に関して，広い意味の刑法の範疇に入る法的結果を法人または団体が科されることはありうる。

 もちろん，ドイツの立法者は，そのような態度を変えよ，という圧力，しかも強まる圧力の下にある。ドイツ以外の他の国のほとんどが，この間に，団体について独自の刑法上の責任を認める立法を行っている。また，この状況を踏まえ，多くの国際的かつ欧州レベルの協約（Übereinkommen）が署名国に対し，団体に対する実効的な〔刑事〕制裁を導入するように要求している。現在のドイツの諸制度のほとんどはこの要求に適うものではない。とくに，団体に対し秩序違反法30条により科されうる過料（Geldbuße）は100万ユーロをその上限とする。この上限額は，中規模の企業や大企業にすればほとんど〔痛みを〕感じないものである。それゆえ，ドイツの刑法学においても，独自の〈団体刑法〉〔の立法化〕に賛成する論者の数が増えている。

 実際上，刑事政策の立場からは，企業について独自の刑事制裁を認める必要性がとくに大きいとされており，このことは否定されえない。経済的な企業活動の展開の結果として，たとえば，傷害や水質汚濁の客観的構成要件が充足されたと認定することは，たいていの場合，それほど困難なことではない。しかし，そのような事件について，どの個人に対し具体的に刑事責任を問うべきなのかは，必ずしも，つねに捜査や証明が容易にできるわけではない。むしろ，多くの場合は，

まったく誰も処罰することができない。企業の従業員の中に有責な者が見いだされた場合であっても，その個人に対し科される制裁は事件全体の不法内容とは必ずしも釣り合わないことが多い。〈企業刑法〉に賛成する者は，現に存する〔刑罰による〕犯罪予防上の欠損部分について，謂われなき批判をしているわけではないのである。この犯罪予防上の欠損部分は，企業がその機能の担い手や従業員について，特定の組織的な措置を通して，意図的に刑法上の個人責任を免れるように努めていることにも由来する。

　しかし，他面で，団体に対する刑法上の〔独自な〕制裁〔を肯定すること〕にも，問題がないわけではない。その理論的な正当性や様々に提案されたモデルの現実性〔実現可能性〕について，争いがある。問題となるのは，刑罰と結びついた社会倫理的な非難が，個人の責任を問わないかたちで〔すなわち，個人責任を問題にしないで〕どのようにして提起されうるのか，ということだけではない。団体に対する制裁の対象となるべき非違行為の種類や，株主の財産や従業員の働き口に対しても及ぶ処罰の効果，また，〔団体の刑事責任を問う〕刑事手続の適切なルールについても，激しい論議の対象となっている。

　企業に対する処罰を「行うかどうか」また「どのように行うか」という問題について，どの側面でも満足が得られるような答えというものは，到底得られることがないのは明らかである。〔本稿の〕以下の論述は，この〔答えの〕欠落を〔企業や団体の刑事責任を問うための〕新たな〔モデルの〕提案を行うことで補おうというものではない。また，補うことができるものでもない。むしろ，同僚であるヴォルフガング・フリッシュ教授とともに，〈個人刑法〉と〈団体刑法〉の間の体系的な関連性を示すということを目指したい。以下の論述では，〈個人刑法〉と〈団体刑法〉の対立は一般に考えられているよりはずっと小さなものであり，集合的な組織形態と個人による行為——それらが今日のわれわれの経済生活を決定している——が混じりあっているという両方の側面がひとしく考慮に入れられなければならないことを示したい。報告でわたしが担当する部分は，〔主として〕〈個人刑法〉——この〈個人刑法〉も，〔本稿で〕取り上げるように，極めて柔軟なものであった——に関するものとなる。

II 企業に関係した犯罪に対する〈個人刑法〉上の責任の基礎

　企業〔の経済活動〕に関係して行われる犯罪には，多様な形態がある。一つの大きなグループを形成するのが，有害な製品を製造・販売したり，または，有害な工業施設を稼働させることによって，人の身体，物品，〔大気や土壌などの〕環境媒体に損害を与えることである。本稿の論述は，このグループを集中して取り上げるものとなる。なぜなら，このグループは企業の活動と特別な繋がりをもっており，実務上も大きな意義を有し，かつ，瞠目すべきドイツの刑事判例を生むことにもなったからである。そのような犯罪に至らせた根本的な原因は，過剰な利潤追求〔の意欲〕とともに，競争に打ち勝たなければならないという強いプレッシャーにある。そのプレッシャーは経済的な〔面での〕むき出しの強制となって前面に登場し，その結果，消費者・地域住民・従業員の健康に対する関心や，環境保護〔の意識〕を極めて簡単に，背後に追いやったのである。

　しかし，それ〔すなわち，上記のグループ〕と並び，企業の活動領域の中で生ずる他の多数の犯罪も，考察の対象とされなければならない。たとえば，競争力のない製品の売れ行きを確保するために詐欺的なやり方をとる場合や，メディア〔広告〕関係の企業が収益を上げるために〔競争相手の企業を〕告発する内容の広告活動を行う場合である。この脈絡にあっては，競争相手や証人を怯ませようとしたり，〔ときには〕殺人さえ依頼して〔妨害分子を〕排除させるために，古典的な暴力犯罪〔が行われること〕さえも想定することができる。しかし，このグループの犯罪はこれ以上踏み込んで検討されるべきではない。なぜなら，同一の形態で一人一人の個人によっても実行されうるものであり，それゆえ，企業に特殊な帰責〔刑事責任の帰属〕問題をなんら生じさせないからである。

　犯罪が企業の経済的活動とどのように結びつくのか，その種類および方法も，様々なものがありうる。1つの側面から捉えると，個別的〔個人的〕な意思決定（Entschluß）に基づき，たとえば，営業主任として，欠陥があり健康に被害を与える製品をあえて市場に流通させたり，あるいは，製造主任として，〔汚染物質の〕吸着設備がないのに機械をそのまま稼働させた結果，健康に有害なガスが作業員にふりかかるというように，一人一人の個人の行為が問題となりうる。この

個々人の刑法上の責任は、伝統的な〈個人刑法〉の規定に従って決められることになる。この〔犯罪〕事象に他の者が関与する場合も、正犯と共犯、不作為犯、過失犯という〔個人刑法の伝統的な〕帰責のイメージによって十分に捉えられることができる。そのような事案においても、個人の処罰を超える企業自身の処罰というものが意味をもつ場合は、たしかに、あるかもしれない。たとえば、企業が犯罪から利益〔ないし利点〕を得ていたり、その企業の独特な「文化」によって、従業員や関係者の犯罪的な行為を誘発していたときである。しかし、そのことによっても、〔問題の〕行為がまず第1に個人的な性格を有すること自体は、何らの変わりもない。

　他面では、刑法上重要な〔犯罪〕事象について、複数の者が企業内の多岐にわたる部門または部署から参加・協働するために、当初から、集合的な行為（Kollektivtat）として捉えることができるような状況もある。とくに、製造物責任が問題となる事案や、操業上の事故で人体や環境に被害を与えた事案では、最終的に誰に責任を帰すことができるのか、その判断が厳しい〔困難な〕ものになりうる。なぜなら、欠陥や手抜きは管理部門でも、また施工部門でも見いだされうるし、また、〔欠陥や手抜きの〕すべてについて、それぞれ〔その要因が〕他の部門にも振り分けられるためである。そのような事案について刑法上の判断を行うために、二段階の手続が認められてきた。その手続では、先ず、企業は一人の自然人のようにみなされ、被害者との外面的な関係においてそもそも犯罪があるかどうかが認定されることになる。たとえば、連邦通常裁判所〔連邦最高裁判所〕が下した有名な「皮革用スプレー裁判」では、消費者に対し健康上の被害を与える恐れがあった皮革製品用の撥水剤について、どの時点で市場から撤去されなければならなかったのか〔すなわち、犯罪となる不作為の内容と時期に関して〕、問題とされた。

　企業の行為が全体としてみて――たとえば、皮革用スプレーの製造や販売を続けたことが、許された危険の程度を超えてしまい、〔犯罪の〕嫌疑を具体的に生じさせる要素として捉えられることとなったために――、刑法上禁止される〔行為の〕領域に踏み込んで〔適法な範囲から〕逸脱したと認められる場合には、次に、第2の段階について検討されなければならない。すなわち、企業内部のどの具体的な人物に対して、刑法上の個人的な非難を加えることができるのか、という検討である。この企業内部に立ち入る刑法上の帰責は、2つの異なった方向で

行われなければならない。1つは，企業の管理部門〔経営の指導的部門〕と場合によっては中間部門，そして，指示に従い〔製造や販売などの〕具体的な行動をとって，被害を直接生じさせることとなった従業員らとの間の，いわば「垂直的」な責任の分配というものが問題となる。もう1つは，責任の「水平的」な分配というものも必要となることが少なくない。なぜなら，企業内において同レベルにある様々な部署や従業員が問題の〔犯罪〕事象に連係して関わっていたり，指導的立場にある複数の者から構成される集合的な機関——たとえば株式会社の取締役会——によって〔製造や販売の〕決定がなされたりするためである。責任分配の2つの方向は，〈個人刑法〉に大きな問題をつきつけるものであり，〔〈個人刑法〉の〕道具〔概念〕を企業内の特殊な組織構造に適合させよ，と強いることにもなる。

　最後に，その他の重要な区別，すなわち，集合的な行為についても〈個人刑法〉的な捉え方が決定的な影響を及ぼす区別というのは，故意行為と過失行為との間の区別である。故意行為については，複数の〔多数の〕関与者の協働関係が，正犯と共犯という帰責の枠組みを超えて，様々なかたちで捉えられることができ，また，そうすることによって，犯罪の実行に関する集合的な構造についても，これを的確に理解することができる。それは，企業において〔重要な〕機能を担う者が，——〔問題行動があれば，それに〕介入することが責務であったのに——〔外観的には〕何も〔具体的な行為を〕せずに他の者の行為を傍観していただけの場合についても，当てはまることである。不作為による関与〔共犯関係の成立〕については，その射程や具体的な構成がいまもなお激しく議論されている法的枠組みであるとしても，〔不作為による関与を一般的な共犯関係から〕区別する判例の態度には揺るぎがない。それによれば，不作為にとどまった保証人〔的地位にある者〕は，その保証人的地位の種類や程度〔重要さ〕，また，具体的に影響を及ぼす可能性の如何によって，正犯でもありうるし共犯でもありうるのである。

　過失行為については，状況が違ったものとなる。ドイツの判例が今もなお崩さない立場はこうである。すなわち，過失行為に関して，関与者の可罰性はそれぞれ独立して判断されなければならず，行為が稀に集合的性格をもつことがあるとしても，それは刑の量定にあたり，〈他の者の落ち度も重なっていた以上，刑を減軽すべきもの〉として斟酌される〔だけだ〕という立場をとる。過失を理由とする非難の核心は，注意義務違反にある。この注意義務違反は，個々の関与者そ

れぞれについて，別個・独立に認定されなければならない。すなわち，関与者のおのおのについて，一人一人の個別的〔個人的〕な注意義務は問題の時点でどのようなものであったか，それぞれがこの注意義務を果たしたかどうか，別個・独立に調査の対象とされなければならない。複数の者が連係して行為していた場合であっても，それらの者は——犯罪に対する各自の寄与が相互に了解されている——共同正犯としては扱われないで，無関係に並列的に行動する「同時犯（Nebentäter)」として扱われるものとなる。

判例のこの態度に対し，ドイツの学説は批判を強めている。もちろん判例は，立法者の基本的な決定，すなわち，刑法上の責任を判断する基準的な「線引き」としては故意と過失〔の2つのみ〕を肯定し，英米の「無謀（recklessness)」というような中間的範疇をたてなかった立法者の決定については，これに従うほかない。過失責任の個別化〔個人化〕された捉え方は，「認識なき過失」——その場合は，複数の者による，認識がありかつ意欲された協働関係は，実際上，問題とならない——を念頭において理論構成された。他面で，行為支配および正犯者意思という考え方——判例や学説で展開される様々な理論によっても，共同正犯や間接正犯の本質的内容をなしているもの——は，その核心において，意図的な行為，または，まさに故意の行為〔に関する理論〕に由来するものである。ただし，「条件付き故意」や「認識ある過失」という中間段階は，上記の〔過失か故意かという〕いずれの側面にもぴったりとは当てはまらない。

複数の人間から構成される団体について，その集合的な行為の構造は，この〔故意か過失かという〕明確な区別の仕方によっては，的確には評価されない。〔結果発生の可能性について〕認識がないまま過失により行動した単独の正犯者（Einzeltäter)〔という範疇〕も，また，犯罪的な意図を実現しようとする間接的な正犯者や共同正犯者〔という範疇〕も，典型的な企業犯罪には当てはまらない。一面において，企業犯罪では，集合的な行為は通常は合法的に経済的利潤を追求する〔という企業の目的〕に適うものであり，その結果，意図的に犯罪に出ることは極めて稀な例外にあたるものとなる。しかし，他面において，〔企業の〕活動を犯罪——とくに，健康や環境という法益を危険にさらす犯罪——に転化させる事情は，企業経営や生産活動の合理性が理由となって，一般的には，「認識なき誤り〔過失〕」の領域にとどまっているものではない。むしろ，それら〔犯罪を誘発する〕事情は誰の目にも明らかなものであることが多いために，「条件付

きの故意」または「認識ある過失」を根拠づけるものとなる。まさに，この後二者〔条件付き故意と認識ある過失〕について，その範疇的な境界〔移り目〕は流動的だといえるにもかかわらず，刑法上の評価〔判断〕を下す以上は，この場合でも，〔故意と過失の〕明確な区分を行うことが要求され，〔犯罪〕事象を故意責任か過失責任かという法的枠組みに無理にでも組み入れることが要求されたのである。

次節では，ドイツ刑法が，企業による犯罪の集合的な構造について，それと自らの法的枠組みをどのように調和させるのか，また，それによって，〈個人刑法〉の内部に，団体に由来する犯罪について，これを評価〔判断〕するための固有の〔独自な〕領域をどのようにつくり出すのか，という点に言及する。

III 故意の犯罪

1 責任の垂直的な分配

故意による行為〔の成立〕について——〈認識ある過失〉との限界〔境界設定〕に関して考え方の対立はあるけれども——，少なくとも〔共通して〕前提とされることがある。それは，犯罪構成要件的にみて非難される危険，すなわち，企業の行為によって消費者，地域住民，従業員などの健康に対して生み出される危険が認識されること，かつ，具体的な健康被害というかたちの危険の現実化が〔やむをえないものとして〕認容されることである。この意識〔認識〕が，企業のヒエラルヒー内部において，1つの側面〔1つの部署や担当者〕について欠けるときは，自ずと他の側面〔他の部署や担当者〕が主要な責任を担うものとなる。たとえば，経営について責任ある立場の者が，自ら命令した特定の措置について，それが健康被害をもたらすガスを排出するに至らせることを認識していない場合，その者はたんに過失による傷害で処罰されうるにすぎない。他方，その〔健康被害の〕結果を見通したうえで〔経営責任者からの〕命令を遂行する従業員は，故意に傷害を負わせたこととなる。従業員は〔責任を軽減する事由として〕上司の指示を引き合いに出すことはできない。なぜなら，この上司の指示は，刑法的な〔刑法が禁止する〕結果をもたらすゆえに無効であるだけでなく，従業員は上司に対し，健康被害の具体的な危険について指示しなければならなかったのに，そうはしなかったからである。逆に，上司が健康被害の危険を〔認識したうえで〕

認容していて，従業員はその危険を認識していないときは，その上司は——故意なく行為する者を道具として利用する——間接正犯となる。

それゆえ，問題となるのは，つぎのような事例だけである。すなわち，関係する部門の多くにおいて，それぞれ故意による行為があるような事例。そのような事例では，様々な寄与について，その評価〔衡量〕が正犯と共犯の基準によって行われなければならないために，問題が生ずる。理論的な視点からは，少なくとも，自己の故意行為により直接に被害をもたらした者が直接正犯であることについては，現在ではもはや何の疑問も存しない。従って，排気ガス濾過機の機能不全を知っており，かつ濾過されないまま排出されたガスの危険性を十分に認識しながら，自ら決定を下して操業を開始させた従業員は，その操業の結果として，地域住民の健康被害が起きたときは，傷害罪で処罰されることになる。判例の以前の試み，すなわち，従業員の行為が上司の指示に従ったものである場合に，この従業員の寄与をたんなる幇助にレベルダウンしようとする試みは，学説でははっきり，法律とはもはや適合しえないものとみなされ，最近の判例においてももはや取るに足らないものとされている。〔上司の〕指示が脅迫——指示に従わない場合には，勤め口を失うことになる措置をとるという脅迫——にあたる場合であって，そのことが〔脅迫された〕部下〔の行為〕に対して正当化の事由になるとか免責的な効果をもつことはない。もちろん，刑事訴追機関が——事実上認められる——〔訴追〕裁量を，「〔弱い立場の〕庶民」にあえて有利に働かせて，それらの者に対しては——〔それらの「雑魚」は狙わずに〕「大物を釣り上げる」ことに刑事訴追のエネルギーを集中するために——，そもそも捜査手続を開始しないということや，あるいは，起訴便宜主義の考え方によって〈刑事責任は軽微だ〉という寛容な判断を下し手続を中止するということが，実務上はときおり見られることではある。

これに対し，理論的な視点からは，共犯関係において上司，すなわち，被害を生じさせる施設・設備の操業，健康に被害を与える製品の製造や販売について指示を与えた上司が果たした役割については，その評価〔判断〕が相当に難しいものとなる。事情の如何では，そのような指示は，企業の経営者にさかのぼることさえできる。すなわち，経営者が関連する基本的な決定を行い，下位にある部門に〔その決定の〕具体化を委ねた場合である。一般的な理解によれば，犯罪を直接に実行した従業員に責任をすべて帰すことができ，そのことによって，間接正

犯としての上司の責任を問うことはブロック〔遮断〕される。共同正犯の枠組みも，この状況にはあてはまらない。なぜなら，〈共通な，相互の意思決定〉とか〈実行を分担して，実行行為を共通にする〉という〔共同正犯成立の要件にあたる〕ものが，ほとんど存しないからである。それゆえ，このような見方をする限り，上司はたんなる教唆者にすぎない。もし，それらの上司と直接的な実行者の間に，なお中間部門が介在するときは，連鎖的教唆（Kettenanstiftung）のかたちをとることになる。

しかし，このような責任分配のかたちは，現実にある実態とは適合しない。企業は，その中間部門において様々な部署が並立することが多いとしても，〔基本的には〕ヒエラルヒーの構造をもつ。管理部門において決定がなされ，下位の部門や部署によるその〔決定の〕具体化が一般的に確保されているために，企業の経営者（Unternehmensleitung）は〔経営に関する〕詳細にいちいち関わり合う必要がないのである。それゆえ，第1には，その決定じたいが重要である。その決定の実行が企業という組織——なによりも，経営上の決定を迅速かつ効率的に実現に移すことに，その目的ないし設置の趣旨がある組織——によって保証されているとしても，そうである〔すなわち，決定が最重要であることは変わらない〕。企業が大きくなればなるほど，具体的に行為する者〔の果たす役割〕は小さなものとなる。それゆえ，上述した「皮革用スプレー裁判」において，連邦通常裁判所は，健康上の被害を与えた皮革製品用撥水剤の〔製造〕継続と販売の決定を行った当該企業の役員たち（die Geschäftsführer）について，特別な理由づけなしに，それ〔すなわち，撥水剤の使用〕によって生じた傷害の正犯者とみなしたのである。旧東ドイツの政治的指導に関する裁判においても，同様に，「国家防衛委員会」の決定に基づき〔その決定から〕10年後に国境で警備兵によってなされた銃撃——死亡の結果を招いた銃撃——について，委員会のメンバーたちがその銃撃の正犯とされた。この指導的な委員会のメンバーは——委員会の決定が下された時点ではまだ公務に就いておらず，その後になって委員会に入ったメンバーでさえも，右決定の破棄に努力しなかったとして——，殺人罪について，不作為による正犯とみなされたのである。

部下の行為に関して指導的立場にある者に対して，正犯としての責任を根拠づける理論として，学説では「組織的な権力装置を用いた〔間接〕正犯」という枠組みが援用される。それによれば，前衛にいてそれ自体で犯罪というべき行動を

とった者についても，その者に命令を与えた人物は間接正犯でありうる。この行為支配の形態にとって決定的なのは，通説的な考え方によれば，無条件に〔命令に〕忠実であろうとする部下の態度よりは，むしろ，直接の行為者を入れ替えることが可能かどうかである。その場合，行為者がなにものであるかは，組織の構成上は，まったく〔重視されず〕背後に退けられる。これに対し，権力機構を支配して命令を下す者は，自らが実行行為を行ったものとされる。言い換えれば，こうである。間接正犯の法律的枠組みが，企業の——旧東ドイツの国家防衛委員会の事案では，国家機構の——組織構造に対応するように変えられたのであり，団体における人と人との〔特別な〕構造が，個人の行為を念頭において組み立てられた伝統的な刑法における帰責の枠組みを変えるのだ，と。〔団体の組織構造に〕対応させることは，一方の〈管理部門による指示〉と，他方の〈下位の部門による行為の遂行〉との間に存する結びつきを大きく緩めることにも示されている。指示は——間接正犯に対するその他の要請〔要件〕とは違って——，具体的に実行されることが可能な犯罪について，客観的に，〔しかし〕非常に抽象的なかたちで一般的な特徴を述べて，その輪郭〔概略〕を示すようなものでなければならない。ただし，〔行為の〕場所，日時，被害者などに関して詳細な事情を決めてしまう必要はなく，また，指示する者の故意についても，やはり緩やかな要件が設定される。

これに対し，企業がそのような高度の組織レベルに達していない場合——たとえば，従業員の数が少なく，それゆえに人間的な〔打ち解けた〕関係が支配しているため——，あるいは，具体的な事案において，実行者が〔余人をもって代え難く〕入れ替わる可能性がない場合には——たとえば，特別な知識や特殊な能力が要求されるため——，もちろん，〈組織的な権力装置を用いた間接正犯〉という枠組みは使うことができない。しかし，この場合には，たいていは指示する者と実行する者の間に人間的な〔打ち解けた〕・精神的な触れ合いがあるために——その触れ合いは，たしかに現実には，中間に介在する者によって媒介されることもあるかもしれないが，しかし，つねに双方向の確認と助言を通して確保されるものなのであった——，必ず，共同正犯の枠組みによって捉えられることができる。このようにして，企業の経営者による指示は——法律によって要求される「共同の犯行」を認めるために——，共通の意思決定の一部をなすものとして，また，客観的な行為寄与〔に当たるもの〕として位置づけられる。判例は，比較

可能な企業〔犯罪〕の事例について、いまだ判断を下してはいないけれども、そのような事例についても、企業経営者の正犯性が肯定されるであろうことは、疑いを差し挟む余地がないと思われる。

2 責任の水平的な分配

責任の水平的な分配は、現代の企業にあっては、等しい権限をもって協働する様々な部署（たとえば、製造と販売）の間で生ずることである。関与者すべての故意行為が問題となっている限りは、この状況は共同正犯の道具〔概念〕でもって的確に把握される。これに対し、「国家防衛委員会」裁判のような、第2の重要な事例グループでは、刑法上の判断が極めて困難であることがわかる。「皮革用スプレー」事件では、健康に被害を生じさせる皮革用撥水剤を製造し続けて消費者の手に渡すという決定は、親会社の4人の役員〔取締役〕により、公開の投票を経て全員一致でなされたものであった。

そのような裁判では、刑法上の責任を投票〔の行為〕だけに結びつけて捉えるべきかどうか、あるいは、たとえば〈委員会内部における関係者の〔立場や発言の〕重さはどうであったか〉とか〈〔決定に〕先だって行われた議論を具体的にリードしたのは誰であったか〉も、同様に評価〔の対象と〕しなければならないのかどうか、が問題とされる。この点について、連邦通常裁判所は、厳格に形式的な考察方法をとって判断を下し、〔皮革用スプレー事件において〕具体的な所掌事項からは、〔4人の役員のうち〕2人の役員だけが〔皮革用撥水剤の〕製造と販売の担当者であったにもかかわらず、4人の役員すべてを等しく扱った〔すなわち、4人の役員すべての刑事責任を肯定した〕。〔連邦通常裁判所は、つぎのように述べた。すなわち、〕危機的状況が問題となっているので、すべての管理責任者が同じ権限〔ないし立場〕で決定に関与するものであった、と。連邦通常裁判所は、同時に、指導的役割をもった従業員、すなわち、「主任化学部長」として会議に参加しており、会議中も〔製造と販売に関する投票の〕結果を自らの投票によって左右できた従業員については、どのような刑事責任も認めなかった。なぜなら、その従業員は〔参考のため投票はしても、正規の〕投票権を有していなかったからである。このように、〔企業内の〕どのような慣行があったとしても〔それとは関わりなく〕、関与者の個別的〔個人的〕な影響には焦点を定めないで、企業の組織構造にこそ焦点をおいたものなのである。

しかし，全員一致の決定〔の事例〕について，たった1つの反対票だけでは結果が変わらなかったという場合には，関与者の投票行動〔と結果と〕の因果関係も問題となる。それゆえ，皮革用スプレー事件では，4人の役員の誰もが，〈自分の寄与がなかったとしても，〔犯罪〕行為は，まったく同一の具体的な形態において遂行されたであろう〉という抗弁を出すことができた。そのような抗弁が受け入れられることはなく，無罪を結果させることもないというのは，4人の役員すべてが犯罪の実行に賛成した以上，明らかなことである。〔しかし，〕この結果について，その厳密な理由づけは，もちろん，簡単なことではなく，多数の理論的な見解や論稿の対象となっている。連邦通常裁判所は，かつては，共同正犯〔の枠組みで説明する〕という単純な途を選んだ。すなわち〔それによると〕，全員一致の決定によって，4人の役員すべてが共同正犯〔となったの〕であり，他のめいめいの投票行動についても，自らの実行行為と同様に，〔刑事上の〕責任を担わなければならない〔，と述べられた〕。これに対し，学説上は，因果関係モデル――そのモデルは，一部，極めて複雑であり，その内容を敷衍することは〔紙幅の関係上〕省略する――が有力である。しかしながら，その点でも，因果関係の認定に関する通常の〔判断〕基準は「国家防衛委員会」裁判では〔そのままのかたちでは〕退けられなければならず，少なくとも，行為の集合的な性格を正しく評価するために，より精緻化するか修正されなければならないことが分かる。

　最後に，裁判所によってはまだ判断されていないのが，秘密投票がなされ，かつ反対票も投じられていたという事例である。誰がどのように投票したのか，事後的には認定されえないとき，in dubio pro reo（疑わしきは被告人の利益に）の原則に従い，個々の〔投票〕関与者おのおのについて，可罰的な〈作為または不作為〉に反対する投票をしたものとされなければならない。それゆえ，事業経営にあたるメンバーにとって，処罰される蓋然性を低いものとするためには，秘密投票の手続をとることや反対票を投じることを，本来の意思決定を行う前に，申し合わせようという大きな誘因が働くものとなる。そのような取り決めがあったと証明できる場合には，〈本来の意思決定はすでにあらかじめなされており，投票は形式だけであって表面を取り繕うものにすぎない〉ために，メンバーすべてが共同正犯としての責任を負うことになる。しかし，一般的には，そのような証明を行うのは難しいために，秘密投票に加わったことが共同正犯としての責任を負

うべき根拠として十分なものとみなされうるかどうか，議論される〔法廷で争われる〕ことになる。そのような解決はこれまで多く〔の論者，裁判所〕により否定されてきたとしても，〔状況の〕展開は明らかに，大きな射程をもつ集合的責任〔団体責任〕を肯定する方向にすすんでいる。

Ⅳ　過失の犯罪

　企業の活動領域で起こる過失の犯罪については，包括的な内容をもつ〔ことを特徴とする過失犯の〕犯罪構成要件しか存しないために，そのたいていが人体に対する被害の惹起に関わるものとなる。注意を欠いた態度によって傷害や致死の結果を惹起することに寄与することとなった企業の構成員については，原則として，その誰もがそのような〔過失の〕犯罪の正犯となりうる。法律が認識ある過失と認識なき過失の間で違いをおいていないとしても，この区別は，われわれが関心をもっている事案については，大きな意味をもつ。すなわち，注意義務の内容は，関係する者の具体的な認識のレベル〔状態〕に大きく依拠しており，その結果，企業内部での責任の分配は，直接の関与者が危険を認識したか否かによって，異なったものとなる。

　経済活動に関して，認識ある過失〔の事案〕は稀にしか存しない。なぜなら，〔経済活動の〕すべての経過が合理的に統制されており，間違い〔過失〕があったとしても，たいていの場合，それが長く表面に出ない〔まま，正されない〕ということはないからである。実務上は，主に，〔企業〕自身の設備または製品によって消費者・地域住民・従業員に対する健康上の危険が生ずることが認識されたけれども，〔犯罪の〕故意は否定できる程度に，その危険に対処〔危険を制圧〕できると信じたという事案が問題となるであろう。ただし，危険が大きく，法的に認容される範囲を超えるものとなったときは，この危険を認識しながら，その〔危険の〕発生や維持に関与した企業従業員は，おのおのが，注意を欠いた行動をしたものとなる。その場合は，企業内のヒエラルヒーにおける従業員の地位は，一般的には，重要とされない。なぜなら，地位の低い従業員であっても，回避可能〔な危険〕である限り第三者にまで危険が及ばないようにすることが，その義務となるためである。これに対し，危険の認識を欠く他の関与者については，認識なき過失の基準〔ルール〕が〔問題なく〕適用されて，その責任が問われるこ

とになる。寄与の程度〔重要度〕によって，様々な関与者の間に区別をもうけることは，すでに述べたように，可罰性の要件という領域では，法律に規定されたものではなく，ただ刑の量定にあたり行われることでありうる。

これに対し，認識なき過失〔の事例〕では，企業の組織の内部構造が，刑法上の責任について重要な影響を及ぼす。注意義務の種類や射程は，個々の従業員ごとに別々に決定されなければならないとしても，それら〔注意義務の種類や射程〕は〔企業の〕機構全体の中における関係者の具体的な地位〔立場〕によって左右される。この場合にも，責任の垂直的な分配と水平的な分配の間で，区別がなされなければならない。責任の垂直な分配については，一面で，下位の従業員に対する上司の選定義務〔適切な者を選抜すべき義務〕と監督義務が問題となり，他面では，部下が上司の命令の正当性に対してもってよい信頼の程度も問題となる。責任の水平的な分配については，業務を分担しあう協働関係にさいし，どの範囲〔程度〕まで一方が他方に信頼を寄せてよいのか，という問題が前面に出る。本稿では〔紙幅の関係上〕詳述することはできないが，判例は，この〔垂直的分配か水平的分配かという〕責任の領域分けを行うにあたって極めて恣意的であった。しかし，関連は明らかであるように思われる。すなわち，企業内部の担当〔所掌〕と責任が明確であり，かつ，透明性が高く区分されていればいるほど，過ち〔過失〕を直接惹起した者，あるいは，過ち〔過失〕を発見しなければならなかった〔のに発見しなかった〕者に対して，刑法上の責任がより強いかたちで集中することになり，その反面として，他の部門や他の従業員ははっきり免責されることになる。これに対し，担当〔所掌〕が不明瞭であり，〔複数の部門や授業員の間で担当が〕重複しあうことも多いかたちで企業内の組織が漠然とつくられているときは，刑事訴追機関にとっては，たしかに，責任を本来負うべき者を特定することが相当に困難なものとなりうる。しかし，この不透明性〔見通しの悪さ〕ゆえに，何人も他の者の担当〔所掌〕を指摘することが容易にはできないため，何らかのしかたで〔問題の〕事象に関与した者すべてについて，包括的な管理（Kontrolle）義務と監督義務を負わせることになり，その義務を果たさないことは直ちに刑法上の責任を結果させる。それゆえ，従業員が処罰される危険を低いものとするため，企業がその組織構造を意図的につくりあげようとする場合は，少数の従業員に高い危険を背負わせるか，あるいは，多数の従業員の肩に責任を振り分けるか，その2つに1つしか選択の余地はない。

V　結びに代えて

　〈個人刑法〉は全体としてみて，企業に関係して行われた犯罪を適切に把握するうえでも，十分柔軟に対応できるものであることが示された。ただし，〔個人刑法の〕既存の道具〔概念〕は，集合的な組織形態と適合するものに変えられなければならない。たしかに，それだけではまだ，本来の意味の〈企業刑法〉が成立するとはいえない。しかし，複数の人間からつくられる団体の特性は，刑法上の評価〔区分〕に少なからざる影響を与えている。〔ただし，〕そのことによって，法治国家的な損失というものが──それ自体として見る限り──生ずるわけではない。たとえば，企業の経営者〔経営の指導的立場にある者〕について，その間接正犯〔の成立〕に関する要件を緩めることは，まさに，それらの者の行為のポテンシャル〔行為の潜在的な能力〕の高さによって正当化される。その行為のポテンシャルは，それらの者の手中にある組織に対応するものである。たとえば，双方向的な管理と監督を果たすべく従業員が場合によって高度な義務を負うことがあるのも，担当〔所掌〕の基準が不明瞭であることに基づくものなのである。

　もちろん，実務的な観点からは，〈個人刑法〉を企業〔犯罪〕の領域に適用する場合にも欠損〔カバーできない部分〕や危険が存することは否定できない。〔企業犯罪に〕相応しく修正された〔正犯，共犯などの刑法上の〕区分の準則によるとしても，その要件〔の存在〕は，そのつど，裁判官の完全な確信に至る程度にまで証明されなければならない。そのこと〔すなわち，証明〕は，関与する人間の数や，関係の組織の複雑性に関しては，必ずしも奏功しないかもしれない。独立の〈団体刑法〉というものは，企業の活動の外部的な働きだけを捉えるものであり，内部的な〔企業の内部組織にまで立ち入って，正犯や共犯関係の〕区分を行うメカニズムについては，何ら指示するところがない──そのような指示があれば，事情によっては，相当に効率的であろう──。しかし，逆に，危険も存する。すなわち，刑事訴追機関が，証明の困難性に鑑み，〔正犯と共犯に関する〕区分の基準を──団体の〔組織〕構造の特殊性によって正当化される程度を超えて──緩めてしまい，それによって，過剰にすぎる犯罪化が起きてしまう，という危険である。その限りでみても企業刑法〔という独立した刑法体系を立てること〕は，〈個人刑法〉に存する事実上の欠落が容易に埋められることとなって，

助けとなりうるものであろう。

　独立の〈団体刑法〉がこれらの要件を，実際にも，正しく考慮に入れるものになりうるかどうか，また，法治国家的に正当化されうるためには，どのように構成されなければならないのか。その検討は，もはや本報告の対象ではない。

Ⅵ　補遺——独立の〈団体刑法〉の問題点について

　すでに述べたように，ドイツでは，数年来，独立の〈団体刑法〉の導入〔の可否・是非〕について，激しい議論がなされている。議論は，その理論的な根拠づけや法治国家的な正当性，さらに，具体的な構成にも及んでいる。理論的にみて最も重要な問題は，刑罰を科すうえで必要な個人的「責任」をめぐる問題である。この点については，団体のために行動する個人の責任に結びつける〔個人の責任を援用する〕必要がある。あるいは，秩序違反法30条に倣って，企業の処罰を，その代表者が犯罪を行ったことにかからしめる必要がある。しかし，このやり方では，企業内部の〔正犯や共犯関係の〕区分について〈個人刑法〉がそのままにしている欠缺を埋めることはできない。また，〈個人刑法〉の〔正犯や共犯関係の〕区分がそもそもどの時点で企業について行われるべきなのかも，争われている。この点において，秩序違反法30条の規定は，一面で，代表者としての個人の特別な地位を前提とする。他面では，企業自身に課される法的義務について，その違反があったこと，そうでなければ〔自らの〕行為により私腹を肥やしたことを必要としている。しかし，この規定は，一般には，満足できないものとされている。実際上，このような企業責任の形式は，一面では，行為する者の範囲が，際立った地位にある少数の代表者数人に限られてしまうために，狭きにすぎ，そして他面では，広きにすぎる。なぜなら，この要件が存在する場合，〔代表者個人による〕どのような義務違反であっても，また，〔代表者個人の〕行為による企業〔内で〕の私的な利益追求である限りは，それがどのようなものであっても，企業〔自体を〕処罰することを正当化してしまうためである。

　責任の区分として可能な〔考えられる〕第2のものは，団体の組織上の不備に結びつけて〈独立の企業責任〉というものを定式化することである。そのような理由で根拠づけられる団体刑法については，主として，企業内の組織の見通しが悪い〔透明性が低い〕ために，どの自然人に責任を問えるのか調査ができないと

き，あるいは，個人刑法によって科されうる制裁が，明らかに，生じた不法の程度に比べて軽微にすぎるときに，これを適用することとなろう。しかし，企業の〔刑事〕責任のそのような構成が，個人の精神的な基底〔裏づけ〕というものなしに，そもそも可能なのかどうかは，多くの論者によって，かつ内容の濃い議論で，〈疑問だ〉とされている。そのため，もう1つの解決として，社会倫理的な非難というものをおよそ断念して，企業に対する刑罰を純粋に特別予防の手段——〔保安処分など予防目的の〕処分法において使われてきたもの——として構成することが提案される。しかしながら，そうしてしまうと，企業に対する刑罰はその最も重要な働きを失うことになるであろう。すなわち，企業に対して——とくに，〔他の企業との〕競争関係にある経済分野の企業に対しては持続的なものとなる——社会的なスティグマを課し，象徴的な烙印を押す，ということが行われない。

　これまで，団体刑法に相応しい制裁〔のあり方〕についても，コンセンサスを獲得することはできなかった。そして，多数の難しい問題——企業に対する刑事手続の形成にさいして生ずる問題——が，そもそも初めて，徐々に認識されるようになった。

　ドイツの立法者が団体刑法の導入をやり切ろうと思うならば，疑問点も多いために，極めて謙抑的なかたちをとることになろう。その〔団体刑法が〕実務上も必要とされるのは，〈個人刑法〉が〔その適用を〕拒否される場合，あるいは，その〔個人刑法上の〕制裁が不十分だとみなされる場合である。主に，〔犯罪〕事象の重要な不法内容を個人的に担わせることが可能な自然人が，誰も見いだされない場合が，それである。しかし，〔その場合，〕企業自身の〔刑事〕責任はその〔企業内の〕組織上の欠陥にその基礎をおくものでなければならない。このことは，刑事訴追機関にとっては，捜査と証拠調べの対象がもはや個人の具体的な行為ではなく，中規模ないし大規模な企業の複雑な組織構造が対象となることを意味する。そのほか，そのような企業にとって，高度な能力をもつ刑事弁護人に依頼するために，〔企業が〕自由に費消できる経済的手段を考慮に入れるならば，そのような刑事手続がどのような射程〔範囲〕をもつのか，そして，そのうちでどれだけ数多くの——数少ない，というべきだが——手続を国家が一年間に処理できるのか，〔紙幅をとって〕描写することはできない。

　〈団体刑法〉について，一部〔の論者〕のように，極めて大きな期待を寄せる

ことは，わたしの評価〔考え〕では，現実的なことではない。実際のところは，数少ない幾つかの，〔しかし，〕特別重要な事案において，〈個人刑法〉の不十分さを埋め合わせることがありうるだけである。そのほかは，行政的性格をもつ制裁に〔〈団体刑法〉の射程は〕限定される。行政的性格を持つ制裁とは，個人的または集合的「責任」に関係するものではなく，ただ現行の〔法律や規則などの〕行為の準則（Verhaltensanforderungen）に対する違反に関係したものであり，それゆえ，社会倫理的な非難——刑事罰を科すことと結びついている非難——を表すようなものでもないのである。

※　もともとは，シンポジウムのため，同僚であるヴォルフガング・フリッシュ教授と一緒に共同で報告をする予定であった。しかし，残念だが，直前になってフリッシュ教授は参加を断念しなければならなくなった。そのため，本報告はテーマの一部しか取り上げないものとなっている。〔本来，フリッシュ教授の担当であった〕第二部の叙述が完全に欠落してしまうことがないように，本報告の観点から重要である若干の側面について，要約的に述べたものを補遺として追加した。

日本における法人の刑法上の責任

浅田和茂

I　はじめに

　日本では，刑法典の犯罪については，行為の主体は自然人に限られ，法人は含まれないとすることに争いはない。この点では，ドイツの場合と事情は異ならない[1]。

　しかし，行政刑法などの分野では，法人に罰金刑を科す規定が多数みられる。たとえば，所得税法244条は「法人の代表者（人格のない社団等の管理人を含む。）又は法人若しくは人の代理人，使用人その他の従業者が，その法人又は人の業務又は財産に関して……の違反行為をしたときは，その行為者を罰するほか，その法人又は人に対して当該各条の罰金刑を科する」と規定している。

　これは，行為者と業務主（法人または自然人）の両方を罰する規定であり，両罰規定と呼ばれる。ドイツでは，秩序違反法（OWiG）30条が，法人に対する過料（Geldbuße）の制裁を規定しており，わが国と大きく異なる。

II　法人の犯罪能力

　法人がはたして犯罪能力を有するかについては争いがある。戦前は，否定説が通説であったが，戦後は，漸次，後退し，現在では，肯定説が通説である。

1　判　例

　戦前の判例では，たとえば，大判明治36（1903）年7月3日刑録9輯1202頁は，漁業組合の理事が，組合名義でAが密漁している旨の告訴状を提出したところ，

（1）　たとえば，イェシェック＝ヴァイゲント（西原監訳）『ドイツ刑法総論』（1999年）164頁以下など参照。

誣告であったという事案につき，誣告は犯罪であるから，刑事上の責任を問うには犯罪の主体たる能力を要するが，この能力を有するのは有形人たることを要し，法人は無形人であるからその能力を有しないのを原則とし，法律の明文で犯罪の主体とした場合でなければ，刑事上の責任を負わないとして，漁業組合ではなく，その代表者たる被告人が誣告の責任を負うとした。

さらに，大判昭和10（1935）年11月25日刑集14巻1217頁は，無免許で貯蓄銀行業を営んだとして，被告会社が貯蓄銀行業法違反で起訴されたという事案につき，法人を反則行為の主体となし，刑罰を科すことは，これを否定するのが判例・通説であり，法人の機関たる自然人が法人の名義で犯罪行為を為す場合は，その自然人を処罰すべきであるとしたうえ，法人処罰の規定においても，法人自体の犯罪行為を認めず，従業者の犯則行為について罰則を法人に適用しているにすぎないことからも，現行刑法は法人の犯罪能力を否定していると解すべきであるとし，明文規定がない以上，被告会社を処罰することはできないとした。

このような判例の立場は，その後も，基本的に維持されているが，後述のように，最高裁が，両罰規定につき，過失推定説を採用したことに伴い，この点（法人の犯罪能力の点）でも判例変更があったと解すべきか否かについては，争いがある。

2　学　説

法人の犯罪能力を否定する説の代表は福田説であり，次のように主張している[2]。

すなわち，行為は前法律的存在であって，行為するのは自然人に限られる。行為自体と行為の帰属とは区別されるべきであり，肯定説は両者を混同している。犯罪行為を法人に帰属せしめうるか否かは，刑法の立場から決定されなければならない。刑事責任の本質は，行為者人格に対する非難可能性にあり，したがって，倫理的主体性を持たない法人に刑事責任を負わせることはできない。法人の活動に関連して惹起される社会的害悪を防止するためには，法人の機関である自然人に対して，従業員の違反行為についての監督責任を問う方が有効である。法人に対しては，刑罰以外の制裁が考案されるべきである。ただし，行政刑法は，固有

（2）　福田平『行政刑法〔新版〕』（1978年）102頁以下。

の刑法に比べて倫理的要素が弱く，合目的的要素が強いので，責任も社会的非難の帰属という観点から論定されるべきである。したがって，法人とその機関との関係から，法人に責任を負わせて，一般予防的要素の強い刑罰を科すことが許される。

法人の犯罪能力を肯定する説の代表は，佐伯説および平野説である。

佐伯説は，次のように主張している[3]。すなわち，民法上，不法行為の主体たりうる法人が，刑法上，犯罪の主体たりえないはずはない。いやしくも法益の主体たるかぎり，その法益を剥奪し，制限することができる。法人の行為能力の範囲内において，その犯罪を認め，その法益主体たる範囲内において，その処罰を認めることは，可能であるのみならず必要ですらある。

また，平野説は，次のように主張している[4]。税法や行政犯さらに公害罪法にも法人の処罰規定があり，これらの規定が無効であるとしない以上，法人の犯罪能力を肯定すべきである。受刑主体は犯罪主体と一致すべきものであり，犯罪主体でない受刑主体を認めることは，行為処罰の基本原則を無視することになる。従業者の違反行為防止のために相当の注意を払ったときに免責するという場合，法人が受刑主体にすぎないとすれば，このような理由による免責はできないはずである。

学説において，現在，肯定説が主流となるに至った要因としては，第1に，法人の社会における役割の増大に伴い，その活動を通じて惹起される法益侵害が無視しえない状態に至ったこと，第2に，行政刑法の分野で，両罰規定による法人処罰が常態化するに伴い，処罰される行為は犯罪でなければならず，犯罪である以上は犯罪能力を肯定しなければならない，という考えが有力になってきたこと，第3に，公害罪法において，いわゆる自然犯の分野にも両罰規定が及んできたことなど，さまざまなものがある。

法人処罰について，かつては，否定説に立ち，法人は行為者の責任を転嫁されるものであるとする転嫁罰の考えが有力であり，その意味で，法人には無過失責任が科せられるとされていた。しかし，無過失責任を認めることは責任主義に反するという批判が強く，過失責任説が有力に主張され，それに相応して肯定説が

---

(3) 佐伯千仭『三訂刑法講義（総論）』(1977年) 129頁以下。
(4) 平野龍一『刑法総論Ⅰ』(1972年) 114頁以下。

有力になってきたのである。

III　両罰規定

1　立法

わが国最初の法人処罰規定は、明治33年（1900年）の「法人に於て租税及葉煙草専売に関し事犯ありたる場合に関する法律」であり、「法人の代表者又は其の雇人其の他の従業者法人の業務に関し租税及葉煙草専売に関する法規を犯したる場合に於ては各法規に規定したる罰則を法人に適用す。但しその罰則に於て体刑に処すべきことを規定したるときは法人を三百円以下の罰金に処す」と規定した。その後、同様の規定が次々に立法されたが、ここでは、法人のみを罰するという意味で、代罰規定であった[5]。

その後、1920年代には、法人については「理事、取締役その他法人の業務を執行する役員」に罰則を適用するという、代表者代罰の形式が普及する。

しかし、昭和7（1932）年の「資本逃避防止法」において、「法人の代表者又は法人若しくは人の代理人、使用人その他の従業者が、その法人又は人の業務に関して前条の違反行為を為したるときは、行為者を罰するの外その法人又は人に対し亦前条の罰金刑を科す」として、はじめて両罰規定を置いた。その後、この形式が定着し、現在に至っている。

2　判例

判例も、戦前は無過失責任説に立っていた。

たとえば、大判大正13(1924)年4月1日刑集3巻276頁は、従業員が乙種免許証では運転できない自動車を運転したとして、自動車取締令違反の法人処罰により、会社が起訴された事案につき、法人の従業者が違反したときは、直ちにその罰則を法人に適用すべきであり、法人処罰規定は、法人の代表者その他の従業員の違反行為については、違反者を処罰するよりも法人を責任者として処罰するのが至当とすることよるもので、必ずしも選任監督に対する注意の欠缺を理由とす

---

(5)　両罰規定の沿革および戦前の議論については、八木胖『業務主体処罰規定の研究』（第3版、1955年）21頁、52頁以下、87頁以下；田中利幸「法人犯罪と両罰規定」現代刑法講座1巻（1977年）271頁以下が詳しい。

るものではない，と述べた。

　しかし，昭和10年代に，美濃部博士が，行政犯であっても，責任の転嫁や代理責任とすることは不当であり，事業主は，従業者が犯則行為をしないように注意し監督すべき義務を有しており，その義務を怠ったからこそ，罪責を負担させられるのであるとして，過失責任説を主張し(6)，その後，急速に過失責任説が有力になった。

　戦後，最大判昭和32(1957)年11月27日刑集11巻3113頁は，従業員が入場税を逋脱したという入場税法違反事件につき，自然人である事業主（業務主）に対して両罰規定を適用するにあたり，両罰規定は，「事業主として右行為者らの選任，監督その他違反行為を防止するために必要な注意を尽さなかった過失の存在を推定した規定」であるとして，過失推定説を採用した。

　ついで，最決昭和40(1965)年3月26日刑集19巻2号83頁は，外為法違反事件において，法人である事業主に両罰規定を適用するにあたり，昭和32年判決を援用し，「右法意は，本件のように事業主が法人（株式会社）で，行為者が，その代表者でない，従業員である場合にも，当然推及されるべきである」と述べて，法人処罰についても過失推定説に立つことを明らかにした(7)。

　たしかに，無過失責任を認めることは責任主義に反するものであり，その意味で，判例の変更は，歓迎されるべきである。しかし，過失が推定されるとすると，被告人側が無過失の挙証責任を負うことになり（それを証明できない場合に不利益に扱われる），しかも，その証明は実際には至難であることからすると，問題がある。

3　学　説

　学説も，判例の立場を支持し，過失推定説が通説となっている。しかし，むしろ訴追側が過失の存在を証明すべきであるとする純過失説や(8)，被告人に無過失

（6）　美濃部達吉『行政刑法概論』（1939年）29頁。
（7）　西田典之「両罰規定と法人の過失」刑法判例百選Ⅰ総論（5版，2003年）8頁以下など。
（8）　垣口克彦「法人処罰の問題性―法人処罰論の現状と問題性―」阪南論集22巻3号（1987年）7頁；神山敏雄「両罰規定と業務主の刑事責任」法セミ227号（1974年）82頁以下；村井敏邦「過失推定説」刑法判例百選Ⅰ総論（3版，1991年）10頁以下など。

の挙証責任が課せられるのではなく，証拠提出責任を課したもの（過失がなかったことについて一応の証拠を提出すれば，その後は，検察官が過失があったことにつき挙証責任を負う）と解すべきであるという主張も有力である[9]。

　純過失説に立ち，被告人が無過失の主張をすれば（主張責任を果たせば）検察官は過失があったことを証明しなければならないと解すべきであろう。なお，法律によっては「但し……従業者の当該違反行為を防止するため当該業務に対し相当の注意及び監督が尽さたことの証明があつたときは……この限りでない」という但書きを有するものがある（港湾法62条など）[10]。過失推定説を明文化したものであるが，それが挙証責任を転換したものとすれば疑問であり，せいぜい証拠提出責任ないし主張責任を課したものと解すべきであろう（合憲限定解釈）。

Ⅳ　監督責任・行為責任

1　法人の監督責任

　ところで，過失責任は，従業者が違反行為を行ったとき（これは通常は故意犯であり各本条で処罰される）の法人の責任の問題である。その過失は，結局，法人の代表者の過失を法人の過失と同一視して認められることになる（法人の監督責任といわれる）。

　判例は，監督責任の場合を過失責任とするのであるが，そうすると，法人の代表者が従業者の違反行為を容認していた場合（故意がある場合），両罰規定を適用できるかが問題になる。この場合は，各本条により，直接法人が処罰されるとする説もあるが[11]，両罰規定を用いないで法人を罰することは許されないものと

---

(9)　三井誠「法人処罰における法人の行為と過失──企業組織体責任論に関連して──」刑雑23巻1＝2号（1979年）144頁以下；伊東研祐「両罰規定における業務主処罰」行政判例百選Ⅰ（2版，1987年）など。

(10)　以前は，土地収用法145条などにもその種の但書きがあったが，この間に削除され，近年の両罰規定には但書きは置かれていない。

(11)　田中・前掲注（5）290頁は，犯罪能力肯定説からは「代表機関が違反行為を実行した場合には法人は各本条の違反行為者として処罰され…ることになる」と指摘し，八木・前掲書注（5）131頁以下を挙げているが，同書132頁では「代表機関の直接の違反行為の際については法人と代表者との双方」を処罰するとしており，法人の処罰が各本条によるのか，両罰規定によるのかは明らかではない。

考える．むしろ，この場合は，監督違反の極端な場合として，やはり両罰規定を適用すべきであろう．

なお，判例は，監督責任として，選任段階の過失も含まれるとしているが，それでは，結局，無過失責任を認めるのと異ならない．当該違反行為についての監督責任に限定して過失を認定すべきであろう．

2 法人の行為責任

前述の最高裁昭和40年決定は，とくに行為者が代表者である場合を除外しているが，両罰規定では，法人の代表者が違反行為を行った場合，その代表者を罰するほか，法人に罰金刑が科せられるものとされている．この場合は，法人自身が違反行為を行ったのと同じであると説明されている（法人の行為責任といわれる）[12]．

法人の行為責任については，それを法人の代表者の行為に限るか，高級管理職員の行為を含めて法人の行為と考えるか，さらに一般従業員の行為も法人の行為とみなすかが問題になっている．

一般従業員の行為をも，法人の行為とするのは，いわゆる企業組織体責任論の主張である[13]．そこでは，実際に行為した個人の特定も必要ではないとされている．しかし，これでは故意も過失も認定できず，結果責任を認めることになるであろう[14]．いずれにせよ，両罰規定は，代表者と従業者とを区別しており，本説は，解釈論としては成り立たない．

これに対して，代表者に高級管理職員を含めることは，とくに大企業における支店や工場の存在を考えれば，肯定すべきであろう[15]．その組織上の権能において，法人の意思を形成・執行していると解される者は，代表者に含まれると解すべきである（以下，これらの者を含めて代表者等と呼ぶ）．

問題は，法人の行為責任の場合，代表者等の行為がそのまま法人の行為であるとされているにもかかわらず，その代表者等が各本条により処罰されることと，

---

(12) 法人の監督責任と行為責任の区別につき，飯田英男「法人処罰に関する立法上の問題点」ジュリ672号（1978年）81頁以下；松原久利「現行の法人処罰の在り方とその理論上の問題」同志社法学216号（1990年）100頁以下など参照．
(13) 板倉宏『企業犯罪の理論と現実』（1975年）20頁以下．
(14) 西田典之「団体と刑事罰」基本法学2（1983年）259頁以下，278頁．
(15) 西田・前掲注（14）280頁；伊東研祐「法人の刑事責任」刑法理論の現代的展開・総論Ⅱ（1990年）128頁など．

法人が両罰規定で処罰されることとの関係である。法人の監督責任の場合は，従業者と法人（代表者）という2つの主体があるから，従業者の故意行為と代表者の監督過失とを分けて考えることが可能であるが，行為責任の場合，代表者等の故意行為と法人（代表者）の過失行為とを分けて考えることは不可能である。そうすると，代表者と法人の双方を罰するのは，二重処罰（憲法39条で禁止されている）といわざるをえないように思われる[16]。

この点については，たとえば，「二重処罰とは同一の行為について同一の法主体を二重に処罰することであって，この場合，機関たる自然人と法人とは法主体としては異なるのであるから，行為は同一であっても二重処罰の問題は生じない」と説明されている[17]。

しかし，法人の行為責任の場合は，まさに機関たる自然人（代表者等）の行為と法人（代表者）の行為とを同一視するところに処罰根拠があるとされているのであるから，その行為に関するかぎり，法主体としても同一と解するのが自然であろう。むしろ，法人の行為責任が問題になる場合は，自然人である代表者等を（場合によっては自由刑で）処罰すれば足りるように思われる。

V　罰金額連動の切り離し

1　立　法

1992年，証券取引法の改正により，それまでの両罰規定における「法人又は人に対しても，各本条の罰金刑を科する」という規定が，「法人に対して当該各号に定める罰金刑を科する」とされ，たとえば虚偽記載・虚偽表示については，本条の法定刑は3年以下の懲役もしくは300万円以下の罰金またはその併科であるが，法人には3億円以下の罰金が科せられることになった。同年の独占禁止法の改正でも，「法人又は人に対しても，当該各号に定める罰金刑を課する」とされ，たとえば不当な取引制限については，本条の刑は3年以下の懲役又は500万円以下の罰金であるが，法人または人（業務主）については1億円以下の罰金とされ

---

(16) 瀧川幸辰『犯罪論序説』26頁；同「法人と刑事責任」民商法雑誌3巻4号（1936年）170頁；植松正『刑法概論Ⅰ総論』（再訂版，1974年）122頁など。
(17) 西田・前掲注（14）271頁；八木・前掲（5）115頁以下；福田・前掲注（2）113頁。

た。

　この2つの改正により，わが国ではじめて，両罰規定の業務主に対する罰金額と各本条の行為者に対する罰金額との連動が切り離され，業務主（証券取引法では法人のみ，独占禁止法では法人・自然人とも）に対して，高額の罰金を科すことが可能になった。

　改正の理由としては，罰金額の連動により，法人等業務主に対し，十分な抑止力となる罰金を科すことができないこと，刑罰は，法令の趣旨・目的，違反行為の性質などを踏まえて，有効に機能しうるか否かという観点から独自に定めることができるのであって，連動の必然性はないこと，各本条に自由刑が定められている場合，従業員等に科せられる刑全体との比較において，法人等の罰金刑の多額を決めるのが相当であることなどが挙げられた[18]。

2　学　説

　学説では，すでに1978年の飯田論文が，連動の切り離しを主張していた。もっとも，そこでは，法人の監督責任の場合は，行為者責任とのバランスを考えると，罰金額引き上げにも限度があるので，法人の行為責任の場合に独自の罰金刑を規定するのが適切であるとされていた[19]。

　1983年の西田論文でも，現行の罰金刑は法人に対して十分な威嚇力・予防力を有しておらず，その原因は罰金額のリンク（連動）にあるが，このようなリンクを認める必然性はないとした。その理由としては，法人処罰は自然人の違反行為を前提とするが，法的には，法人も独立の犯罪主体であり，其の責任も，代位責任ではなく固有の責任なのであるから，法人に対する罰金額も，自然人とは別個に，法人の財産状態を基準にして，刑罰としての効果を持ちうるように定めることは十分に可能であるとし，さらに，その際には法人の行為責任と監督責任とでは，法定刑の点で差異を設けるのが適切であろうと主張した[20]。

　また，1984年の宇都呂論文では，法人による犯罪の組織的活動性や，これによって通常得られる大きな利益，および法人の一般的資力を考慮し，一般予防・特

---

(18)　岩橋義明「両罰規定における罰金額の切り離しについて―法人等処罰に関する法制審議会刑事法部会了承事項」商事法務1270号（1991年）2頁以下など。
(19)　飯田・前掲注（12）85頁以下。
(20)　西田・前掲注（14）281頁。

別予防の観点から，法人に対して一定の高額の罰金を定めることは，理論上問題はなく，きわめて合理性があるとされた。そのうえで，立法論として，代表者等の役員または業務の執行につき責任を有する職員が，自ら違反行為を行った場合，およびそれらの者が，従業者の違反を知りながらこれを容認した場合，すなわち法人の行為責任の場合につき，〇年以上の懲役・禁錮に当たる罪，それ未満の罪，罰金に当たる罪の3種に分けて，法人に対する高額の罰金を別個に規定し，従業者等が違反行為をした場合，すなわち法人の監督責任の場合は，従来どおり，行為者を罰するほか法人に各本条の罰金を科するという規定を置くことを提案した[21]。

さらに，1991年の芝原論文では，企業活動の実態に即した合理的で明確な区別の基準を設定することができるのであれば，法人の行為責任・監督責任いずれの場合についても，連動の切り離しを行って，法定刑の上限を引き上げ，両者で若干の差異を設けることも可能かもしれないと，指摘していた[22]。

たしかに，両罰規定の沿革（代罰規定から両罰規定へ）からは，罰金額の連動を必然的とするような堅固な理由はなかったことが窺える。また，判例の過失推定説が，法人の独自の責任を肯定していることからすると，それに応じた法人独自の罰金額を規定することに支障はないようにも思われる。さらに，法人の行為責任と監督責任の区別は，現行法の両罰規定の説明としては，適切であり，立法論としては，むしろ両者を区別して規定する方が一貫しているように思われる。しかし，問題は，はたしてそのようにして行われる法人処罰が，刑法の基本原則に違背することなしに可能であるのかという点にある。

3 私 見

刑法38条1項は，「罪を犯す意思がない者の行為は，罰しない。但し法律に特別の規定がある場合は，この限りでない」と規定している。判例・通説である過失推定説は，両罰規定が刑法38条1項但書きの「特別の規定」に当たることを前提としている。しかし，両罰規定に「相当の注意及び監督が尽されたことの証明

---

(21) 宇津呂英雄「法人処罰のあり方」現代刑罰法体系1（1984年）181頁以下，226頁以下。

(22) 芝原邦爾「不法収益の剥奪と法人処罰の強化―独占禁止法改正を素材として」法時63巻12号（1991年）100頁以下，103頁以下。

があったときは，その法人又は人については，この限りでない」といった但書きがある場合については，その規定の反対解釈として，法人の処罰が過失犯処罰であると解することが可能であるが，そのような但書きがない場合（独占禁止法95条など），当然に過失犯として処罰できるわけではない。もっとも，ここで但書きを有しない両罰規定による処罰は故意犯に限るという主張をするつもりはないが，早急に立法上の手当てをすべきであると考える。逆に，但書きがない規定は無過失責任を認めたものであるという主張もあるが，それでは責任主義違反であり，そのように解するのであれば憲法違反の規定といわざるをえない。

　前述のとおり，過失推定説は責任主義を顧慮したものであり，一定の進歩であるが，むしろ純過失説に立って考えるべきであろう。但書きの解釈としても，挙証責任を被告人に負わせたものではなく，証拠提出責任ないし主張責任を課したものと解すべきである。

　つぎに，切り離しの根拠とされている威嚇・予防効果の点であるが，刑罰目的論として一般予防論を採用するとしても，近時は，威嚇的・消極的一般予防については，否定的見解が有力であり，なにゆえに法人についてだけ威嚇が根拠になるのか，明らかではない。また，たとえ威嚇・予防効果が顧慮されるとしても，その効果は，刑の重さによってではなく摘発の確実性によって得られるものであることも，いまや常識といってよい。それは主として自然人についての議論であって法人の場合は別であるとしても，そのことを説得的に説明したものは見られない。

　なお，罰金の高額化は，違反行為によって得られる利益が莫大であることも，その理由とされているが，それは利益剥奪処分（たとえば重加算税や課徴金）の問題であって，刑罰としての罰金の問題ではない。現行刑法が，財産犯において，被害額を法定刑に反映させてはいないことに留意すべきである[23]。

Ⅵ　おわりに

　私見は，法人に対する制裁は，ほんらい，行政的制裁の方が，有効かつ適切で

---

(23)　浅田和茂「両罰規定における罰金額連動の切り離しについて」自由と正義45巻1号（1994年）35頁以下，41頁以下参照。

あり，刑罰の対象は自然人に限るべきであると考えている。しかし，両罰規定が広範に存在している現状では，このような主張が説得力に欠けることも認めざるをえない。そこで，以上の検討を下に，当面，以下のように考えておくことにしたい。

すなわち，まず，例外的に，特別刑法の分野で両罰規定により，法人たる業務主に対する処罰を認めるとしても，それは，学説上は法人の行為責任を中心に構成して，罰金額連動の切り離しの論拠とする説が有力であるが，むしろそれとは逆に，法人の監督責任の場合について，純過失説に基づいた処罰に止めることとし，その旨の明文の規定を置くことである。

その場合，通常は，故意犯である従業者等の行為に対する処罰と比較するのであるから，過失犯である法人業務主の監督責任違反に対しては，前者の罰金額に連動させることが，（たしかに，理論的に連動させなければならないわけではないが，従業者等の故意犯についての過失責任であることを示す意味においても）適切であるように思われる[24]。このことは，自然人たる業務主についても同様である。

また，法人の行為責任については，代表者等に自由刑を含む各本条の刑罰を科すことで，十分に制裁の効果が得られると考える。各本条の規定が身分犯である場合，通常は，代表者等はその身分を有しており，処罰の間隙が生ずることはほとんどないと思われる。二重処罰の疑いがある法人の行為責任の場合の処罰は，断念すべきであろう。

---

(24) 前述のとおり，連動の切り離しを主張する諸説も，法人の監督責任の場合については，従来どおり各本条の罰金を科するものとするか，切り離しを行うとしても行為責任の場合よりは軽くすべきであるとしていたことに留意すべきであろう。

第Ⅴ部　公法・政治学

国家の秩序枠組みのなかでの社会の自己統御

フリードリヒ・ショッホ
中原茂樹 訳

I　導入：ドイツ行政法における変革状況

ドイツ行政法は，重要な部分領域において，注目すべき変革状況にある。この現象を制度的に捉えようとする場合には，行政の諸類型から話を始めることができる[1]。規制行政，給付行政，計画行政という，よく知られた区別[2]に加えて，統御行政（Regulierungsverwaltung）[3]——保証行政（Gewährleistungsverwaltung）と特徴付けることもできる[4]——が付け加えられるべきである。統御行政は，さしあたりは行政法各論の特定の題材に関わるに過ぎないが，後に示すように，この新たな展開が行政法総論の体系に反作用をもたらすのではないかという，根本的な疑問を投げかける。

1　前提：国家（規制）法の制御の喪失

この現象の背景として，ドイツ公法において15年ほど前から，従来の国家法の制御の喪失が増大していることが挙げられる[5]。それと結びついている，規制政策の効果の欠如は，現代法システムの核心的問題である[6]。たとえば，環境法に

---

(1) この点に関する詳細は，*Schmidt-Aßmann*, Das Allgemeine Verwaltungsrecht als Ordnungsidee, 2. Aufl., 2004, 3/99 ff.

(2) *Ehlers*, Verwaltung und Verwaltungsrecht im demokratischen und sozialen Rechtsstaat, in: Erichsen/Ehlers (Hrsg.), Allgemeines Verwaltungsrecht, 12. Aufl., 2002, §1 Rn. 36 ff.

(3) *Ruffert*, Regulierung im System des Verwaltungsrechts, AöR 124 (1999), 237 (244 ff.);「統御行政法」の若干通俗的な説明に対する批判として，*Masing*, Grundstrukturen eines Regulierungsverwaltungsrechts, Die Verwaltung 36 (2003), 1 ff.

(4) *Schmidt-Aßmann*, Allgemeines Verwaltungsrecht (Fn. 1), 3/116 f.

(5) Vgl. *Grimm* (Hrsg.), Wachsende Staatsaufgaben - sinkende Steuerungsfähigkeit des Rechts, 1990.

おける執行の欠如[7]は，問題の深刻さを明らかにした。それでもなお，民主的かつ法治国的な体制をとる公共体〔国および地方公共団体〕（基本法20条1項，28条1項1文）においては，国家によって制定された——もっとも，一部は国際法や欧州法を機縁とする——法が，依然として，国家および社会にとっての中心的な形成および制御の手段である。もっとも，国家はもはや，社会の紛争を処理する際の唯一の規範定立者ではありえず，また，国家行政はもはや，「生存配慮」[8]の分野における唯一の給付主体ではない，という認識は強まっている。それにより，経済公法（経済行政法）は，利益という視点に向かう。最近では，情報法（とりわけメディア法）の分野で，一方における国家と他方における経済および社会との関係に，変化が見られる。

2 結果：国家セクターと社会セクターとの間の構造変化

基本的な方向として，これらの全ての分野においては，国家セクターと社会ないし経済セクターとの間の，新たな責任分担の構造が生じている。国家の法秩序はもはや，枠組みおよび目標を設定するに過ぎず，行政庁の介入権限は，市場の失敗や公益に反する社会の不履行の場合に備えた留保手段としてのみ，予定される。国家の法枠組みの中で，社会の自己統御が（たとえば私的な規則設定，行動基準，監査手続，自己統制の整備などにより）大きな意味を持つ。この構想の実現において，団体その他の社会的組織が重要な役割を与えられる。すなわち，私のテーマは，われわれの全体テーマ「団体，組織と法」に組み込まれる。

この導入的な指摘の後，まず，国家の秩序枠組みのなかでの社会の自己統御の原因および一般的な展開について述べる（後述Ⅱ）。続いて，この新たな現象を具体例を用いて説明する（Ⅲ）。その後，この新たな現象を欧州法および憲法の観点に適合させうるように，国家の法秩序に対する一般的な要請を検討する（Ⅳ）。最後に，簡単なまとめと展望を行う（Ⅴ）。なお，「完全な解決」は示され得ない

（6） この議論を概観するものとして，*Voßkuhle*, Das Kompensationsprinzip, 1999, S. 1 ff.
（7） この点につき，参照，*Sparwasser/Engel/Voßkuhle*, Umweltrecht, 5. Aufl., 2003, §2 Rn. 2 (m. w. Nachw.).
（8） この点につき，*Forsthoff*, Lehrbuch des Verwaltungsrechts, Band I, Allgemeiner Teil, 10. Aufl., 1973, S. 368 ff. und S. 567 ff.

ことを予めお断りしておく。この法律問題は非常に新しいものであり,報告と分析が考察の中心を占める。

II　社会の自己統御の拡大の原因および展開

1　一般的な展開

　ドイツにおいては,公的任務の遂行に私人が関与することは,それ自体としては新しい現象ではない。ドイツ行政法は,公権力の主体と私法上の主体との間で公益実現の仕事を分担するための,様々な形態を知っている[9]。たとえば,危険な施設(原子力発電所,空港など)を私人が取り扱ったり[10],経営を委託したり[11]する際の行政法上の義務,行政手続における行政庁と私人との事前合意[12],建築法における(私人の建築に関する行政庁の情報義務と結びついた)許可の自由化[13],国家の行動の回避(たとえば,法規命令による特定の義務賦課が差し迫っている場合)に関する国家と経済団体とのインフォーマルな取決め[14],等々である。最近では,流通に置かれる危険な製品に関して,効果的な危険防止措置が民間側でとられる(たとえば,危険な製品の製造者による警告や回収)など,私法上の主体が危険防止法に強く組み込まれている[15]。

　国家の観点からは,これらの行政法上のメカニズムにおいて,(従来の)公権力の責任の私的セクターへの移転が見られる。この所見の行政学的な解釈は,一定の任務に関する私的な自己責任および自己処理の増大を,行政の現実および社会の実効性の変化に対する行政法の反応と見ている[16]。行政法総論のドグマーティクは,公益実現の役割分担の過程における国家の責任を探究するにあたって,

---

(9)　この点を概観するものとして,*Ehlers*, in: Allgemeines Verwaltungsrecht (Fn. 2) §1 Rn. 50.
(10)　原子力法7条2項5号,航空法(Luftverkehrsgesetz)19b条および20a条
(11)　連邦イミシオン防止法53条,循環経済廃棄物法54条,連邦データ保護法4f条
(12)　行政手続法71c条2項,環境親和性審査法5条,建設法典12条
(13)　たとえば,バーデン・ヴュルテンベルク州建設規制法51条,52条,53条3項,59条4項を参照。
(14)　この点に関する詳細は,*Schoch*, Entformalisierung staatlichen Handelns, in: *Isensee/Kirchhof* (Hrsg.), Handbuch des Staatsrechts der Bundesrepublik Deutschland, Band III, 3. Aufl. 2005, §37 Rn. 32 ff.
(15)　器具および製造物安全法8条4項1文8号,2文および3文。

事態を厳密に識別しうるような構想を発展させようと努力している。その構想は，国家の直接的な任務遂行から，私的活動に対する国家の単なる枠組みの設定にまで及ぶ[17]。そうこうするうちに，構想は3つの基本類型に濃縮された。すなわち，国家の遂行責任（Erfüllungsverantwortung），保証責任（Gewährleistungsverantwortung），捕捉責任（Auffangverantwortung）〔国家による制御がうまく行かない場合に，これを修正，補填または緩和する責任〕である[18]。これらの概念化が法的な内容を持つものか，あるいは単なる婉曲表現に過ぎないかは，明確にされなければならない。

2 保証行政法の発生

(1) 任務遂行における国家の後退

公的セクターと私的セクターとの協働は，それ自体としては華々しいものではなく，部分的には，特別な考察の必要がないほど些細なものですらある。さらに，上述の諸現象は不均質なものであり，法的な全体的考察は困難である。しかし，全体の複合において，法的にまさにエキサイティングな問題を投げかける，社会的および経済的に重要な部分集合が存在する。国家法および国家の任務遂行の後退によって特徴付けられるが，かと言ってそれぞれの任務に対する国家の責任が完全に放擲されることのない，全ての分野が包括される。とりわけ，国家の制御が私的アクターの活動を法規範的に取り扱うことに限定される，経済公法，環境法および情報法の分野[19]が重要である。（従来の）完全な国家の遂行責任に代わって，国家の統御および監督の責任が生じる[20]。国家の秩序枠組みのなか

---

(16) *Schuppert*, Verwaltungswissenschaft-Verwaltung, Verwaltungsrecht, Verwaltungslehre, 2000, S. 404 ff.

(17) 中間段階として，（社会の不履行の際の）国家の助言責任，監督責任，組織責任および保証責任（Einstandsverantwortung）が挙げられた。Vgl. *Schmidt-Aßmann*, Zur Reform des Allgemeinen Verwaltungsrechts - Reformbedarf und Reformansätze, in: *Hoffmann-Riem/Schmidt-Aßmann* (Hrsg.), Reform des Allgemeinen Verwaltungsrechts - Grundfragen, 1993, S. 11 (43 f.); *Hoffmann-Riem*, Tendenzen der Verwaltungsrechtsentwicklung, DÖV 1997, 433 (440 ff.).

(18) *Schuppert*, Die öffentliche Verwaltung im Kooperationssystem staatlicher und privater Aufgabenerfüllung - Zum Denken in Verantwortungsstufen, Die Verwaltung 31 (1998), 415 ff.

(19) 詳細は，後述Ⅲを参照。

で，社会の自己統御の過程が行われる。

(2) 国家活動の変化の原因

とりわけ3つの要素が――冒頭で説明した，命令的な国家法の制御の弱さと並んで――ドイツ行政法における持続的な構造変化にとって，重要である。すなわち，（期待される）国家の負担軽減，行政任務の民営化および欧州共同体法の基準の国内法秩序に対する作用である。

・自己統御の構想は，法律の行政執行の負担軽減（さらには代置）につながる[21]。国家行政の代わりに，経済および社会のふさわしいセクターが，自ら責任を負う統御任務を引き受け，それによって国家の負担を軽減する[22]。

・公的任務（遂行）の民営化は，「保証国家」の発展にとって効果的な要素である[23]。特に，かつて独占構造がとられていた分野（通信，郵便，エネルギー管理，鉄道）においては，民営化によって競争がもたらされず[24]，その結果，私的な自己統御のための統御行政法が生じた[25]。

・最後に，行政法上の枠組みのなかでの社会の自己統御は，様々な意味で，欧州法の基準の成果である[26]。欧州共同体法による，いわゆる国家の生存配慮という新しい構想は，そのような展開の重要な証拠である[27]。欧州連合によって主導された民営化および規制緩和の諸措置は，欧州共同体法自体によって社会に受け止められ，民営化法のための枠組み設定によって守られている[28]。

3つの要素の簡単な分析が示すところによれば，とりわけ民営化および非独占化

---

(20) *Voßkuhle*, Beteiligung Privater an der Wahrnehmung öffentlicher Aufgaben und staatliche Verantwortung, VVDStRL 62 (2003), 266 (285).

(21) *Di Fabio* Verwaltung und Verwaltungsrecht zwischen gesellschaftlicher Selbstregulierung und staatlicher Steuerung, VVDStRL 56 (1997), 235 (239 f., 241 f.).

(22) *Groß*, Selbstregulierung im medienrechtlichen Jugendschutz am Beispiel der Freiwilligen Selbstkontrolle Fernsehen, NVwZ 2004, 1393.

(23) *Franzius*, Der „Gewährleistungsstaat"-Ein neues Leitbild für den sich wandelnden Staat？, Der Staat 42 (2003), 493 (499).

(24) *Masing* (Fn.3), Die Verwaltung 36 (2003), 1 (3 f.).

(25) *Trute*, Die Verwaltung und das Verwaltungsrecht zwischen gesellschaftlicher Selbstregulierung und staatlicher Steuerung, DVBl 1996, 950 (953 f.).

(26) *Schmidt-Preuß*, Verwaltung und Verwaltungsrecht zwischen gesellschaftlicher Selbstregulierung und staatlicher Steuerung, VVDStRL 56 (1997), 160 (188).

(27) この点に関する詳細は，*Voßkuhle* (Fn. 20), VVDStRL 62 (2003), 266 (286 ff.).

(28) *Franzius* (Fn. 23), Der Staat 42 (2003), 493 (503).

は，決して直接的な規制緩和と結びつかなければならないわけではない。それぞれの専門分野の現実条件を考慮に入れた，特有の再統御が確立されなければならない(29)。

3 新しい秩序モデルの要素としての，国家の統御と社会の自己統御

最後に述べた観点は，ドイツ（および欧州大陸）の法文化の典型的な表現である。先ごろ提出された，統御行政法に関する比較法研究において，経済行政法におけるアメリカの理解がいかにドイツと異なるかが明らかにされた。徹底した経済自由主義を維持できるか，あるいは——逆に言えば——国家介入による市場の社会的・エコロジー的な調整を正当化できるかという，古典的な問題が中心となる。アメリカにおいては，自由な市場が規範的な自然状態の一種とみなされるのに対し，欧州大陸法の伝統的な構造の出発点は，全ての権限を有する公共体が国家を構成していることである(30)。

実際に，10年ほど前から強まっている，ドイツにおける公的セクターと私的セクターとの間における変化は，行政法における新たな規律モデルに行き着く(31)。市場経済の私的経済性およびシステム合理性を信奉することは，全ての分野において，経済競争への完全な自由化に行き着くわけではない。たとえば国民の基本的な生活保障にとっての市場経済の欠点を回避するために(32)，あるいは国民のその他の不利益を防止するために，行政法は，（行政庁の権限を伴う）国家の責任を予定している。そのための道具が，統御行政法である。その際，「統御 (Regulierung)」とは，個々のケースを超える秩序目標を追求するために，国家法によって社会の過程を制御することである(33)。実際上特に重要な経済公法の分野においては，「統御」は，給付を与える国家から給付を保証する国家への移行

---

(29) *Röger*, Die Regulierungsbehörde für Telekommunikation und Post als zukünftiger Energiemarktregulierer - Eine regulierungsrechtliche Bestandsaufnahme, DÖV 2004, 1025 (1030).

(30) *Masing*, Die US-amerikanische Tradition der Regulated Industries und die Herausbildung eines europäischen Regulierungsverwaltungsrechts, AöR 128 (2003), 558 (561 f.).

(31) この点につき，参照，*Schmidt-Aßmann*, Allgemeines Verwaltungsrecht (Fn. 1), 3/48 ff.

(32) *von Danwitz*, Was ist eigentlich Regulierung？, DÖV 2004, 977 (984).

において，民営化・自由化された経済分野を国家が制御することである(34)。「社会の自己統御」は，個人および集団が，正当な利己心を認める基本権的自由によって，私的利益を追求するために，自己の責任において行動を決めることである(35)。「国家の秩序枠組み」という隠喩は，私的アクターが強制的な国家法の限界の中で行動しなければならないことを指す。

III 社会の自己統御の諸分野

所見を明確にするために，国家の秩序枠組みの中での社会の自己統御に関する具体的な例を含む，個々の法分野が援用されうる。そのようなものとして，すでに述べたように，経済公法，環境法および情報法が挙げられる。もちろん，それでほぼ完全であるとは言えない。その他の分野を2つだけ挙げるとすれば，たとえば製造物安全法(36)や司法制度(37)においても，われわれのテーマは論究される。

1 経済公法

経済公法は，統御行政法の模範例を提供する。経済公法は，競争に関する基本決定という特徴を有するが，支配的なネットワークに依存する分野においては，経済公法が競争を構成し，組織しなければならず，それゆえ，事前統御という行政法上の手段をとる(38)。

・エネルギー分野においては，ドイツでは，事後的コントロールから事前統御へ

---

(33) *Voßkuhle* (Fn. 20), VVDStRL 62 (2003), 266 (304 Fn. 156).
(34) *Bullinger*, Regulierung als modernes Instrument zur Ordnung liberalisierter Wirtschaftszweige, DVBl 2003, 1355 (1357).
(35) *Schmidt-Preuß* (Fn. 26), VVDStRL 56 (1997), 160 (162 f.).
(36) *Schmidt-Aßmann*, Allgemeines Verwaltungsrecht (Fn. 1), 3/55 ff.
(37) *Hoffmann-Riem*, Justizdienstleistungen im kooperativen Staat – Verantwortungsteilung und Zusammenarbeit von Staat und Privaten im Bereich der Justiz, JZ 1999, 421 ff.
(38) *Masing* (Fn. 3), Die Verwaltung 36 (2003), 1 (6 f.).―批判的な見解として，*Sßacker*, Das Regulierungsrecht im Spannungsfeld von öffentlichem und privatem Recht―Zur Reform des deutschen Energie- und Telekommunikationsrechts, AöR 130 (2005), 180 ff. は，分野に特有のネットワーク規制を批判し，一般的な秩序枠組みの発展を要求する。

のパラダイム転換が行われた(39)。市場への参入に際しては，配電網事業の開始は行政庁の許可を要する（2005年エネルギー管理法4条1項）。市場での行動の領域では，「交渉による配電網へのアクセス」が撤廃され，事前統御による配電網へのアクセスに取って代わられた(40)。最終消費者に対する基本的配慮は，法律によって保障されている(41)。対価の統御に関する行政庁の権限は，法律において予定されている(42)。

・通信分野においては，サービスの提供は，憲法によって私経済上の提供者に割り当てられた活動である（基本法87 f 条2項2文）。連邦には，広域にわたる適切で十分な配慮を国民に対してするよう，基本法の明文によって保証責任が課されている（基本法87 f 条1項）。欧州法上の基準を〔国内法に〕転換する際に，連邦は，新しい電気通信法(43)において，市場への参入を自由化した(44)。市場における行動は，「相当な市場支配力」(45)を持つ企業に対する，この分野に特有の統御手段によって，制御される(46)。最終利用者の観点から重要なのは，

---

(39) 以下に関する詳細は，*Röger* (Fn. 29), DÖV 2004, 1025 (1033 f.).
(40) 2005年エネルギー管理法17条および20条：法律上の配電網へのアクセス義務およびそれに先行する配電網への接続義務。
(41) 2005年エネルギー管理法18条および36条：最終消費者に対する一般的接続義務および企業の基本的配慮義務。
(42) 2005年エネルギー管理法29条1項・17条3項：配電網への接続の分野における対価の規制；2005年エネルギー管理法29条1項・24条：配電網へのアクセスの分野における対価の規制。
(43) この点につき，参照，*S.-E. Heun*, Das neue Telekommunikationsgesetz 2004, CR 2004, 893 ff.; *Scherer*, Das neue Telekommunikationsgesetz, NJW 2004, 3001 ff.
(44) 電気通信法6条は（原則として），市場参入につき，通信郵便規制庁（Regulierungsbehörde für Telekommunikation und Post）に対する届出義務を予定しているに過ぎない。行政庁による許可を要するのは，電波および周波数の利用（電気通信法55条，66条）ならびに通信線の敷設・維持のための交通手段の利用（電気通信法68条，69条）である。
(45) この概念は，電気通信法9条以下で明文で使用されている（このほか，競争制限防止法19条：市場支配企業）。「相当な市場支配力」は，一つの企業が40パーセント以上の市場占有率を有する場合に，推定される。§ 11 TKG i. V. m. Art. 14 RL 2002/21/EG (vom 07.03.2002, ABlEG Nr. L/108) i. V. m. den Leitlinien der EU-Kommission zur Marktanalyse und Ermittlung beträchtlicher Marktmacht nach dem gemeinsamen Rechtsrahmen für elektronische Kommunikationsnetze und -dienste (2002/C 165/03, ABlEG Nr. C/165 vom 11.07.2002).

通信企業に対するユニバーサルサービスの義務付けによって，基本的配慮が保障されていることである[47]。最終利用者の利益のため，対価の統御も行われうる[48]。

・郵便の分野においては，ドイツポスト株式会社の一定範囲の独占が存する。この分野以外には，基本的に，市場参入に対する国家の事前コントロールが，免許（Lizenz）の付与によって行われる[49]。市場における行動に関しては，統御行政庁が，ユニバーサルサービスの手法により，広範囲にわたる，利用しやすい郵便に関する基本的配慮を行う[50]。免許を与えられた（lizensiert）郵便サービスが市場支配的な企業によってもたらされる限り，支払われるべき対価の事前統御が行われる[51]。

ここでごく簡単に述べた諸分野に関する中間総括は，国家の役割が直接的な給付責任から保証責任へと変化したことを明らかにする。国家の直営による給付の提供に代わって，国家以外の経営によってもたらされる（サービス）給付を，国家が確保しなければならない。そのために，統御行政法が役立つ[52]。

2 環境法

国家の秩序枠組みのなかでの社会の自己統御のシステムは，環境法において，さらに大きな役割を演ずる[53]。関連するモデルは，気候保護[54]のように地球規模で活動すべき任務から，廃棄物法における製品責任[55]のように，狭い範囲で

---

(46) この点に関する詳細は，*Doll/Nigge*, Die Prüfung des Regulierungsbedarfs auf TK -Märkten nach dem neuen TKG, MMR 2004, 519 ff.
(47) 電気通信法78条以下。その際，「ユニバーサルサービス」は，公衆に対するサービスへの最低限の要請と理解されている。すなわち，そのサービスについて，一定の質が確保され，すべての最終利用者が居住および仕事の場所にかかわらず安価でアクセスできなければならず，そのサービスの公衆への提供は基本的配慮として不可欠のものである（電気通信法78条1項）。ユニバーサルサービスを義務付けられる企業は，財政的な補塡を受けることができ（電気通信法82条），その財源は，ユニバーサルサービス賦課金によって調達される（電気通信法83条）。
(48) 電気通信法30条以下（アクセスに対する対価の規制）および電気通信法39条（最終利用者へのサービスに関する対価の規制）。
(49) この点に関する詳細は，*Röger* (Fn. 29), DÖV 2004, 1025 (1030 f.).
(50) 郵便法11条以下，郵便のユニバーサルサービスに関する法規命令。
(51) 郵便法19条以下，郵便の対価規制に関する法規命令。
(52) *von Danwitz* (Fn. 32), DÖV 2004, 977 (983 f.).

作用する自己統御にまで及ぶ。3つの分野について，いま少し詳細に述べる。
・環境に影響を及ぼす企業の自己監視および自己制御の方法により，環境影響の包括的な確認および収支計算〔全体としてプラスかマイナスかの計算〕を目指す手続が，環境監査によって発展した(56)。それに続けて，マネージメントシステムを超え，経営上の環境保護の継続的な改善を達成するため，諸々の改善措置がとられる(57)。監査は，私人たる環境監査人によって行われる。ある企業が肯定的に評価されると，登録が認められる(58)。それにより，（イミシオン防止法および廃棄物法における）行政庁の法律執行が軽減される(59)。
・特定のリサイクルできない包装の製造者は，広域にわたって販売用容器を最終消費者から定期的に回収することを保証するシステム（包装令6条3項）に参加

---

(53) たとえば，参照，A. *Faber*, Gesellschaftliche Selbstregulierungssysteme im Umweltrecht-unter besonderer Berücksichtigung der Selbstverpflichtungen, 2001, S. 128 ff., 177 ff.

(54) 排出量取引については，たとえば，参照，*Kobes*, Das Zuteilungsgesetz 2007, NVwZ 2004, 1153 ff.; *Burgi*, Grundprobleme des deutschen Emissionshandelssystems: Zuteilungskonzept und Rechtsschutz, NVwZ 2004, 1162 ff.; *Begemann/Lustermann*, Emissionshandel: Probleme des Anwendungsbereichs und Auslegungsfragen zu Härtefallregelungen des ZuG 2007, NVwZ 2004, 1292 ff.

(55) *Tomerius*, Deregulierung oder Re-Regulierung in der Abfallwirtschaft?, ZG 2000, 247 (258 ff.); ferner *Gesmann-Nuissl/Wenzel*, Produzenten- und Produkthaftung infolge abfallrechtlicher Produktverantwortung, NJW 2004, 117 ff.

(56) 根拠は，現在では，2001年3月19日の「環境管理および環境監査のための欧州共同体システムへの諸組織の自発的参加に関する欧州共同体規則」761/2001/EG（EMAS），ABlEG Nr. L 114/1である。——これにつき，参照，*Langerfeldt*, Die Umwelterklärung der novellierten EG-Öko-Audit-Verordnung（EMAS II）: Fortschritt oder Rückschritt?, UPR 2001, 426 ff.; *Knopp*, EMAS II— Überleben durch „Deregulierung" und „Substitution"?, NVwZ 2001, 1098 ff.

(57) 旧環境監査規則1863/93/EWGに基づく実務報告書として，*Bültmann/Wätzold*, Die wirtschaftsnahe Ausgestaltung des Öko-Audit-Systems in Deutschland, ZAU 2000, 155 ff.

(58) 環境監査法32条以下。ドイツ環境監査法の改正（2002年9月4日，BGBl I S. 3491）につき，参照，*Langerfeldt*, Das novellierte Umweltauditgesetz, NVwZ 2002, 1156 ff.

(59) この根拠は，EMAS特権賦与に関する法規命令（2002年6月24日，BGBl I S. 2247）である。これに関し，参照，*Jarass*, EMAS-Privilegierungen im Abfallrecht, DVBl 2003, 298 ff.

する場合には，デポジット義務（包装令8条）を免除される（包装令9条1項）[60]。これに基づいて，よく知られているように，「ドイツ・デュアルシステム有限会社」（もともとは独占企業）が設立されている[61]。欧州裁判所は，2004年12月14日の判決で，ドイツのシステムを，包装廃棄物の処理にとって根拠のある正当なものと認めたが，具体的な形態の詳細については，貨物流通の自由（欧州共同体条約28条）違反を理由として，異議を唱えた[62]。興味深いのは，ドイツは欧州法上[63]，販売用包装の廃棄物処理を自ら行う義務は負わないが，デポジットおよび回収の実効的なシステムを保証する義務を負うという点である[64]。

・最後に，2001年12月の移動通信業界の自主規制[65]について述べる。自主規制の内容は，アンテナ設置場所に関する行政庁への包括的な情報提供および設置場所の共同利用，幼稚園および学校による立地審査，放射線の少ない携帯電話の表示，電磁波のモニターシステムに関する研究の強化およびシステム網の構築である。この自主規制は，国民による移動通信インフラの受容を改善し，ありうるリスクに対する配慮を強化する[66]。この自主規制が実際的なものに改正されたことは，先ごろ，詳細な鑑定[67]によって，肯定的に評価された[68]。

まとめると，経済界の自主規制は私的な自己統御の重要な要素であることが，環

---

(60) 判例の展開に関して，参照，*R. Schmidt*, Neue höchstrichterliche Rechtsprechung zum Umweltrecht, JZ 2003, 933 (939 f.).

(61) これに関し，参照，*Schmidt-Preuß*, Funktionsbedingungen selbstregulativer Gemeinwohlverwirklichung, DVBl 2001, 1095 ff.

(62) EuGH, Rs. C-309/02, EuZW 2005, 81＝DVBl 2005, 171 („Radlberger"); EuGH, Rs. C-463/01, EuZW 2005, 49＝NVwZ 2005, 194.

(63) RL 94/62/EG über Verpackungen und Verpackungsabfälle vom 20.12.1994 (ABlEG Nr. L 365/10).

(64) *K. Fischer*, Urteilsanmerkung, EuZW 2005, 85 (86).

(65) 2001年12月5日の移動通信事業者の自主規制「移動通信網の拡充の際の，安全，消費者保護，環境保護および健康保護の改善に関する諸措置，情報および信頼形成措置」

(66) これに関する詳細は，*Wahlfels*, Mobilfunkanlagen zwischen Rechtsstreit, Vorsorge und Selbstverpflichtung, NVwZ 2003, 653 (660).

(67) B. A. U. M., Jahresgutachten zur Umsetzung der Zusagen der Selbstverpflichtung der Mobilfunknetzbetreiber, Dezember 2003.

(68) これに関し，環境省の立場（BMU, Umwelt 2004, 223 f）も参照。

境法の分野において確認される(69)。連邦憲法裁判所によって憲法上の承認を与えられた協働原則の発現が，そこに見られる(70)。この判例が法理論的には説得力を欠くものであるにせよ(71)，一定の実際上の作用を及ぼしうることは否定できない。

3　情報法

情報法においては，私人の自己統御は，全く新しい現象というわけではないが(72)，最近強まってきている。ここでも，本質的なインパクトは，欧州共同体法に端を発している(73)。3つの例を挙げる。

- メディアにおける青少年保護の確保のため，メディア監督の分野において，認証された自己統制の諸施設が執行に当たる(74)。それにより，私人の専門知識が動員され，州のメディア監督機関としてのメディア青少年保護委員会（KJM）（メディア青少年保護州際協約〔JMStV〕14条）は，任務から解放される。民間放送（JMStV 20条3項）またはテレメディア（JMStV 20条5項）の事業者が，認証された自己規制機関に対して，放送前に番組内容を提出したときは，自己規制機関(75)の決定が判断余地の法的限界を超えた場合にのみ，KJMの監督措置が

---

(69)　*Schendel*, Selbstverpflichtungen der Industrie als Steuerungsinstrument im Umweltschutz, NVwZ 2001, 494 ff.

(70)　BVerfGE 98, 83 ff. und 98, 106 ff.; 解説として，*Di Fabio*, Das Kooperationsprinzip-ein allgemeiner Rechtsgrundsatz des Umweltrechts, NVwZ 1999, 1153 ff.

(71)　包括的な批判として，*Schoch*, in: HStR III (Fn. 14), §37 Rn. 120 f.

(72)　*Kloepfer*, Informationsrecht, 2002, §5 Rn. 49 ff. による概観を参照。

(73)　アクチュアルなものとして，オーディオ・ヴィジュアルサービスおよび情報サービスの分野における欧州連合委員会の提案を挙げることができる。これに関する詳細は，*Miller/Schmittmann*, Jugendschutz im Internet-Selbstregulierung und Aufklärung statt Sperren, AfP 2004, 422 ff.

(74)　根拠は，メディア青少年保護州際協約（JMStV）であり，*Hartstein/Ring/Kreile/Dörr/Stettner*, Rundfunkstaatsvertrag, C 1.1. に掲載されている。これにつき，参照，*Kreile/Diesbach*, Der neue Jugendmedienschutz-Staatsvertrag, ZUM 2002, 849 ff.; *Stettner*, Der neue Jugendmedienschutz-Staatsvertrag, ZUM 2003, 425 ff.; *Ullrich*, Die Bewertung von Rundfunkprogrammen durch Einrichtungen der Freiwilligen Selbstkontrolle und ihre Folgen, ZUM 2005, 452 ff.; *Cole*, Der Dualismus von Selbstkontrolle und Aufsicht im Jugendmedienschutz, ZUM 2005, 462 ff.; *Erdemir*, Jugendschutzprogramme und geschlossene Benutzergruppen, CR 2005, 275 ff.

(75)　JMStV 16条2文2号・19条3項

許される。このメディア監督の部分的民営化(76)は，関係する私的法主体についての認証条件を国家が定めること（JMStV19条3項）と結びついている(77)。
・データ保護においては，私的な自己統御のいくつかのモデルがよく知られている。まず，――エコ監査に倣って作られた(78)――データ保護監査(79)が挙げられる。次に，一定の団体（たとえば，職業団体）は，データ保護法上の規律を促進するために，行動規律を定め，監督官庁の検査を受けること（連邦データ保護法38a条）により，一種の「品質保証マーク」を得られることが，法律上定められている(80)。メディアが自己統御の可能性を利用する場合には，データ保護法上のメディア特権（連邦データ保護法41条）が適用され，このメディアは，報道に関するデータ保護の分野では，連邦データ保護法の適用から除外される(81)。
・最後に，メディア分野において，分野における独立の秩序枠組みを作るため，自主的な活動がなされている。出版分野における自己統御として，プレスコードおよびドイツ出版協議会の異議申立て制度が，一般に知られている(82)。こ

---

(76) *Langenfeld*, Die Neuordnung des Jugendschutzes im Internet, MMR 2003, 303 (309); *Bornemann*, Der Jugendmedienschutz-Staatsvertrag der Länder, NJW 2003, 787 (790 f.); *Groß* (Fn.22), NVwZ 2004, 1393 (1395).
(77) このモデルをデータ保護法に一般化する可能性について，*R. Bender*, Datenschutz in den elektronischen Medien-Strukturüberlegungen zur Neuordnung, DuD 2003, 417 (419), メディア規制に一般化する可能性について，*A. Hesse*, Rundfunkrecht, 3. Aufl., 2003, S. 89 f.
(78) たとえば，連邦データ保護法9a条，放送州際協約47e条，メディア州際協約21条。
(79) これについて，*Bäumler*, Audits und Gütesiegel im Datenschutz, CR 2001, 795 ff.; *P. Münch*, Harmonisieren - dann Auditieren und Zertifizieren, RDV 2003, 223 ff.; *Schläger*, Gütesiegel nach Datenschutzauditverordnung Schleswig-Holstein-Erfahrungsbericht eines unabhängigen Gutachters, DuD 2004, 459 ff.
(80) *Gola/Schomerus*, BDSG, 8. Aufl. 2005, §38a Rn. 1
(81) *Schaar*, Selbstregulierung und Selbstkontrolle - Auswege aus dem Kontrolldilemma?, DuD 2003, 421 (423).
(82) Deutscher Presserat, Publizistische Grundsätze (Pressekodex) -Richtlinien für die publizistische Arbeit nach den Empfehlungen des Deutschen Presserats - Beschwerdeordnung (i. d. F. von März 2005). -これについて，包括的には，*H. Münch*, Freiwillige Selbstkontrolle bei Indiskretionen der Presse - Ein Vergleich des deutschen und englischen Rechts, 2002; 最近の展開につき，*Tillmanns*, Der Pressekodex sollte für alle Medien gelten, ZRP 2004, 277 f.

れと比肩しうるものとして，民間放送の行動準則がある[83]。2004年秋には，公法上の放送局が，番組に関する自主規制基準を発表した[84]。電子商取引については，欧州連合委員会が，商業団体，職業団体および消費者団体に対し，行動基準を作成するとともに，裁判外の紛争処理の仕組みを作るよう，求めている[85]。

以上をまとめると，情報法の例では，しばしば，国家による統御の後退を，民間（経済）セクターごとの行為基準（コード）が補充している。それにより，行政法は，たとえばコーポレート・ガバナンス・コード[86]で明らかにされているような，私法においても見られる方法で，反応している[87]。

IV　行政法ドグマーティクに対する要請

社会の自己統御の増大は，行政法秩序に新たな挑戦を突きつける。そのような挑戦は，まず，実務において克服されるだろう。しかし，行政法学もまた，必要とされている。そのような観点からは，分野に特有の解決を促すのみでは，不十分である[88]。より興味深くかつ実り豊かな観点は，行政法総論によるものである。新たな諸現象は行政法総論の体系のなかで処理されなければならない。その

---

(83)　民間放送・電気通信団体（VPRT）に加盟する民間放送局の1998年6月30日の行動準則。

(84)　Vgl. die Dokumentation zu ARD, ZDF und DeutschlandRadio in epd medien 79/2004; 自己規制の根拠は，放送州際協約11条4項および16a条である。批判として，*Lilienthal*, Um ein Ritual reicher, epd medien 73/2004, 3 f.

(85)　Bericht der Kommission an das Europäische Parlament, den Rat und den Europaischen Wirtschafts-und Sozialausschuss über die Anwendung der Richtlinie über den elektronischen Geschäftsverkehr（RL 2000/31/EG）vom 21.11.2003, KOM (2003) 702 endg., S. 18 f. -Vgl. ferner *Vander*, Verhaltenskodizes im elektronischen Geschäftsverkehr, K&R 2003, 339 ff.

(86)　Regierungskommission Deutscher Corporate Governance Kodex i. d. F. vom 21.05.2003. -上場株式会社の取締役の報酬については，コードによって，透明性は十分に実現されなかった。そこで，取締役報酬公開法が発展した。参照，BT-Drs. 15/5577.

(87)　計画されていた適合化の中止につき，*M. Weber*, Die Entwicklung des Kapitalmarktrechts im Jahre 2004, NJW 2004, 3674 (3680).

(88)　この意味において，参照，*von Danwitz* (Fn. 32), DÖV 2004, 977 (980).

際，ラディカルな変革は示されない(89)。

1 法秩序への挑戦

(1) 憲法上の手がかり

それにもかかわらず，法秩序への挑戦は，過小評価されてはならない。法治国の要請は，国家と私的法主体とが折り合うことに対して，これを原理的に否定するものではないが，懐疑的である。私的な自己統御の分野においてしばしば見られる，インフォーマルなネットワークや交渉システムに対して，法治国の構成は，批判的に対立する。法治国の構成は，透明性および公開性を要求し，責任の拡散や関係者の侵害が生じうる所には，限界線を引く(90)。民主主義原理も，展開しつつある保証行政法の形成に対して，疑問を投げかける。憲法上の正当性の要請は，国家権力の行使に関わるものであり，国家と社会との混合に対応する用意はない(91)。しかし，憲法判例の最近の認識(92)に基づいて，拘束的な法決定に関する適切な正当性の水準を探求するとすれば，次のことが言える。すなわち，国家が決定を内容面で支配していないことを，少なくとも部分的に埋め合わせるためには，私的セクターに対する制度的な要請が不可欠である(93)。

(2) システムの継続性とシステムの変革との対立

法律的に誤りに導くような方法は，通用しない。3つの例を挙げる。

・法的意味における「責任分担（Verantwortungsteilung）」(94)は，一方における国家と他方における経済ないし社会との間では，存在し得ない(95)。国家の行為は法的拘束を受ける（基本法20条3項）のに対し，私人は公的任務を引き受け

---

(89) *Schmidt-Aßmann*, Allgemeines Verwaltungsrecht (Fn. 1), 3/51.
(90) *Trute* (Fn. 25), DVBl 1996, 950 (956 f.).
(91) *Grimm*, Regulierte Selbstregulierung in der Tradition des Verfassungsstaats, Die Verwaltung, Beiheft 4, 2001, 9 (19).
(92) BVerfGE 107, 59 (88 ff.) - 機能的自治（関係者の共同発言権，行政外の専門知識の活性化）を例に。
(93) *Trute* (Fn. 25), DVBl 1996, 950 (955 f.).
(94) この比喩の使用については，参照，*Schuppert*, Verwaltungswissenschaft (Fn. 16), S. 408 ff.
(95) この批判につき，参照，*Trute* (Fn. 25), DVBl 1996, 950 (955, 957); *Schmidt-Preuß* (Fn. 26), VVDStRL 56 (1997), 160 (166); *Masing* (Fn. 30), AöR 128 (2003), 558 (604).

るのではなく，自由，すなわち基本権その他の権利を主張する[96]。
・それゆえ，最近再び強く主張されている，国家と社会との法的区別に対する疑問[97]は，法律学的には当を得ていない。この区別は憲法上所与とされているものであり[98]，それゆえ，行政法秩序によって尊重されなければならない。
・保証行政法の展開において，私人をシステム構築に組み込むことが，〔私人の〕共和国化〔Republifizierung〕につながってはならない[99]。われわれの議論との関係で言うと，私的法主体（たとえば，受任者〔Beliehene〕，行政補助者）を国家組織に組み込むこと〔Etatisierung〕は，意味がない。なぜなら，それによって私的アクターの行動の合理性が阻害され，彼らを公的な任務遂行に組み込んだことの価値が減少するからである[100]。

社会の自己統御に対して適切な国家の秩序枠組みを与えるためには，別の解決策を見出さなければならない。望ましいのは，法理論的に疑問のある，行政学的な現代主義を受容することではなく，現行のシステムを慎重に発展させることである。その際，秩序法の諸要素もまた，大きな効果を発揮しうる。

2　国家の責任の更なる発展

　現行ドイツ憲法によると，国家には行政法の多くの分野に対する責任が課されており，国家はそれを簡単に脱することはできない。この報告で述べた郵便および通信の分野については，明文の基本法上の保証責任が存する（基本法87 f 条 1 項）。同じことが鉄道についても当てはまる（基本法87 e 条 4 項）。それと並んで，基本権保護義務がある。その指揮力は確かに過大評価されてはならないが[101]，（たと

---

(96)　同旨，*Bull*, Diskussionsbeitrag, VVDStRL 62（2003），350 f.; 問題となるのは，責任配分（Verantwortungsverteilung）のみである。*Pitschas*, Diskussionsbeitrag, ebd., S. 355.

(97)　*Franzius*（Fn. 23），Der Staat 42（2003），493（500）; *Hoffmann-Riem*, Gesetz und Gesetzesvorbehalt im Umbruch, AöR 130（2005），5（22 f.）.

(98)　*Kahl*, Die rechtliche Bedeutung der Unterscheidung von Staat und Gesellschaft, Jura 2002, 721（723 f.）; *Rupp*, Die Unterscheidung von Staat und Gesellschaft, in: Isensee/Kirchhof, Handbuch des Staatsrechts der Bundesrepublik Deutschland, Band II, 3. Aufl. 2004, §31 Rn. 25 ff.

(99)　この意味において，参照，*Di Fabio*（Fn. 21），VVDStRL 56（1997），235（242）.

(100)　*Schmidt-Aßmann* Regulierte Selbstregulierung als Element verwaltungsrechtlicher Systembildung, Die Verwaltung, Beiheft 4, 2001, 253（265）.

えば環境法や情報法における）国家の統御の正当化根拠となりうるものである。すでに述べたように，欧州共同体法は，民営化・自由化された分野における国家の責任を，様々な形で規定している。しかし，このような分野以外でも，欧州法の基準は効果的である[102]。すなわち，冒頭で述べたアメリカのモデルに対しては，ドイツの行政法秩序は，簡単に追随することはできない。

以上を背景として，保証行政法の展開に関しては，ほとんど選択肢がない[103]。私的アクターの諸利益および専門知識，革新能力および柔軟性が取り入れられるような——法律による形付けにおいては，当然，分野に特有の——システムが構築されなければならない。この構想は，一方で，国家の責任が作用し続けることにより，統御する国家法が基本的に後退しないことを意味し，しかし他方で，経済および社会の部分システムに固有の合理性を尊重し，利用する。国家は，私的アクターが自らの行動の合理性に従って積極的に活動できるような法的枠組みを用意することにより，保証責任を果たす。しかし，私的法主体は，国家の法秩序の枠組みに拘束されることにより，可能な限り公益に親和的な方法で行動するよう，期待されている。「私法」と「公法」の両方の部分的法秩序を1つに接合させるような，国家セクターと民間セクターとの協働領域が法的に形成されなければならない[104]。ここで意図しているのは，システムの混合のようなものではなく，両方のシステムの，よりよい調和である。なんといっても，われわれの私法もまた，国家によって設定された法なのである。

V　展望：法律学の課題としてのシステム構築

したがって，法律学には大きな課題が与えられる。真の保証行政法のためのシ

---

(101) *Voßkuhle* (Fn. 20), VVDStRL 62 (2003), 266 (297 f.); *Kühling*, Sektorspezifische Regulierung in den Netzwirtschaften, 2004, S. 501 ff.
(102) これに関して，青少年保護に対する国家の責任を例にする，*Groß* (Fn. 22), NVwZ 2004, 1393 (1396) が有益である。
(103) 概念の構築につき，参照，*Voßkuhle* (Fn. 20), VVDStRL 62 (2003), 266 (305 Fn.165)。
(104) *Trute*, Verzahnungen von öffentlichem und privatem Recht, in: Hoffmann-Riem/Schmidt-Aßmann (Hrsg.), Öffentliches Recht und Privatrecht als wechselseitige Auffangordnungen, 1996, S. 167 (197 ff.).

ステム構築は，まだ始まったばかりである。端緒は，すでに展開されている。
- 方法の点では，コンテクスト制御の構想が実行されるであろう。それにより，国家は，システム拘束を定義し，目標を設定し，随伴するコントロールを予定し，行政に介入権限を与える。すなわち，国家の法秩序のなかでの私人のイニシアティヴは，最終的には秩序法上も援護されている[105]。
- 互いに比較可能な分野（たとえばネットインフラ）においては，統一性のある統御構造が展開されるべきであることが，構想に関して認識されている[106]。
- 内容面では，国家法は社会の自己統御の最低限の水準を設定すべきであることが明らかであろう[107]。
- 法理論的には，構造化された保証行政法のための最初の「礎石」が得られている[108]。

構想には，私的法主体による自己統御の探究が含まれる。それは，私的な規範定立の問題につながる。私的法主体による自己統御の探究も，学問研究の対象とされなければならない。私法学説に見られる「法律／法律行為——第三は与えられず」という二元論は，批判的に分析・検討されねばならない[109]。ようやく輪郭が見えてきた，私人の自己統御の秩序原則（情報，評価およびコントロールの権限，私的な専門家等に対する，クオリティおよび中立性の要請）は，いっそう強く探究されねばならない。国家の秩序枠組みのなかでの社会の自己統御の構想は，行為の合

---

(105) コンテクスト制御に関する詳細は，*Schmidt-Preuß* (Fn. 26), VVDStRL 56 (1997), 160 (185 ff.).

(106) ネットインフラにつき，たとえば，*Masing* (Fn. 3), Die Verwaltung 36 (2003), 1 (8 ff.) は，規律の要素として，(1)市場参入，(2)ネット利用秩序，(3)経済的独占のコントロール，とりわけ価格規制，(4)社会および環境に対する配慮の確保，(5)規制行政の組織を挙げる。

(107) *Groß* (Fn. 22), NVwZ 2004, 1393 (1398 f.) は，メディア青少年保護の分野について，(1)実体的な基準すなわちメディアの内容，(2)自己規制機関の独立性および中立性，(3)実効的な監督および執行のメカニズム，(4)社会の不履行の場合における行政庁の監督権限に関して，自己規制の基準を国家が設定すべきことを主張する。

(108) *Voßkuhle* (Fn. 20), VVDStRL 62 (2003), 266 (310 ff.)：(1) 私人によるサービス提供に関する質的・量的基準による結果の確保，(2) 私的アクターの格付けおよび選択，(3)第三者の権利保護，(4)国家による不可欠な嚮導およびコントロールの確保，(5)定期的な評価システムの構築，(6)国家の捕捉責任（Auffangverantwortung）の意味における，効果的な国家の撤回権（Rückholoptionen）〔公私協働がうまく行かない場合に備えて，国家の直接遂行に戻すという選択肢を確保しておくこと〕の構築。

理性に様々なものがありうるにもかかわらず，私人の決定と国家の行為を相互に接合させる統合能力を目指す(110)。それに協力することは，冒頭で述べた変革状況に対処するために，取り組む価値のある課題である(111)。

---

(109) *G. Bachmann*, Privatrecht als Organisationsrecht – Grundlinien einer Theorie privater Rechtsetzung, in: Jahrbuch Junger Zivilrechtswissenschaftler 2002, Die Privatisierung des Privatrechts – rechtliche Gestaltung ohne staatlichen Zwang, 2003, S. 9 (13 ff.); さらに，*Engert*, Wettbewerb der Normen und Sanktionierung durch das Recht, ebd., S. 31 ff.; *Schroeder*, Die lex mercatoria – Rechtsordnungsqualität und demokratische Legitimation, ebd., S. 257 ff.

(110) *Voßkuhle* (Fn. 20), VVDStRL 62 (2003), 266 (309) は，保証行政法は最終的には統一的な性格付けから逃れると指摘する。

(111) この点で，環境法については，法律形式に仕上げられた提案が出されている。参照，環境法典専門家委員会草案（UGB-KomE）：自己規制，規範代替的協定（34条以下），私人の自己監視の形式による自己統制（143条以下），企業内環境保護組織（151条以下），環境監査（164条以下），事業に関する環境情報（170条，171条）。

国家以外の団体または民間団体による行政任務の遂行

中原 茂樹

I　はじめに

　日本では，近年，国・地方自治体の財政難を背景とし，理論的には，NPM（New public management：新公共管理）およびPPP（Public Private Partnership：公私協働）をモデルとして，様々な制度改革がなされている。NPMは，企業によるサービス提供をモデルとして行政を改革しようとする考え方で，行政サービスを製品，市民を顧客ないし消費者，人件費をコストと把握し，コストを削減して価格に見合った品質のサービス提供（Value for Money）を目指すものである。ドイツにおいては，das neue Steuerungsmodell（新しい制御モデル）として展開され，とりわけ地方自治体の行政を，これをモデルとして改革する試みがなされている[1]。

　日本における近年の行政改革のうち，本シンポジウムの統一テーマ「団体，組織と法」との関連では，特に次の2つの改革が注目される。

　第1に，独立行政法人通則法（1999年制定，2001年施行）および地方独立行政法人法（2003年制定，2004年施行）による独立行政法人制度の創設がある。独立行政法人通則法およびこれに基づく個別法によって，従来は独立の法人格を有していなかった，国の公の施設の大部分，たとえば国立の研究所，博物館，病院などが独立行政法人化された。国立大学については，激しい議論の末，通則法とは別に，大学の研究教育の特性に配慮した法律として国立大学法人法が制定され，これに基づいて2004年に法人化された。地方公共団体の公の施設についても，地方独立行政法人法によって法人化が可能とされた。

（1）　E・シュミット＝アスマン（大橋洋一訳）「ドイツ地方自治法の新たな発展」自治研究74巻12号12頁；白藤博行「行政の「現代化」と新しい自治体運営モデル」都市問題88巻5号（1997年）67頁以下。

第 2 に，いわゆる PFI 法の制定（民間資金等の活用による公共施設等の整備の促進に関する法律——1999年制定・施行）により，公共施設について，公共施設としての性格を維持したまま，その設計，建設，資金調達および運営を包括的に民間事業者に行わせることが可能とされた[2]。これによって，民間事業者が自らのリスクと計算により公共施設を建設・運営することを可能とし，より少ない費用でより良いサービスを実現するという Value for Money を追求することが意図されている。もっとも，PFI 法の制定当時，地方自治法では，公の施設の管理を委ねることのできる相手方につき，一定の出資法人または公共的団体に限定されていた（旧244条の 2）。この規定は，PFI 法の趣旨に合わせる形で[3]2003年に改正され，管理委託の相手方が，「法人その他の団体であつて当該普通地方公共団体が指定するもの」（これを同法は「指定管理者」と呼んでいる。）とされて，民間団体にも拡大された。さらに，指定管理者には，施設の利用許可処分の権限をも委任できることが明確にされ，利用料金についても，自ら定め（ただし，長の承認が必要），自己の収入として収受することが可能となった。

　本報告では，これらの改革によって，国家組織と切り離された団体あるいは民間団体が，行政任務を遂行するとされたことの行政法理論上の意味を検討する。

II　独立行政法人

　独立行政法人通則法は，国および地方公共団体以外の行政主体に関する，日本で初めての通則的法典であるという意味で，注目すべきものである[4]。従来，公団・事業団・公庫・営団等々の，公的性格を有する様々な法人が，個別の法律に基づいてアドホックに設立されてきた。これらは，その新設・廃止が総務省行政管理局の審査の対象になるという点で共通し，特殊法人と総称されるが，その組

（2）　経済的観点からの論考が多いが，行政法学の観点からのものとして，小幡純子「公物法と PFI に関する法的考察」小早川光郎＝宇賀克也編『行政法の発展と変革〔塩野宏先生古稀記念〕上巻』（有斐閣・2001年）765頁以下。

（3）　稲葉馨「公の施設法制と指定管理者制度」法学67号（2003年）685頁以下。もっとも，指定管理者制度と PFI とでは観点を異にするところがあり，両者の関係をめぐって様々な問題が生じうることも指摘されている。参照，碓井光明「PFI・国公有財産有効活用」芝池義一ほか編『行政法の争点〔第 3 版〕』（2004年）206頁。

（4）　塩野宏『行政法III〔第 3 版〕』（有斐閣・2006年）90頁。

織的構造等において極めて多様であり，必ずしも十分なコントロールがなされてこなかった。行政（組織）改革によって，これらの特殊法人の一部は，独立行政法人に組織替えされた（このほか，民営化されたもの，廃止されたもの，なお存続しているものがある）。これに加えて，上述のように，従来独立の法人格を有していなかった国の公の施設も，独立行政法人化された。

独立行政法人とは，独立行政法人通則法2条1項によると，

① 国民生活及び社会経済の安定等の公共上の見地から確実に実施されることが必要な事務及び事業であって，
② 国が自ら主体となって直接に実施する必要のないもののうち，
③ 民間の主体にゆだねた場合には必ずしも実施されないおそれがあるもの又は一の主体に独占して行わせることが必要であるものを
④ 効率的かつ効果的に行わせることを目的として，
⑤ この法律及び個別法の定めるところにより設立される法人をいう

とされている[5]。すなわち，この制度は，一方で，一定の行政事務を「アウトソーシング」することにより，スリムな国家と効率的な行政任務の遂行をめざし，他方で，その行政事務の確実な実施を国家が保証すること（本シンポジウムにおけるショッホ教授の報告に引き付けて言うと，「国家の遂行責任 Erfüllungsverantwortung から保証責任 Gewährleistungverantwortung へ」）をめざすものである。

この両方の目標を達成するために，国が独立行政法人に対して運営費の交付その他の所要の財源措置を行う[6]とともに，その組織および運営に対して一定の枠組みを設定するが，その枠組みの範囲内では，独立行政法人が自律的に活動できることとされている。すなわち，主務大臣は法人の長の任命権（独立行政法人通則法20条）および解任権（22条）を有し，独立行政法人の「中期目標」を設定する（29条）が，それを具体化する「中期計画」は各法人が自ら定める（但し，主務大臣の認可が必要。30条）。そして，このようにして設定された枠組みの範囲内では，

（5） 地方独立行政法人の定義（地方独立行政法人法2条1項）もほぼ同じであるが，③につき，「民間の主体にゆだねた場合には必ずしも実施されないおそれがあるものと地方公共団体が認めるもの」とされ，⑤につき，「この法律の定めるところにより地方公共団体が設立する法人」とされている。すなわち，ある行政事務を行わせるために独立行政法人を設立するかどうかは，地方公共団体の判断に委ねられる。
（6） 中央省庁等改革基本法38条4号，独立行政法人通則法46条

主務大臣による違法行為等の是正（65条）がなされる以外は，各法人が自らの責任で経営資源を使用し，自主的に活動することができるとされている（3条3項参照）。中期目標の期間の終了時には，主務大臣が各法人の業績を評価し，業務や組織のあり方につき，廃止や民営化も含め，検討する（34条・35条）。独立行政法人の役員および職員は，公務員でないのが原則であるが，実際には，多くの例外が認められている（特定独立行政法人。2条2項，51条）。また，独立行政法人の会計は，原則として企業会計原則によるとされている（37条）[7]。

このように，独立行政法人制度は，民間企業による効率的な事業経営と，国家による確実な任務遂行の，それぞれの良いところだけを取り入れようとするものである。しかし，かつての特殊法人がそうであったように，逆に両方の欠点が掛け合わされ，あるいは両要素間の矛盾が露呈するおそれも，ないとは言えない[8]。また，この制度は，民間企業的な手法によることが，単に効率的で安上がりであるというだけではなく，「顧客」である市民のニーズに柔軟に応えることができ，より良いサービスの質が保証されるという考え方に基づくものと思われる。しかし，何をもって良質なサービスと考えるかという根本的な問題がある。「文化・学問の領域における多様性の創造・保存」[9]という観点から，国公立大学の法人化には特に慎重な配慮が必要であることは言うまでもないが，ここでは触れない。

さて，行政法学は，伝統的に，国家と社会の二分法を前提に法的構成をしてきたが，独立行政法人という，国家と社会との間に設けられたこの新たな制度は，どちらの側に属すると考えるべきであろうか。この点，ドイツには公法人・私法人という概念があり（本節末尾に掲げる図を参照），立法者が，法人設立の際にこの区別を意識し[10]，これに法的効果を結びつけている[11]。これに対し，日本では，

（7）　なお，以上の説明をドイツ語に翻訳するに当たっては，*Ryuji Yamamoto*, Abbau von Staatlichkeit in der Organisation der Wissenschaft?, in: Zentaro Kitagawa (Hrsg.), Regulierung-Deregulierung-Liberalisierung: Tendenzen der Rechtsentwicklung in Deutschland und Japan zur Jahrhundertwende, 2000, S. 263 f. に依拠した。
（8）　藤田宙靖『行政組織法』（有斐閣・2005年）150頁，152頁。
（9）　山本隆司「独立行政法人」ジュリスト1161号（1999年）131頁。
（10）　山本隆司「行政組織における法人」小早川光郎＝宇賀克也編『行政法の発展と変革〔塩野宏先生古稀記念〕上巻』（有斐閣・2001年）869頁。たとえば，大学大綱法（Hochschulrahmengesetz）58条1項は，「大学は通常，公法上の社団であり，同時に国の施設である。」と規定する。

このような区別を，一貫した形で明確に意識して立法がなされるということがなく，独立行政法人通則法にも，これに関する規定はない。この点に関し，国家と社会の中間的な法主体を行政法学で取り扱うための理論枠組みとして，公法人・私法人という概念ではなく，行政主体という概念を立てる考え方が有力であり，それによると，独立行政法人は特別の行政主体であるとされる[12]。独立行政法人は，上述のように，「民間の主体にゆだねた場合には必ずしも実施されないおそれがあるもの」を「公共上の見地から確実に実施」するためのものであること，また，独立「行政」法人という名称からすると，この考え方は妥当であると思われる。但し，行政主体か否かという二元論には限界があり，より多元的な理論枠組みを探究すべきであるという指摘がある[13]。

この点に関連して興味深いのが，独立行政法人等情報公開法の制定に至る議論である。1999年に制定された行政機関情報公開法は，その42条で，特殊法人等の保有する情報の公開に関する法制上の措置を政府に求めていた。これを受けて，特殊法人情報公開検討委員会において，対象法人の範囲等が検討され，2000年に出された同委員会の意見では，「政府の一部を構成すると見られるものは，行政機関と同様に，その諸活動に対する説明責務を有するものである」とされた。具体的には，すべての独立行政法人と，特殊法人の相当部分（および認可法人の一部）がこれに該当するものとして，情報公開の対象とするよう提言された。これを受けて，2001年に独立行政法人等情報公開法が制定され，2002年に施行された。この動きに触発されて，行政主体論に関して様々な議論がなされ，法人のガバナンスやアカウンタビリティには，法人の事務内容に応じて様々なものがありうるから，行政主体論を超えた概念作りが必要であるという指摘もなされている[14]。

---

(11) たとえば，「連邦官吏は，連邦または連邦直属の公法上の社団，営造物または財団と公法上の勤務関係および忠誠関係にある者である。」（連邦官吏法2条1項）。また，行政手続法は，国家のみならず公法人にも適用される（行政手続法1条1項）。
(12) 塩野・前掲注（4）88頁；藤田・前掲注（8）145頁以下。
(13) 山本・前掲注（10）869頁
(14) 中川丈久「米国法における政府組織の外延とその隣接領域」金子宏先生古稀記念『公法学の法と政策・下』（2000年）473頁以下；橋本博之「行政主体論に関する覚え書き」立教法学60号（2002年）55頁以下。

ドイツにおける公法人・私法人
(Maurer, Allgemeines Verwaltungsrecht, 13. Aufl., 2000, S. 509 より引用)

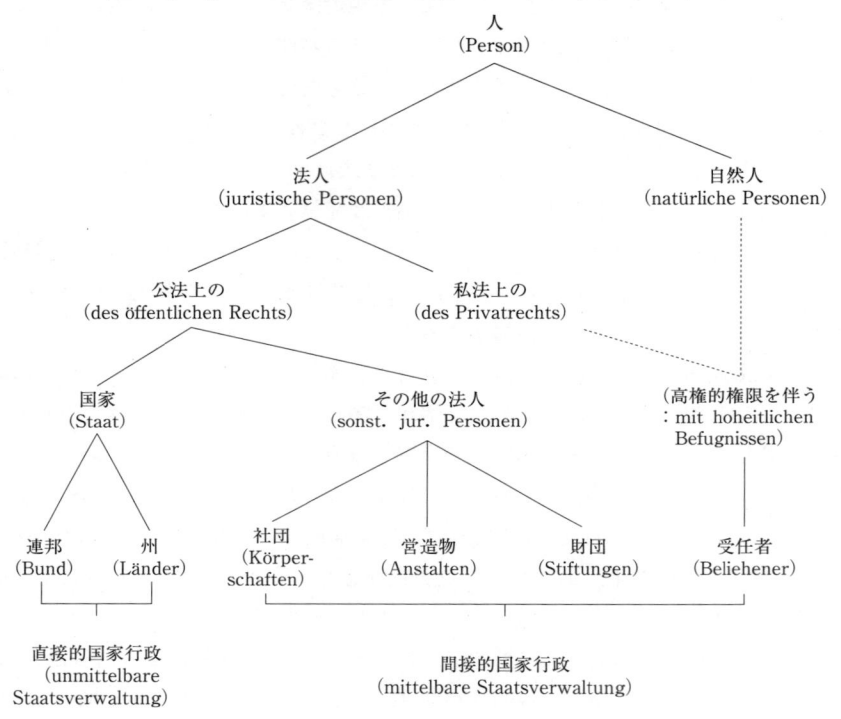

```
                              人
                           (Person)
                              │
                  ┌───────────┴───────────┐
                 法人                    自然人
         (juristische Personen)   (natürliche Personen)
                  │                         │
         ┌────────┴────────┐                │
       公法上の            私法上の          │
  (des öffentlichen    (des Privatrechts)  │
       Rechts)                              │
         │                                  │
    ┌────┴────┐                     (高権的権限を伴う
   国家    その他の法人                : mit hoheitlichen
  (Staat) (sonst. jur. Personen)        Befugnissen)
    │          │
 ┌──┴──┐   ┌───┼───┬─────┐
連邦   州   社団 営造物 財団  受任者
(Bund)(Länder)(Körper- (Anstalten)(Stiftungen)(Beliehener)
           schaften)

  直接的国家行政          間接的国家行政
  (unmittelbare         (mittelbare
 Staatsverwaltung)    Staatsverwaltung)
```

Ⅲ　PFIおよび指定管理者制度

　PFI法は，公共施設の設計・建設・資金調達・運営を包括的に民間事業者に委ねることを認めているが，その際，協定等による民事的手法による委任が予定されているものと解され（7条2項参照）[15]，施設利用許可権限のような行政処分権限については，個別の法律の授権がない限り，委ねることができない。これに対し，地方自治法の改正では，指定管理者に施設の利用許可処分の権限をも委任できることが明確にされ（地方自治法244条の4第3項），利用料金についても，（条例の定める範囲内で，長の承認のもとに）自ら定め，自己の収入として収受することが

---

[15]　小幡・前出注（2）780頁

可能となった（244条の2第8項・9項）。

ここでも，重要なことは，一方で，①国や自治体が，国民あるいは住民に対して，公の施設を平等に利用する権利を保障すること（地方自治法244条参照）であり，他方において，②民間事業者が公共施設を可能な限り自律的に経営することができ，それによって業務の効率性とサービスの質が向上すること（PFI法3条2項参照）である。

①の観点から，地方自治法は，公の施設の管理を指定管理者に委ねるかどうか，またその範囲や手続について，条例で定めることとしている（244条の2第3項・4項）。指定管理者を指定しようとするときは，あらかじめ議会の議決を経なければならない（同条6項）。自治体の指定管理者に対する監督についても，地方自治法で規定されている（同条10項・11項）。

これに対し，PFI法には，その種の規定は置かれていない[16]。同法は，それぞれの契約において，国家の適切なコントロールが確保されることを予定しているものと考えられる。その意味で，わが国ではまだ十分に展開されていない，PFI契約に関する行政法理論が重要になる。

もっとも，児童福祉法，学校教育法，図書館法，水道法など，行政分野ごとの個別法には，公共施設を民間事業者が運営することに対して制約を課す，様々な規定がある。これに対して，PFI法17条は規制緩和を求めており，政府においては，これらの規定の運用や改正によって規制を緩和する動きがある。しかし，これらの規制は，それぞれの分野の特性に応じて一定の理由に基づいて置かれているものであり，PFIの便宜のために一挙にこれを緩和することに対しては，反対論も根強い[17]。ここでも，国・自治体の「公の施設責任」と，「民間の創意工夫を生かす」要請との緊張関係が見られる。

最後に，行政財産の目的外使用許可の問題がある。国公有財産について，行政

---

(16) むしろ，本文で述べた②の観点から，指定管理者制度との調整規定がPFI法に置かれている。すなわち，平成17年法律第95号による改正後のPFI法9条の2は，地方自治法に基づいてPFI施設を指定管理者に委ねる場合には，指定の期間等（地方自治法244条の2第4項〜6項）について，PFI事業の円滑な実施に配慮するとともに，指定取消し等の場合（同条11項）におけるPFI事業の取扱いについて，あらかじめ明らかにするよう努めることを，地方公共団体に求めている。

(17) 参照，自治体アウトソーシング研究会編著『改訂版Q&A自治体アウトソーシング』（自治体研究社・2004年）105頁以下

財産と普通財産とを区別し（前者が行政法学上の公物に対応する），行政財産については，貸付けや私権の設定が禁じられ，これに反する行為は無効とされる一方で（国有財産法18条1項・2項，地方自治法238条の4第1項・3項），国・地方公共団体が私人と同じ立場で保有する普通財産については，これが可能とされている（国有財産法20条1項，地方自治法238条の5第1項）。但し，行政財産については，「その用途又は目的を妨げない限度において」，例外的に利用を認める目的外使用許可の制度がある（国有財産法18条3項，地方自治法238条の4第4項）。この場合，借地借家法の適用は排除される（国有財産法18条5項，地方自治法238条の4第5項）。これに対し，PFI法11条の2第1項・4項[18]は，上述の規定にかかわらず，PFI事業の用に供するため，行政財産を民間事業者に貸し付けることができるとしている。この場合，条文の文言上は，「その用途又は目的を妨げない限度において」という限定がなく，また，借地借家法の適用が（存続期間の規定を除いて）排除されていない（同条7項）[19]ことが問題となる[20]。これは，公私協働の観点から，PFI事業の用に供するための貸付けがまさに当該行政財産の目的に適っているという考え方に立つものと思われる。したがって，借地借家法の適用を検討する際にも，行政財産を使用するPFI事業の公的性格を考慮すべきと考えられる。民間団体が公的任務を遂行することに伴う，公私の理解の再構築が，ここでも必要である。

Ⅳ　結　び

今回のシンポジウムを通じて，公私協働における，公共性確保と自由な経営との緊張関係，それを克服しうる「保証行政法」の構築の重要性という点において，日独は課題を共有しているという思いを強くした。その具体的なあり方につき，ドイツの議論[21]をも参照しつつ，さらに検討していきたい。

---

(18)　平成17年法律第95号による改正後は，同条1項・6項

(19)　平成17年法律第95号による改正後は，同条11項

(20)　この問題につき，櫻井敬子「改正PFI法と公法私法二元論」自治実務セミナー43巻3号（2004年）8頁以下参照。

(21)　ドイツの議論を紹介・分析した最近の邦語文献として，岸本太樹「公的任務の共同遂行（公私協働）と行政上の契約（一）～（四・完）」自治研究81巻3号，6号，12号，82巻4号（2005年～2006年）参照。

日本国憲法における人権享有主体
としての個人と団体

佐々木雅寿

I　はじめに

　日本国憲法に関する学説は，団体に対しアンビヴァレントな立場を示している。憲法学界は現在，法人を含む団体に人権享有主体性を認めるべきか否かで再度ゆれつつある。その背景には，団体による個人の人権侵害を問題視しつつも，孤立化した個人のよりどころとしての団体の役割も無視できないことがあげられよう[1]。加えて，集団的権利を含む先住権の主張[2]は，人権の主体は個人のみであるという伝統的な考えに対する無視しえない挑戦を含んでいる[3]。このような状況で，日本国憲法のもとにおける個人の捉え方，個人と団体の関係，団体に人権が認められるとすればその根拠，範囲，限界等について，さまざまな考え方があり，必ずしも明確になっていない論点が数多くある。

　そこで本稿は，日本国憲法のもとにおける人権享有主体としての個人と団体の関係について考察することを主な目的とする。そのために，まず，人権主体としての個人の内実について概観し，次いで，団体が人権享有主体性を有する根拠，および，個人の人権と団体の人権の調整について検討し，最後に，日本国憲法が想定する個人と団体の関係について，試論的な私見を示す[4]。

　具体的検討に入る前に，本稿での用語法を説明する。まず，「個人」は自然人

（1）　自発的な団体には，①個人の自由や権利の強化，②個人の人格の発展や個人のアイデンティティーの形成に寄与する，③少数者が自らの要求を実現し，公権力に対抗し，政治に参加するために必要，④帰属意識や連帯感といった感情の上での相互作用，⑤個人を国家や古い共同体から自立させる等といった利点が指摘されている（小野善康「結社の憲法上の権利の享有について」アルテス　リベラレス72号（2003年）92〜93頁；橋本基弘『近代憲法における団体と個人』（不磨書房・2004年）286〜287頁；木下智史「アメリカにおける『結社の自由』の概念」佐藤幸治他編『人権の現代的諸相』（有斐閣・1990年）191頁等参照）。

と同じ意味で，また，「人権」は日本国憲法が保障する諸権利，すなわち，「憲法上の権利」という意味で用いる。そして，「団体」は，特定の多数人による特定の目的のために形成された継続的な結合体という意味で用い，結社の自由における「結社」と互換的に使用する[5]。

---

(2) 近代国家のなかでその存在を無視されたり，差別されてきた，少数者としての先住民族は，先住民族の集団や集団的な生活それ自体に，先住民族としての尊厳性，独自性，アイデンティティーの根源性等を見出す場合が多くある。加えて，国家による同化政策に対抗し，自らの尊厳性やアイデンティティー等を維持するためには，集団として，国家や社会に対抗する必要性もある。このように，先住民族の場合，内在的理由として，集団それ自体に即自的で固有の重要な価値があると同時に，外在的理由として，集団として社会の多数派に対抗しなければならないという側面がある。

先住権の具体的内容やその実現方法等については不明確な要素がたぶんに残っているが，一般的には，先住権の内容として，①土地に対する権利，②狩猟や漁業等の権利，③自治権等があげられ，先住権は集団的権利であると理解されている（常本照樹「先住民族の権利」深瀬忠一他編『恒久世界平和のために』（勁草書房・1998年）994～995頁等参照）。ただし，先住権の具体的内容は，個別の先住民族グループの伝統や生活様式によって異なる可能性が高いため，個別的な検討が不可欠となる。

多くの憲法学説は，憲法13条の個人の尊重原理と両立しないことを主な理由として，日本国憲法のもとでは先住民族の集団的権利は認められないとの立場をとっている。また，それ以外にも，①集団の権利を認めるとそれを望まない個人にも強制的に特定の生き方の選択肢を提供し，個人の自律に反する，②集団の権利を認めると共同体主義や分離主義となる，③集団内の個人の人権が抑圧される等の理由があげられている（市川正人『ケースメソッド憲法』（日本評論社・1998年）31頁；高作正博「多文化主義の権利論」上智法学論集42巻1号（1998年）175，183～186頁等参照）。

それに対し，個人の自律権，選択の自由に不可欠な民族は，その存在を保護するために権利主体性が認められると主張する説もあるが，その説も，個人主義を重視する日本国憲法の枠内で集団的権利としての先住権を承認することの理論的な困難性を十分承知している（常本・999頁）。

(3) 佐々木雅寿「人権の主体─『個人』と『団体』の関係を中心に─」公法研究67号（2005年）122頁参照。

(4) そのため本稿は，人権の主体に関する他の多くの論点には触れることはできない。また，議論の対象を主に，日本国憲法の解釈論に限定し，国際人権については触れない。

(5) この団体には，法人のみならず，法人格をもたない団体も含まれる。
このような意味で，個人と団体の関係を考察する本稿では，家族や自然発生的な集団は，考察の対象とはならない。

Ⅱ 人権主体としての個人

1 人権主体としての人間と個人――一般的・抽象的人間と個性的・具体的個人

　検討すべき第1の論点は，人権主体としての自然人は，一般的・抽象的な「人間」なのか，それとも個性をともなった具体的な「個人」なのかである。ここでは，憲法13条にいう「個人」の尊重原理にいう「個人」の意義が問題となり，日本国憲法13条が規定する「個人」の「尊重」と，ドイツ連邦共和国基本法1条にいう「人間の尊厳」は同じ内実を有するのか否かが議論されている[6]。また，これとの関連で，個人が社会や共同体によって一定程度規定されていることをどのように評価すべきかも問題となりうる。

　多くの学説は，個人の尊重原理にいう個人は，一般的・抽象的な人間ではなく，個別性や多様性をともなった個性的で具体的な個人であると理解する。そこには，自由権を中心とした近代的人権の主体が抽象的人間であったのに対し，社会権を含む現代的な人権の主体は，個人がおかれた具体的状況をふまえたより具体的個人であるとの理解がある[7]。

　筆者も，憲法が個人として尊重し，人権の主体としている個人は，個性をともなった具体的な個人であると考える。その理由としては，上記の理由に加え，日本国憲法による多様な内容の自由権の保障は，個々人の個別・多様で具体的な生き方に必要な人権の保障を意味しているため，憲法自体が，人権の主体である個人に個別性・多様性があることを前提としていると解されること，をあげることができる。

　そして，かかる個人は，共同体や所属する団体等によって，人格の形成過程等が一定程度規定されるとしても，個人は，自分がおかれた社会的状況それ自体を客観化し，再評価することもできる主体であると解される。なぜなら，個性をともなった具体的な個人に様々な選択の自由を保障した憲法のもとでは，自分自身

---

(6)　嶋崎健太郎「個人の尊重」法学セミナー593号（2004年）11頁；矢島基美「日本国憲法における『個人の尊重』，『個人の尊厳』と『人間の尊厳』について」樋口陽一他編『日独憲法学の創造力　上巻』（信山社・2003年）253〜257頁等参照。
(7)　宮澤俊義著・芦部信喜補訂『全訂日本国憲法』（日本評論社・1978年）197頁；青柳幸一『個人の尊重と人間の尊厳』（尚学社・1996年）71頁等参照。

や自分が置かれた社会的状況等を再評価したり，時にはそれを否定し，再構成する自由をもった個人も措定されていると考えられるからである。

このように個人を理解することで，具体的な状況におかれた個別的で多様な個人が人権を行使する際の具体的な条件も，人権論の視野に入れることができる[8]。

2　強い個人と弱い個人

(1)　強い個人と弱い個人の対立

次に検討すべき点は，いわゆる「強い個人」と「弱い個人」の対立である[9]。従来の学説は，人権宣言以来，人権の主体は，人格概念と結びついた自律的能力を有する，いわゆる強い個人であったと理解する[10]。

ところが近年，人権の主体を強い個人と想定することに対し，①強者による弱者の支配を正当化し，弱者差別をもたらす，②近代の人格的自律は，財産所有者や家父長制に基づく自律能力であり，この意味の近代は克服されるべきである，③強い人権論は，国家による自由の強制，すなわち，パターナリズムによる解決という自己撞着に陥る，④あるべき強い人間像の定立は，現実の弱い人間に対し不可能を強いる暴力性をともなう[11]等と批判されている。

そこで，人権は，生身の弱い個人が試行錯誤を繰り返しながら成長するために必要な権利であるといった主張もなされている[12]。このような弱い個人像に対

---

(8)　個人がおかれた具体的状況や個人の属性を考慮することと人権理論の関係については，「自律権を基礎にそれを可能とする条件も視野に入れて考える場合，人間の一定の属性に注意する必要」があり，「自律的存在であるための条件を注意深く考えていく」必要性を指摘する立場がそれを明瞭に表している（佐藤幸治「人権の観念と主体」公法研究61号（1999年）43頁）。

(9)　渡辺康行「人権理論の変容」『岩波講座現代の法1』（岩波書店・1997年）74頁以下；青柳・前掲注(7)71頁以下；笹沼弘志「権力と人権」憲法理論研究会編『人権理論の新展開』（敬文堂・1994年）32〜37頁；西谷敏『規制が支える自己決定』（法律文化社・2004年）第4章等参照。

(10)　青柳・前掲注(7)71頁参照。

(11)　①は笹沼・前掲注(9)36頁，②，③は青柳・前掲注(7)73〜74頁，④は石埼学「僕らの生き苦しさと人権論」憲法理論研究会編『憲法基礎理論の再検討』（敬文堂・2000年）47頁以下。それ以外にも，何が強いかを決めるのは強い個人である，強くない人の行為が本人の責任にされる，最も不利な立場にいる人々の視点を導入すべきである，いわゆる潜在的可能性論に対しては，差別を例外的措置として正当化する等の批判がある。

しては，ありのままの弱い個人によって人権を規範的に基礎づけることができるのかといった疑問(13)や，強者であろうとする弱者という擬制のうえにはじめて人権主体は成り立つという反論(14)が出されている。

(2) 発展的人間像

さらに最近では，強い人間像と弱い人間像とのディレンマを緩和するため，両者を発展的に結びつける努力もなされている。それは，弱い面を持った現実の諸個人が多少とも自らの理性的な熟慮を通じて自律的人格に発展していくことに期待する「発展的人間像」である。それは，人間をひとつの「型」にはめることなく，それぞれの人間が個性を保持しつつより理性的に考えてそれを行動に反映させるのを期待し，諸個人の多様な個性を否定ないし制約しない人間像といえる(15)。

(3) ありのままの個人

筆者は，人権の主体は，強さのみならず弱さも抱えた，ありのままの個人であると考える(16)。なぜなら，個人の尊厳を人権の基礎に据える考え方を前提にすると，人権の享有主体性を自律性等の特定の能力で判断する立場は，尊厳性と人権の認められる個人と，それらが認められない個人という差別を内包し，女性，奴隷そして先住民族等を差別し，その尊厳性を否定した近代人権宣言の過ちを繰り返すことになる(17)からである。

この立場に対しては，人間の尊厳の内実が失われ，人権の根拠を見失う，といった反論が予想される。しかし，人間の尊厳性を，他の何ものにもかえがたい，かけがいのない唯一性(18)や，個別性等(19)に求める立場からすると，弱い部分もあわせもったありのままの個人に，尊厳性を認めることが可能となる。また，尊厳性にふさわしい要素とそれに反する要素の両面をもつありのままの個人に尊厳性を認めると，他の生物に対する人間の特別な地位を十分主張できなくなるといった反論も考えられる。しかし，人間対人間の関係においては，すべての個人が平等に尊厳性を有することを示すことで人権思想の要請を十分みたすことが可能である。そして，人間対他の生物との関係では，他の生物に対する人間の特別な

---

(12) 青柳幸一『人権・社会・国家』（尚学社・2002）67頁。笹沼・前掲注(9)40頁参照。
(13) 佐藤・前掲注(8)21頁。
(14) 樋口陽一『国法学』（有斐閣・2004年）68頁。
(15) 西谷・前掲注(9)172～174頁。
(16) 結論が類似のものとして，阪本昌成『憲法理論Ⅱ』（成文堂・1993年）67頁。

地位を十分説明できないとの自覚が，不遜な人間中心主義の思いあがりに対する戒め[20]となりうる点を指摘できよう。

もちろん，憲法が保障する自由や権利のなかには，自己決定権のように，一定の判断能力もしくは一定の人間的成長を前提とするものも含まれている。これに対しては，従来の子どもの人権論のように，一定の判断能力を前提とする人権であっても，すべての個人に人権享有主体性を認めつつ，具体的状況における個別の判断によって，人権行使の補助方法や人権の制約等を考慮する方法で，有効に対応しうると解される[21]。

Ⅲ 人権主体としての団体

1 従来の法人の人権論とその問題点

従来の学説が，団体の人権享有主体性の問題を主に法人の人権論として扱って

---

(17) この点で，非嫡出子の法定相続分に関する平成7年の最高裁判所大法廷決定（最大決平成7・7・5民集49巻7号1789頁）における，中島裁判官らの反対意見が，民法900条4号但書が，「相続の分野ではあっても，同じ被相続人の子供でありながら，非嫡出子の法定相続分を嫡出子のそれの二分の一と定めていることは，非嫡出子を嫡出子に比べて劣るものとする観念が社会的に受容される余地をつくる重要な一原因となっていると認められ」，その合理性を欠き，「個人の尊重及び平等の原則に反」すると判断し，また，尾崎裁判官の追加反対意見が，「我々の目指す社会は，人が個人として尊重され，自己決定権に基づき人格の完成に努力し，その持てる才能を最大限に発揮できる社会である。人格形成の途上にある幼年のころから，半人前の人間である，社会の日陰者であるとして取り扱われていれば，果たして円満な人格が形成されるであろうか。少なくとも，そのための大きな阻害要因となることは疑いを入れない。こうした社会の負の要因を取り除くため常に努力しなければ，よりよい社会の達成は望むべくもない。」と述べていることの意味を今一度吟味しなおす必要があろう。

(18) 田口精一「人権ないしは基本権の存立を支える思考原点としての『人間の尊厳』」ドイツ憲法判例研究会編『未来志向の憲法論』（信山社・2001年）49頁；山内敏弘編『新現代憲法入門』（法律文化社・2004年）59頁（山内敏弘執筆）等。

(19) 阪本・前掲注(16)141頁。
それ以外に，人間の生存それ自体の価値，生命自体が貴尊である等が指摘されている。

(20) 小林直樹『法の人間学的考察』（岩波書店・2003年）29頁参照。

(21) 憲法自身が，一定の判断能力や一定の人間的成長を前提とするいくつかの人権を保障していることは，憲法が強い個人像を完全に排除していないことをも示していると解されよう。

きたため，ここではまず法人の人権論をとりあげる。

法人の人権論に関する代表的な学説は，以下のように説明する。すなわち，①法人の活動が自然人を通じて行われ，その効果は究極的に自然人に帰属することに加えて，法人が現代社会において一個の社会的実体として重要な活動を行っていることを考え合わせると，性質上可能な限り法人にも人権保障が及ぶ，②人権は個人の権利として生成発展してきたため，法人には限定的にしか人権は認められない，③法人の人権保障の程度は自然人の場合と当然異なり，法人は自然人と異なる規制に服すべき場合が少なくない[22]。

それに対し，近年，人権は元来自然人の権利であるから，法人の人権といった用語法は不適切であり，法人の「憲法上の権利」として論ずべきであり[23]，法人が人権を享有する根拠，および，法人の人権が自然人の人権より多くの制約を受ける根拠が十分に示されていない[24]等の問題点が指摘されている。また，個人の人権と法人の人権の調整に関し，法人による人権侵害から個人を守る重要性がつとに指摘されている[25]。

以下では，法人を含む団体の人権享有主体性の根拠，団体が個人よりも多くの人権制約に服する根拠について考察を加える。

2 団体の人権享有の根拠

(1) 学　説

(a) 従来の通説的見解　　従来の通説的な学説は，性質上可能な人権を法人にも認める主要な根拠として，法人が現代社会において一個の社会的実体として重要な活動を行っていることをあげる[26]。しかし，社会的実体という事実から人

---

(22) 芦部信喜・高橋和之補訂『憲法　第三版』（岩波書店・2002年）87〜89頁。
(23) 押久保倫夫「個人の尊重：その意義と可能性」ジュリスト1244号（2003年）13頁等参照。それ以外に，多様な法人についての多様な人権の問題を一般的に議論すべきでなく，個別に検討すべきであるとの指摘もある。
(24) 横坂健治「法人・外国人と人権」杉原泰雄編『憲法学の基礎概念Ⅱ』（勁草書房・1983年）193頁。木下智史「団体の憲法上の権利享有についての一考察」神戸学院法学22巻1号（1992年）3〜4頁参照。それ以外に，民法43条と法人の人権論との関連が不明確である点，法人の人権論と結社の自由との関係が不明確な点も問題となりうる。
(25) 芹沢斉「法人と『人権』」憲法理論研究会編『人権保障と現代国家』（敬文堂・1995年）35頁等参照。

権享有主体性を規範的に導き出すことはできないとの批判[27]を受け,通説が法人の人権享有の根拠を十分示していないことが指摘されている。

(b) 否定説　法人に人権を認めない伝統的な否定説は,①基本的人権は人間の基本的権利であり,自然権に由来し,人間の尊厳という観念に基づいている,②法人は,もともと個人が基本的人権を享有するうえにおいて必要な法技術として法律上考え出されたものであって,法人自体が個人同様に基本的人権の主体であると考える必要はない,と説く[28]。

また,近年の否定説は,①団体に人権主体性を認めると団体による個人の人権侵害を相対化する,②公権力との関係では,団体にも活動の憲法的保障が及ぶが,それは団体が人権主体であるからではなく,構成員の人権の反映に過ぎない,③個人との関係では団体は人権主体たりえない,と主張する[29]。

さらに,最近注目される見解[30]は,以下のような議論を展開する。すなわち,①団体は,人権主体であり得ないのみならず,憲法が特に主体性を承認していると解釈することも困難である,②団体には,一定の場合,自然人の人権を主張する適格性を認めてよいし,認められるべきであり,特に,個人の人権享有を実質化し,あるいは,促進するために役立つ場合には,一定の要件の下に人権を主張する適格性を承認することは認められてよい,③しかし,団体がその構成員に対して人権を主張することは理論上認められないし,団体が外部の私人に対して人権を主張する場合,団体が主張する人権は団体構成員の人権であり,人権対立の実態は個人（自然人）間の人権対立である。

否定説は,団体に人権享有を認めるほうが,権利の集団的行使の役割が増大した現代社会の実態に適合し,その要請に応える等と批判されている[31]。また,最後の説に関しては,団体が自然人の人権を主張することが認められる根拠は何か,団体が主張する人権の内容は誰のどのような人権で,それはどのように決定されるのか,個々の構成員の人権の主張内容と団体が主張する人権内容との間に

---

(26)　伊藤正己「会社の基本権」『商事法の諸問題』（有斐閣・1974年）9～10頁。
(27)　木下・前掲注(24) 3 頁；橋本・前掲注(1)248頁；小野・前掲注(1)88頁等参照。
(28)　覚道豊治『憲法』（ミネルヴァ書房・1973年）202～203頁参照。
(29)　浦部法穂『憲法学教室全訂第 2 版』（日本評論社・2006年）63頁。
(30)　高橋和之「団体の人権主張適格」藤田宙靖他編『憲法論集』（創文社・2004年）17～18頁；同『立憲主義と日本国憲法』（放送大学教育振興会・2001年）47～48頁。
(31)　芦部信喜『憲法学Ⅱ人権総論』（有斐閣・1994年）161～162頁。

齟齬が生じる場合それをどのように評価するのか，等々の疑問が残る。

　(c)　結社の自由説　　このような学説状況において，法人の人権享有の根拠を，結社の自由の一内容である団体自身の活動の自由に求める学説が注目される。

　1976年に公表されたこの説は，①個人は各種の人権を単独に行使する場合以上の保障効果を期待しつつ，他の個人と共同集団的にそれを行使するが，②結社の自由を保障する憲法21条により，個人は各種の人権を共同行使すべく団結することが認められ，③その当然の結果として，人権行使のための団体的活動が当該団体の権利としても承認される，と説明する(32)。

　この説は，結社の自由の主体は個人であって団体ではなく，また，目的が各種の人権の共同行使かどうかは団体の人権主体性とは関係がないと批判(33)されている。しかし，結社の自由は，個々人から一定程度独立した団体を結成する自由と，その団体が特定の目的のために，団体としての意思を形成し，活動する自由を保障するものとこれまで解されてきた。なぜなら，団体結成の自由は認めるが，結成された団体の活動の自由は認めないというのであれば，個々人が団体を結成すること自体の意味が失われるからである(34)。

　また，この説は，多数決により集団的に行使される共同利益は，個人の自律可能性を確保するために功利主義を排して保障される個人の基本的人権と質的に異なると批判されている(35)。しかし，団体結成と団体の活動それ自体が信仰生活における目的としての重要性をもちうる一定の宗教団体等の場合では，団体の共同利益は人権そのものと解する余地があろう(36)。

　(2)　判　例

　いわゆる八幡製鉄事件の昭和45年最高裁判決(37)は，「憲法第三章に定める国民の権利および義務の各条項は，性質上可能なかぎり，内国の法人にも適用される

---

(32)　寿田竜輔「法人と人権」奥平康弘他編『憲法学１』(有斐閣・1976年)30頁以下。
　　団体の人権と結社の自由の関連を説くものとして，初宿正典『憲法２〔第２版〕』(成文堂・2001年)95頁；松井茂記『日本国憲法〔第２版〕』(有斐閣・2002年) 310頁；木下智史「アソシエーションと公序」ジュリスト1037号 (1994年) 163頁等参照。
(33)　高橋「団体の人権主張適格」・前掲注(30)17頁。また，橋本・前掲注(1)7頁は，結社の自由から結社活動の自由を正当化することは論理の飛躍であると指摘する。
(34)　小野・前掲注(1)96頁は，結社自身の活動の自由が保障されてはじめて結社を作ることが個人にとって意味をなすと説く。
(35)　西原博史「公益法人による政治献金と思想の自由」ジュリスト1099号 (1996年) 104頁。

ものと解すべきである」と判示した。この判示部分のみからは，法人が人権を享有する根拠は必ずしも明確ではない。しかし，最高裁は，会社の政治献金が当該会社の定款に定められた目的の範囲外の行為であるかどうかについて判断した部分で，会社は「自然人とひとしく，国家，地方公共団体，地域社会その他の構成単位たる社会的実在なのであるから，それとしての社会的作用を負担せざるを得ないのであって，ある行為が一見定款所定の目的とかかわりがないものであるとしても，会社に，社会通念上，期待ないし要請されるものであるかぎり，その期待ないし要請にこたえることは，会社の当然になしうるところであるといわなければならない。」と判示した。この部分から，最高裁は，社会的実在性を法人の人権享有主体性の根拠として重視していると解されている[38]。

(3) 検 討

筆者は，個人が特定の人権を単独で行使する場合以上の保障効果を求めて，他の個人と共同的に人権を行使する目的で団体を結成する場合，かかる団体結成は，憲法21条の結社の自由によって保障され，結成された団体は，特定の人権の共同的行使という団体の目的にいう特定の人権と，その目的に付随する人権を，結社自身の活動の自由によって保障されると考える。団体を結成する個人の意思には，個人から一定程度独立した団体が，個人的行動に還元できない団体自身の活動を行うことも含まれていると考えられ，かかる個人の意思によって，団体自身の人権行使が基礎づけられる。そして，団体自身に活動の自由を認めることが，団体に人権享有主体性を認めることであると解される。従って，団体には，①その目的に直結する人権の享有が認められ，②目的に付随する人権も付随的に認められるが，③それ以外の人権は認められない，と考えることができる。

この点に関し，目的や利益自体が開かれた概念であるため，団体の享有しうる

---

(36) さらに，この説では個人的行為に還元できない団体的行為に憲法上の保障を与えることができないとの批判がありうる。しかし，特定の人権の単独行使の場合以上の保障効果を求めて団体を結成しようとする個々人の意思には，個々人から独立した団体が，個人的行動に還元できない団体自身の行動を行うことも含まれていると考えることができ，そうであるならば，かかる個々人の団体結成の意思によって，団体自身の人権行使を基礎づけることができよう。

(37) 最大判昭和45・6・24民集24巻6号625頁。

(38) 菟原明「法人の人権享有主体性」芦部信喜他編・憲法判例百選Ⅰ[第四版]（有斐閣・2000年）23頁。

人権の範囲を，その目的によって画定する手法には限界があるとの指摘がある(39)。しかし，団体は特定の目的のために結成されるという，目的に規定された存在であるため，団体の享有すべき人権の範囲は，やはり，その目的で画定されると解する必要がある(40)。そうであれば，問題は，目的によって人権の範囲を画定する手法それ自体にあるのではなく，目的の範囲の画定方法にあるといえよう。

この立場からすると，特定の目的を有する特定の団体は，どのような人権を，どの程度享有しうるか，といった個別具体的な検討が常に必要となる。特に，団体の目的に直結する人権の範囲や，目的に付随する人権の範囲を画定する際には，団体の目的・性格(41)や種類(42)，そして問題となっている人権が性質上団体による共同行使に適するかといった人権の性質等も考慮する必要がある(43)。

3　団体の人権が個人の人権よりも制約されうる根拠

(1)　従来の学説

これまで学説は一般に，人権は本来的に自然人の権利であることから，団体の人権保障の程度は自然人のそれとは当然異なり，また，団体の人権行使が自然人の人権を不当に制限してはならないと説明してきた。例えば，団体の社会的権力性を強調して，団体の経済的自由権については，人権の実質的公平な保障を根拠に，自然人の場合よりも多くの積極的規制を正当化し，また，団体の政治的活動の自由も，憲法の人権保障の精神を根拠に，自然人よりも多くの制約を受けることを当然としている(44)。

しかし，団体に固有の人権制限の根拠は必ずしも明らかではない。例えば，社会的権力性に基づく法人の人権制限は，個人に対する人権制限の程度が，団体の社会的権力性故に憲法上是認できる範囲を超える場合に認められることになる。そうであれば，社会的権力性による法人の人権制限の根拠は，その事実上の影響力にあり，その団体性にあるわけではないことになる。このことは，社会的権力

---

(39)　橋本・前掲注(1)245頁。
(40)　横坂・前掲注(24)189頁。
(41)　強制加入団体か任意団体か等。
(42)　営利団体か，公益団体か，中間団体か等。
(43)　そして，この立場をとると，目的によって法人の権利能力を画定する民法43条の議論と憲法上の団体の人権論とがリンクすることになる。
(44)　芦部・前掲注(31)172〜178頁。

性をもたない弱小の団体を想起すれば明らかになる。そうすると，団体の人権が個人の人権より制限されることの団体に固有する根拠を示す必要がある。

また，自然人よりも多くの人権制限を団体に認める根拠としての人権の実質的公平な保障や憲法の人権保障の精神は，団体との関係で具体的にどのような内容を有するのかは必ずしも明らかではない。

このように，団体の人権制約が自然人のそれよりも多く認められる具体的な理由や，団体の人権と自然人の人権が衝突する際，自然人の人権が優先する具体的な根拠については，これまで必ずしも十分に説明されてきたとはいえない。

(2) 判　例

最高裁は，憲法の人権規定は，もっぱら国または公共団体と個人との関係を規律するものであり，私人相互の関係を直接規律することを予定するものではないと述べ，私人間の自由と平等の権利自体の対立の調整は，「近代自由社会においては，原則として私的自治に委ねられ，ただ，一方の他方に対する侵害の態様，程度が社会的に許容しうる一定の限界を超える場合にのみ，法がこれに介入しその間の調整をはかるという建前がとられている」と説示する[45]。そこには，個人の人権を団体のそれよりも強く保護するとの発想はなく，結果として，事実上の影響力のある団体の人権等がより保護されることが多くなる[46]。

(3) 検　討

この点，自然人の人権の根拠は，人格的自律性といった個人の尊厳であるのに対し，団体の人権は必要性という功利主義的根拠によって認められていること，さらに，団体の人権は，自然人の人権を補充し拡張するための手段・道具としての性格を有することを根拠に，団体の人権保障の範囲や程度が，自然人のそれと異なることを論証する学説[47]が注目される。

しかし，団体結成と団体の活動それ自体に，信仰生活における目的としての重要性を見出しうる一定の宗教団体も考慮に入れると，すべての団体の人権の根拠が功利主義的であり，すべての団体の人権が手段的であるとすること[48]には疑問が残る。

本稿のように，団体の人権享有範囲がその目的によって規定されると考えると，

---

(45)　最大判昭和48・12・12民集27巻11号1536頁。
(46)　樋口陽一「『人権総論』への一つの試み」月刊法学教室123号（1990年）14頁。
(47)　橋本・前掲注(1)252〜255頁。

団体には，その目的に直結または付随する特定の人権のみが認められ，それ以外の人権が認められないため，団体には部分的な人権享有主体性，すなわち，部分的人格性のみが認められることになる。それに対し，自然人は，すべての人権の享有主体性が認められ，人格を全面的に有することになる。このような，自然人の全面的な人格性が，一定の場合，団体の部分的人格性に優位する場合がある，と考えることもできよう[49]。

そこで，筆者は，団体の部分的人格性と，必要に応じて，団体の人権の手段的性格等を，個別具体的な状況のなかで検討し，団体の人権が自然人のそれよりも多くの制約に服する個別・具体的な理由を解明すべきであると考える。

以上の点をふまえて，次に，個人の人権と団体の人権の調整問題に議論を進める。

Ⅳ 個人の人権と団体の人権の調整

1 はじめに

団体の人権の問題は，①団体と公権力の関係，②団体と団体外の個人との関係，さらに，③団体とその構成員との関係に分け，個人の人権と団体の人権の調整問題を，団体と団体外の個人との関係と，団体とその構成員との関係に分けて検討する必要がある。本稿では，これまでの中心的論点であった，団体とその構成員との人権調整を先に検討し，次いで，そこで示された基本的な判断枠組を用いて，団体と団体外の個人との関係をみる。

2 団体とその構成員との人権調整

(1) 従来の学説

代表的な学説は，法人の人権と構成員の人権が衝突する場合の調整は，法人の

---

(48) 個人が自己の尊厳性を維持・発展させるために団体を結成して特定の人権を共同的に行使することが，他の個人が自己の尊厳性を維持・発展させるために人権を行使することと比較して，前者は手段的で，後者は目的的であると常にいえるかは疑問がある。

(49) これは，団体が限定された数の人権のみを享有し，自然人がすべての人権を享有するといった，享有する人権の数の問題のみならず，自然人が有する人格の統一性・尊厳性の内実にも関係する問題として捉える必要があろう。

目的・性格や問題となる権利・自由の性質に応じて，個別具体的に行い，その際，当該法人が強制加入か任意加入か，当該法人に公的性格が強いかどうか，構成員の人権に優越的地位が認められるかどうか等を考慮する[50]。しかし，個別具体的に検討する際，それぞれの考慮要素の関係，考慮の順番，優先順位等，分析の基本的枠組については，必ずしも明らかとはなっていない。

(2) 判 例

最高裁は，一般的な判断枠組を示すことなく，問題となっている団体ごとに個別の判断を行っていると解される。以下では，判断枠組が比較的明確に示された労働組合と組合員の関係と，学説上活発に議論された強制加入団体に関する判例のみをとりあげる[51]。

(a) 労働組合と組合員の関係　労働組合の活動範囲と組合員の協力義務の範囲の関係が問われた国労広島地本事件判決[52]において，最高裁は，まず，「労働組合は，労働者の労働条件の維持改善その他経済的地位の向上を図ることを主たる目的とする団体であって，組合員はかかる目的のための活動に参加する者としてこれに加入するのであるから，その協力義務も当然に右目的達成のために必要な団体活動の範囲に限られる。しかし，いうまでもなく，労働組合の活動は，必ずしも対使用者との関係において有利な労働条件を獲得することのみに限定されるものではない。労働組合は，歴史的には，使用者と労働者との間の雇用関係における労働者側の取引力の強化のために結成され，かかるものとして法認されてきた団体ではあるけれども，その活動は，決して固定的ではなく，社会の変化とそのなかにおける労働組合の意義や機能の変化に伴って流動発展するものであり，今日においては，その活動の範囲が本来の経済的活動の域を超えて政治的活動，社会的活動，文化的活動など広く組合員の生活利益の擁護と向上に直接間接に関係する事項にも及び，しかも更に拡大の傾向を示しているのである。このような労働組合の活動の拡大は，そこにそれだけの社会的必然性を有するものであるか

---

(50)　芦部・前掲注(31)175頁。
(51)　それ以外に，会社については，八幡製鉄事件（最大判昭和45・6・24民集24巻6号625頁），三菱樹脂事件（最大判昭和48・12・12民集27巻11号1563頁）等参照，私立大学に関しては，昭和女子大事件（最3小判昭和49・7・19民集28巻5号790頁）等参照。
(52)　最3小判昭和50・11・28民集29巻10号1698頁。

ら，これに対して法律が特段の制限や規制の措置をとらない限り，これらの活動そのものをもつて直ちに労働組合の目的の範囲外であるとし，あるいは労働組合が本来行うことのできない行為であるとすることはできない。」と説示し，労働組合の活動範囲をかなり広く認めた。そして，労働組合の活動の範囲と組合員の協力義務の範囲の関係については，「労働組合の活動として許されたものであるというだけで，そのことから直ちにこれに対する組合員の協力義務を無条件で肯定することは，相当でないというべきである。それゆえ，この点に関して格別の立法上の規制が加えられていない場合でも，問題とされている具体的な組合活動の内容・性質，これについて組合員に求められる協力の内容・程度・態様等を比較考量し，多数決原理に基づく組合活動の実効性と組合員個人の基本的利益の調和という観点から，組合の統制力とその反面としての組合員の協力義務の範囲に合理的な限定を加えることが必要である。」として，基本的な判断枠組を示した。そして，①労働者の権利利益に直接関係する立法や行政措置の促進または反対のためにする活動については，労働組合の自主的な政策決定を優先させ，組合員の費用負担を含む協力義務を肯定すべきであるが，②いわゆる安保反対闘争のような活動は，直接的には国の安全や外交等の国民的関心事に関する政策上の問題を対象とする活動であり，このような政治的要求に賛成するか反対するかは，本来，各人が国民の一人としての立場において自己の個人的かつ自主的な思想，見解，判断等に基づいて決定すべきことであるから，それについて組合の多数決をもつて組合員を拘束し，その協力を強制することを認めるべきではない，③選挙においてどの政党またはどの候補者を支持するかは，投票の自由と表裏をなすものとして，組合員各人が市民としての個人的な政治的思想，見解，判断ないしは感情等に基づいて自主的に決定すべき事柄であるため，労働組合が組織として支持政党またはいわゆる統一候補を決定し，その選挙運動を推進すること自体は自由であるが，組合員に対してこれへの協力を強制することは許されない等と判示した[53]。

ここでは，労働組合に許された活動範囲を広く認めつつ，組合員の思想・信条の自由等を考慮して，組合員の協力義務の範囲を限定するアプローチがとられている。

　(b)　強制加入団体　　強制加入団体である税理士会が，税理士法を業界に有利に改正することを目指して政治団体に寄付するために会員から特別会費を徴収す

ることができるかどうかが争われた南九州税理士会政治献金事件(54)において，最高裁は，税理士会が強制加入の団体であるため，その目的の範囲を判断するに当たっては，会員の思想・信条の自由との関係で，税理士会が多数決原理により決定した意思に基づいてする活動にも，そのために会員に要請される協力義務にも，おのずから限界があるとし，「特に，政党など規正法上の政治団体に対して金員の寄付をするかどうかは，選挙における投票の自由と表裏を成すものとして，会員各人が市民としての個人的な政治的思想，見解，判断等に基づいて自主的に決定すべき事柄であるというべきである。」と述べ，「税理士会が政党など規正法上の政治団体に対して金員の寄付をすることは，たとい税理士に係る法令の制定改廃に関する要求を実現するためであっても，法49条2項所定の税理士会の目的の範囲外の行為といわざるを得ない。」と判示した。ここでは，構成員の思想・信条の自由を考慮して税理士会の活動範囲自体を限定するアプローチがとられている。

同じく強制加入団体である司法書士会が，阪神・淡路大震災で被災した兵庫県司法書士会に復興支援拠出金を寄付するため，会員から登記申請事件1件あたり

---

(53) それ以前に最高裁は，労働組合が地方議会議員の選挙にあたり統一候補を決定し，選挙運動を推進することと組合員の立候補の自由が対立した三井美唄炭鉱労組事件判決（最大判昭和43・12・4刑集22巻13号1425頁）において，「労働組合が行使し得べき組合員に対する統制権には，当然，一定の限界が存するものといわなければならない。殊に，公職選挙における立候補の自由は，憲法15条1項の趣旨に照らし，基本的人権の1つとして，憲法の保障する重要な権利であるから，これに対する制約は，特に慎重でなければならず，組合の団結を維持するための統制権の行使に基づく制約であっても，その必要性と立候補の自由の重要性とを比較衡量して，その許否を決すべきであり，その際，政治活動に対する組合の統制権のもつ前叙のごとき性格と立候補の自由の重要性とを十分考慮する必要がある。」と述べて，「統一候補以外の組合員で立候補しようとする者に対し，組合が所期の目的を達成するために，立候補を思いとどまるよう，勧告または説得をすることは，組合としても，当然なし得るところである。しかし，当該組合員に対し，勧告または説得の域を超え，立候補を取りやめることを要求し，これに従わないことを理由に当該組合員を統制違反者として処分するがごときは，組合の統制権の限界を超えるものとして，違法といわなければならない。」と判示した。この判決の理は，立候補した者のためにする組合員の政治活動の自由との関係についても妥当する（中里鉱業所事件判決　最2小判昭和44・5・2別冊労働法律旬報708号4頁）。

(54) 最3小判平成8・3・19民集50巻3号615頁。

(55) 最1小判平成14・4・25判例時報1785号31頁。

50円の特別負担金を徴収することが許されるかどうかが争われた群馬司法書士会事件(55)において、最高裁は、「被上告人がいわゆる強制加入団体であることを考慮しても、本件負担金の徴収は、会員の政治的又は宗教的立場や思想信条の自由を害するものではなく、また、本件負担金の額も、登記申請事件1件につき、その平均報酬約2万1000円の0.2％強に当たる50円であり、これを3年間の範囲で徴収するというものであって、会員に社会通念上過大な負担を課するものではないのであるから、本件負担金の徴収について、公序良俗に反するなど会員の協力義務を否定すべき特段の事情があるとは認められない。」と判示した。最高裁は、少なくともこの事案においては、司法書士会が強制加入団体であることを根拠に、司法書士会の活動範囲自体を限定するアプローチは採用していないと解される(56)。

このように、最高裁は必ずしも一般的な判断枠組を示しているとはいえない。

(3) 検　討

筆者は、団体の人権享有範囲がその目的によって規定されると考えるため、団体の目的を特に重視しつつ、当該団体の憲法上の位置づけ(57)、性格、種類、さらに対立する人権の性質や人権の制約の程度等を個別具体的に検討する方法を採用する。そのため、一般論を展開することはできるだけ避けるべきであるが、考え方の方向性を示す必要性から、多少の誤解を恐れずに、あえて分析の基本的枠組を以下で示すこととする。

(a) 団体の目的に直結する人権と構成員の人権の調整　　団体の目的に直結する人権は、団体結成および団体加入の構成員の意思によって基礎づけられる団体の存在理由そのものであるため、団体はこの種の人権を自然人と同様に享有すると考えられる。なぜなら、それを否定することは、特定の人権を共同で行使し、より多くの保障効果を得るため団体を結成するという結社の自由によって保障された行為それ自体を否定することになるからである。

(56)　それ以外に、日弁連スパイ防止法反対決議事件（東京地判平成4・1・30判例時報1430号108頁；東京高判平成4・12・21自由と正義44巻2号101頁；最2小判平成10・3・13自由と正義49巻5号213頁）等参照。
(57)　具体的には、①憲法が直接規定する団体（労働組合等）、②憲法により積極的に予定されている団体（政党等）、③憲法が一応予定している団体（企業等）によって、団体の憲法上の保護の程度が異なる可能性を考慮する。その際、企業の位置づけは慎重な検討が必要となろう。

そうすると，目的に直結する団体の人権と構成員の人権は，質的な差異がないとの出発点に立つことになる。そこで，対立する人権の性質[58]，制約される人権の程度[59]，団体の性格とその憲法上の位置づけやその種類，団体の意思決定過程への構成員の参加の程度[60]等を考慮する。そして，団体の結成・加入・脱退の自由が十分に保障されている場合であれば，団体の人権が，結果として，構成員のそれに優越する場合もありうると解される。これは，団体を構成する多数派の意思が，団体内の少数派の意思に優位する場合がありうると言い換えることが可能であろう。

例えば，ある政党が一定の政策的立場を決定した場合，その決定に反対する党員がいたとしても，離党の自由が認められる限り，当該党員の政治的信条が政党の決定に優位するとは考えにくい。同様に，ある宗教団体が教義に基づき一定の宗教的判断を行った際，自己の信仰に基づきその団体の判断に反対する構成員がいたとしても，団体の意思が反対する構成員の信仰心よりも優位すると考えることが許されるであろう。この場合，反対する構成員には，団体内で多数派を形成するよう活動を続けるか，団体から離脱するか，他の団体を結成するか等の選択肢が残されている。

この場合であっても，憲法上許されうる人権制約の程度の判断にあたっては，団体が有する社会的権力性による人権侵害から，個人の人権を守る観点が不可欠となろう。その意味で，団体の目的に直結する人権の行使であっても，それに伴う個人の人権制約が許されない場合がありうることに留意すべきである。

(b) 団体の目的に付随する人権と構成員の人権の調整　目的に付随する人権の範囲を画定する際，団体の目的・性格や種類等を個別に検討する必要があるが，なかでも，団体の結成・加入・脱退の自由の保障程度が特に重要な考慮要素とな

---

(58) 同種の人権が対立するのか，異種の人権が対立するのか，その人権は優越的な地位を有するのか，政策的な制約に服するものか等を考慮する。

(59) ここで，団体が有する社会的の権力が考慮される。

(60) 例えば，労働組合のように団体内部の民主的運営を一定程度要請される団体であれば，団体意思の民主的決定，構成員の参加，構成員が自己の人権を主張する手続的保障等が強く求められると考えられる。
　それとは異なり，宗教団体のように，必ずしも民主的な意思決定になじまない団体の場合，意思決定過程にどの程度構成員を参加させ，構成員が自己の人権を主張する手続的保障をどの程度認めるべきかについては，別な考慮が必要となろう。

る(61)。抽象的には，任意団体には付随的な人権を幅広く認めることが許される場合が多いとしても，強制加入団体に目的に付随する人権を広範に認めることは許されないとの原則が成り立つと解される。任意団体であれば，付随的な人権の範囲を広く認め，その結果団体の活動範囲が広くなっても，その活動に反対する構成員には，最終的には団体から脱退する自由が保障されているが，強制加入団体の場合，団体から脱退する自由が保障されていないことに加え，設立目的や許される活動範囲は法律等で限定され，その範囲内でのみ団体強制が許されているからである。このように，団体の目的に付随するかどうかの判断は，個別具体的な分析を要するが，特に強制加入団体の場合は，法律の規定も考慮して，より慎重な判断が要求されるといえよう。

団体の目的に付随する人権は，付随的・手段的に認められる場合もあり(62)，そのような手段的な人権と構成員の人権を調整する際，対立する人権の性質，制約される人権の程度，団体の性格等，先にあげた諸要素を個別具体的に検討し，構成員の人権をより実質的に保護することも許される場合があると解される。

例えば，労働組合も付随的・副次的であれば一定の政治活動を行えるとの立場

---

(61) それ以外にも，営利目的の団体か他の特定の目的をもつ団体かによっても付随的人権の範囲は異なると解される。

営利目的の団体の場合，原則，経済的自由が保障されるが，営利を目的とする活動にはかなり広い範囲の活動が含まれるため，付随的に認められる人権の範囲も広く認められる可能性はある。

ただ，会社の場合，経済的人権とそれに付随する人権が認められるが，それ以外にも，会社の目的を達成するために行う手段として，人権ではないが，法令等によって禁止されていない行為を事実上行う権利能力も認められる可能性はある。

(62) 三井美唄炭鉱労組事件判決(最大判昭和43・12・4刑集22巻13号1425頁)は，「労働組合は，元来，『労働者が主体となって自主的に労働条件の維持改善その他経済的地位の向上を図ることを主たる目的として組織する団体又はその連合団体』である（労働組合法2条）。そして，このような労働組合の結成を憲法および労働組合法で保障しているのは，社会的・経済的弱者である個々の労働者をして，その強者である使用者との交渉において，対等の立場に立たせることにより，労働者の地位を向上させることを目的とするものであることは，さきに説示したとおりである。しかし，現実の政治・経済・社会機構のもとにおいて，労働者がその経済的地位の向上を図るにあたっては，単に対使用者との交渉においてのみこれを求めても，十分にはその目的を達成することができず，労働組合が右の目的をより十分に達成するための手段として，その目的達成に必要な政治活動や社会活動を行なうことを妨げられるものではない。」と判示する。

をとった場合，労働組合が一般財源を用いてかかる政治活動を行うことが許されると解する余地はあるが，それに反対する組合員に対し統制権を行使することはできないといった調整が考えられる。

ただし，いわゆる三井美唄炭鉱労組事件の最高裁判決[63]が，地方議会議員の選挙にあたり，労働組合が，統一候補を決定し，選挙運動を推進することは，組合活動として許されないわけではないと判示したのは，美唄市の人口の９割が本件で問題となった組合とその他の組合の炭鉱労働者とその家族が占め，同市における社会，教育，衛生等諸施設の炭鉱労働者の日常の経済生活に及ぼす影響が他の地域の比ではなく，そのためできるだけ多数の市議会議員を組合員から出す必要が高かったという特殊な事情の下での判断であったことに留意する必要がある。従って，この判断が，参議院議員選挙における労働組合の特定候補者の支持活動にそのまま妥当するかどうか[64]は，慎重な検討が必要であったと考えられる。

(c) 団体の目的に関連しない人権　団体の目的に関連しない人権は，そもそも団体には認められないため，構成員の人権との衝突は観念できない。

3　団体と団体外の個人との人権調整

上記の基本的判断枠組を用いて，団体の人権と団体外の個人の人権調整を考えると，以下のようになる。

(1) 団体の目的に直結する人権と団体外の個人の人権の調整

団体の目的に直結する人権と団体外の個人の人権を調整する場合，団体の目的に直結する人権は，個人の人権と性質上異ならないと考えられるため，カテゴリカルに個人の人権が団体の人権に優位するとの立場はとれないこととなる。

この場合，対立する人権の性質，制約される人権の程度，団体の性格とその憲法上の位置づけやその種類等を考慮する必要がある。そして，団体の事実上の影響力によって個人の人権に対する制約の程度が，個人の人権の私人間における制約としても是認できない程度に達している場合等では，団体に対して個人よりも多くの人権制約を課すことが認められよう。

例えば，巨大な企業法人の経済的活動が，当該企業の外に位置づけられる個人

---

(63) 最大判昭和43・12・4刑集22巻13号1425頁。
(64) 中里鉱業所事件（最2小判昭和44・5・2別冊労働法律旬報708号4頁）。

の経済的自由権や当該企業には認められない他の諸人権を，憲法上許容されうる程度を超えて制限ないしは侵害した場合は，個人の人権が団体の人権に優位することとなろう。

(2) 団体の目的に付随する人権と団体外の個人の人権の調整

団体の目的に付随する人権は，付随的または手段的に認められる場合も多いため，それと団体外の個人の人権を調整する際，個別具体的に検討し，個人の人権を優位におくことも許される場合が多いと解される。

例えば，労働組合は，付随的なものであれば一定の政治活動も許されるという立場をとった場合，労働組合の政治活動の自由は，付随的な人権であり，それが労働組合員以外の個人の人権と衝突したり，それに対し望ましくない影響を与える場合には，労働組合の政治活動を一定程度制約することも許されると解されよう。

(3) 団体の目的に関連しない人権

団体の目的に関連しない人権は，そもそも団体に認められないため，団体外の個人の人権との衝突は観念できない[65]。

V 憲法が予定する個人と団体の関係

以上の考察を踏まえ，憲法13条が個人の尊重原理を規定しつつも，同時に，憲法21条が結社の自由を保障している日本国憲法が予定する個人と団体の関係を確認すると以下のようになる。

まず，憲法13条が個人の尊重原理を規定していることから，個人が本来的な人権享有主体であることが確認できる。次に，憲法21条が結社の自由を保障していることから，団体の結成・加入等は，第一義的に個人の選択や決定に委ねられているといえる。したがって，個人が個人のままでいるか，個人がどのような団体に属するか，団体がどのような活動を行うか，そして，個人がいつ所属団体から

---

[65] 団体と公権力との関係においても，上記の基本的な判断枠組が適用可能となろう。ただし，団体の目的に直結する人権と目的に付随する人権の両方は，公権力に対し，原則として，自然人の人権と同程度に保障されると解されうるが，目的に直結する人権より，目的に付随する人権の方が，より多くの制約に服する場合も，個別具体的な検討の結果ありえよう。

離脱するのか等の選択権は，原則として，個人に留保されることになる。さらに，結社の自由の保障により，個々人の選択に基づいて結成された団体は，その目的に応じて一定の人権を享有し，独自の活動を行う自由を有することになる。

そして，憲法13条と21条を調和的に解釈すると，少なくとも，以下の点を指摘することができる。

第1は，個人の尊厳を維持し，人格をより発展させるために，一定の集団的生活が不可欠であると考える個々人が，自らの選択に基づき団体を結成し，集団的に権利行使をすることは，憲法13条の個人の尊重原理によって必ずしも禁圧されていないことになる。このことは，個々人の自律的選択を根拠としつつも，特定の団体が，一定の人権を集団的に行使することが認められうることを示唆している。

第2に，憲法が規定する個人の尊重原理のもとにおいても，個人でいることによってはじめて尊厳性を保持できると常に考える必要はなく，個人にとって何が尊厳であるのか，また，その尊厳性を保つための方法として，個人のままでいるのか，それとも団体に属するのかは，憲法が一義的に規定している事柄ではなく，個人が自由に判断すべき事柄であると解される。その結果，個人が選択し，団体との関係についての将来の判断権を保持し続け，さらに，個々人の意思による団体の一定のコントロールが可能である限り，個人と団体の融和も，個人の自律的判断を重視する憲法のもとであっても必ずしも排除されない可能性が生じる[66]。

これらの点は，個人と個人の自律的判断を何よりも尊重し，個人と団体を対立的にとらえ，団体の人権を付随的・手段的に理解する傾向が強かった従来の憲法学説の基本的理解からかなりの距離がある。しかし，個人の自律的判断を何よりも重視し，個人の選択に結社の形成を含めると，個人と団体の関係は憲法上一義的に規定されておらず，その関係の形成は個人の判断に委ねられているため，個人と団体の関係を，よりダイナミックなものとして捉えることが必要となる。そうすると，個人を中心にして，団体を副次的・手段的に捉えたり，または，個人と団体を対立的に理解することは，個人と団体の関係のうちの一側面に過ぎないことになる。

---

[66] 佐々木・前掲注(3)129〜132頁参照。

Ⅵ　おわりに

　個人の尊重原理は，個人の自律的判断を尊重すればするほど，団体を重視する個人の意思を排除できなくなる。そのため，個人の尊重原理は，団体に対しても開かれているため，団体を排除できないといったディレンマに陥ることになる。団体は，しばしば，個人に対立し，敵対する。しかし，同時に，団体は，個人のよりどころでもありうる。憲法理論には，個人と団体のこのアンビヴァレントな関係を十分に説明できる広がりが求められている。そのためには，個人と団体の関係を一義的にとらえるのではなく，個人と団体の関係は，個人の意思によってダイナミックに変化しうるとの出発点から議論をはじめる必要があろう。

国際的レベルでの団体の役割

ライナー・ヴァール
松本博之訳

I 問題：内部と外部，国内問題と国際問題

　私のテーマは，パースペクティブを，しかも内から外へと代える。これまでは国家の内側を考察したが，いまや目を外へ，すなわち国家の向こうの世界へと向ける。問題は，国際組織，多くの国際条約の世界であり，国際的な領域での多くのアクターの世界である。

　(1)　私の考察の前に1つの一般的なテーゼを掲げたい。すなわち，従来いわば自明のこととして専ら国家の内側領域について扱われているすべての法的諸問題は，国際的な領域において，すなわち国家の向こう側の領域においてパラレルなものをもつというテーゼである。これまで我々が扱った問題のすべてを含め，内部におけるすべての問題は，国際的な領域に反映している[1]。私がこの外側に目を向ける際，内部からの，国家内部での多様な生活からの経験および認識をもっていくことになる。それゆえ，まず私は，国家内部のアクターの多元性を次の3点に要約する。

　(a)　内部では，見通せないほど多数のアクターを知った。これらはアクターとグループの非常に高い多元性を基礎づけるが，しかし当然のことながら，意見，見方および利害の非常に高度の多元性をも基礎づける。国家の内側においては個人と国家機関があるのみならず，内側においては個人と国家の間に莫大な数のアクターがいる。それはあらゆる種類の社団（Vereine），協会（Vereinigungen），団体（Verbände）およびグループ（Gruppe）である。これらのグループ，協会（Vereinigungen）の数と力に，社会の内的生活，社会の内的な力，多様性および

---

(1)　EU構成国としてのドイツでは，問題のこの対応と回帰はヨーロッパの法圏の関係でも妥当する。問題が2倍になるのみならず3倍にもなる。

能動性水準を，一言で言うと社会の生き生きした姿（Lebendigkeit）を読み取ることができる。

多くの事柄が，これらのグループの数と出動意思にかかっている。

- 事件や課題がグループ，協会およびその構成員によって担われれば担われるほど，それだけ一層，国家を必要としなくなる。そこから，われわれが学ぶことは，個人と国家との中間領域にあるグループと社団は，生きた補充性原則（das gelebte Subsidiaritätsprinzip）であるということである。個人と，むしろ個人のグループ自体が果たしうる事柄はすべて，国家はこれをする必要がない[2]。

- 別のこと。民主主義的な生活は選挙行動において行われるだけではない。個人は選挙市民であるだけでなく，個人は多くの利益の担い手であり，そのような利害関係人として他者と結びつく。民主主義的な生活は，たしかに正統の選挙行動と政党の競争に核心を有する。そのため，利益，惚れ込みおよび傾向を他人と分かち合う個人のそれらが協会や団体において代表される広大な領域（Umfeld）がある。これらすべての協会は，社会の基礎[3]である。協会の諸活動が単なる多数の住民またはマス個人を社会，しかも能動的な社会にする。

- 余分になった用語において。多くの協会において，非常に多種多様で非常に強情な多数の社団，協会および団体によって形成される市民社会（Zivilgesellschaft）が現われる[4]。これらすべての社団と協会は，一緒になって社会を形成し，経済的利益を持つ限りそう呼ばれる「経済（Wirtschaft）」を，文化生活，自由時間社会等を形成する。

(b) これらの協会の多くは，自分の圏内でのみ，その構成員の圏内でのみ活動する。他のグループの協会は，これに対し世論形成過程に影響力を持とうとする。これらは決定者（Entscheidungsträger）に対し圧力を加えようとする。──英語の

---

(2) このことから，余りにも多くを国家に訴える者は，国家が当該課題を処理しなくてよいように，他の者と一緒になってこれを処理すべきであるということも生じる。

(3) 協会が社会のインフラだということもできよう。

(4) このテーマについての多数の文献から，ここでは *Ansgar Klein*, Zivilgesellschaft und Sozialkapital, 2004/*Dieter Gosewinkel*, Zivilgesellschaft-national und transnational, 2004 *Beate Rosenzweig*, Bürgerschaftliches Engagement und Zivilgesellschaft, 2004 だけを挙げさせていただく。

用語法では，それゆえまったくオープンかつ正直に「圧力団体」と呼ばれる。この概念は一見して次のことを表現している。これらは立法および国家プログラムに働きかけようとする。全体として自己の利益に資する政治を目指す。——これらは利益団体である。これらの目標を達しうるために，世論形成に参加し，したがって自己の利益を促進するために民主的生活に関与する。それは狭義の団体である[5]。

(c)　それとならんで別のカテゴリーもある。それは典型的には一般的な問題に関心をもつ市民運動その他の協会である。これらも，この一般的な目標を促進するために世論形成に影響しようとする。それは，その所在地で，内国でまたはグローバルな領域において環境に役立とうとする。

(2)　したがって国内領域を振り返ると，
- 私的領域における協会（Vereinigungen）の非常に高度な多元性と
- 典型的な利益団体と市民運動における著しい多元性と多数

が見られる。

政治的国家的領域では，（たとえば独立のラントと自治を与えられたゲマインデをもつドイツでは，国家的一体（staatliche Einheit）の多元主義もあるけれども）多元主義の像を生じるのは余り違いのない国家的統一体である。多数のアクターによって多元主義的に秩序づけられているのは，むしろ世論形成過程である。上述のように，政党と利益団体はこの過程に参加するのであるが，ラジオやテレビ，一般的に言えばメディアもまたそうであり，とくにそうである。とりわけ，この過程に関与しようとし，それによって影響力を行使しようとする社会的グループが，多元性に寄与する。

その（利益）団体と協会の機能は，長い間国家哲学と国家論において流布している図式にまとめることができる。この全体領域は「中間の世界（die Welt des Intermediaren）」と呼ぶことができ，翻訳すると中間権力の世界（die Welt der Zwischengewalten）と言うことができる。

　　この像は，デモクラシーは「もともと」個人と議会という代表機関との間

（5）　利益団体は，公的問題におけるアクターの伝統的な例である。利益団体は，国家機関とりわけ議会にも一面で専門知識を提供し，他面で自己固有の利益を表現する。利益団体には，これが明瞭に定義され狭く限定された利益を代表する場合には，それは非常にパンチ力があり強いという法則が妥当する。

に存するという観念からその直感性を得る。この直接の繋がりと影響ラインは民主的な直接選挙に明瞭に現われる。個人と議会との直接関係としてのこのデモクラシー像は，つねに，すでに余りにも単純過ぎるものであった。デモクラシーは選挙行為に尽きるものではない。個々人は，デモクラシーにおいて選挙人であるばかりでなく，若干の他の役割において民主主義的生活に関わる。もっとも重要な役割の１つが，彼の社団，協会および利益団体を経由しての広範な世論形成過程への参加である。個人は，他の多くの人たちと一緒に，経済的，社会的，文化的およびスポーツ的および学問的な点において同じ利益を分かち合っている。それゆえ，彼は通常非常に多数のグループにおいて構成員である。これらの協会は個人と国家機関との間の中間領域を形成する。この中間領域，したがってまた国家的決定の前庭においても，広範で複雑な世論形成過程が生じる。選挙行為よりも強く，この過程においてデモクラシーが生き，打ち建てられる。それゆえ，この全領域を「中間（Dazwischen）」と，中間領域（Zwischenbereich）と，アクターを中間権力と呼ぶことができる。この中間領域の他のアクター，すなわち政党，新聞，ラジオ，テレビ，そして部分的には教会のことを思えば，これらの中間的な領域（der intermediäre Raum），中間の領域（der Raum des Dazwischen）がいかに重要かが意識される。

II 国家の向こう側でのアクター

ところで，国家の向こう側の領域はどう見えるか。そこには類似の多数の協会，利益団体および市民運動はあるか。それとも，あるのは本質的に諸国家または国際組織の活動があるに過ぎないか。国家の向こう側の領域が「国際的（international）」なのか，すなわち言葉の固有の意味において „inter"-„national" なのか，したがって諸国民の，諸国家相互間の関係のフィールドであるのか。事実，国家の向こうではアクターは限られており，法主体は結局，諸国家と，国連（UN），世界貿易機関（WTO）または世界銀行のような国際機関だけだとの先入観（Vorverständnis）がある。

1 社会的な領域の国際化

(1) 基礎現象としての脱国境化 (Entgrenzung)

国家領域に向こう側の社会的,経済的,文化的関心をもつアクターへの需要は大きい。その理由は次の点にある。すべての巨大な生活領域,経済,文化,学問のような社会のあらゆる下位システムは,60年代において終局的に国家の枠をはみ出した。これらの生活領域において活動する者は,持続的に他の諸国と関係しなければならない。これらの生活領域と社会的部分システムにおいては,国境を超え他国において活動しなければ,誰も自己の関心と使命を果たすことができない。あげられた社会的生活領域は,そのベイスにおいて国際化されている[6]。それは国境から切り離され,それは脱国境化している[7]。この領域の私的なアクターは,国境を越えて行為し,国境の向こう側で行為する。その結果,国家はすでに長い間国際化されている経済または学問のような生活領域のために政治を行う。それゆえ,この生活領域の利益が国家の向こう側の領域において擁護されるという大きな需要がある。この需要も満たされ,しかも多くの私的な社団によって,そして多くの利益団体によって満たされる。したがって,市民社会は長い間国際化している。それは国家の向こう側の領域にすでに存在する[8]。

2 国際的な領域における私的な協会と利益団体 (Vereinigungen und Interessenverbände) の現実分析

私的な団体・協会 (pivate Verbände und Vereinigungen) は,ここではちょっと触れるにとどめるべきである。存在するのは,我々が国家レベルで知ったことがらの反映と繰返しの中にある私的な団体と協会である。文化,学問およびスポーツ

---

(6) 社会とそのサブシステムは国際化されている。これは基礎過程 (Basisprozesse) である。これは部分的にのみ国家と政治によって駆り立てられ生み出された。大部分は自立的過程である。部分システムが先行する。

(7) 歴史的に受け継がれてきた閉ざされた国家は,よく管理された国境のある国家であった。これに対し今日,重要な社会的領域について妥当する脱国境化の現象が基本的 (fundamental) である。1945年以前の個々の国民国家はその idealtypsch に見れば,経済,その国民文化,その言語等をもっていたが,今日の国家の固有のテリトリウムにおいては今日の国家に対立するのは,その関係がはるかに国境を越える一連の社会的システムである。

(8) 当然国際的平面では １つの国際的市民社会は存在せず,部分社会 (Teilöffentlichkeiten) はより大きな国際的領域に及ぶ。

の領域での国際的な協会がある。ときには広い国際的な領域で組織することは容易ではない。比較的よく組織されているのは，ヨーロッパレベルの利益団体である。このことは，殆どすべての生活領域が長い間ヨーロッパ領域に及んでいるので必然的でもある。個々の利益の組織度は，非常に区々である。経済団体は最もよく組織されており，ずっと以前からブリュセルには，ベルリン，パリまたはロンドンのような首都において知られているような，同じくらい高密度の経済団体とロビーイスト協会がある。労働組合は，ヨーロッパ化と国際化の点でまさに困難な状況にある。

経済的利益その他の利益のグローバルレベルにおける組織可能性は，難しいであろう。産業または化学工業の世界団体はあるかもしれない。それがいかなる使命を実効的に果たすことができるか，またはいかなる圧力を行使することができるかと問われるならば，多分懐疑的になるであろう。

それにもかかわらず世界または世界地域（Weltregion）のレベルでは，経済的諸利益が存在する。間隙はない。経済的利益は，他の方法でのみ，すなわち，しばしば巨大な経済的アクター自身によって代表されている。巨大な，世界規模で展開するコンツェルンは，団体を必要としない。それは自ら行動し，自ら国家の契約パートナーとなる。

すなわち，多国籍企業（MNU），国連用語でいえば「国際会社（Transnational Corporations）」[9]がある。MNUは当然，真正の国際法主体として承認されてはいない。しかし実務においては，事実上国家の契約パートナーとして承認されている。現在1,000以上の二国間投資保護＝促進協定があり，事実上そのすべてに，投資家と投資国（Anlagestaat）間の紛争処理条項が含まれている。この実務によ

---

(9) *Otto Kimminich/Stephan Hobe*, Einführung in das Völkerrecht, 8. Auflage, 2004, S. 157 ff.; *Christian Gloria*, in: Knut Ipsen, Völkerrecht, 5. Auflage, 2004, § 46 Rn. 17; *Daniel Thürer*, The Emergence of Non-Governmental Organizations and Transnational Enterprises in International Law and the Changing Role of the State, in: Rainer Hofmann, Non-State Actors as New Subjects of International Law, 1999, S. 37, 46ff.; *Waldemar Hummer*, Internationale nichtstaatliche Organisationen im Zeitalter der Globalisierung-Abgrenzungen, Handlungsbefugnisse, Rechtsnatur, in: Dicke u.a., Völkerrecht und internationales Privatrecht in einem sich globalisierenden internationalen System-Auswirkungen der Entstaatlichung transnationaler Rechtsbeziehungen, Berichte der deutschen Gesellschaft für Völkerrecht, Band 39, 1999, S. 59 ff.

って，このような企業を限定的な国際法主体として承認する一定の用意が普遍的なレベルで示されてきている。

3　政治的・公的領域における特有のアクター：非政府組織（NGO）

その名は興味深く啓発的である。名は否定からなる。すべてのNGOに共通するのは，それが一国の政府または政府機関の一部でないことである。この概念形成は，――当然――国際的な交渉および会議において，参加者は国家および国際機関であり，これらが承認された国際法主体であるという背景にして理解することができる。しかし，これらのオフィシャルなアクターは単独では何の交渉もしなかったことが明らかになった。しばしば他のものも出席していたし，そして今日では通常そうである。まさにこのNGOである[10]。NGOは，初めは公式的には存在しなかった。それは，当初は認知されなかった。それは，国際法の意味で正統化されていたのではなく，単にいたに過ぎない[11]。それは注目を集めた。すなわち，それは会議の参加者にとって重要なものをもたらした。専門知識，具体的な地方的または地域的な事情についての知識をもたらした。そのほか，NGOは交渉の進展に影響を及ぼしえたことを明らかにしたので，注目を集めた。このことが最も明瞭になったのは，交渉と予期される結果に対する声高な抗議によってである。換言すれば，NGOは国内領域における市民運動のように振舞う。国内領域におけると同じように，抗議とセンセーショナルな言争いによって有名になり，まじめに受け取られるべき存在であるとの印象を与えた。そしてカ（Ma-cht）の演出（Darstellung und Inszenierung）ほど，政治において，また国際政治においても，多くかつよりよく作用するものはない。NGOは，世論を介した

---

(10)　*Volker Epping*, in: Knut Ipsen, Völkerrecht, 5. Auflage, 2004, S.92 ff.; *Otto Kimminich/Stephan Hobe*, Einführung in das Völkerrecht, 8. Auflage, 2004, S. 153 ff.; *Ignaz Seidl-Hohenveldern*, Völkerrecht, 10. Auflage, 2000, Rz. 805, 911; *Stephan Hobe*, Der Rechtsstatus der Nichtregierungsorganisationen nach gegenwärtigem Völkerrecht, Archiv des Völkerrechts, 1999, 152-176; *Waldemar Hummer*, Internationale nichtstaatliche Organisationen im Zeitalter der Globalisierung-Abgrenzungen, Handlungsbefugnisse, Rechtsnatur, in: Dicke u.a., Völkerrecht und internationales Privatrecht in einem sich globalisierenden internationalen System-Auswirkungen der Entstaatlichung transnationaler Rechtsbeziehungen, S. 45-216.

(11)　NGOの歴史については，*Stephan Hobe*, Der Rechtsstatus der Nichtregierungs organisationen, 152-176.

対抗力（Gegenmacht）を持つ。

　一例はこうである。シアトルで開かれたWTO総会における公式の国家代表団は，デモ隊の抗議とNGOの行動によって完全に不意を突かれた。この予見されなかった抗議は，この強力な組織に確実に強い印象を与え，地震のように作用した。そして，実際以下のことがよくわかる。すなわち，数億もの人々の経済的，社会的条件を決定する国際組織は，すべての市民およびグループを素通りしてこのような影響を及ぼすべきではないことである。この例は，WTOの諸条約によって影響を受ける何億，いな何十億の人々がどのようにしてこのプロセスに引き込まれるべきかという問題と1つの（解決の）道を示している。当然，全員が彼らの政府によって代表されている。しかし，この代表と民主主義的束縛は，非常に長い，あまりにも長いチェーンの上を動いている。この代表は非常に間接的であり，希釈されている。世界議会（Weltparlament）または，WTOのようなあるセクターのグローバル議会は，問題の解決方法とならないであろう。私はここで，このことをテーゼとして立てようと思う。彼らの個々の状況に持続的に影響を及ぼすこれらの交渉のさい，60億の人々は，しかし，どのようにしてそれに参加することができるというのか。このような困難の中で，NGOが現れる。NGOは社会世界（Gesellschaftswelt）またはその広範なスペクトルをもつ市民社会（Zivilgesellschaft）を代表する。まさにWTOの例は，巨大で力の強い国際組織がNGOに開かれていることがこのような組織にとっていかに重要で有益であるかを示している。

Ⅲ　NGOの意味と法的地位

1　NGOの定義と限界づけ

　そう，名前自体，否定のみを含んでおり，誰がこれに属すべきかを未定にしている。NGO[12]は諸国家から構成されるのではなく，他の国の同じ考えをもったグループまたは団体と提携する，個人および法人から構成される。NGOは，たとえば人権擁護または環境保護のような特定の理想的目的を追求する。その数は

---

(12)　この点および以下については，*Otto Kimminich/Stephan Hobe*, Einführung in das Völkerrecht, 8. Aufl., 2004, S. 153 ff.

絶えず増大し，文献に現われるのは非常に区々であるが，ほぼ5,600を数えるにせよ，またはまさに気前よく38,000とするにせよ，いたる所で大きな数字が明らかになる(13)。

NGOの任務範囲は，広がっている。したがって，NGOは殆どすべての領域において存在する。たとえば政治において（議会連合interparlamentarische Union），法において（国際法律家委員会〔Internationale Juristenkomission〕，国際法協会〔Internatinal Law Association〕），労働法において（Internationaler Förderation der Gewerkschaften bzw. der Arbeitgeber），教会において（Lutherischer Weltbund, Innere Mission），人道領域において（アムネスティ・インターナショナル），文学において（国際ペンクラブ），スポーツにおいて（国際オリンピック委員会，IOC）および環境の領域において（グリーンピース）(14)。

2 NGOの諸目的と諸目標

NGOは，たとえば具体的な条約，国際的な法定立のような国際的な出来事に影響を及ぼそうとする。NGOは諸国家および国際諸組織の政治に一般に圧力を行使しようとする(15)。NGOが高権力を行使しないのは当然である。NGOは国際法のもとにはない。NGOは，本拠を有する国家の国家法秩序に服する。NGOにあっては，利益は束ねられており，専門的知識が存在する。それゆえ，NGOはしばしば会議や組織における選ばれた対話パートナー（gesuchte Gesprächpartner）である。しかし，NGOの二重性格が強調されるべきである。それは専門知識を有するが，しかし利益をも代表する。したがって，それは利害関係のある専門的知識（Sachverstand）を代表するのであり，中立または客観的なそれを代表するのではない。

NGOは，条約または国際法の履行においてしばしば重要な機能を有する。国際条約の取決めの後，実施は通常困難である。実施は個々の国家において行われ

---

(13) 数は，*Hobe*, Der Rechtsstatus der Nichtregierungsorganisationen, S. 152 による。

(14) *Eckart Klein*, in: Wolfgang Graf Vitzthum, Völkerrecht, 2. Aufl., 2001, Rn.18. Eine ähnliche Aufzählung bei *Hobe*, Der Rechtsstatus der Nichtregierungsorganisationen, S. 153.

(15) 決定的なのは構成員ではなく機能であるという，*Eckart Klein*, in: Wolfgang Graf Vitzthum の指摘は正しい。

る。国内法化は，中央機関（これもしばしば存在しない）からは殆ど見通すことができない。

ここでは，NGO の活動が不可欠である。NGO は国内グループを通して個々の国家の行政とコンタクトまたはコンタクトの可能性を持つ。NGO は不都合な状態を現地で確定し，国際法の実施における不足を述べ，テーマ化することができる。時には NGO がみずからも実現についてのモニタリングのような実施措置を引き受ける。NGO は，その構成員と一緒になって，しばしば，条約に定められた目標の実現をも支援する（とりわけボランティアが協力する環境・自然保護において）。

3 国際政治の実務における NGO の役割

NGO の役割について最初に若干の例をあげよう。

グローバル化の枠内と経済領域における最初の制度は，もともと経済，私経済の代表制度である国際商業会議所である。それは NGO である。まさに国際経済取引については，国際商業会議所のイニシアティブに帰せられ，またはそれに強く影響された国際法条約がある[16]。

1992年にリオ・デ・ジャネイロにおいて，大きな環境会議のさい国家とならんで数百の NGO が認証されていた。たとえば1994年のカイロにおける人口と開発に関する，1994年のコペンハーゲンでの社会開発に関する，そして1995年の北京での婦人問題に関する後の大きな会議では，NGO の数の増大が見られた[17]。

NGO の圧力が無かったならば，国際刑事裁判所に関する規約は1998年のローマ会議で成立しなかったであろう。北京では世界婦人会議が全く似た状況にあった。1993年6月のウイーン世界人権会議のさいは，上の階では外交官が会議を開き，下の階では世界中からやってきた非政府組織の生き生きとした，ポスターと歌と催しのある賑わいがあった。見通しが利かないほど多数であった[18]。

NGO の実際的活動の若干の例をあげよう。人権問題において NGO は，関係

---

(16) *Böckstiegel*, Diskussionsbeitrag, in: *Dicke* u.a., Völkerrecht und internationales Privatrecht in einem sich globalisierenden internationalen System-Auswirkungen der Entstaatlichung transnationaler Rechtsbeziehungen, Berichte der deutschen Gesellschaft für Völkerrecht, Band 39, 1999, S. 270.

(17) *Hobe*, Der Rechtsstatus der Nichtregierungsorganisationen, S. 153.

規定によれば，しばしば請願する権利を有する。NGO はなかんずく事実関係の解明において協力することができ，かつ協力すべきである（事実認定）。アムネスティ・インターナショナルの集中的で全く積極的な活動がなかったならば，多数の人権侵害は全く知られなかったであろう[19]。人権問題または環境問題における NGO の役割を正しく理解できるためには，次のことをはっきりと理解しなければならない。すなわち，人権合意といくつかの環境合意は，関係国にしばしば正式に強いられ，または押し付けられる。多数の国家は，人権規約（Menschenrechtspakte）に署名する。その中には，人権をとくに強く侵害している国家もある。このような国家はこれを積極的に国内法化し，またはその行政をしてこれを遵守させる意図をしばしば有しない。たとえば象または鯨のような絶滅に瀕した（植物または動物の）種の保護に関する多くの条約の場合にも，状況は似たものである。交渉と世論の圧力により，このような保護条約に署名する国家がある。国家が交渉の最終日まで条約に反対であったならば，再び国内法化のさいにこのような国家の積極的な役割を期待してはならない。このような場合に実現のために何かなされうるとすれば，条約違反を公表し，これを弾劾する NGO によるものであろう。

　NGO は公的機関の行為に対する攻撃のさい，しばしば違法性の限界線をかすめ，しばしばこれを超えもするデモとシンボル的な抗議を行う。これは国家の内部からもよく知られたやり方である。すなわち注目を求め，規範に違反することによって注目を獲得する。いくつかの環境団体は，まさにこれを専門にしている。これは当然法的には是認されない。このような挙動は，実際的政治的にも常に割が合うわけではない。巨大で攻撃力のある環境組織であるグリーンピースは，たとえば，国際石油会社のシェルが前に石油掘削のために湾の外で利用されたプラットフォームを北海に沈めようとしたとき，大きな，非常に注目された反対行動をスタートさせた。グリーンピースは反対行動に成功した。シェルは膝を折り，

---

(18)　文字通りこのように言うのは，*Tomuschat* in: *Dicke* u.a., Völkerrecht und internationales Privatrecht in einem sich globalisierenden internationalen System - Auswirkungen der Entstaatlichung transnationaler Rechtsbeziehungen, 1999, S. 278, ──この状況に鑑み，誰が特定の国家を代表しているのかという問題を提起している。

(19)　たとえば，アムネスティ・インターナショナルは数年にわたるキャンペーンで 1984年の反拷問条約の成立に本質的に寄与した。*Hobe*, Der Rechtsstatus der Nichtregierungsorganisationen, S. 165 を見よ。

譲歩した。しかし後に，グリーンピースが誤ったデータと主張を用いたことが，明らかになった。グリーンピースは，それによって著しく信頼を失った。信頼は，一般的な幸せに関心をもつNGOの最重要なリソースである[20]。

この例は，1つの結果問題，すなわちNGOの力が党派的または一面的に用いられ，NGOが加えて全体の代表者として偉ぶるというもっともな危険を示している。それゆえ，国際法が長い間NGOの責任（Verantwortlichkeit und Haftung）の問題を議論していることは驚きではない。しかし，私の印象によれば，まだ具体的な結果には到達していない。しかし明らかなことは，NGOが国際法における比較的強力な地位にまで成長するならば，当然のことながら権限の裏面，すなわち責任も論じられるべきであろう[21]。

4 NGOは国際法主体か

多国籍企業におけると同様，NGOにおいても，法的な主要問題はNGOが国際法主体であるか，またはそれへの途上にあるかということである。この問題は人を驚かせる。内側，すなわち国内の団体にあっては，団体は私法によって創設された，私法によるすべての権利をもつ団体（Vereinigungen）であることは明らかであるが，しかし，それは当然憲法のアクターではない[22]。NGOにあっては，この問題提起，すなわちNGOを国際システムの中に取り込むこの傾向はどこから来るのであろうか。

(a) まずは，NGOは支配的見解によれば国際法主体性を有しないことを維持すべきである[23]。古典的国際法（Völkerrecht）は，そのドイツ語の名前に反して——民族またはその一部の法ではなく，国家の法，国家間の法（Zwischenstaatenrecht）である。古典的または生まれながらの国際法の法主体としての国家に，国

---

(20) *Seidl-Hohenveldern*, Diskussionsbeitrag, in: *Dicke* u.a., Völkerrecht und internationales Privatrecht in einem sich globalisierenden internationalen System-Auswirkungen der Entstaatlichung transnationaler Rechtsbeziehungen, 1999, S. 279.

(21) この問題は，*Ress*, Diskussionsbeitrag, in: *Dicke* u.a., Völkerrecht und internationales Privatrecht in einem sich globalisierenden internationalen System-Auswirkungen der Entstaatlichung transnationaler Rechtsbeziehungen, 1999, S. 267によって述べられている。

(22) 団体は，ドイツでは憲法上の制度のランクを有する政党と比較しうるものでもない。

際組織，国連および国連の特別組織（したがって国連家族）ならびにWTOのような独立の特別組織が加わった（付録Iのリスト）。国際法主体のこのような拡大の中に，国際政治と国際法の発展の主要ラインが表現されている。すなわち，国際的な領域において各法の基礎と連結点，現実問題が著しく増大したため，ますますもっと多くの国際法と，もっと多くの法主体が必要であるということである[24]。国際的な関連をもつ現実的な実質問題は，人類関連（Menschheitsbezug）をもつ諸テーマである。これは環境と開発，人権，水と砂漠，都市・住居・貧困・失業・人口・社会発展，婦人・子供・文化財である。この挑戦および法と組織に対するこの需要に応えるのが，そうこうするうちに270を数える国際組織の拡大である[25]。

しかしこれらすべての多数の人類問題は，当然，純然たる専門家によって中立的に扱われうる課題ではない。すべてにおいて大きな政治的差異と多くの利害衝突がある。たとえば，経済的目標とエコロジカルなまたは社会的な目標設定との間の基本的衝突は，これらすべての人類問題を殆ど貫通している。至る所で，この基本的衝突のため，異なった見解があり，それは，ある時はより経済の側を，別の時は社会的またはエコロジカルなものを強調する[26]。すべての問題と問題解決提案を貫く基本的な利益衝突は，発展した国家と発展途上の国家間の衝突である。

因みに，しばしば参加者が多数であるため，そして多数の種々の利益のゆえに非常に複雑である，国際レベルにおける基本的な人類問題の検討は，しばしばその一面に限定してのみ可能である。問題は，しばしば非常に技術的に，または専

---

(23) 詳しくは，*Waldemar Hummer*, Internationale nichtstaatliche Organisationen im Zeitalter der Globalisierung-Abgrenzungen, Handlungsbefugnisse, Rechtsnatur, in: *Dicke* u.a., Völkerrecht und internationales Privatrecht in einem sich globalisierenden internationalen System - Auswirkungen der Entstaatlichung transnationaler Rechtsbeziehungen, 1999, S. 190-199; *Hobe*, Der Rechtsstatus der Nichtregierungsorganisationen, S. 156 ff., 159 ff.
(24) 国際法主体の爆発は一方において国家の領域で行われた（2000年における国連の加盟国数は189である。これとパラレルに国際組織の数は著しく増加している。
(25) *Eckart Klein*, in: Wolfgang Graf Vitzthum, Völkerrecht, 2. Aufl., 2001, Rn. 11.
(26) それに，根本的衝突が制度的に際立っている。商業の側にはWTO（世界貿易機関）があり，環境の側にはUNEP（国連環境計画）がある。世界貿易と環境保護の衝突については，*Rainer Wahl*, Internationalisierung des Staates, in: *ders*., Verfassungsstaat, Europäisierung, Internationalisierung, 2003, S. 40 ff.

門的に非常に限定的に論じられる。国際的な領域では，全世界をカバーするがために驚きに値する合意がある。その代わり，それは内容的にはしばしば狭められ，分野的に制限される。すなわち，合意は解決に到達するために一連の利益を除外する傾向にある

それゆえ公式の委員会の拡大と種々の利益の明瞭な表現（Artikulation）の必要がある。その他，地域および地方によってまちまちである事実の提出の必要（ein Bedarf an der Beibringung der Fakten in ihrer regionalen und kommunalen Unterschiedlichkeit）が常に存する。原則として国際システムは，国家政治と同じく，絶えず情報基礎と利益多様性（Interessenspektrum）の拡大と補充を必要としている。しかしもともとは，国際的レベルは殆ど空であった。そのような統一体（Einheiten），協会（Vereinigungen）および団体（Verbände）は殆ど存在しなかった。この間隙の中にNGOが突っ込んだ。NGOはそれによって不足を埋めた。政治学的に考察すると，NGOは社会世界（Gesellschaftswelt）のアクターによる非国家的利益の代理人であり[27]，それは国家共同体利益を視野に入れる（または入れない）。

(b)　NGOの国際法実務における地位はどのようなものか，国際法はNGOにどのようにして権利を付与したか。NGOのための重要な，いわば中心的な規範的基礎がある。それは国連憲章71条に見られる[28]。それは，たしかに国連組織内部におけるNGOの地位にのみかかわる。しかし，この規律はしばしば模範，そしてモデルと見られている。国連憲章71条は国連経済社会委員会（Economic and Social Council, ECOSOC）の手続を定めている。

　　「経済社会理事会は，その権限内の事柄に関係のある民間団体と協議するために適当な取極を行うことができる。この取極は，国際団体との間に，また

---

(27)　これについては，*Stephan Hobe*, Die Zukunft des Völkerrechts im Zeitalter der Globalisierung, Perspektiven des Völkerrechts im 21. Jahrhundert, Archiv des Völkerrechts, Bd.37, S.253-282, S. 262.

(28)　これについて包括的なのは，*Waldemar Hummer*, Internationale nichtstaatliche Organisationen im Zeitalter der Globalisierung - Abgrenzungen, Handlungsbefugnisse, Rechtsnatur, in: *Dicke* u.a., Völkerrecht und internationales Privatrecht in einem sich globalisierenden internationalen System - Auswirkungen der Entstaatlichung transnationaler Rechtsbeziehungen,, 1999, S. 63ff; *Hobe*, Der Rechtsstatus der Nichtregierungsorganisationen, S.171 ff.

適当な場合には，関係のある国際連合加盟国と協議した後に国内団体との間に行うことができる」。

したがって，NGO には観察者―助言者地位が認められる[29]。そのさい個々のNGO の具体的な地位は，NGO 自身の任務（Aufgabenstellung）と委員会の任務がいかに近いかに依存する。この問題の回答のために，経済社会委員会の複数の決議により 3 つのカテゴリーが形成されている[30]。
- 一般的な助言者地位（かつてはカテゴリーⅠと呼ばれた）（1977年に88のメンバー）（その任務領域が委員会のたいていの活動を扱う NGO）。
- 特別の助言者地位（かつてのカテゴリーⅡと呼ばれた）（1997年に601のメンバー）（その任務領域が委員会の若干の任務にのみ特別の利益を有する NGO）。
- カテゴリーⅢ（Roster, Register）（個々の事案においてのみ引き入れることが適切と見なされる）その他の NGO。これには1977年に666の NGO があった。

したがって，第 1 のそして最も重要な形式化が達成されている。すなわち，3 つのカテゴリーとこのカテゴリーによって段階づけられる権能がある。最も包括的な権能をもつのは――当然――一般的な助言者地位をもつ NGO である。この NGO は会議規則（Tageordnung）について一定のポイントを提案することができ，一定範囲（2000語）の意見表明を行うことができる。場合によっては意見表明を行うことができ，公開の会議に代表者を遣ることができる[31]。国連では1996年に NGO と NGO の権能の固定に関する集中討議が行われた。若干の権能の拡大が生じたが，NGO は交渉者の地位を占めることはできないとの原則も固執された[32]。

---

(29) *Otto Kimminich / Stephan Hobe*, Einführung in das Völkerrecht, 8. Aufl., 2004, S.153.; *Waldemar Hummer*, Internationale nichtstaatliche Organisationen im Zeitalter der Globalisierung‐Abgrenzungen, Handlungsbefugnisse, Rechtsnatur, in: *Dicke* u.a., Völkerrecht und internationales Privatrecht in einem sich globalisierenden internationalen System‐Auswirkungen der Entstaatlichung transnationaler Rechtsbeziehungen, 1999, S. 95-140.

(30) これおよび以下について，*Hobe*, Der Rechtsstatus der Nichtregierungsorganisationen, S. 161.

(31) これらすべての権能を，NGO は派世的国際法（abgeleitetes Völkerrecht）から持っている。

国際法上の権利能力の問題について，以下の帰結が生じている。すなわち，権利能力は一般的には肯定できない。NGOは支配的見解によれば依然として国際法主体性を認められない。しかし仔細に見ると，若干の権能と法的地位が承認されており（第一次的または第二次的国際法により承認されている），したがって幾人かの著者は部分的な国際法上の権利能力と述べている。この判断は，NGOの国際的な交渉および国際政治の実務における大きな意義により近づいているであろう。

全体としてNGOの評価アップの（また評価アップされたNGOに責任を負わす）傾向も確定することができる。この発展はより大きな全体的発展の一部である。すなわち，それは国家中心的な国際法（全く国家間のコンセンスに依拠する法）から離れ，国家共同体的利益を承認し受け入れる客観的秩序への一般的な傾向の一部である。この発展によって国家の独占が崩される程度において，他のアクターの利益がより強く視野に入ってくる。このような国際法の内部では，文献において言われるように，NGOの形式における「社会世界」も投票権をもつべきである。道を開くのは，国家世界と社会世界の新たな関係である。NGOは国家共同体（国家ではない）によって形成される意思を実施し，これによってまさにこの承認を手に入れると，見て取ることができる。随伴現象はNGOの評価アップと部分的な国際法上の主体性の承認である。

Ⅳ　NGOは民主主義的機能を有するか

NGOを他のアクターの環境（Umfeld）の中で考察すると，次のことが明らかである。すなわち，NGOは国内的には団体および協会がもつ役割を引き受けるに過ぎない。NGOは国際的な場ではむしろ高い機能をもつ。このことは，NGOは国内では他のアクター，グループ，協会によって引き受けられる機能を引き受けており，また引き受けなければならないことに由来する。つまり国際的な場では，政党や政治的協会は全く無い[33]。しかし国家やEUの向こう側では，政治的生活のいつもの統合・纏め上げ機関（Integrations-und Bündelungsinstanzen）と

---

(32)　これについて，*Hobe*, Der Rechtsstatus der Nichtregierungsorganisationen, S. 167-171, S. 175.

(33)　EUには，その間に，強さと意味において国家におけるほどではないが，たしかに政党がある。

しての政党は存在しない。もっと重要なことは，政党とともに，民主主義的生活の生まれながらの結晶点が欠けていることである。すべての政治的諸力と，国内的には民主的過程の最重要な主体としての政党に向かう個々人のすべての政治的力と利益は，国際的な場では話し相手を見出さない。議会と政党は，国際的な場には存在しない――上述の間隙に匹敵する間隙が再び確定される。したがって国際的な場の領域（Umfeld）において，NGO以外に，誰が政治的な機能を引き受け，個々の国際組織のセクト的な目標を超えた利益を明瞭に表現することができようか。たとえば世界貿易機関（World Trade Organization）とNGOが出会う場合がそうである。すなわち，世界貿易機関はその名がいうように，世界の貿易に特化されている。これは世界を経済的な目で見る。しかし世界貿易は，たくさんの社会問題（たとえば社会的標準の遵守）および環境問題をも投げかける。

　このテーマが現在世界貿易機関自体の公式政策によって一層強く取り上げられたことは，WTO委員会の注意を引いていることの証左である。WTOは今，NGOが一層強くWTOの委員会の仕事に組み入れられることになる複数の決議を行った。

　したがってNGOは，我々が国内的に知っている政治過程の機能を部分的に引き受ける。NGOは他の利益をセクター的に狭められた過程に持ち出す。NGOは政治によって被害を受けた者の利益を明瞭に表現する。それによって，NGOは当然いわば中立的または客観的な見解を妥当させるのではない。当然NGOの意見表明，圧力，抵抗は，その党派的な見方をも持つ。NGOはしばしば若干の関係者の利益に資するが，しかしすべての関係者の利益に資するのではない。NGOの意義は，たとえば真実を妥当させることにあるのではない。NGOの意義は，それに代え別のことにある。すなわち，NGOは利益のスペクトルを拡大する。NGOは，国家および国際機関という公式アクターに，公式交渉において擁護されるのとは異なる利益があることを明らかにする。NGOが概ね理性的と見なされるであろう公式政策を攻撃するはっきりした特別利益をもって創設されることも，当然排除されない。

　この，ここでは示唆されたに過ぎないNGOの役割を民主主義的機能と理解し，承認することができるか。これは実際，文献において検討されている[34]。この問題は，とりわけ国際レベルは（ヨーロッパレベルとは異なり）完全に脱議会化されているがゆえに喫緊である。国家の向こう側では世界中の多くの個人が選挙で

きる議会はない。

　それにもかかわらず多くの著者は，NGO の民主主義的意味または機能を争っている。これらの著者の見解によれば，民主主義的正統性をもちうるのは，万人の全体としての民族に帰せられうる機関または委員会だけである。NGO は，利益団体または市民運動と同じく，国家の内部領域では万人の代表者ではない。NGO は，全民族または関連性ある全体の代表者ではない。実際に NGO は，環境保護に関心を有する者または人権擁護に関心を有する者のために発言する。すべての個人の全体からの演繹または直接の正統化は，NGO には存在しない。

　それゆえ民主主義的機能が否定される場合，この見解は説得力を有しない。上記の理由づけは，明らかに，国家における民主主義的正統性のメルクマールを世界または世界諸地方（Weltregionen）のレベルに持ち込んでいる。国家におけるデモクラシーは，支配的見解によれば全体としての民族に関係している。民族──それは政治的単一体になり，一緒に生活しようとし，国家機関にその名において決定する権限を与える多くの個人である。このアプローチ（Ansatz）を国際世界に持ち込むのが適切なのか，それとも，この持込はすでに端緒において誤りであるのか。

　国際的な領域では──はっきり言おう──60億の人々の世界では，当然政治的共同体または政治的単一体は存在しない。60億の人々は，全員が全員と共同生活をしようとはしない。彼らは，決定を要するすべての公的な諸問題を自己の名で決定する権限を一定の機関に，たとえば国連に与えようとはしない。世界レベルでは議会がないのと同じように，政治的な単一体はないし，万人の共属意識もない。国際的なレベルでのデモクラシーを国家で実現されているようにしか考えることができない者は，──（国家における個々の市民から最後は国際的なアクターまでの長くて，非常に薄められた正統化の鎖を別にすれば）──世界レベルではデモクラシーはありえないことを認めなければならないであろう。したがってデモクラ

---

(34) *Hans-Georg Dederer*, Korporative Staatsgewalt, 2004, S. 99, Fn.4. *Dederer* はそこで NGO の関与は，中間国家の制度によって行使される高権ないしは中間国家の制度によって惹起される内国国家権力の行使の Präjudizierun が民主主義的な正統性を欠くことを埋め合わせることができるかという問題を検討している。その限りで，中間国家的制度における NGO の関与は自由を保護する関係人保護に近づいている（§3 II bei Fn.12）。

シーを国家において普通であるふうにのみ考えることができる者は，国際的なレベルではデモクラシーに別れを告げることができる。それによってこのアプローチ自体反駁されたであろう。

それゆえここで関心がある国際レベルにおいては，国家におけるのとは違ったふうに考えられ，理解されなければならないことは自明である。このように理解されたデモクラシーにおいて，支配が下から個人によっても基礎づけられ担われていることが重要である。関係する全体が，すなわち世界が行為能力のある単一体ではなく，政治的単一体でない場合，しかしそれにもかかわらずこのレベルで行為され決定されなければならない場合，別のことで十分でなければならない。その場合にはNGOのようなグループ，協会が国際的なアクターの行為に同伴する場合，NGOがこれらのアクターに公的な説明を催告しまたは強制する場合，そしてNGOが交渉プロセスに協力しうる場合，それは民主主義的なエレメントである。世界が公式アクターの側で多くのアクターに分裂している場合，なぜ民主主義的要素は全体的でなければならず，政治的には全く存在しない世界それ自体にかかわらなければならないのか。そうではない。民主主義的な要素も，セクター的に分裂している。それは部分的には種々の任務領域におけるNGOに現われている。

NGOの評価アップは20世紀後半における国際法の全発展過程の一部である。国際法は21世紀においてさらに評価アップを経験するであろう。グローバル化の時代にある将来の国際法といわれる。この全体過程に属するのは，国際法のアクターの増加，国際法主体の範囲の拡大である。この大きな関連に，NGOの役割，その増大する役割が属する。NGOは外の世界において，国家の内部において持つよりも大きな役割を持つ。上述の発展は国際法実務を扱わなければならない。上述の民主的機能への適切な回答は，国際法学の将来問題である。これで，国際世界における団体の役割についての私のテーマは，原則的でまだ十分に解決されていない問題で終わる。

付録1　国連憲章71条

「経済社会理事会は，その権限内の事柄に関係のある民間団体と協議するために適当な取極を行うことができる。この取極は，国際団体との間に，また適当な場合には，関係のある国際連合加盟国と協議した後に国内団体との間に行うこと

ができる」。

　1950年，1968年における経済社会委員会の決議による国連憲章71条の置換えは次のようにいう。ここではNGOは国家間協定により設立されたのでない国際組織と呼ばれる。結果としてWSRはNGOの一般的な概念を創造したのではなく，助言関係の構築のために，かかる組織の形式的および実体的要素からなる定義を採用したのである。

　付録Ⅱ　今日16の特別組織，非中央集権的構造をもつ国連ファミリー
　　1．国際労働機関（ILO）
　　2．国連食糧農業機関（FAO）
　　3．国連教育科学文化機関（UNESCO—ユネスコ）
　　4．国際民間航空機関（ICAO—イカオ）
　　5．国際復興開発銀行（Weltbank IBRD）
　　6．国際金融公社（IFC）
　　7．国際開発協会（IDA）
　　8．国際通貨基金（IMF）
　　9．万国郵便連合（UPU）
　　10．世界保険機関（WHO）
　　11．国際電気通信連合（ITU）
　　12．世界気象機関（WMO）
　　13．国際海事機関（IMO）
　　14．世界知的所有権機関（WIPO）
　　15．国際農業開発基金（IFAD）
　　16．国連工業開発機関（UNIDO—ユニド）

　これに次のものが加わる。
　世界貿易機関（WTO）
　国際原子力機関（IAEA）
　国際旅行機関（WTO Tourismus）
　化学兵器禁止機関（OPCW）

団体, 統治, 正統性
――団体の政治的役割とその変容――

野 田 昌 吾

I　はじめに

　「現代政治」(modern politics) は同時に"団体の政治"でもあったと言ってもよい。現代政治の解明を企図して20世紀初頭の米国において登場した「現代政治学」(modern political science) が, 立法過程に現れる利益集団の動きに焦点を当てる「政治過程」(political process) 論のかたちをとったことは, そのことを如実に表わしている[1]。本稿の視角を説明する前提として, まず, こうした性格を持つ現代政治の成立に関して簡単にスケッチしておこう。

　現代政治はまず何よりも「巨大社会」(Great Society)[2]の出現を前提としている。「二重革命」(Dual Revolution) すなわち産業革命と市民革命 (民主化)[3]は, 国民国家の本格的建設を促し, 通信・交通網の発達とあいまって, 大規模かつ複雑な産業社会を欧米諸国 (および遅れて日本) にもたらした。諸個人は伝統的共同体の紐帯から切り離され, 「大衆」(mass) として析出される一方, 社会統合の必要性から彼らは「国民」(nation) として国家に吸収されることとなる。国によってその成立の過程や内実には無視できない違いがあるとはいえ, 「大衆民主主義」(mass democracy) が立ち現れてくる[4]。

---

(1)　その先駆は, A・F・ベントリーの『政治の過程』であった。*Arthur F. Bentley*, The Process of Government, University of Chicago Press, 1908 (喜多靖郎・上林良一訳『統治過程論』法律文化社・1994年). なお, アメリカ政治学の発展の特質については, 野田昌吾「歴史と政治学――別離, 再会, そして…――」日本政治学会編『20世紀の政治学』(年報政治学1999, 岩波書店・1999年) 参照。

(2)　*Graham Wallas*, Great Society, New York, 1914 (大鳥居棄三訳『社会之心理的解剖』大日本文明協会・1921年).

(3)　*Eric J. Hobsbawm*, The Age of Revolution 1789-1848, London, 1962 (水田洋／安川悦子訳『市民革命と産業革命』岩波書店・1968年).

財産所有階級（bourgeoisie）による支配統治のための機構であった議会も，この大衆民主主義段階への突入により，性質を大きく変貌させてゆく。古典的自由主義段階において"理性的討論による問題解決策の発見の場"であったとされる議会は，財産所有階級とは利害をまったく異にするメンバーを迎え入れることにより，階級的利害が衝突する対決の場となってゆき，そうした物質的利害を主として軸にした政治集団，「近代政党」（modern political party）が形成される。

　こうして，階級的利益を代表する諸政党が選挙民の支持をめぐって競争する「政党政治」（party politics）が展開することになるが，こうした政党間競争の結果を受けて形成される政府は，何よりも，政党を通じて集約された国民的利益を実現することを期待された存在にほかならず，富国強兵・殖産興業という国家建設上の大目標を遂行するためにも，また大規模かつ複雑化した社会の制御の必要からも，国家＝政府は，国民利益の増進を図るべく，その活動範囲を大きく拡大させていく。いわゆる「行政国家化」（Verwaltungsstaatlichung）であり，その延長上にいわゆる「福祉国家」（Welfare State）が建設されていく。

　国家の活動範囲の拡大は，社会諸利益による国家への働きかけを強く刺激した。複雑に機能分化し，利益の多元化を見た「巨大社会」では，それぞれの利益を集約し，その実現を図るため，利益集団（interest groups）が叢生してくる。利益集団は政党に働きかけるとともに，国家官僚機構そのものにも影響力を行使しようと活発な活動を展開する。いわゆる「利益集団政治」あるいは「圧力団体政治」（pressure group politics）の展開であり，政党，国家，団体が織りなす「政治過程」の出現である。大衆民主主義の今日，国家が実施するさまざまな政策，その基盤となる法も，まさにそうした政治過程の産物にほかならない。

　その意味で，現代の法および政治をめぐる諸現象に関心を持つわれわれにとって，団体および団体政治の問題は避けて通ることのできない問題であることは言うまでもない。しかし，われわれにとって団体および団体政治の問題が重要であるのは，単にそれが今日の社会諸現象の実態把握のうえで不可欠な存在であるからというだけではなく，「巨大社会」の成立そのものが団体政治を軸とする「政治過程」の登場を不可避にしたという上記の概観からもわかるとおり，より原理

（4）　したがって，本稿ではもっぱら，「二重革命」（産業化と民主化）を前提とする「現代政治」の理念型にもっとも合致する欧米諸国および日本の事例を念頭において議論を行なうことになる。

的な観点からしても，団体政治は現代の政治と法において，きわめて重要な位置を占めているからである。すなわち，団体政治は「巨大社会」の「統治」という現代国家の根本的課題にまさに関わるものであるとともに，それが議会政治というかたちをとる大衆民主主義とともに登場してきたことを見ればわかるように，初発の時点から民主主義的な「正統性原理」とのあいだで鋭い緊張関係に立ってきたものなのであった。そして，この現代団体政治が本質的に孕んできた「統治的要請」「効率性」と「正統性」「民主主義」とのあいだの緊張は，歴史的位相を変化させつつも，もちろん今日もなお存在している。

　このように，団体および団体政治の問題は現代政治にとってひじょうに重要な位置をしめているわけであるが，よく考えてみれば，政治にとって団体が重要なのは何も現代に限ったことではない。そもそも支配・統治の契機を当然に含む政治とは，社会に一定の秩序を付与する行為，社会的価値の権威的な配分に関わる営みであって，支配の対象である社会の把握を前提とせざるをえない。他方，「団体」——ここではきわめて包括的な定義しか与えない——とは，人々，すなわち社会の一部を何らかのかたちで組織したものであって，その基礎にある地域的あるいは血縁的共同体，共同で担っている社会的機能（職業），共通の利益などを背景に，それ自身が統合力や動員力をもつ社会的分業の担い手であり，社会秩序の供給者である。その意味で，社会の把握に関心を持つ支配権力＝国家にとって，団体が重要になってくるのは当然である。国家は社会把握のために団体との接点を求めてくることになる。

　もちろん，この国家による接点の持ち方は，その国家の性格に応じて変わってくるであろう。このことを逆に言うと，国家が団体と接点を持つことを通じて統治を行なうことを仮に"団体政治"と呼ぶとすれば，団体政治はその国家権力の性格を映し出す鏡だということである。本稿は，こうした観点から，"団体政治のロジック"の歴史的変遷をたどり，現代国家の性格，さらに，それが今日どのような問題状況にあるのかをスケッチしようとする1つの試論的試みである。具体的には，団体政治のロジックの歴史的変遷を，"統治"と"正統性"との緊張関係という視角から跡付け，今日のこの緊張関係の歴史的位相を確認することで，グローバル化時代のデモクラシーの独特の問題状況を浮かび上がらせたい。われわれの学問分野にとっての中心的課題である"民主主義的統治"の実現の方途の追究にあたっての，"団体"問題の位置もそこから見えてくるはずである。

Ⅱ　近代以前の"団体による統治"

　すでに述べたが、"団体政治"は現代にはじまったものではない。それどころか、近代以前の国家の政治的編成原理は多かれ少なかれ団体＝身分的組織を柱としたものであった。その理由はまさに"統治上の必要性"であった。

　「元来、封建制度なるものは、これを政治的組織とみるかぎり、自然経済的社会において、多少とも広大な地域を、政治的に統一し組織しようとするとき、ほとんど必然的に生じてくる支配の形式」だとヨーロッパ中世史家の堀米庸三は述べているが[5]、交換経済や通信伝達手段が未発達な段階において、君主がその王国の版図と宣言する地域全体に直接的な統治を行なうことは不可能であり、局地的支配者を通じての間接的支配を行なうほかない。ヨーロッパにおいてそれは、当初、パーソナルな結合関係にもとづく封建制度のかたちをとったが、中世社会の安定に伴い、都市や村落の形成・発展などを背景として、一方で社会的分業と結び付き、また他方で地域に根差した身分秩序がはっきりと姿を現すにつれ、この間接的支配は、そうした「諸身分」（等族 Stände, états）を介して行なわれるようになる[6]。いわゆる「身分制国家」（Ständestaat）である。

　一般に、この身分制国家は、中世的封建国家から王権によるヨリ一元的な領域支配への移行過程で成立するものとされるが、それは、権力の多元的競合を特徴としてきたヨーロッパにおいて、最終的に領域国家という権力主体が、とりわけその軍事的優秀性のゆえに、地方領主権力、都市国家、あるいは帝国といった他のタイプの権力主体に対して勝利を収める過程で成立したものであった[7]。封建国家において、王権は自らの王領地収入や関税などを除き、自前の収入源をもっておらず、教会財産や貴族の領地、自治都市から税を取り立てる権限を持っていなかった。戦争機構としての優秀性ゆえに徐々に権力を強大化させつつあった国家＝王権ではあったが、いくらそれが戦争遂行のために必要であったとしても、依然として無視できない政治的自律性を保持する局地的支配権力の頭越しに課税

（5）　堀米庸三『ヨーロッパ中世世界の崩壊』（岩波書店・1958年）13頁。
（6）　成瀬治『絶対主義国家と身分制社会』（山川出版社・1988年）40-41頁。
（7）　Cf. *Charles Tilly*, Coercion, Capital, and European States, AD990-1992, Cambridge, 1992.

を行なうことは不可能であった。王権は諸身分の代表を招集し（身分制議会 Ständeversammlung），それぞれの諸身分の権利＝特権の尊重を誓うのと引き換えに，彼らから王国統治の正統性と課税の承認を得なければならなかった。

　このように近代以前のヨーロッパでは，"統治上の必要"から団体政治的＝身分制的な政治が現出・発展したのであったが，他方で，この"統治上の必要"が王権側の一方的必要ではなかったことにも注意する必要がある。それは，中世国家が今日われわれが理解するところの国家とは違い，その領域全体に対する支配権力を独占せず，それを事実上臣下と分有するような国家であったということとまさに関係している。局地的支配権力を保有する個々の封建領主は，たしかに王権の支配からの自由を常に望みはしたが，他方で，自らもその家臣との間で同様の権力分有の問題を抱えていたこともあって，その局地的支配権の強化徹底のために，自らの支配権の正統性（知行保有権）の源泉であるところの王権の正統性を自らたえず強化しなければならなかったのである[8]。権力分有を特徴とするヨーロッパの中世国家が必ずしもアナーキーな政治秩序へと分裂しなかったのは，このようないわば社会＝領主層の側からの"統治上の必要"によってそれが支えられていたからなのであった。しかも，ここで興味深いのは，領主がその"統治上の必要"から行なったことが，王権の"正統性"の強化であったということであり，また，それが領主自身の"支配の正統性"の強化として戻ってくるという構図である。「中世の封建国家は，暴力の正当な行使を全く自己一身に独占した近代国家とは異なり，権力的統合ではなく，権威的統合としての国家だった」（傍点筆者）と堀米は論じているが[9]，近代以前のヨーロッパ国家においては，王権は主として王国全体の権威的統合のために局地的支配権力を必要とし，他方，後者はその局地的支配を支える権威のために王権を必要としたのであった。こうした両者の相互補完的な"共同支配"的関係を制度化したものが身分制国家である。その極限的形態は，ドイツ諸領邦における権力の「二元主義」（Dualismus）と呼ばれる政治秩序に見ることができる。

　しかし，身分制国家自体は，すでに示唆したように，こうした中世的な"共同統治"のあり方そのものの曲がり角において生まれてきたものであった。すなわ

（8）　堀米・前掲注（5）10-11頁。
（9）　同上，10頁。

ち，身分制国家は，王権＝国家が局地的支配権力を徐々に圧伏し，成立途上のヨーロッパ国家間システム（Staatensystem）の純正なアクターとしての地位を確立したことを受けて，その国家間競争＝戦争に必要なリソースを徴収する必要から生まれてきたものであった。また，この身分制国家が個々の領主でなく，諸身分を統合の単位とすることができた点も重要である。その背景には，領主と王権のあいだの力関係の変化とともに，今まで王権による一円的な領域支配を困難にしていた条件の変化，すなわち交換経済の発達や社会的分業の進展があった。局地的支配権の保持者だった者たちは，身分制国家においては徐々にその地方的自律的権力としての性格を失い，王権から"特権"を認められた諸身分として編成化され，国家機構に編入されていく。

このプロセスの延長上において，すなわち，領主たちが私的に保有していた公権力を，いわゆる"封建的特権"と引き換えに王権が剥奪するところに，絶対主義国家は成立する。もちろん，王権が公権力を回収したといっても，それは引き続き"家産"と考えられ，官職売買などを通じて，封建諸身分の手に戻っていったのだが，にもかかわらず，封建的諸身分が公権力のその本来的保持者であることをやめたことの意味は小さくなかった。領主がもともとその内容の一部として持っていた領民の「保護と援助」（protection et assistance）の義務の担い手はもはや第一に領主ではなく，国家＝王権に代わったのであり，領主たちがなお保有しているものはもはや"正統な権力"ではなく，単なる"特権"でしかなかった[10]。王権の側からすると，「正統性」の観点からする封建的諸身分との共同支配の必要性はもはや小さかった。王権神授説的なかたちで，王権はその支配の正統性を確立していたばかりでなく，臣民の「保護と援助」の義務の担い手として新しい正統性の基礎をも獲得していたからである。そして，正統性をもはや喪失し，特権と化していた領主権＝局地的支配権が最終的に一掃されることによって，中世的な"団体による統治"は完全に幕を閉じ，"団体政治"は"主権"を中心に展開する近代国家の下で新たな構図をとることになる。

---

(10) 成瀬，前掲注（6），37頁。

III　近代国民国家と団体

　近代国家は，原理的には，封建的特権を廃止し中間団体の一掃を図った革命後のフランスに典型的に見られるように，それ以前の身分制国家的な支配権力の分有，"共同統治"的なあり方を否定する存在であった。政治原理のうえで，統治は今や国家が独占するものとなったのである。中世国家のときとは違い，一元的な領域的支配を困難にしてきた障害は大きく後退した。交換経済が発達を見せ，国民的市場を生み出していたし，それに伴い情報・通信のネットワークも大きく発展した。

　同時に，近代国家は「国民国家」(Nation–State)のかたちをとった。「国民国家」のモデルを提供したフランス革命が，イギリスとの覇権競争におけるフランス絶対主義国家の敗北の帰結であり，さらに大革命後に成立するナポレオン帝政が産業革命を達成したイギリスへの対抗を企図したことによく表われているように，ヨーロッパにおける「国民国家」形成は，その前段階の身分制国家-絶対主義国家の形成と同様，諸国家相互の激しい競争を特徴とするヨーロッパ国家間システムの産物であった。その当初の意図とは別に，フランスで革命後に生み出された「国民国家」というモデルが，国家間競争で今や死活的な重要性を帯びることとなった産業化を推進するうえで大きな有効性を持っていることを，ナポレオンの軍事的成功が示唆したことによって，ヨーロッパの諸国家は「富国強兵・殖産興業」的な観点から，このフランス・モデルに関心を持ち，折から成長を遂げつつあった市民階級の政治参加の要求ともあいまって，各国は，「国民」の「一体性」に基礎をおく国家形成を進めていくことになった。

　その憲法的表現が，近代憲法における「国民主権」や「市民の平等」という概念である。富国強兵・殖産興業のために，社会全体，国民全体の動員が必要である以上，身分別に分断された旧来の政治的編成原理は改められねばならなかった。国境内に暮らすすべての人は平等な権利を有する「国民」と位置付けられ，国家により「保護と援助」が与えられる対象となった。教育によりその一体感が養われ，また，産業労働者や兵士として活動するために必要な能力が付与された。また，そのような動員の見返りとして，徐々に政治参加の権利も認められていく。国家の「正統性」は，まず第1に，国家が「国民の一体性」の保証者，「保護と

援助」の主な提供者である点に求められ，そして最終的には，その統治が「国民代表」である議会を通じての「国民の自己統治」である点に求められることになった。

このように，近代国民国家においては，"統治"の観点からも"正統性"の観点からも，団体の能力に恃む必要性はもはやなくなったように見えた。しかし，実際にはそうでなかったことは，「はじめに」ですでに述べたとおりである。国家が領域全体への支配権を獲得したということは，社会全体の諸要求に国家が一人で向き合わねばならないということをも意味する。しかも，「国民国家」という政治的編成原理自体，国民の国家に対する要求を正当化し，国家は自らの「正統性」を証明するためにも，そうした増大する国民からの圧力に自らを晒さねばならなくなる。近代国民国家は「行政国家」たらざるをえず，また「福祉国家」たらざるをえなかった。また，何よりも，ヨーロッパ国家間競争のアクターであり，したがって第1に戦争機構であった国家は，戦争遂行に必要なさまざまなリソースの調達という観点からも，社会全体のマネジメントに無関心ではいられなかった。そのような国家活動領域の拡大が，国家と団体の新たな接点をもたらしたのである。近代以前には，コミュニケーション手段の欠如により，国家は一元的な領域的支配ができず，局地的支配権をもつ封建的諸身分の力を借りねばならなかったが，近代国家では，その遂行すべき任務の守備範囲が大きく拡大したことにより，逆に国家単独での統治義務の遂行が困難となり，その補完を社会＝団体に求めざるをえなくなったのである。団体を必要とする新しい"統治上の必要"が出てきたのである。

この新しい"統治上の必要"は，産業化と国家建設に遅れをとる後発国において，とりわけ大きかった。イギリスをはじめとする先行する強国にできるだけ早く追いつくためには，社会の側の統合力を利用しつつ国家主導で近代化を進めることがもっとも手っ取り早い方法であったからである。ドイツでは，独占化した経済界と官庁が密接な関係をもち，産業化と軍事化が進められたし，日本でも国家主導で地主階級と大資本を取り込みつつ，アジア軍事大国の建設が進められた。いずれも，農村や企業内で家父長的な共同体的論理によりながら，国民の国家への要求を抑えつつ，その最大限の動員を図るとともに，国家官僚制と結び付いたカルテル的な組織資本主義によって，限られたリソースを重点的に重工業化と軍事化に投入しようとしたのであった。

ともあれ、「行政国家」として立ち現れてくる近代国家においては、その守備範囲の拡大に伴って、社会のさまざまな勢力を巻き込む「政治過程」が出現することになる。国家制定法やその他の規則、あるいはさまざまな国家活動の形成に、利益と関心を持つさまざまな主体が活発な活動を開始する。国家の側からすると、こうした政治活動の主体は、直接的に政策の影響を受ける存在として、その政策環境に関する情報を豊富にもっており、円滑な政策執行の観点からも、彼らの協力を仰ぐことは合目的的であった。たとえば、ヨーロッパ大陸諸国で発展を見る「会議所システム」(Kammersystem) は、まさに、そうした国家の"統治上の必要"を満たすものにほかならなかった。しかし、「行政国家」化に伴う"統治上の必要"から団体への接近が試みられるというのは、何も、近代国家の建設途上の局面だけに限られない。今日の国家も「行政国家」「福祉国家」である以上、同様の"必要"を抱えている。第二次世界大戦後、北欧諸国やオーストリアなどの中小国で典型的に見られた、政府と労働組合・使用者団体それぞれの頂上団体の協議により経済社会政策を形成するネオ・コーポラティズムも、国家に実現が期待される諸課題を社会の巨大組織の影響力の助けを借りて果たそうとする試みにほかならず、また、ドイツにおける政策立案過程への関係団体からの意見聴取手続や日本における産業界とのネットワークを前提にした行政指導も、同様の"統治上の必要"から出てきたものにほかならない。

　このように、政治的編成原理のうえでは、団体の占めるべき位置をもたなかったはずの近代国民国家であるが[11]、実際には、その機能的拡大の結果として、中世国家とは別の意味で、団体による統治の補完を必要とすることとなった。しかし、この近代国家における団体と国家との新しい"共同統治"は、前近代のそれとは異なり、"機能的補完関係"が"正統性"の強化を自動的にもたらすというようなものではなかった。もちろん、支配の"正統性"(Legitimacy) が同時に"効用"(Efficiency) ないし"良好な政策的パフォーマンス"＝"統治能力"(Governability) を多かれ少なかれ前提しているという限りにおいて、そうした団体の統合力を利用した統治も、国家の"正統性"を支える一要素にはなろう。現に、北欧諸国などのネオ・コーポラティズムは、その良好な経済社会的パフォー

---

(11) もちろん、現代憲法では、労働組合や政党、あるいは家族や教会なども、憲法上の位置づけを与えられているが、政治的編成原理としては、やはり個人＝国民から出発していることをここでは強調したい。

マンスによって、その政治システムの"正統性"を強化したし、1979年に当時の西ドイツ首相のH・シュミットがドイツの協調主義的政治経済システムを「モデル・ドイツ」(Modell Deutschland) と呼び、その成功を前面に押し立てて総選挙に勝利したことも、団体政治が良好なパフォーマンスの実現を通じて、政治システムの「正統性」を支えた事例として理解することができる。

しかし、言うまでもなく、「正統性」は単なる「効用」には還元できない[12]。近代国家の今日における到達点である自由民主主義体制においては、その国家による支配は、憲法的規定に立脚した「法の支配」、自由選挙によって選出される国民代表による法の制定と政府の選出という枠内にあること、すなわちそれが「合法的支配」であることによって、その「正統性」を主張しうる。たしかに、現代国家はこの意味での「正統性」を主張しうるだろう。法律はすべて国民代表である議会により制定され、また一連の政策も、直接間接に国民が選出した政府により決定・実施されているからである。しかし、より原理的に言えば、国家による統治が"正統"なものとされるのは、それが主権者である国民による自己統治であるからであって、憲法に定められた国民代表的回路とは異なる別の回路を通じた団体政治的統治は、その意味で、原理的に大きな問題を抱えている。

また、そうした原理上の問題はしばしば実際に現実の統治問題に転化した。たとえば、1970年代の先進各国で見られた財政破綻がそうであった。自由な団体活動が結局「予算分捕り合戦」を招き、団体の影響力を背景にした個別利益が国家を空洞化させるという事態が現出したのである。この問題に直面して、団体の自由活動が民主主義に対して持つ意義を強調してきたアメリカ多元主義論 (Pluralism) の内部からでさえ、「利益集団リベラリズムの破綻」[13]、あるいは自由民主主義の「統治能力の危機」(The Crisis of Governability)[14] というかたちで、多元主義デモクラシー論に対する理論的反省が出てきたのであるが、この事態は、団体政治の一つの"正当性"を支えていたところの"効用"自体を疑問に晒すもので

---

(12) "正統性"と"効用"の区別に関する諸問題については、山口定『政治体制』(東京大学出版会・1989年) 終章参照。

(13) *Theodore J. Lowi*, The End of the Liberalism, New York, 1979 (村松岐夫監訳『自由主義の終焉』〔木鐸社・1981年〕)。

(14) *Samuel Huntington/Michel Crozier/Joji Watanuki*, The Governability of Democracies, New York University Press, 1975 (綿貫譲治監訳『民主主義の統治能力』〔サイマル出版会・1976年〕)。

あったとともに，団体政治によっては特殊利益を越えるべき公共的意思決定はなされえないという原理的疑問をもあらためて浮上させるものであった。さらに，この事態は，ハーバーマスが同時期に「正統化の危機」(Legitimitätskrise) というかたちで論じたように[15]，そもそも国家に一連の社会制御は可能なのかという別の原理的問題，国家そのものの「正統性」問題すら提出させるものであった。

中世国家における国家と諸身分との"共同統治"は，国家がその諸身分のもっていた支配権を吸収して，その"統治上の必要性"が後退したことによって崩壊していったが，近代=現代国家における国家と団体の"共同統治"は，現代国家が行政国家であり，ハーバーマス流に言えば，複雑かつ大規模な経済社会のシステム制御をその重要な課題とする以上，"統治上不可欠"であって放棄することはできない。しかし，この"共同統治"によって，その統治課題がうまく成し遂げられるかといえば，そうではなく，逆に"共同統治"自体が"よき統治"を損なわせる事態すら招いている。しかし，にもかかわらず，この事態に対しては，団体政治の正統性を否認し国民の自己統治という近代国家の原点に立ち返ってみたところで，国家がシステム制御の課題をよく成し遂げえない以上，国家統治の「正統性」問題は解決しない。現代国家は，団体政治が固有に孕む正統性問題と社会の制御の困難さに起因する正当性問題という二重の「正統性の危機」に見舞われたのである。

Ⅳ　"団体による統治"の終焉か，新しい"共同統治"か？

70年代，「統治能力の危機」「正統性の危機」に見舞われた先進国は，この団体政治の帰結でもある危機にどのように対処したのか。もっとも広範に見られたのは"共同統治"の新自由主義的清算である。すなわち，守備範囲を拡大しすぎたところに危機の原因があるのであって，国家がより「小さく」なることによって，国家統治の正統性を再構築しようというのである。絶対主義国家を葬り去り，国家以外の部分権力を排除した自由主義的近代国家よろしく，個人・社会の自由な行動を保証しつつ，自らを秩序保持者とすることで，再びその支配の正統性を確

---

(15) *Jürgen Habermas*, Legitimationsproblem im Spätkapitalismus, Frankfurt a.M. 1973（細谷貞雄訳『晩期資本主義における正統化の諸問題』〔岩波書店・1979年〕）.

立しようというのである。

　無論，こうした新自由主義的清算が完全に貫徹した国はどこにもない。その意味では，こうした戦略の意義を過大評価してはいけないのかもしれないが，先進国のほとんどが方向性としては，同様の動きを見せたことは重要である。各国で，国家の守備範囲の見直しを意味する規制緩和や民営化が時代の合言葉のようになった。

　このような動きの背景には──そして同時に，上述の「統治能力の危機」や「正統性の危機」の背景でもあるのだが──，経済活動のグローバル化があった。現代国家のもとでの団体による統治の前提は，さまざまな経済的活動が基本的に国境内部で閉ざされたかたちで行なわれることであった。国家の活動量が飛躍的に増え，団体政治の黄金時代を迎えたのが，国際自由貿易体制が固定相場制と資本移動の制限とのセットで再構築された第二次世界大戦後のブレトンウッズ体制下であったことは，そのことをよく物語っている。この体制は，世界恐慌後の破滅的貿易縮小の歴史的教訓にもとづき，国際自由貿易体制を築くことで世界規模での経済活動の活発化を促すとともに，それとあわせて資本移動制限と固定相場制を設けることで，その市場の国際化の破壊的影響がストレートに国内社会に及ばないようにするものであった。これにより各国は自国のマクロ経済を自律的に運営することが可能となり，諸団体にさまざまな補償を与えつつ，彼らを動員することで国民経済の発展を確保したのである（「埋め込まれた自由主義」embedded liberalism）[16]。この団体政治を支えていた前提が崩れていったのが70年代であった。1971年の米国による金・ドルの交換停止措置（ニクソン・ショック）は固定相場制を崩壊させ，また，同じく米国は1974年に資本移動の原則自由化を行なった。

　このように，国内経済を世界市場から隔離してきた敷居が崩れていくにしたがい，国内の経済主体をコントロールする国家の力は減退するが，それは同時に，市場に翻弄される市民からの補償要求に応える国家の能力の減退をも意味する。他方，経済のグローバル化に伴い国内の団体のあり方も変化を見せる。決定的な影響を受けるのは組織された労働である。資本の国際移動は企業に国外への退出オプションを与え，組織労働の戦略的地位を低下させるが，企業はその強化され

---

　(16)　*John G. Ruggie*, International Regimes, Transactions, and Change: Embedded Liberalism in the Postwar Economic Order, in: *Stephen D. Krasner* (ed.), International Regimes, Cornell University Press, 1983.

た戦略的地位をテコに世界市場への柔軟な適応を可能にするための雇用の柔軟化を貫徹していく。フォード主義と呼ばれたような画一的な大量労働に代えて，多様な業務形態，身分・労働時間・賃金上の柔軟化と差異化が労働現場に拡大し，労働者の組織的団結を支えた条件は失われる。また，資本側の組織にもグローバル化は影響を与える。従来，相対的に閉じられた国内市場を前提に，その内部での棲み分け，利益調整を行なってきた経済団体・業界団体であったが，国際市場との敷居が低まることで，国内で完結する利益調整は困難となり，また，世界市場を前提する企業とそうでない企業のあいだで鋭い利益の対立も生じる。総資本の利益なるものはもはや語ることが難しくなり，労使頂上団体による政策協議を通じたマクロ経済運営（コーポラティズム）の基盤は失われる。

団体による統治の前提は崩れ，国家はグローバル化のなか，統治能力を減退させ，それが正統性の危機を惹起する。国家は自己の責任範囲の縮小により，統治主体としての再生を図ろうとし，また，この"重荷下し"を経済活性化策として宣伝した。経済社会システムの制御問題を再び社会の側の問題として投げ返すとともに，国家はその枠組みの保証者として「正統性」を確立しようというわけである。

しかし，この「国家の退場」(The Retreat of the State) が，近代国家の発展史からすると，大きな問題を孕むものであることは，ストレンジが主張するとおりである[17]。それは端的に言えば，"国家の後退"の結果としての"非統治"の巨大な穴の出現である。近代国家はそのそもそもの建設者である王権の意図を越え，民主的コントロールを受けた政府による経済社会システム制御をその役割とするものへと発展を遂げてきた。たしかに，すでに見たように，現代行政国家は，その役割を十分に果たすためにも，一方で"団体による統治"という民主的コントロール手続の一種の迂回策も併用してきた。しかし，それでも，この迂回策が，形式的にであれ，議会あるいは選出公職者によって「正統化」されていたということの重みは決して小さくない。経済社会システムの制御から国家が"退場する"ということは，今まで形式的であれ民主的コントロールのもとにあったそうした制御問題が完全に民主的統制の対象ではなくなってしまうということを意味する。

---

(17) *Susan Strange*, The Retreat of the State, Cambridge University Press, 1996（櫻井公人訳『国家の退場』〔岩波書店・1998年〕）.

それが大部分の人々の暮らしとほとんど関係のないものであれば，それでも問題はないのかもしれない。しかし，ほとんどの人々はその生活の糧を複雑化し大規模な経済社会のなかで活動する企業活動とのかかわりのなかで得ているのであり，経済社会がどのように組織されるかということは，まさに死活的に重要な問題である。そうした問題の決定が国家の手から社会の手に──しかもそれは国境を越えて活動する超国家的企業であったり，世界市場であったりする──，あるいは超国家的機構や国際レジームに移っていっていることの問題は大きい。

こうした「国家の退場」の動きは，これまで，"グローバル市場の勝利と国家の敗北"という二項的図式で描かれることがほとんどであった。しかし，この国家対市場という図式だけでは現在起きている国家の性格の変容を十分に捉えることはできない。

思想史家テッサ・モーリス=スズキは，国家と市場の間で現在起きていることは両者の新しいかたちでの「融合」であると論じている[18]。彼女は，この事態を説明するために，まず，アメリカの多国籍企業・ワッケンハット社の例を挙げている。同社は，1954年にFBI捜査官であったワッケンハットによって設立された探偵・警備会社であった。FBIやCIAの元職員を大量に雇用する同社は，60年代，「破壊分子」対策と称して，250万人以上のアメリカ市民の個人情報を極秘に集積，核兵器基地などに警備技術を提供し，中南米や欧州に進出していったが，この特異な米国企業にさらなる飛躍のきっかけを与えたのが，80年代以降の"民営化"や"外部委託"（アウトソーシング）の隆盛であった。1984年，レーガン大統領は，これまで国家主権の象徴であった刑務所や「不法」移民収容施設の民営化に着手したが，ワッケンハット社はその受け皿となり，今では，アメリカ，プエルトリコ，カナダ，オーストラリア，ニュージーランド，南アフリカ，イギリスなどで約50もの刑務所やその他の収容施設，3万人の収監者を管理している。同社はアメリカ国外で4万人以上の社員を抱え，電子セキュリティ，集中管理警備システム，警備訓練，防火防災，人材派遣，大使館警備など多様な事業を展開する「アメリカを拠点としたグローバルな統合問題解決型企業」として注目を集める存在となっている[19]。

---

[18] テッサ・モーリス=スズキ『自由を耐え忍ぶ』（辛島理人訳，岩波書店・2004年）。
[19] 同上，16-18頁。

日本でも，たしかに刑務所は法務省矯正局，非合法入国者収容所は同省入国管理局で管理運営されているものの，補助的業務は民間企業に委託されるようになっており，たとえば成田空港で入国を拒否された者が国外退去されるまでの間留置される「上陸防止施設」(LPF)は入国管理局の管轄下であるが経営は民間警備会社であり，入国を拒否された者を出入国審査カウンターから同施設まで移送するのも民間企業である。アムネスティ・インターナショナルの報告によると，こうした上陸防止施設では経営委託された民間企業従業員による被収容者への暴行や虐待が常態化しており，2001年には2人のチュニジア人が警備会社を告訴するということもあった[20]。

　こうした事例を単なる"民営化"と見るべきではないとモーリス-スズキは言う。なぜなら，「国家は「民営化」後も，深く関与する」からである[21]。施設建設費用は国家が負担し，騒乱が起これば治安機関が出動する。収容者からの「要求」に応えるかどうかを決定するのも国家である。その意味で，これは国家と民間セクターとの新しい"共同統治"であった。

　アメリカによるイラク戦争とその後の占領において注目を浴びることになった「民間軍事企業」(Private Military Company)は，こうした新しい"共同統治"のもっとも鮮やかな事例である。近年のアメリカの大規模な海外軍事行動は，こうした民間企業によって支えられている。イラク戦争の際には，チェイニー副大統領が以前に最高経営責任者(CEO)を務めていたハリバートン社の傘下にあるケロッグ・ブラウン・ルート(KBR)社が「兵站文民統合プログラム」(LOGCAP: Logistics Civil Augmentation Programm)にもとづく契約を受託し，兵力輸送や警備業務，石油パイプライン修理と戦犯収容施設の供給を担当した。米軍によるファルージャ攻撃の原因となった米国人殺害の犠牲者である4人の"民間人"は，軍関連の「特殊工作」を主たる"営業"領域とする民間企業ブラックウォーター・セキュリティ・コンサルティング社に雇用されていた者であり，また，アフガニスタンで拘束されたテロ容疑者を収容する悪名高いグアンタナモ収容所の建設を受注したのは前述のKBR社であった[22]。

　こうした動きをふまえるならば，国家は，"重荷下し"によって，すなわち社

(20)　同上，120-121頁。
(21)　同上，121頁。
(22)　同上，144-146頁。

会経済制御の問題から手を引いて，秩序保持者，"セキュリティ"の保証者へと自らの役割を"後退"させることで，逆にその守備範囲を再確立し，その統治能力と正統性の回復を図ろうとしたというよりも，"後退"を装いつつ，市場（企業）との新たな"共同統治"を構築したと見た方が実態に近いのかもしれない。国民の福祉向上の前提をなす経済活動の活性化という論理で正統化された社会経済制御課題の社会への"移管"宣言により，今や「統治不能」や「正統性の危機」の問題に煩わされることなく規制緩和を推進できることとなった国家は，自由な企業活動のひじょうに緊密かつ不可欠な同盟者となり，また，国家の新しい中心的活動領域とされる"セキュリティ"領域でも，同じ"小さな政府"や"民営化"の論理を用いて，民間企業と緊密な関係を構築しつつ，国家領域と社会領域の区別のあいまい化をもたらしている。"セキュリティ"分野で好業績をあげているアメリカの生体認証技術企業（biometrics firm），エレクトリック・データ・システム社のアメリカ政府担当事業部責任者のロバート・ナボーズはいみじくも，「政府によるこれまでにない民間セクターとの協調と関与」が現在発生していると述べている[23]。

　現在生じている事態は，"団体による統治"の終焉ではなく，"統治"の再定義による国家と民間セクターとの"共同統治"の組み換えなのである。それは中世国家のあり方とどこか似たものであった。国家はその権威を再構築するために，給付国家から規制国家へとシフトして行き，システム制御課題の多くを市場と企業に委ね，他方で，市場と企業はそのシステム権力を維持するために，あるいはそれを拡大するために，システムに対する権威的規制を行なう国家を必要とした。権威と権力の分有である。

　しかし，その国家のパートナーとして重要な位置を占めているのは，もはやそれ以前のように，経済団体や業界団体ではない。グローバル化により統合を弛緩させたそれらの団体に代わって，権威と権力を国家と分有する主体として浮上してきたのは，市場というシステム権力であり，そこで活動する企業，すなわち，同じ"団体"でも個々の法人企業，とりわけ巨大企業であった。

---

(23) 同上，122頁。

V　"民主的統治"実現のための3つの問題領域
　　——むすびにかえて

　われわれの学問分野，法学と政治学の中心的課題が"民主的統治"の実現への貢献であるのだとすれば，今日出現した新しい"共同統治"は，われわれにとって大きな挑戦である。なぜなら，今日の新しい"共同統治"は，現代行政国家におけるそれとは違い，形式的な民主的コントロールからもますます自由になっているからである。重要な決定の多くは，たとえばアメリカの決定，もしくはアメリカが主導権をとる国際的な交渉によって，あるいは企業自身，もしくは企業をプレイヤーとするグローバルあるいは地域的・国内的市場によって行なわれる。また他方で，企業は国家の中核的課題とされる治安・軍事サービスなどの分野で，国民には見えにくいかたちで国家との共棲関係を構築している。

　こうした状況を克服し，市民にとって死活的な意味を持つような決定を"正統性"あるものにするにはどのようにすればよいのだろうか。その問題の検討にあたっては，少なくともさしあたり次の三つの観点が重要になってくると思われる。第一は，今日行なわれている国家統治の再定義の妥当性の問題，第二は，国家を超えた制御問題への対応の問題，そして第三が，社会の再構築の問題である。以下，この三つについて問題の所在を確認し，また，そのそれぞれの領域と関連する"団体"をめぐる論点を指摘することで，本稿の結びに代えたい。

1　国家統治の再定義の妥当性

　70年代に各国を襲った「統治能力の危機」「正統性の危機」に対する処方箋として各国が進めてきた新自由主義的な国家役割の再定義の問題性はすでに論じたとおりである。経済社会の制御問題の第一義的な役割を社会，もっと言えば市場へと移管して，自らの役割を軍事，治安，市場的枠組みの保持といった秩序保証者のそれに限定する方向への動きが先進諸国の大きな流れとなっている。また，こうした再定義は国家の側から国民の福利の向上＝経済活性化のために不可欠であると正当化される。しかし，市場はたしかに"経済システム"というサブ・システムにとっては不可欠であるにしても，資本的合理性は社会的人間的合理性を保障するものではない。むしろ逆に，市場は資本の運動法則を各主体に貫徹させ

る"権力"をもっており，人間の必要の充当の論理を圧伏する。《経済制御問題での"国家の失敗"→そこからの国家の撤退》という論理は飛躍でしかなく，国家の役割放棄でしかない。さらにいえば，国家は役割を放棄すると宣言しながら，さまざまなかたちで民間セクターと協調しつつ，実質的な関与を行なっているのであって，国家役割の新自由主義的再定義は，こうした国家の関与の側面や民間セクターとの"共同統治"の側面を国民の目から隠蔽するはたらきすらする。「正統性」の観点からいっても，市民にとっての「効用」の観点からいっても，統治のそうした再定義の妥当性を常に問い返すことが，まずもって重要なのである。市場ルール，企業のアカウンタビリティの確保の問題が国家統治の再建とのかかわりで重要である。

2　国家を超えた制御問題への対応

　国家統治の再建が必要であるとは言っても，多くの論者が指摘するように，国家の能力はグローバル化に伴い大きく侵食されている。経済的相互依存から孤立して暮らしていけない以上，そこから成長したグローバル市場や「帝国」的権力（ネグリ・ハート）[24]によって，国家はその権威を掣肘されざるをえない。このグローバル権力をいかに民主的コントロールのもとにおくかは，民主主義の「正統性」の空洞化——"効用"を欠く民主政治への転落——を防ぐためにもきわめて重要な問題であるが，言うまでもなく，それはきわめて難しい問題である。

　この問題について近年提出されている議論が，"グローバル・ガヴァナンス"の議論である。これは，世界政府の存在しない状況の下で，地球的規模の問題群の解決のための枠組み構築という視点から提唱されるようになったもので，基本的には，世界政府がない以上，多数の主体——そこには国家だけでなくさまざまな非国家的主体も含まれる——間の調整によって，諸問題の"制御"（ガヴァナンス）を行おうとするものである[25]。

---

(24) *Michael Hardt/ Antonio Negri*, Empire, Harvard University Press, 2000（水嶋一憲他訳『〈帝国〉——グローバル化の世界秩序とマルチチュードの可能性』〔以文社・2003年〕）．

(25) Cf. *James N. Rosenau/Ernst-Otto Czenpiel* (ed.), Governance without Government, Cambridge University Press, 1992; *Oran Young*, International Governance: Protecting Environment in a Stateless Society, Cornell University Press, 1994; 渡辺昭夫・土山實男編『グローバル・ガヴァナンス——政府なき秩序の模索』（東京大学出版会・2001年）．

ここで「グローバル・ガヴァナンス」論の詳細に立ち入った検討をする準備はないが，本稿の観点からして重要だと思われるのは，「グローバル・ガヴァナンス」論が，その問題の立て方の出発点——世界政府の不在——からして，近代国家的な意味での「正統性」をもった「統治」ではなく，あくまでも問題の「調整」あるいは「統御」の確保を第一義的な問題にしてきたという点である。われわれの観点からすれば，いかに制御が可能かという問題とともに，それが民主的な「正統性」を持つといえるためには何が必要かという点も劣らず重要である。

　この問題を考えるうえで，一つの手がかりを提供してくれるのはEUという実験である。近代国家の政治的伝統によれば，政府による統治は，被治者である市民によって選出された議会のコントロールに服することによってはじめて民主的に正統化される。この図式からすると，欧州議会が各国議会のような統治権力を生み出す機関とはなっておらず，政策が"市民の手の届かないところで""ブリュッセル官僚や加盟各国政府による取引によって"決定されるという外観を呈するEUは，「民主主義の赤字」状態にあるものとして厳しく批判されることになる。しかし，EUの政策決定過程を見ると，EU諸機関は，各国の地方政府，高い自律性をもつ欧州中央銀行（ECB），労使の社会パートナー，さまざまな専門家集団やNGOとのあいだに公式・非公式の政策ネットワークを築き，彼らとの協議を経たうえで政策決定を行なっている。そうした多様な社会的主体の参加の側面を積極的に評価する立場からすると，伝統的な代議制的な回路が十分に機能していないということだけを捉えて，EUの"非正統性"を批判するのは建設的ではないということになるし，「民主主義の赤字」批判の延長上にEUを国民国家に倣った議会制民主主義的な政体に近づけようと主張する議論も，ガヴァナンスの観点からは，EUがこれまでの歴史の展開のなかで発展させてきた「可塑的な柔構造」（平島健司）という長所を失わせ，それぞれの歴史伝統をもつ各国の政治社会の自律性を奪うことにもなりかねないとして批判されることになる[26]。

　ここには，国境を越えた制御の民主的正統化を考えるうえでの基本的論点がはっきりと提出されている。制御されるべき問題が国家を超えるものになりつつある以上，国家を超えた何らかの制御の枠組みが必要であり，その意味で言うと，たとえば，EUを「民主主義の赤字」という観点から一方的に批判しても，問題

---

(26)　平島健司『EUは国家を超えられるか』（岩波書店・2004年）参照。

自体の解決に近づくことはない。事実，EU は環境や人権などの分野で国境を越えた"システム制御"に一定の役割を果たしている。問われるべきは，したがって，伝統的な代議制的な尺度を完全に当てはめることが必ずしも適当でないような場合——どういうケースがそれにあたるかという問題も理論的には重要であるが——，あるいはそれが実現できない場合の超国家的枠組みによる政策的アウトプットの"民主的正統性"確保の条件である。

　一般に，ある権力行使が正統であるといえるためには，それが恣意的に行使されたものでないこと，また，それが公共の利益にかなうものとして受け取られることという2点が必要である。代議制とは，国民代表原理を通じて，この2点を同時に確保するための制度にほかならないが，そもそも議会とは，王権による恣意的な権力行使を抑止するためのチェック機関，対抗権力であったということをここで再び想起してみることは重要である。デュードニーは，ヘゲモニーとアナーキーの双方を避け，システム全体の一体性と個々の国家の自律性の双方を維持しうるような国家間システム成立の鍵は，恣意的な権威・権力を否認，制限，抑止するための制度配置であるとし，これを「ネガーキー」(negarchy) と呼んでいるが[27]，代議制モデルに立つ「統治」が現実的でなく，「ガヴァナンス」で満足せざるをえない状況にあっては，初期議会のように，恣意的な権威を抑止する対抗勢力（ネガーキー的パワー）が存在し，それが一定の機能を果たしているかどうかが，正統性確保という観点からして，少なくとも重要になってくるであろう[28]。

　EU は，それ自身，アメリカやグローバル市場との関係で一種の対抗的パワーであるとともに，その内部においても，たしかに代議制的な意味合いでは「民主主義の赤字」が指摘できるものの，政策決定にあたってさまざまな主体がお互いに「猜疑心を持って監視」しつつ，その合意によって決定を下すという相互チェック機能が働いている点で，「ガヴァナンス」の民主的正統性を考えるうえで参考になる[29]。さらに，EU の民主化に関して，機能的代表である利益団体や市民団体の制度的認知やその参加確保の問題が盛んに議論されている点でも，その動向からは目が離せない。

---

(27) *Daniel Deudney*, The Philadelphian System: Sovereignty, Arm Control, and Balance of Power in the American States-Union, circa 1787-1861, in: International Organization, 49 (2), 1995.

(28) ストレンジ・前掲注 (17) 319-320頁参照。

また，対抗勢力の存在という点では，グローバルな市民運動の可能性ももちろん見逃せない[30]。アムネスティやアタック（「市民のために金融投機に課税を求めるアソシエーション」ATTAC; Association for the Taxation of financial Transactions for the Aide of Citizens）といった市民運動系NGOの運動は，世界的な広がりをもってきており，国家-市場統治連合の世界的なフォーラムであるダボス会議と対抗する「世界社会フォーラム」（World Social Forum: WSF）に集い，"もう一つの世界"のメッセージを発信し，サミットやダボス会議での議論にもささやかではあっても一定の影響を与えている。その意味で，"団体政治"は，ガヴァナンスの民主的正統性という観点から，とくに「ネガーキー」的パワーの担い手との関連で，今あらためて重要なテーマとなっているのである。

3　社会の再構築

最後は，「社会」の組みなおしの問題である。国家の一方的な"重荷下し"には問題があるにせよ，国民に「保護と援助」を与える国家の能力に限界があることは，国境を越えた制御問題を別にしても，やはり完全には否定できない。制御的課題が超国家的領域だけにではなく，「社会」へも一定"移管"されていくことは，その意味で不可避であると言える。では，「社会」による制御課題の遂行にあたって何が問題になるであろうか。ここでも「効用」とともに「正統性」について考える必要がある。

一般に，企業を主体とする市場はこの「社会」に含まれると考えられているが，今日の市場は，人々の「生活世界」を圧伏するシステム権力と化している側面がある。"社会の自己制御"を考える場合，市場権力のコントロールがまず必要であり，その点については，国家統治の再定義の妥当性に関わって，国家の果たすべき課題として市場ルールの設定や企業法制改革などがあることはすでに指摘した。そのうえで，「社会」の側の自己制御＝ガヴァナンスという点に関して言う

---

(29) 遠藤乾「ポスト・ナショナリズムにおける正統化の諸問題——ヨーロッパ連合を事例として——」日本政治学会編『三つのデモクラシー』（年報政治学2001，岩波書店・2001年）134-135頁参照。なお，この論文は，ポスト主権国家時代の"正統性"問題の検討の重要性を指摘したマニフェスト的意味合いすらもっている重要な成果である。

(30) Cf. *L'Association ATTAC*, Tout sur ATTAC, Paris, 2001（杉村昌昭訳『反グローバリゼーション民衆運動　アタックの挑戦』〔柘植書房新社・2001年〕）。

と，地方政府の役割は別にすると，ここでも「ネガーキー」的な対抗的パワーの役割が重要になってくるだろう。自由市場経済の貫徹した社会に見えるアメリカでさえ，経済社会としてそれが機能している背景には，公共的機能を果たすNPOの広範囲にわたる活動が存在している。対抗的パワーであると同時にそれ自身半ば公共的なサービス供給者であるような経済主体の活動は，社会における「効用」と「正統性」の双方を支えるうえで鍵を握る要素である。ここでも"団体"の問題が新しい意義を持ってきていることが確認できるであろう。

こうした文脈で，さまざまな市民運動的団体や機能的利益団体の参加によって，「統治」（Government）から「制御」（Governance）へのシフトにまつわる「民主的正統化」の問題を克服しようという考えが大きくなっている。その代表的なものに，P・ハーストの「アソシエーティブ・デモクラシー」論（Associative Democracy）がある[31]。しかし，ハーストに対する批判者が主張するように，市民団体の参加により「民主的正統性」が保障されるかどうかは確かではない。市民団体とはいっても，それがどのような内実を持っているかはわからないし，また，そうした団体の参加が，「社会」の「統合」を自動的にもたらすわけでもない。恣意的な権力行使の抑止はできても，それは「利益集団自由主義」と同様の個別利益の放縦しか招かないかもしれない[32]。

それ自身が一個の権力でもあるガヴァナンスの「民主的正統性」を確保するには，恣意性の排除とともに，そのアウトプットの内容が特殊利益を越えた何らかの「公共的利益」にかなう必要がある。前述のとおり，議会は，王権に対する対抗権力，すなわち前者の要素を満たすものとして登場し，その後，自らを国民代表機関としたうえで，その自由な討議を通じた決定というロジックによって，後者の要素をも満たし，国家的意思決定の正統性問題を解決した。この例に倣って考えれば，「ネガーキー」的パワーの単なる存在・参加を超えた，そうしたパワー内部の，あるいはパワー相互の"討議"の仕掛けが，社会によるガヴァナンスの

---

(31) *Paul Hirst*, From Statism to Pluralism: Democracy, Civil Society and Global Politics, London, 1997; *id*., Associative Democracy: New Forms of Economic and Social Governance, Cambridge, 1994.
(32) 田村哲樹「民主主義の新しい可能性――熟議民主主義の多元的深化に向かって」畑山敏夫・丸山仁編著『現代政治のパースペクティブ――欧州の経験に学ぶ』（法律文化社・2004年）参照。

「民主的正統性」確保にとって重要な課題であるということになる。

この点で注目できるのは、いわゆる「熟議民主主義」(deliberative democracy) に関する議論である[33]。これは、民主主義のいわば原点である「討議」を重視した民主主義論である。「討議」を重視する理由は、それが公共的利益の発見につながるからである。なぜなら、討議への参加者は、自己の選好をそれが自身の私的なものではなく、討議の相手が納得できるようなかたちで、すなわち何らかの普遍的な妥当性を主張できるかたちで提示せねばならないからである。私的選好の生の表出と多数決によるその"集計"結果をそのまま承認するのではなく、いかに公共的意思形成のために意が払われたか、討議が開かれたかたちで行なわれたかというプロセスに、民主主義の実質を担保する条件を見ようというのが、この議論である。先ほどの議論に戻れば、たとえば、田村哲樹は、前述の「アソシエーティブ・デモクラシー」を「熟議民主主義」と接合することを提起している[34]。各団体内で"熟議"が行なわれているかどうか、その団体が他者＝外部に対する熟議の用意があるかどうか、この２点に留意することで、「アソシエーティブ・デモクラシー」論の難点を克服しようというのである。

このアソシエーティブ・デモクラシーと接合された熟議民主主義は、ガヴァナンスの民主的正統性の問題だけではなく、社会によるガヴァナンスのそもそもの前提を考えるうえでもひじょうに重要である[35]。なぜなら、信頼関係や互酬性の規範といった「社会関係資本」(social capital) に関する議論[36]や「市民社会論」の再生[37]が注目を集めていることとは裏腹に、国家から制御課題の移管が進め

---

(33) 同上、および篠原一『市民の政治学』（岩波新書・2004年）; *John Dryzek*, Deliberative Democracy and Beyond: Liberals, Critics, Contestations, Oxford University Press, 2000; *Iris M. Young*, Inclusion and Democracy, Oxford University Press, 2000; *Jürgen Habermas*, Faktzität und Geltung: Beiträge zur Diskurstheorie des Rechts und des demokratischen Rechtsstaats, Frankfurt a.M. 1992（河上倫逸・耳野健二訳『事実性と妥当性——法と民主的法治国家の討議理論にかんする研究（上・下）』（未来社・2002-03年）参照。

(34) 田村・前掲注（32）151頁。

(35) 篠原・前掲注（33）参照。

(36) *Robert Putnam*, Making Democracy Work: Civic Traditions in Modern Italy, Princeton University Press, 1993（河田潤一訳『哲学する民主主義：伝統と改革の市民的構造』〔NTT出版・2001年〕）。

(37) 山口定『市民社会論　遺産と新展開』（有斐閣・2004年）参照。

られているまさにその社会において，受け皿となる社会関係自体が"融解"の危機にあるという状況が存在しているからである。社会関係が崩壊しているところで，社会によるガヴァナンスが行なわれるというのは，ブラック・ユーモア以外の何物でもない。その意味で，市民運動や住民運動，福祉・介護・まちづくりなどの分野で積極的な活動を展開するNPOなどの自由な結社は，社会によるガヴァナンスの大前提である社会関係，市民社会の強化につながるし，これを熟議民主主義的な工夫も凝らしつつ地域の政治と連結する仕組みをつくることによって，代議制民主主義のもとで空洞化の危機にある民主主義を活性化することもまた可能だと思われる。"団体"の問題は「市民社会」の再構築という重要な今日的課題においても中心的な位置を占めているのである。

INHALTSVERZEICHNIS

Vorwort
Öffnungsvorträge

Thomas Würtenberger
Dr. jur., Professor an der Universität Freiburg
　　Theorie und Praxis des pluralistischen Staates ·······································3

Rolf Stürner
Dr. jur., Professor an der Universität Freiburg
　　Class action und Menschenrechte ··27

Kenichi Moriya
Dr. jur., Associate Professor an der Städtischen Universität Osaka
　　Historische Bemerkungen zu Gierkes Laband–Kritik (1883) ················41

I. Handels- und Wirtschaftsrecht

Uwe Blaurock
Dr. jur., Professor an der Universität Freiburg
　　Wirtschaftliche Einheit bei rechtlicher Vielheit – Zur Stellung
　　deutscher Konzerne im Recht der Wirtschaftsaufsicht ·······················63

Eiji Takahashi
Dr. jur., Associate Professor an der Städtischen Universität Osaka
　　Corporate Governance in Japan: Vorgriff auf künftige Reformen in
　　Deutschland? ··83

Hanno Merkt
Dr. jur., Professor an der Universität Freiburg
　　Aktuelle Entwicklungen in der Typologie der Gesellschaftsformen ········105

II. Zivilprozessrecht

Dieter Leipold

Dr. jur. Dr. h.c., Professor an der Universität Freiburg

Kollektivierung des Zivilprozesses – Zur neueren Entwicklung der Verbandsklage nachdeutschem und europäischem Recht ················133

Masahiro Takada

LL.M., Professor an der Städtischen Universität Osaka

Zur Einführung der Verbandsklage im japanischen Recht ···················153

III. Sozialrecht

Ursula Köbl

Dr. jur., Professorin an der Universität Freiburg

Die Funktion der Verbände in der deutschen Arbeits – und Sozialordnung
···185

Hideo Kinoshita

LL.M., Professor an der Städtischen Universität Osaka

Zum Stellenwert der Verbände im Sozialversicherungssystem ···············241

IV. Strafrecht

Walter Perron

Dr. jur., Professor an der Universität Freiburg

Individuelle oder kollektive Verantwortung von Straftaten aus Wirtschaftsunternehmen? ···261

Kazushige Asada

Dr. jur., Professor an der Städtischen Universität Osaka

Zur strafrechtlichen Verantwortlichkeit der juristischen Person in Japan···279

V. Öffentliches Recht und Politikwissenschaft

Friedrich Schoch

Dr. jur., Professor an der Universität Freiburg
Gesellschaftliche Selbstregulierung innerhalb des staatlichen
Ordnungsrahmen ···293

Shigeki Nakahara
LL.M., Associate Professor an der Städtischen Universität Osaka
Erfüllung der Verwaltungsaufgaben durch ausserstaatliche oder
private Organisationen ···313

Masatoshi Sasaki
Dr. jur., Professor an der Städtischen Universität Osaka
Reassessment of the Relation between Individuals and Groups under
the Constitution of Japan ···321

Rainer Wahl
Dr. jur., Professor an der Universität Freiburg
Die Rolle von Verbänden auf der internationalen Ebene ······················345

Shogo Noda
Dr. jur., Associate Professor an der Städtischen Universität Osaka
Verbände, Regierung, Legitimität – Die herkömmlichen politischen
Funktionen der Verbände und ihre Veränderungen. ·····················365

Verbände, Organisationen und Recht

Japanisch-deutsches Symposion

Osaka 2005

〈編者紹介〉

松本博之（まつもと・ひろゆき）
　大阪市立大学大学院法学研究科教授，法学博士，フライブルグ大学名誉博士

西谷　敏（にしたに・さとし）
　大阪市立大学大学院法学研究科教授，法学博士，フライブルグ大学名誉博士

守矢健一（もりや・けんいち）
　大阪市立大学大学院法学研究科助教授，法学博士

団体・組織と法
――日独シンポジウム――

2006年（平成18年）9月25日　初版第1刷発行

編者	松本博之	
	西谷　敏	
	守矢健一	
発行者	今井　貴	
	渡辺左近	

発行所　信山社出版株式会社
〒113-0033　東京都文京区本郷6-2-9-102
　　　電話　03（3818）1019
　　　FAX　03（3818）0344

Printed in Japan　　印刷・製本／亜細亜印刷・大三製本

©松本博之・西谷　敏・守矢健一，2006.

ISBN 4-7972-2471-1　C3332

――大阪市立大学法学部とフライブルグ大学法学部による共同シンポの記録――

石部雅亮・松本博之 編
法の実現と手続 　　　　　　　　　　　　　　　　　14,563円

石部雅亮・松本博之・児玉　寛 編
法の国際化への道 　　　　　　　　　　　　　　　　17,476円

松本博之・西谷　敏 編
現代社会と自己決定権 　　　　　　　　　　　　　　13,000円

松本博之・西谷　敏・佐藤岩夫 編
環境保護と法 　　　　　　　　　　　　　　　　　　17,000円

松本博之・西谷　敏・守矢健一 編
インターネット・情報社会と法 　　　　　　　　　　15,000円

（消費税別）

――――――信 山 社――――――